Das Buch

Karl von Frischs Standardwerk gilt allgemein als die beste unter den für jedermann verständlichen Einführungen in die Biologie, es gibt Antwort auf die Frage: Was ist Leben? Von Frisch eröffnet uns eine Gesamtschau der Einzigartigkeit lebender Systeme, souverän dargestellt in klarer und mitreißender Sprache. Berichtet wird vom Leben und Sterben, von allem, was den Menschen und das Leben betrifft. Der Autor erzählt von den großartigen Leistungen der menschlichen Organe, gibt Einblicke in die Wanderung der Tiere, wie die der Aale, die während ihres Lebens zweimal ein Drittel des Erdumfangs durchschwimmen, plaudert von den Rätseln der Vogelzüge. Die bedeutsamen Probleme der Fortpflanzung, Vererbung und Evolution werden genauso angesprochen wie die Versuche, die »Sprache der Bienen« zu erforschen, oder die Tatsache, daß die sprichwörtlich stummen Fische sich miteinander verständigen. Aufgeblättert wird die wunderbare Ordnung und der unermeßliche Reichtum der Natur, dabei verschweigt von Frisch auch die Sorgen um die Zukunft des Lebens nicht: Umweltgefahren, Strahlenschäden, Störung des biologischen Gleichgewichts; eindringlich beschwört von Frisch die katastrophalen Auswirkungen der Überbevölkerung. ›Du und das Leben‹ erschien erstmals 1949 und hat seit dieser Zeit nichts von seiner Popularität und seinem Erfolg eingebüßt. Natürlich kann auch die einmalige Verbindung von sachkundigem Überblick, verständlicher Darstellung und liebenswürdigem Stil ein Biologiebuch nicht zeitlos machen; so wurde das Werk wiederholt aktualisiert. Die vorliegende Fassung hat der Würzburger Zoologe Martin Lindauer, Schüler und langjähriger Mitarbeiter Karl von Frischs, gründlich überarbeitet, erweitert und auf den neuesten Stand gebracht.

Die Autoren

Karl von Frisch, geboren am 20. November 1886 in Wien, gilt als »Vater der Bienenforschung«. Er war lange Jahre Leiter des Zoologischen Instituts der Universität München. Von Frisch erhielt zahlreiche Auszeichnungen, darunter 1973 den Nobelpreis für Medizin und Physiologie. Veröffentlichungen: ›Aus dem Leben der Bienen‹, ›Biologie‹, ›Sprechende Tänze im Bienenvolk‹, ›Über Zeichnungsmuster auf Schmetterlingsflügeln‹, ›12 kleine Hausgenossen‹ und viele weitere mehr. Karl von Frisch starb am 12. Juni 1982 in München.
Martin Lindauer, geboren am 19. Dezember 1918 in Wäldle bei Garmisch, studierte Biologie. 1947 Promotion bei Karl von Frisch mit einer Arbeit über Bienentänze; seit 1955 verschiedene Professuren, zuletzt in Würzburg. Lindauer ist Mitglied zahlreicher wissenschaftlicher Gesellschaften und Autor erfolgreicher Biologie-Sachbücher.

Karl von Frisch:
Du und das Leben
Einführung in die moderne Biologie

Neu bearbeitet von Martin Lindauer
Mit 16 Farbtafeln und 98 Abbildungen

Deutscher
Taschenbuch
Verlag

Veränderte Ausgabe
August 1991
Deutscher Taschenbuch Verlag GmbH & Co. KG, München
© 1988 Verlag Ullstein GmbH, Berlin, Frankfurt/M, Wien
ISBN 3-550-06400-4
Umschlaggestaltung: Celestino Piatti
Umschlagabbildung: Reinhild Hofmann, München
Gesamtherstellung: C. H. Beck'sche Buchdruckerei, Nördlingen
Printed in Germany · ISBN 3-423-11401-0

Inhaltsverzeichnis

Vorwort 11

1. Leben, Sterben, Unsterblichkeit 13

1.1. Von den Kennzeichen des Lebens und der Lebensdauer 13
Wie lange währt das Leben? 13 – Von der Kunst des Lebens sich anzupassen 14 – Das »Ich« kann uns niemand streitig machen 15

1.2. Das Baumaterial des Pflanzen- und Tierkörpers 16
Wasser 17 – Kohlendioxid (CO_2) 17 – Sauerstoff (O_2) 18 – Kohlenhydrate 18 – Fette 19 – Eiweiß (Proteine) 19 – Enzyme 19

1.3. Die Zelle als elementarer Baustein der Lebewesen 20
Es offenbart sich eine neue Welt 21

1.4. Chemische Werkstätten in der Zelle 23
Die Biomembran – nicht nur Trennwand, sondern auch Brücke zu wichtigen Aufgaben 25 – Ein Labyrinth als Transportnetz: das Endoplasmatische Reticulum 28 – Der Golgi-Apparat – eine Werkstatt für Zucker, Fette, Hormone, Enzyme 29 – Mitochondrien als Kraftwerke in der Zelle 29 Auch für die Abfallbeseitigung ist gesorgt 30

1.5. Vielgestaltigkeit im Kleinen 31
Mannigfaltigkeit der inneren Einrichtung und der äußeren Gestalt bei einzelligen Wesen 34

1.6. Wege der Ausgestaltung und Arbeitsteilung 36
Wie man feinsten Aufschnitt für die Wissenschaft herstellt 36 – Haut und Drüsen 37 – Besuch in der Küche 38 – Die Aristokraten unter den Zellen 40

1.7. Von Körper- und Keimzellen – An der Wurzel des natürlichen Todes 41
Die Scheidung in Körper- und Keimzellen 42

2. Die Organe des Körpers und ihre Leistungen 44

2.1. Vom Gerippe unseres Körpers und von anderen Skeletten .. 44
Knochenbau und Technik 46 – Eine Zwischenfrage 47 – Gepanzerte Ritter 49 – Viele kleine Lebewesen bauen ein Gebirge 50

2.2. Bewegungsorgane 51
Bewegungserscheinungen bei Tieren und Pflanzen 52

2.3. Die Energiefrage – ein Kernproblem des Lebens 54
Sonnenlicht und Pflanzengrün als Urquellen unserer Nahrung 56 – Warum man ein Kulturland düngen muß 57

2.4. Wie der Muskel arbeitet und woher er seine Kraft nimmt ... 59

2.5. Die verschlungenen Wege unserer Nahrung 62
Was heißt »verdauen«? 63 – Lob der Kochkunst 65 – Die andere Seite 66
Der Blinddarm als Plagegeist und Helfer 67 – Die verschwundenen Glasperlen und andere eigenartige Verdauungsgeschichten 69

2.6. Vitamine – unentbehrliche Heinzelmännchen 71

2.7. Die Körpersäfte 73
Herz und Adern 73 – Warum wir an einem Nadelstich nicht verbluten 74
Ein Tröpfchen Blut unter dem Mikroskop 75 – Das kreisende Blut und seine Aufgaben 76 – Osmoregulation: Warum der Mensch in Seenot mitten im Meer verdurstet 77 – Schutzpolizei des Körpers 80 – Immunität und Impfung 81 – Herzlose Tiere und solche, die für jedes Bein ein eigenes Herz haben 84

2.8. Atmung: Gespeicherte Energie wird in den Körperzellen freigesetzt 85
Atmungsorgane 86 – Die Lungen und ihre Lüftung 86 – Warum der Mensch unter Wasser nicht atmen kann und der Fisch nicht an der Luft 88
Außenseiter in puncto Atmung 90 – Die Atmung der Pflanzen und wo sie ihre »Nasenlöcher« haben 91 – Leben ohne Sauerstoff 91

2.9. Körperwärme 92
Warum wir einen Wintermantel brauchen, die Spatzen und Eidechsen aber nicht 93 – Die Regelung der Körperwärme 94

2.10. Die Sinnesorgane als Brücke zwischen der Umwelt und dem inneren Erleben 96
Wie das Gehirn »Geschwätz« und »Weißen Lärm« wegfiltert 100 – Eine Entdeckungsreise am eigenen Leib 101

2.11. Riechen und Schmecken 103
Meister des Schnüffelns 105 – Vom Geruchssinn der Insekten; eine merkwürdige Liebesgeschichte 107 – Fußspitzengeschmack 109

2.12. Fühlen und Hören 110
Gleichgewichtsorgane 111 – Vibrationssinn 112 – Frau Grille wird ans Telefon gerufen 114 – Wir wagen uns in ein Labyrinth 115 – Können die Fische hören? 119 – Jagd mit Ultraschall 121 – Elektrische Organe, die zum Beutefang und zur Orientierung dienen 124

2.13. Das Auge 125
Vom Augenfleck zum Linsenauge 126 – Verkehrte Welt – das Loch im Sehfeld 129 – Akkommodation, Weit- und Kurzsichtigkeit 131 – Das Reich der Farben 133 – Der Farbensinn der Bienen und die Blumenfarben 133 – Die Wahrnehmung polarisierten Lichtes und der Himmelskompaß 136

2.14. Nerven und Botenstoffe als Regler der körperlichen Leistungen 137
Vorstoß in die Geheimkammern des Nervensystems 138 – Eine Kriminalgeschichte der Nervengifte und Psychopharmaka 143 – »Wo die erste Regelung, da war das erste Leben« 144

2.15. Die biologische Uhr – Ordnungswächter in der Natur 146

2.16. Vom Verhalten – dem Endziel aller Lebensprozesse 150
Intelligenzprüfung nicht bestanden 152 – Der Stichling als Hoch-

zeiter 153 – Handlungsbereitschaft durch Motivation 154 – Von der Nervenzelle zum Verhalten 155 – Bedingte Reflexe 156 – An der Wurzel von Verstand und Einsicht 157 – Gedächtnis – die Tür in diese intimen Gemächer öffnet sich 159

2.17. Hormone als Botenstoffe 161
Das harmonische Zusammenspiel der Hormone – eine Überlebensfrage 164 – Hormone im Pflanzenreich 165

3. Beziehungen zur Umwelt 167

3.1. Die Anpassung an den Lebensraum 167
Daidalos und Ikaros 167 – Schutzfärbung bei Fischen 169 – Farbenspiel aus Ärger und Liebe 171 – Allerhand Methoden, sich unsichtbar zu machen 172 – Warnfarben 176 – Mimikry – Spionage als Lebensretter 177 – Einbruch in das Geheimnis der Tiefsee 177

3.2. Tierwanderungen 180
Das Rätsel des Vogelzuges 180 – Die heimattreuen Lachse 184 – Die Wanderung der Aale 186

3.3. Es ist nicht gut, allein zu sein – vom Gemeinschaftsleben der Tiere 187
Artfremde Genossen finden sich in einer Lebensgemeinschaft: Symbionten, Parasiten, Gäste – Der Einsiedlerkrebs und die Seerose 190 – Ameisen und Blattläuse 192 – Tiere und Pflanzen als Lebenskameraden 193 – Vertiefte Innigkeit 194 – Nutzen und Ausnutzen 197 – Schmarotzer 199

3.4. Staatenbildung 203
Der Bienenstaat 203 – Wie Bienen miteinander reden 205 – Der Ameisenhaufen 209 – Weber, Gärtner und Tyrannen unter den Ameisen 210

3.5. Übervölkerung – wie im Tierreich diese Katastrophe abgewendet wird 212

3.6. Biologische Schädlingsbekämpfung 213
Die Lebensgemeinschaft des Waldes 216 – Naturschutz 218

4. Fortpflanzung 222

4.1. Ungeschlechtliche Fortpflanzung 222
Kern- und Zellteilung 223 – Regeneration 225 – Vermehrung durch Teilung und Knospung 225

4.2. Geschlechtliche Fortpflanzung 226
Ei- und Samenzellen 226 – Die Befruchtung des Seeigeleies 227 – Äußere und innere Befruchtung 229

4.3. Von Jungfernzeugung und Zwittertum, von der Verbreitung der zweigeschlechtlichen Fortpflanzung und ihrem tieferen Sinn 231
Jungfern unter sich – sind die Männer entbehrlich? 231 – Zwittertum und Kreuzbefruchtung 232 – Verbreitung und Sinn der Befruchtung 233

4.4. Werbung, Verlobung und Ehe im Tierreich 236
Liebeswerben 236 – Dauerehen 240

5.	**Entwicklung**	242
5.1.	Wie aus dem Ei ein Hühnchen wird	242
	Ein einfaches Beispiel tierischer Entwicklung 243 – Der Dotter stört das Verständnis 245 – Zeugnisse der Vergangenheit 247	
5.2.	Die gestaltenden Kräfte bei der Entwicklung	248
	Entfaltung oder Gestaltung 248 – Künstliche Zwillinge 249 – Operationen unter dem Mikroskop 251 – Der »Organisator« 252	
5.3.	Verwandlungskünstler	255
	Vom Sinn des Larvenlebens 255 – Der spitzfindige Maiwurm 259	
5.4.	Brutpflege	260
	Mütterliche Vorsorge 260 – Fürsorgliche Eltern und sorgloser Kindersegen 261 – Die Brutpflege der Säugetiere 263	
6.	**Vererbung**	267
6.1.	Eine »selbstverständliche« Sache, die einer nachdenklichen Betrachtung wert ist	267
	Das Storchenei 267 – Der Anteil von Vater und Mutter 268	
6.2.	Der Klostergarten von Brünn, und warum der Name Mendel in aller Leute Mund kam	269
	Der Vorzug von Pflanzen- und Tierversuchen 269 – Eine unverstandene Abhandlung 270 – Dieselben Gesetzmäßigkeiten bei Wunderblumen und Meerschweinchen 271 – Mendels Erbsenversuch 273	
6.3.	Zwei Forschungsrichtungen finden sich	275
	Die Chromosomen als Persönlichkeiten 275 – Die Reifeteilung der Keimzellen 277 – Erklärung der Kreuzungsergebnisse aus dem Verhalten der Chromosomen 278 – Die Vielheit der Erbanlagen und ihre Ordnung 280 Kurzer Besuch im Operationssaal und bei Gericht 282	
6.4.	Die Angelegenheit wird verwickelt	283
	Ein schwieriger Kreuzungsversuch 284 – Warum wir den Versuch besprochen haben 287 – Der Geltungsbereich der Vererbungsgesetze 289	
6.5.	Was man von Zwillingen lernen kann	291
	Eineiige und zweieiige Zwillinge 291 – Der Einfluß der Umwelt 293	
6.6.	Bub oder Mädel?	294
	Ein Würmchen als Kronzeuge für einen fundamentalen Vorgang 294 X und Y 296 – Ein Weibchen macht Männchen 297 – Die sekundären Geschlechtsmerkmale 298	
6.7.	Vom Wesen der Erbanlagen	299
	Der Erbcode 300 – DNS 301 – Die Verdoppelung der Chromosomen 303 Die Wirkungsweise der Erbanlagen 303 – Der Schritt vom Gen zur Gestaltung 305 – Es liegt noch vieles im Verborgenen 307 – Die Genwirkung unter strenger Kontrolle 308 – Gentechnologie – Chance oder Risiko? 309	

7. Die Entwicklung der Arten im Laufe der Erdgeschichte — 312

7.1. Vom Wandel der Arten und vom Ursprung des Lebens — 312
Wie Versteinerungen entstehen 313 – Die Abstammungslehre 314 – Urzeugung 317 – Geborgtes Leben 318

7.2. Darwins Gedanken von der natürlichen Auslese — 323
Künstliche Zuchtwahl 324 – Natürliche Zuchtwahl 325 – Die Natur hat Zeit 327

7.3. Was die Vererbungslehre von heute zu Darwins alter Lehre sagt — 328
Die Veränderlichkeit eines Merkmals, genauer betrachtet 329 – Künstliche Zuchtwahl ohne Erfolg 330 – Mutationen und ihre Bedeutung 331

7.4. Gibt es eine Vererbung erworbener Eigenschaften? — 335
Die Wirkung von Gebrauch und Nichtgebrauch 335

7.5. Erfolge bewußter Rassenzüchtung — 337
Die Eigenheiten der Kulturformen 337 – Wissenschaft als Förderin der Landwirtschaft 339

7.6. Des Menschen Vergangenheit und Zukunft — 340
Im Münchner Tierpark 340 – Eine Probe auf Blutsverwandtschaft 341 Die Herkunft des Menschen 342 – Strahlenwirkungen 345 – Die Übervölkerung der Erde 346

Anhang
Bildnachweis — 351
Register — 352

Schau mit offnen Augen nur
In die lebende Natur!
Findest Stoff für alle Zeit,
Und du lernst: Bescheidenheit!

Vorwort

Als man – auf Empfehlung von Otto von Frisch – an mich mit der Bitte um Neubearbeitung von ›Du und das Leben‹ herantrat, war meine erste Reaktion »Nein; das kannst du nicht!« Wer darf sich heute noch zutrauen, bei dem rasanten Aufschwung der biologischen Wissenschaften in den letzten 50 Jahren das gesamte Gebiet der Biologie zu überschauen, zu verstehen, für jedermann verständlich darzustellen? Wir sind ja alle zu Spezialisten geworden und wagen es kaum noch, einen Blick über unseren Zaun in den Nachbargarten einer anderen Disziplin zu werfen. Ich nahm mir die letzte Auflage noch einmal vor. Beim gründlichen Lesen kam ich mehr und mehr zur Überzeugung: Diese Schatztruhe darf nicht für immer vergraben werden. Da wird nicht nur eine souveräne Gesamtschau über die Biologie gegeben, in einer ungewöhnlich ansprechenden Darstellung wird der Leser von den Wundern und von den intimsten Geheimnissen des Lebens eingefangen, wie das bisher nur Fabre oder Lorenz in ähnlicher Weise gelungen ist.

Als Schüler von Karl von Frisch, als sein langjähriger Mitarbeiter, der in den letzten Jahren auch freundschaftlich mit ihm verbunden war, der bei ihm bis in die letzten Lebenstage hinein für seine Forschungsarbeit immer neue Anregungen gefunden hatte, sehe ich eine Verpflichtung, das kostbare Erbe, das uns mit ›Du und das Leben‹ durch den Ullstein-Verlag übermittelt wurde, zu retten und der neuesten Entwicklung in der Biologie anzupassen. Dem Deutschen Taschenbuch Verlag gebührt Dank, daß er in neuer Auflage dieses Buch einem breiteren Leserkreis anbietet. Um beiden Forderungen – das Alte zu bewahren und Neues einzuarbeiten – gerecht zu werden, rang ich mich zu folgender Lösung durch: Der wesentliche, noch nicht veraltete Inhalt des Buches mit seinem einzigartigen Stil soll so stehen bleiben, wie ihn Karl von Frisch geschrieben hat. Da und dort, wo es mir aufgrund der aktuellen neuen Erkenntnisse notwendig erschien, wurden ergänzende Kapitel eingefügt.

Ich bin mir bewußt, daß dieser Versuch nur teilweise geglückt ist und Kritik auslösen wird – Kritik vom Fachmann, der sein« Gebiet nur stiefmütterlich behandelt sieht, etwa die Genetik oder die Biotechnologie. Kritik wird auch vom Laien kommen, der über den neuen Stil stolpert und vielleicht Anstoß nimmt, daß ich da und dort einige Grundkenntnisse in Chemie und Physik voraussetze; aber Biologie baut heute mehr und mehr auf chemisch-physikalischen Gesetzmäßigkeiten auf.

Wenn es mir trotzdem gelungen ist, mit dieser neuen Auflage das Staunen über das Leben zu mehren und ein Pflichtbewußtsein im Leser zu wecken, alles zu tun, um unseren Lebensraum Erde zu retten und zu erhalten, dann ist alle Mühe reichlich belohnt.

Martin Lindauer

1. Leben, Sterben, Unsterblichkeit

1.1. Von den Kennzeichen des Lebens und der Lebensdauer

Der Ausdruck »Biologie« ist der griechischen Sprache entlehnt und bedeutet die »Lehre vom Leben«. Da sollten wir wohl zunächst sagen, was das Leben ist. Aber das ist leichter gefragt als gesagt.

Wenn der Kanarienvogel, der erklärte Liebling der Familie, eines Morgens tot in seinem Käfig liegt, dann scheinen die Kennzeichen seines verflossenen Lebens offensichtlich zu sein – wie uns alles, was wir besitzen, am deutlichsten dann bewußt wird, wenn wir es verlieren. Gestern noch ist der Vogel munter gesprungen, hatte gefressen und gesungen, und wenn er zutraulich auf unserer Hand saß, konnten wir seine Lebenswärme fühlen. Nun ist er reglos und kalt. Aber liegt in diesem Gegensatz das Wesen von allem Leben und Tod? Der Apfelbaum im Garten singt nicht und springt nicht! Wir sehen ihn nicht fressen und können uns nicht an ihm wärmen, und doch lebt er.

»Ja, das ist eine Pflanze«, wird man sagen. Aber daran allein liegt es nicht. Der Badeschwamm, den man zum Waschen verwendet, ist das tote Gerippe eines Tieres, das am Meeresboden sein Dasein fristet und durch die Schwammfischer heraufgebracht wird. Der frische Schwamm unterscheidet sich von dem toten Gerippe, das wir als Handelsware kennen, durch einen schleimigen Überzug, in dem sein Leben steckt. Doch unterhaltsamer als der Schwamm in unserem Badezimmer ist er auch im Leben nicht. Wir sehen ihn nicht fressen; er bewegt sich nicht von der Stelle. Er zuckt nicht einmal, wenn wir ihn zerstückeln, und doch ist er ein lebendes Tier. Unsere Frage nach den allgemeinen Kennzeichen des Lebens ist nicht so einfach zu beantworten. Wir wollen sie ein wenig zurückstellen und uns zunächst dem unerbittlichen Ereignis, dem Tod zuwenden.

Wie lange währt das Leben?

Wir können ein dickes Buch zu Rate ziehen, in dem sorgsam alles zusammengetragen ist, was wir von der Lebensdauer wissen. Da finden wir, daß das Sterben freilich eine weitverbreitete Angelegenheit ist, bei Tieren wie bei Pflanzen.

Es ist klar, daß kein Altersstadium davor sicher ist. Schon ein keimender Halm kann zertreten werden; ein nestjunger Vogel kann der Katze zum Opfer fallen. Von solchem gewaltsamen Tod soll hier nicht die Rede sein.

Aber auch beschützt vor jeder Gefahr, unter günstigsten Bedingungen, kommt für Mensch, Tier und Pflanze eine Zeit, wo sie altersschwach werden und schließlich eines »natürlichen Todes« sterben – beim Menschen nach etwa achtzig bis neunzig Jahren, bei manchen Tieren sehr viel früher. Aber durch die Eintagsfliegen dürfen wir uns nicht täuschen lassen. Wenn diese als geflügelte Insekten oft schon nach wenigen Stunden sterben, so haben sie doch vorher als Larven im Wasser eine Jugendzeit von vielen Monaten, ja auch von mehreren Jahren verbracht. Doch manche Würmer sterben wirklich einige Tage, nachdem sie aus dem Ei gekrochen sind, an Altersschwäche, manche Fliegen nach wenigen Wochen, die meisten Käfer nach einigen Monaten. Andere Insekten werden einige Jahre alt, die Königinnen mancher Ameisenarten zwanzig bis dreißig Jahre, die Weinbergschnecke sechs bis sieben Jahre. Hunde zehn bis fünfzehn, Hühner fünfzehn bis zwanzig, Tauben vierzig bis fünfzig, Papageien und Elefanten über fünfundsiebzig Jahre, und so hat jede Art ihr natürliches Alter innerhalb gewisser Grenzen. Der Mensch darf sich nicht einbilden, daß er es darin am weitesten gebracht hat. Die Riesenschildkröten können mehr als zweihundert Jahre alt werden. Noch größere Verschiedenheiten berichten uns die Botaniker aus ihrem Reich, wo manche Bäume ein Alter von mehreren tausend Jahren erlangen, wie bei uns die Eiben, wie die Zedern des Libanon oder gar die berühmten Mammutbäume Kaliforniens. Nicht menschliche Generationen, sondern menschliche Kulturperioden sind gekommen und vergangen in der Lebenszeit eines solchen Baumriesen; doch endlich altert auch er.

Von der Kunst des Lebens sich anzupassen

Nach dieser kurzen Abschweifung über Lebensdauer und Tod stellen wir noch einmal die Frage, was denn Leben von der leblosen Welt unterscheidet. Die wichtigsten Kennzeichen des Lebens seien hier lediglich stichwortartig genannt; spätere Kapitel werden dazu noch ausführlich berichten. *Wachstum und Entwicklung* wären da zu nennen, wenn sich also aus einem befruchteten Keim nach einem festgelegten Programm das geschlechtsreife Individuum entwickelt. *Stoffwechsel* ist eine andere Sonderleistung der Lebewesen; darunter versteht man die Fähigkeit, Stoffe aus der Umwelt aufzunehmen und zu körpereigenem Material umzubauen und dabei Energie für alle Lebensprozesse zu gewinnen. *Fortpflanzung* wäre ein weiteres Kennzeichen des Lebens, eng verknüpft mit strengen Gesetzen der Vererbung. Schließlich wäre als Privileg der Lebewesen die *Erregbarkeit* zu nennen, d. h. bestimmte Reize der Umwelt durch Sinnesorgane in ein Signal zu übersetzen, das dann den höheren Zentren zur weiteren Verarbeitung zugeleitet wird.

An dieser Stelle sei in aller Kürze auf zwei weitere Kennzeichen des Lebens hingewiesen, die man gern übersieht und als nicht so wichtig betrachtet: »Adaptabilität«, d. h. Anpassung und »Individualität«.

Bewegung, Wachstum, Stoffwechsel, Vermehrung werden letztlich in den Dienst einer Fähigkeit der Lebewesen gestellt, die eine großartige Leistung des Lebens insgesamt darstellt und ihm seine Existenz seit dreieinhalb Milliarden Jahren auf diesem Erdball sichert: die Kunst, sich an die wechselnden Umweltbedingungen anzupassen. Ob warm oder kalt, ob Regen oder Sonnenschein, das Leben geht weiter. Wir haben im Winter und Sommer eine konstante Bluttemperatur, ob wir einen Berg besteigen, Holz sägen oder faul in der Wiese liegen; auch Blutzucker, Sauerstoffgehalt des Blutes, Blutdruck passen sich solchen Extremen an. Es gibt Lebewesen im ewigen Eis und im mageren heißen Sand der Sahara. Der Lachs wandert von den Süßwasserflüssen ins Meer hinaus und kommt nach Jahren wieder in seine Heimatgewässer zurück; dies erfordert eine Umstellung des gesamten Salzhaushaltes, eine Osmoregulation, die dem Biochemiker ein Staunen abzwingt.

Der Fachmann spricht von einem *Fließgleichgewicht,* das heißt, daß lebenswichtige Prozesse auch unter wechselnden Außenbedingungen, also wechselnder Temperatur und Feuchtigkeit, in einem Gleichgewicht gehalten werden.

Dieses Fließgleichgewicht finden wir nicht nur in der einzelnen Zelle, in jedem Organ und in jedem Lebewesen, sondern auch in der gegenseitigen Auseinandersetzung einer Population in ihrem Lebensraum. Ein eigenes Gebiet der Biologie, die Ökologie, befaßt sich mit diesem Gleichgewicht, wo Nahrung und Nistmöglichkeit aufzutreiben sind, wo Räuber und Beute sich die Waage halten, wo Regulationsmechanismen dafür garantieren, daß eine Überbevölkerung frühzeitig abgewendet wird.

Das »Ich« kann uns niemand streitig machen

Wieviel Mißverständnis, wieviel Leid und Ärger ließen sich aus der Welt schaffen, würden wir ein weiteres wesentliches Kennzeichen des Lebens nicht nur von der negativen, sondern mehr von der positiven Seite sehen: die *Individualität* aller Lebewesen. Die Einmaligkeit jeder Persönlichkeit, des »Ich«, ist keine Banalität. Daß kein Lebewesen, ob Tier oder Pflanze, mit dem anderen identisch ist, sollte uns nachdenken lassen, welcher biologische Sinn, welche Idee der Evolution dahintersteckt.

Man betrachte die einförmigen Produkte unserer Industrie: Da wird mit Stolz eine neue Baumsäge, ein Fahrrad, ein Mähdrescher konstruiert – beachtenswerte Produkte des menschlichen Geistes; aber ist es nicht im gewissen Sinne ein Armutszeugnis, daß alle die nachfolgenden Erzeugnisse eintönig einem Modell nachgebaut werden? Wenn aus einem Ei ein Hühnchen schlüpft, ist dies ein einmaliges Geschöpf. Diese Individualität beruht auf zwei Grundgesetzen des Lebens, die sich die Evolution seit Anbeginn angeeignet hat:

1. Bei der Vereinigung von weiblichen und männlichen Keimzellen ergibt sich eine geradezu unbegrenzte Kombinationsmöglichkeit der Erbanlagen. Nehmen wir den Menschen als Beispiel: In seinen 46 Chromosomen hat er viele Tausend Gene gespeichert, deren Herkunft von den beiden Eltern, den vier Großeltern, den acht Urgroßeltern bei der Befruchtung verschieden kombiniert werden können. Auch bei der Jungfernzeugung, bei der sich eine weibliche Keimzelle ohne Befruchtung durch eine männliche Samenzelle entwickelt, sind die Geschwister untereinander verschieden, da eben jede einzelne Eizelle von sich aus schon verschieden kombinierte Genanlagen hat. Nur bei eineiigen Zwillingen ergibt sich zunächst völlige Übereinstimmung der gemeinsamen Erbanlagen, da sie aus einem gemeinsam befruchteten Ei entstehen.

2. Aber auch eineiige Zwillinge stehen wie alle anderen Lebewesen unter dem zweiten Gesetz, das die Individualität bedingt: Die Auseinandersetzung mit der Umwelt, mit dem Sozialpartner und die eigene persönliche Erfahrung prägen wiederum eine eigene Persönlichkeit.

Für die Evolution ist die Prägung der Individualität eine wichtige Handhabe, um in jeder Lebenssituation, in jedem spezifischen Lebensraum demjenigen, der sich am besten angepaßt hat, den Vorzug in der Erhaltung seiner Art und seiner Nachkommen zu geben.

Die Machthaber dieser Erde könnten von diesem Grundgesetz des Lebens lernen, indem sie ihre Untertanen nicht als Massenansammlung, sondern als persönliche Individuen (Individuum heißt zu deutsch: das unteilbare Lebewesen) behandeln würden, dem man aufgrund seiner persönlichen Fähigkeiten auch Verantwortung übertragen kann.

1.2. Das Baumaterial des Pflanzen- und Tierkörpers

Fragen zur Evolution des Lebens und wie die ungeheure Vielfalt seiner Lebewesen sich entwickelt hat, werden uns immer wieder in diesem Buch begegnen. Die Antwort wird nicht leicht und keineswegs immer eindeutig sein. Über allem steht natürlich die Frage, wie denn Leben auf dieser Erde entstanden ist. Eine klare, umfassende Antwort darauf kann niemand geben. Es gibt aber einige theoretische Vorstellungen, über die wir erst in einem Schlußkapitel berichten wollen, nachdem wir unser Wissen über die Lebenserscheinungen vertieft haben. Zuallererst sollten wir wissen, aus welchem Stoff die lebenden Organismen aufgebaut sind.

Wasser

Unser Körper besteht wie der anderer Organismen zu 80 bis 90% aus Wasser. Da mag der normale Sterbliche schockiert, vielleicht enttäuscht sein, denn Wasser wird ja nicht gerade als das wertvollste materielle Gut dieser Erde angesehen. Wir lassen uns von den Lebewesen selbst eines Besseren belehren:

Da wäre als erstes zu vermerken, daß die meisten chemischen Reaktionen innerhalb eines Organismus, wie sie für Wachstum und Stoffwechsel notwendig sind, sich im Wasser abspielen. Der Grund hierfür ist eine besondere Eigenschaft des Wassers als Lösungsmittel: Erst in Lösung geschieht mit vielen Substanzen das, was wir *Ionisation* nennen. Diese wiederum ist Voraussetzung für die Bildung von Säuren und Laugen, mit deren Hilfe wichtige Reaktionen in Gang gesetzt werden; aber auch eine neutrale Ionisierung, wie z.B. die von Kochsalz in die Ionen Na und Cl (Natrium und Chlor), bildet die Grundlage für den Stoffaustausch an der Membran, für die Reizaufnahme in der Sinneszelle und für andere wichtige Prozesse.

Zum zweiten sei an dieser Stelle daran erinnert, daß das Leben auf dieser Erde im Wasser seinen Anfang nahm, daß vielerlei Arten von Lebewesen heute noch im Wasser leben, daß die riesigen Wassermassen unserer Meere und Seen zur Stabilisierung der Lufttemperatur beitragen, daß der Wasserdampf der Atmosphäre durch den sogenannten Glashauseffekt Sonnenlichtenergie absorbiert und die Abstrahlung der Erdoberfläche auffängt, Maßnahmen, die in schonender Weise die Atmosphäre erwärmen.

Schließlich sollten wir nicht außer acht lassen, daß unsere Süßwassertiere einer wichtigen physikalischen Eigenheit des Wassers es verdanken, daß sie in Teichen und Seen überwintern können: Da Wasser bei 4°C die größte Dichte hat, friert ein Teich immer von oben nach unten, und das spezifisch leichtere Eis schwimmt oben. Hätte Wasser bei 0° oder bei –4° die größte Dichte, müßten die Eiskristalle ständig auf den Boden sinken, und es gäbe keine schützende Decke mehr für die gesamte Tier- und Pflanzenwelt.

Kohlendioxid (CO_2)

Kohlendioxid ist in den letzten Jahren als Schadstoff in Verruf gekommen. Durch die Abgase der Autos und der Schornsteine wird der normale Gehalt der Atmosphäre von 0,033% für Tier und Pflanze gefährlich stark angereichert. Zum einen ist Kohlendioxid ein wichtiges anorganisches Rohmaterial zum Aufbau organischer Substanz (s. S. 56), zum andern wird es beim Ausatmen als Abfallprodukt an die Atmosphäre zurückgegeben. Die biologische Balance muß dabei in jedem Lebensraum aufs genaueste gewahrt bleiben.

Sauerstoff (O_2)

Etwa 21% der Atmosphäre sind mit molekularem Sauerstoff gefüllt. Nur wenige Organismen können ohne Sauerstoff leben. Diesen Luxus erkaufen sie sich damit, daß sie für die notwendigen Verbrennungsvorgänge hochwertige andere Körpersubstanzen, z.B. Fett, abbauen. Auch bei schwerer Muskelarbeit gehen wir eine Sauerstoffschuld ein und müssen die dabei entstehende Milchsäure im erholsamen Schlaf wieder abbauen.

Obwohl Sauerstoff im Wasser nur schwer löslich ist, können viele Tiere im Wasser leben; sie entwickeln geniale Atemorgane, z.B. Kiemen, die die Diffusion von O_2 aus dem Wasser ins Blut möglich machen.

Kohlenhydrate

Wir müssen jetzt nach jenen Baustoffen fragen, die die eigentliche Substanz der Lebewesen ausmachen. Es sind hochkomplexe Verbindungen mit dem Kohlenstoff, die Kohlenhydrate, die Fette und die Eiweißstoffe. Mit Wasserstoff, Sauerstoff, Stickstoff, Phosphor und einigen anderen Elementen in geringer Konzentration wird Kohlenstoff zu kettenförmigen, ringförmigen und vielfach verzweigten Molekülen zusammengebaut. Die Vielfalt dieser organischen Verbindungen führt geradezu ins Unermeßliche durch die sogenannte Isomerisation, d.h. durch Umlagerung der einzelnen Atome innerhalb des Moleküls. Allein die Anzahl der reinen Kohlenwasserstoffe, also Verbindungen, die ausschließlich Kohlenstoff und Wasserstoff enthalten, wird heute auf über eine halbe Million geschätzt.

Zu den Kohlenhydraten, die aus Kohlenstoff, Wasserstoff und Sauerstoff aufgebaut sind, zählen wir die Zucker: Traubenzucker, Milchzucker, Fruchtzucker als *Monosaccharide*. Vom Traubenzucker als dem zentralen Energiedepot im Körper, werden wir noch zu berichten haben. Mit der Nahrung nehmen wir aber in der Hauptsache nicht die einfachen Zucker, sondern die höheren Zucker, die sich aus zwei oder vielen Monosacchariden aufbauen, auf: Disaccharide, wie Rohrzucker, der sich aus einem Molekül Traubenzucker und einem Molekül Fruchtzucker zusammensetzt; Polysaccharide, unter denen Stärke und Zellulose genannt seien. Sie müssen im Zuge der Verdauung zu Monosacchariden abgebaut, d.h. durch *Hydrolyse* gespalten werden. Der Ausdruck Hydrolyse soll andeuten, daß bei der Spaltung in je zwei Monosaccharide ein Molekül Wasser verbraucht wird.

Fette

Fette bilden ein wichtiges Energiedepot im Körper. Sie sind wie die Kohlenhydrate aus Kohlenstoff-, Wasserstoff- und Sauerstoff-Atomen aufgebaut; Sauerstoff ist dabei weit weniger vertreten als im Zucker. Ihre Synthese erfolgt aus Glyzerin und Fettsäuren unter Wasserabspaltung. Aber Fett ist nicht gleich Fett: Bestimmte ungesättigte Fettsäuren sind für den Körper lebensnotwendig, die Ernährungsforscher sagen essentiell. Da Fette im Wasser unlöslich sind, müssen sie mit Hilfe spezifischer Fermente unter Hydrolyse gespalten werden. Da sind die ungesättigten Fettsäuren mit ihrer Doppelbindung leichter angreifbar.

Eiweiß (Proteine)

Weit komplexer als Kohlenhydrate und Fette sind die Eiweißmoleküle, die Bausteine der wichtigsten Lebenssubstanz, des Protoplasmas gebaut. Aus ihrem verwickelten Molekülbau – der Tertiär- und Quartärstruktur – erklärt sich auch ihre vielseitige Funktion – Atmung, Verdauung, Muskelbewegung, auch die intimsten Lern- und Denkvorgänge im Gehirn haben in der Struktur der Eiweißmoleküle ihre Grundlage. Um zu verstehen, was sich in einer Zelle, in den Geweben, in den Organen bei diesen Vorgängen abspielt, müssen wir uns wenigstens das Grundgerüst eines Eiweißmoleküles klarmachen (s. Tafel 1). Jedes Eiweiß enthält die vier wesentlichen Elemente Kohlenstoff, Wasserstoff, Sauerstoff und Stickstoff. Sie sind zu den elementaren Bausteinen, den Aminosäuren zusammengesetzt. Zwanzig verschiedene Aminosäuren hat man in den Körperzellen identifizieren können, die in einer geradezu unvorstellbaren Mannigfaltigkeit zu den eigentlichen Eiweißstoffen, den Proteinen, gekoppelt sind. Ein einziges Eiweißmolekül besteht aus 50 bis 50000 einzelnen Aminosäuren, die kettenförmig oder ringförmig gebunden sind; es gibt da im Prinzip die fadenförmige und die globuläre Struktur. Erstere ist bekannt aus den Muskelfasern, den Sehnen, den Knochen; als Fibrin sorgt ein fadenförmiges Protein für die Blutgerinnung bei Verwundung. Globuläre Proteine bilden die meisten Enzyme; viele Hormone, auch Immunglobuline als wichtige Blutstoffe gehören dazu.

Enzyme

Mit dem Aufbau der Organismen aus den genannten Grundbausteinen ist erst ein erster Schritt zum »Leben« getan. »Stoffwechsel« nennt man jene Leistung des Lebens, die ihm ganz allein eigen ist, und die es ihm möglich macht, aus der leblosen Umwelt Energie aufzunehmen und zum eigenen

Bedarf umzuwandeln – für Wachstum, Bewegung, Fortpflanzung. Keine chemische Fabrik dieser Welt kann mit der eleganten und vielfältigen Methode der lebenden Zelle als chemisches Laboratorium konkurrieren. Mit Staunen stellen wir weiterhin fest, daß jene Reaktionen, die heute der Chemiker als eine große Errungenschaft ansieht, bereits vor dreieinhalb Milliarden Jahren, als das Leben auf dieser Erde seinen Anfang genommen hat, in Funktion waren. Da wären an erster Stelle die Enzyme oder Fermente zu nennen, die katalytisch bei der Zersetzung der Nahrung, bei der Spaltung von körpereigenen Reservestoffen, wie auch beim Aufbau neuer lebenswichtiger Stoffe beteiligt sind. Allgemein bekannt sind die Verdauungsfermente, die Kohlenhydrate, Fette und Eiweiße aus der aufgenommenen Nahrung abbauen – durch Amylase, Lipase, Proteinase u. a. Wo sie fehlen, müssen sie künstlich zugeführt werden, z. B. in Form von Pepsintabletten nach einer Magenoperation. Wir werden uns daher über ihren Bau und über ihre Wirkungsweise wenigstens in den wichtigsten Zügen informieren (s. S. 64). Die Enzymchemie ist derzeit ein hochaktuelles Gebiet der Biologen und der Biochemiker sowie der Mediziner.

Als Randbemerkung sei hier eingefügt: Eine besonders wichtige Funktion haben die Nukleinsäuren als Träger der Erbsubstanz übernommen, darauf wird später (s. S. 301) ausführlich eingegangen werden.

1.3. Die Zelle als elementarer Baustein der Lebewesen

Wir haben bisher lediglich vom Baumaterial, aus dem die lebenden Organismen aufgebaut sind, gesprochen. Erst wenn dieses Material in einer Werkstatt seinen Platz und seine Werkbank hat, kann es die ihm zugewiesene Funktion erfüllen. Um uns in dieser Werkstatt der Baumeisterin Natur Zutritt zu verschaffen, brauchen wir ein Vergrößerungsglas, noch besser ein Mikroskop. Dem wißbegierigen Naturforscher war aber auch diese Vergrößerung noch zu kümmerlich. Das Elektronenmikroskop gibt uns heute die Möglichkeit, ungeahnte Feinstrukturen aufzufinden, sogar bis in den molekularen Bereich vorzudringen. Bleiben wir zunächst beim einfachen Mikroskop. Da blickt unser Naturforscher durch ein Rohr, an dessen Enden kleine, besonders kunstvoll geschliffene Linsen angebracht sind. Sie vergrößern einen daruntergelegten Gegenstand 50mal, 100mal, sogar 2000mal. Durch einige Jahrzehnte war man überzeugt, hiermit die Grenze des Möglichen erreicht zu haben. Es ließ sich sogar beweisen, daß ein weiterer Fortschritt nicht erwartet werden könne. Von Teilchen, die so winzig sind wie die Lichtwellen selbst, läßt sich mit Hilfe von Lichtstrahlen kein mikroskopisches Bild entwerfen. Doch menschlicher Erfindergeist hat das Elektronenmikroskop geschaffen und statt der unbotmäßigen Lichtstrahlen, die nicht weiter wollten, Elektronenstrahlen in den Dienst der Sache gestellt. Diese lassen sich nicht durch Linsen in ihrem Gang beeinflussen, wohl aber durch elektromagnetische Kraftfelder, welche die Glaslinsen ersetzen mußten. Das so entworfene Bild ist für unser Auge nicht unmittelbar zu sehen, aber man kann es fotografieren oder auf einem Leuchtschirm sichtbar machen. Auf diesem Wege sind die alten Schranken gefallen. Es lassen sich heute 1000mal kleinere Teilchen im Mikroskop beobachten als noch vor wenigen Jahren. Sogar die kleinsten Bausteine mancher Stoffe, die Moleküle, sind auf solche Art sichtbar geworden und fotografisch darzustellen.

Es offenbart sich eine neue Welt

Das Elektronenmikroskop ist ein umständlicher Apparat, der vorläufig nur wissenschaftlichen Laboratorien zum Gebrauch vorbehalten bleibt. Aber schon das gewöhnliche Mikroskop offenbart dem Naturfreund eine sonst unsichtbare Welt.

Schneidet man zum Beispiel mit einem scharfen Rasiermesser ein kleines, dünnes Stück aus einem Pflanzenblatt heraus, so sieht man unter dem Mikroskop ganz deutlich schon bei etwa 50facher Vergrößerung, daß es aus vielen kleinen Teilen besteht, die man *Zellen* (s. Tafel 3) nennt. Sie sind bei einem Blatt, wie bei Pflanzen allgemein, jede von einer festen Hülle umgeben und daher sehr klar gegeneinander abgegrenzt. Deshalb wurden sie auch nach der Erfindung des Mikroskops bei Pflanzen zuerst erkannt und wegen ihrer Gestalt, die oft an das Gefüge einer Bienenwabe erinnert, als »Zellen« bezeichnet.

Wie mag ein Stück von einem Tierkörper oder von unserem eigenen Leibe bei solcher Vergrößerung aussehen? Wenn wir das Mißgeschick haben, uns mit dem frisch geschliffenen Brotmesser die Haut der Fingerkuppe abzuschneiden und in erwachtem Forschertrieb das Hautstück unter das Mikroskop legen, erleben wir freilich eine Enttäuschung. Wir sehen gar nichts, weil es zu dick und undurchsichtig ist. Nur mit besonderen Hilfsmitteln, von denen wir später noch reden wollen, kann man aus der weichen und nachgiebigen Haut ein dünnes, durchscheinendes Scheibchen herausschneiden. Dann sieht man, daß sie ähnlich wie das Pflanzenblatt aus kleinen, dem bloßen Auge unsichtbaren Teilchen aufgebaut ist; sie sind freilich nicht so deutlich voneinander abgegrenzt wie die pflanzlichen Zellen, weil ihnen die derben Hüllen fehlen. Trotzdem hat man den Ausdruck »Zellen« beibehalten; denn es sind wesensgleiche Gebilde, diese mikroskopisch kleinen Bausteine des Pflanzen- und des Tierkörpers. Und nicht nur im pflanzlichen Blatt, auch im Stamm und in der Wurzel, nicht nur in unserer Haut, auch in Herz und Nieren, in Fleisch und Knochen, nicht nur bei uns, sondern auch bei einem Molch oder bei einem Regenwurm bestätigt das Mikroskop diese Zusammensetzung aus kleinen Teilchen. Wollen wir einen groben Vergleich gebrauchen, so können wir sagen: Wie ein Gebäude aus Ziegelsteinen, so ist auch der Pflanzen- und Tierkörper aus Bausteinen aufgebaut, aus den winzig kleinen Bausteinen, die wir seine Zellen nennen.

Leben diese Zellen? Sind überhaupt auch Teile eines Lebewesens »lebend« und imstande, ihr Dasein weiterzuführen, oder stets nur das Lebewesen als Ganzes?

Man hat das Herz eines jungen Hühnchens aus einem bebrüteten, in Entwicklung begriffenen Ei herausgenommen, zerteilt und die Teile in einen günstigen, sorgfältig erprobten Nährboden verpflanzt. Dort entwickeln sie sich weiter, wobei sich aber die Zellen voneinander lösen und nicht zu einem schlagenden Herzen vereint sind. Bei guter Pflege leben sie jahrelang; ja, es scheint ihnen besser zu gehen als im schlagenden Herzen des Vogels, wo sie eigentlich hingehören. Denn in dem künstlichen Nährboden wachsen und gedeihen sie unentwegt noch zu einer Zeit, da das Huhn bei natürlicher Entwicklung schon lange gealtert und gestorben wäre samt seinem Herzen. Vielleicht stimmt da etwas nicht mit der allgemeinen Sterblichkeit?

Solche Züchtung einzelner Zellen ist nicht nur aus dem Herzen, sondern auch von zahlreichen anderen Körperteilen geglückt. Da man eine Vielheit gleichartiger Zellen, die im Körper miteinander vereint sind, als ein »Gewebe« bezeichnet, so spricht man von »Gewebezüchtung«. Wunderbare Entdeckungen verdanken wir diesem Forschungszweig.

Weil diese Entdeckungen in neuerer Zeit weitgehende praktische Anwendung gefunden haben – vor allem in Hinblick auf unsere Gesundheit und auch um die Ertragssteigerung neuer Nahrungsquellen – wollen wir etwas näher dieses Forschungsgebiet unter die Lupe nehmen. Wir machen nochmal einen Abstecher ins Pflanzenreich, weil hier die Verhältnisse durchsichtiger sind.

Die Botaniker trauen sich heute zu, praktisch von jeder Pflanze eine Zellkultur anzulegen, in dieser Zellkultur bestimmte wertvolle Stoffe anzureichern und sogar aus dieser Zellkultur wieder nach einer gewissen Manipulation neue Pflanzen heranwachsen zu lassen. Sie nützen da eine Eigenschaft der isolierten Zellen aus, die man mit einem Fachausdruck »totipotent« nennt; das bedeutet, daß aus den Erbanlagen, die ja alle im Zellkern jeder Zelle untergebracht sind, sämtliche Organe einer Pflanze sich entwickeln können. In gewissem Sinne sind natürlich auch beim Heranwachsen einer Zelle aus einer befruchteten Eizelle alle Zellen totipotent, weil sie ja in ihren Kernen die gesamte genetische Information für die Ausbildung sämtlicher Eigenschaften und Fähigkeiten enthalten, d.h. zu Wurzel, zu Blatt, zu Blüte zu werden; aber da wird eben immer nur *ein Teil* während des Wachstumsprogrammes abgerufen. Hier setzt nun die praktische Biotechnologie ein: In der Zellkultur kann man bestimmte Aktivitäten der Zelle durch geeignete Maßnahmen steuern, so daß sie beispielsweise ihre Leistung auf die Produktion von wertvollen Naturstoffen, vor allem von knappen Arzneimitteln konzentrieren. Da man in einem Liter Nährlösung etwa eine Milliarde solcher spezialisierter Zellen züchten kann – man nennt sie ein *Klon* –, ergibt sich hier ein relativ billiger, vor allem umweltschonender Ausweg zur Lösung brennender Gegenwartsfragen. Der Vorteil einer solchen Methode gegenüber den gewohnten Methoden der Synthese in chemischen Laboratorien oder der Isolierung aus Pflanzen sei beispielhaft hervorgehoben:

Man kann tropische und arktische Arzneipflanzen an jedem Ort der Erde auch im kleinsten Laboratorium kultivieren und ist von der Witterung, von Pflanzenkrankheiten, von Tierverbiß und sogar von der Jahreszeit unabhängig. Das Verfahren würde keine landwirtschaftlichen Nutzflächen in Anspruch nehmen und das gewonnene Material wäre mit Sicherheit frei von Pflanzenschutzmitteln und deren Rückständen.

Dieses zukunftsträchtige Gebiet der Biotechnologie steht freilich erst am Anfang, aber erste Erfolge zeichnen sich ab. Um nur zwei Beispiele zu nennen: Ubichinon in einer Zellkultur angereichert, wird in Japan bereits zur Therapie von Herzkrankheiten eingesetzt. Auch das kostbare, sehr knappe Naturprodukt Shikonin, ein Naphthochinon, kann in einem Klon angereichert werden; es gehört zum altbewährten chinesischen Arzneimittelschatz und dient als Wundheilmittel; daneben ist es auch noch ein wertvoller Farbstoff.

1.4. Chemische Werkstätten in der Zelle

Wir sind jetzt so weit vorbereitet, daß wir den Zutritt in die geheimen Gemächer einer Zelle wagen dürfen. Was sich hier auf kleinstem Raum in vieltausendfachen Reaktionen in voller Harmonie abspielt, stellt alle Entdeckungen, die eine moderne Fabrikhalle mit ihren Robotern auszeichnet, in den Schatten. Schon eine einzige Zelle verfügt über mannigfaltigere Kochtöpfe als der beste Küchenchef, um für den Lebensbedarf die erforderlichen Stoffe zu brauen. Kein Wunder, daß sich mit Hilfe unserer neuesten Mikroskope, z.B. des Polarisationsmikroskops oder des Phasenkontrastmikroskops, vor allem aber dank der feinen chemischen Analysen, etwa der Gaschromatographie, der Elektrophorese eine neue Welt eröffnet hat, der sich eine neue Wissenschaft, die Zellbiologie, angenommen hat.

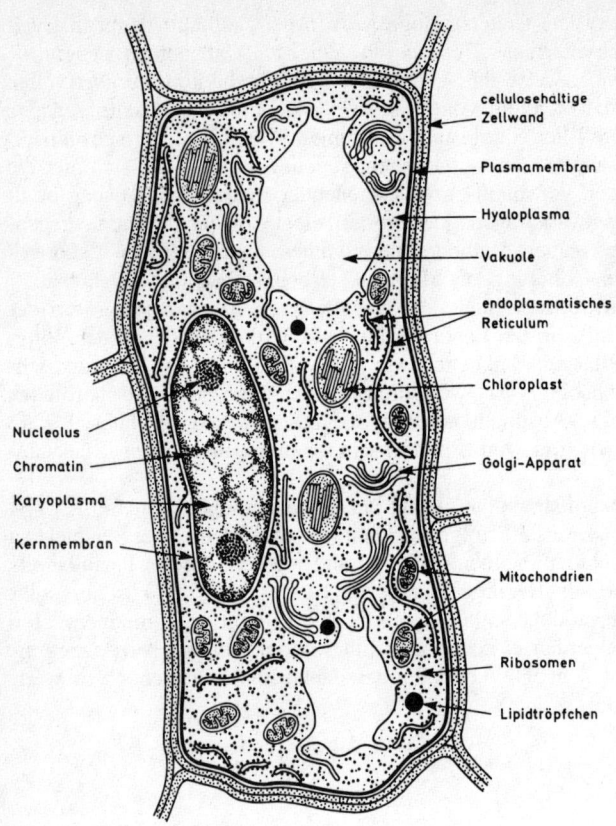

Abb. 1: Eine Pflanzenzelle mit ihren »Spezialwerkstätten«, den Organellen. Deren Funktion ist im Text näher erläutert.

Da sich in den einzelnen Zellen die Grundvorgänge aller Lebensprozesse abspielen, sollten wir uns wenigstens die wichtigsten Erkenntnisse der modernen zellbiologischen Forschung aneignen. Über den Zellkern als dem Sitz der Erbanlagen wird im Zusammenhang mit dem Kapitel Vererbung näheres berichtet werden. Hier soll über weitere Zellstrukturen und ihre Funktion das Wichtigste gesagt werden (s. Abb. 1).

Die Biomembran – nicht nur Trennwand, sondern auch Brücke zu wichtigen Aufgaben

Alle Zellen sind von einer Membran eingehüllt, deren Funktion man verständlicherweise in alten Zeiten darin gesehen hat, die einzelnen Zellen voneinander abzukapseln, damit das Geschehen in jeder Zelle in aller Ruhe ablaufen kann. Aber bereits bei den Pflanzen übernimmt die Zellwand, die uns da durch besondere Dicke auffällt, zwei zusätzliche Funktionen: Zum einen muß sie dem starken Innendruck der Vakuolen Widerstand leisten, zum anderen gibt sie der Pflanze durch Einlagerung von Zellulose und Lignin – dem Baustoff des Holzes – Halt und Festigkeit. Was jeden Fachmann und auch jeden Laien in Staunen versetzen muß, ist die raffinierte Struktur dieser Membran, die neben der Festigkeit immer noch eine große Elastizität sichert. Kein menschliches Bauwerk durch alle Jahrhunderte hindurch kann sich mit der Eleganz eines Roggenhalmes, der sich im Winde wiegt, messen.

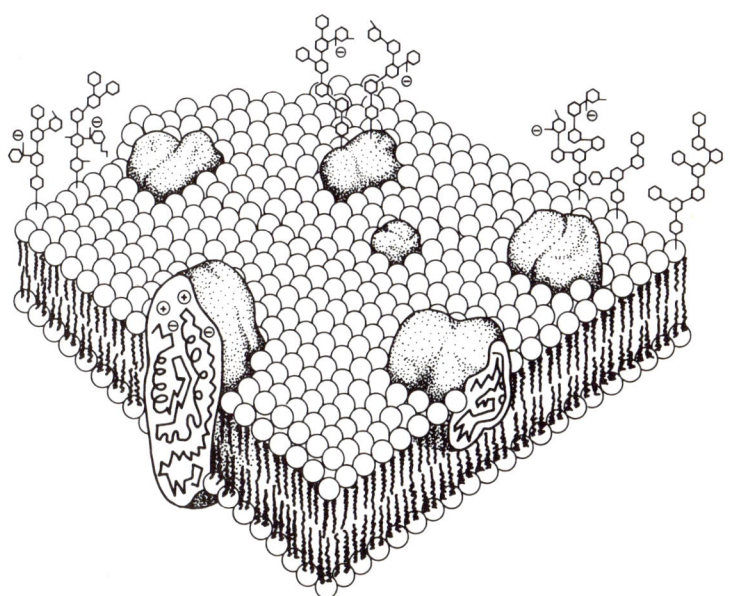

Abb. 2: Der molekulare Aufbau einer Zellmembran: doppelte Lipidschicht als Grundgerüst. Davon aufragend einzelne Eiweißmoleküle. Am Rand sind Zuckerreste angedeutet.

Für die tierische Zellmembran seien weitere wichtige Funktionen genauer abgehandelt:
1. Stoffaustausch und Osmoregulation,
2. Energiehaushalt,
3. Weitergabe und Verarbeitung wichtiger Information in den Sinnes- und Nervenzellen,
4. Mithilfe bei der Immunabwehr.

Um diese Aufgaben besser verstehen zu können ist es gut, sich Einblick in den Aufbau der Biomembran zu verschaffen. Biologische Membranen sind hundertmal dünner als die dünnste Lamelle einer Seifenblase. Abb. 2 soll den chemischen Aufbau schematisch zeigen: Eine doppelte Lipid-Schicht (das ist eine fettähnliche Schicht) bildet das innere Gerüst; aus ihm ragen wie Eisberge einige Eiweißmoleküle heraus. An einigen Stellen tasten sich einige Zuckerreste in das umgebende Milieu. Es sind spezifische Kohlenhydratgruppen, die darauf achten, daß bei der Embryonalentwicklung die einzelnen Zellgruppen sich gegenseitig erkennen. Sie geben jeder Zelle sozusagen die ihr zukommende Uniform.

Membranen dienen natürlich primär dazu, *Reaktionsräume voneinander zu trennen,* so daß sich die einzelnen Prozesse in diesen Räumen nicht gegenseitig ins Gehege kommen. So ist es verständlich, daß auch innerhalb der Zelle die einzelnen Appartements durch komplizierte Membransysteme abgekapselt sind.

Keineswegs darf man aber die Membranen als passive Barrieren zwischen innen und außen ansehen. Sie kontrollieren aktiv den Stoffaustausch zwischen den verschiedenen Zellen und innerhalb der Zelle zwischen den einzelnen Kompartimenten. Es wird sorgsam auf ein sogenanntes *Membrangleichgewicht* geachtet, das als osmotisches Gleichgewicht dafür sorgt, daß durch die semipermeable, d.h. halbdurchlässige Membran, bestimmte Stoffe, die sich in der Zelle in Lösung befinden, nicht nach außen entweichen können, z.B. Salze, Zucker, Eiweiß, Fett. Dieses osmotische Gleichgewicht folgt der berühmt gewordenen Van't Hoff'schen Regel von 1887, wonach sich an der semipermeablen Membran – die zwar das Lösungsmittel passieren läßt, nicht aber den gelösten Stoff – eine Druckdifferenz aufbaut, der *osmotische Druck,* der mit der unterschiedlichen Konzentration zwischen innen und außen wächst. Man hat in bestimmten Zellen bis zu 50 atü (entspricht rund 48 bar) Druckdifferenz gemessen.

Eine weitere wichtige Aufgabe der Biomembran, die ebenfalls erst in jüngster Zeit in ihrer vollen Bedeutung erkannt wurde, ist die, daß sie als *Schaltstelle biologischer Nachrichten* zu dienen hat. Da werden zum einen langsame Nachrichten durch Hormone übertragen. Zum anderen dienen viele Zellmembranen als Mittler, wo es darum geht, einen Umweltreiz, z.B. den Lockruf eines Vogels oder den Duft einer Nektarblume, zu übersetzen und als Signal den höheren Zentren im Gehirn zuzuleiten. Dies

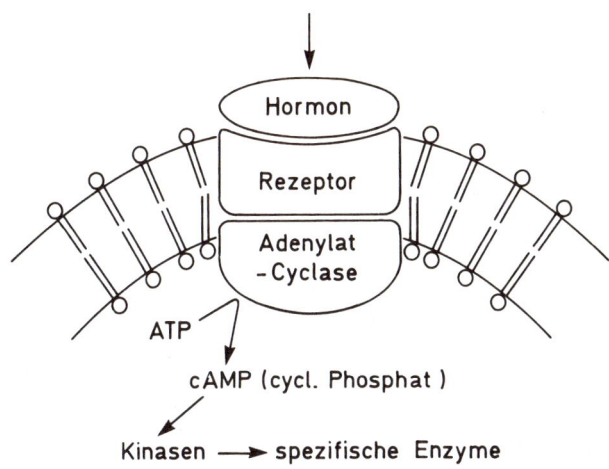

Abb. 3: Schema der Hormonwirkung durch die Zellmembran hindurch. Erste Phase: Bindung des Hormons an ein Rezeptorprotein in der Membran. Zweite Phase: Umwandlung von ATP in cAMP durch Adenylat-Cyclase und Freigabe der eigentlichen Hormonwirkung.

geschieht in Form von elektrischen Impulsen. Auch auf diesem Gebiet hat sich eine eigene Disziplin der Zoologie, die Elektrophysiologie, entwickelt. Sie gibt uns heute in allen Einzelheiten Aufschluß über die Elementarprozesse der Erregbarkeit eines Organismus. In einem späteren Kapitel werden wir uns damit noch näher befassen. An dieser Stelle sei nur kurz einiges über die hormonelle Nachrichtenübertragung gesagt. Abb. 3 zeigt schematisch, wie ein Hormon seine Nachrichten ins Zellinnere bringt, um dort die Tätigkeit spezifischer Enzyme anzuschalten. Zunächst lagert sich das Hormon außen an der Membran an ein sogenanntes Rezeptormolekül an, das wie Schlüssel und Schloß zu ihm paßt. Daraufhin wartet im Innern der Membran ein Empfängermolekül, dessen Namen in seinem weltweiten Ruhm »Adenylat-Cyclase« wir wohl oder übel schlucken sollten. Es veranlaßt den wichtigsten Energieträger im gesamten lebendigen Bereich, das ATP (Adenosintriphosphat), das zyklische AMP (Adenosinmonophosphat) abzuspalten. Dieses kleine Molekül ist einer der wichtigsten Botenstoffe *innerhalb* der Zelle: Es weckt allerlei Enzyme, die sogenannten Kinasen, die da im Zellsaft herumschwimmen, aus ihrer Ruhe auf, so daß schließlich die eigentliche und spezifische Enzymwirkung zum Tragen kommt.

Noch viel, viel komplizierter sind die Membranprozesse, die sich an der Schaltstelle der Nervenzellen abspielen. Da kommt es nicht nur darauf an, die ankommenden Informationen und Kommandos unverfälscht an eine andere Nervenzelle weiterzugeben, es muß richtig verschaltet werden, überflüssige Nachrichten müssen abgeblockt werden usw. Da es sich hier wiederum um einen grundlegenden Prozeß unseres Daseins handelt, müssen wir später in einem eigenen Kapitel näher darauf eingehen.

Auch über die Funktion der Membran bei der Immunabwehr wird ein eigenes Kapitel informieren.

Ein Labyrinth als Transportnetz: das Endoplasmatische Reticulum

Mit Hilfe des Elektronenmikroskops hat man überraschende Feinstrukturen innerhalb der Zelle aufgefunden, auf die sich die Zellbiologen mit großem Elan gestürzt haben, um über deren Aufgaben etwas zu erfahren. So gab es eine große Überraschung, als bei ca. 30000facher Vergrößerung plötzlich in dem als homogen vermuteten Zellplasma ein Netzwerk feinster Röhrchen auftauchte, das sogenannte Endoplasmatische Reticulum. Es hat zwei wichtige Aufgaben zu erfüllen:

Zum einen sorgt es dafür, daß alle Stoffe, die in der Zelle produziert werden – Eiweiß, Zucker, Fett –, an die richtige Stelle transportiert werden, und zwar nicht nur innerhalb der Zelle, sondern auch nach außen. Dieses Netzwerk durchbricht nämlich da und dort die Zellwand; sogar zum Zellkern hat es sich einen Zugang verschafft. Aber wo ist die zentrale Kommandostelle, die den Transport in dem verwirrenden Labyrinth überwacht und regelt, daß da nichts verlorengeht und nicht auf den falschen Weg geschickt wird? Bis heute gibt es darauf noch keine Antwort, und wir sollten es nicht als selbstverständlich ansehen, daß in diesem kleinsten Verkehrsnetz unseres Körpers ohne unser Bewußtsein alle Stoffe, die zum Leben gebraucht werden, in die richtige Bahn gelenkt werden.

Eine zweite Aufgabe des Endoplasmatischen Reticulums ist nicht minder wichtig: Wenn man dieses Röhrchensystem genauer betrachtet, findet man an der Außenmembran angeklebt zahlreiche winzige Kügelchen, die »Ribosomen« (s. Abb. 1). Zusammen mit der Membran des Endoplasmatischen Reticulums vollziehen sie die Eiweißsynthese; sie liefern uns also einen Grundbaustein für alles Leben überhaupt. Dieser Prozeß ist heute in allen Einzelheiten auf molekularer Ebene aufgeklärt; dabei muß man bedenken, daß das Eiweiß für jede Art, ja für jedes Individuum eine spezifische Struktur aufweist; das bedeutet wiederum, daß bei seiner Synthese peinlich genau die Erbinformation aus den Chromosomen abgefragt werden muß. Dies wird später genauer beschrieben werden.

Der geordnete Ablauf dieser Eiweißsynthese kann von großem medizinischen Interesse sein: Versagt sie, muß dies in der Zelle zu einer Katastrophe führen; in positivem Sinne hat man sich diese Erkenntnisse durch die Anwendung der Antibiotika zunutze gemacht; indem sie die Eiweißsynthese blockieren, können sich auch Bakterien nicht vermehren.

Der Golgi-Apparat – eine Werkstatt für Zucker, Fette, Hormone, Enzyme

Wir brauchen jetzt keine weitere Erläuterung mehr, daß auch für übrige Synthesevorgänge, für Zucker, Fette, vor allem für Enzyme und Hormone eigene Werkstätten in der Zelle vorhanden sein müssen, die wiederum durch Membranen von den übrigen Kompartimenten abgetrennt sind. Der Italiener Golgi hat den nach ihm benannten Golgi-Apparat entdeckt, ein Membrandepot aus zahlreichen Röhrchen und Bläschen, in denen die genannten wichtigen Stoffe hergestellt werden (Abb. 1). Anders als bei der Eiweißsynthese in den Ribosomen kennt man die molekularen Umsetzungen für Zucker und Fett noch nicht, schon gar nicht, wie die Synthese von Hormonen und Enzymen vonstatten geht. Die Hormon- und Enzymforscher sind natürlich mit Recht stolz darauf, daß sie uns über die Wirkung dieser wichtigen Stoffe in allen Einzelheiten Aufschluß geben können; es wäre aber viel gewonnen – auch für die Vorbeugung und Behandlung mancher Krankheiten –, wenn wir über deren Entstehung im Golgi-Apparat Näheres erfahren könnten.

Mitochondrien als Kraftwerke in der Zelle

Bei den vielfältigen Aufgaben einer Zelle, von denen wir die wichtigsten genannt haben – andere werden noch folgen –, ist es klar, daß Energie verbraucht wird, d.h. die Zelle muß *atmen* können. Damit es da nie Mangel gibt, sind wiederum membranöse Körperchen verantwortlich; es sind stäbchenförmige Gebilde, die sogenannten Mitochondrien. In einer einzigen Eizelle des Seeigels hat man deren 150 000 (!) gezählt. Der Organismus läßt sich also diese Energiefrage einiges kosten. Wie üblich finden wir auch bei den Mitochondrien die Reaktionsstellen an ausgiebige Membranfalten oder Röhrchen gebunden (Abb. 4). Eine äußere Membran umhüllt das gesamte Körperchen, isoliert es also von den übrigen Zellorganellen. Die innere Membran stülpt sich nach innen ein und bildet entweder kleine blindgeschlossene Schläuche oder wächst zu brettchenartigen Vorwölbungen aus; es entsteht so eine Art doppelseitiges Bücherregal. Die Idee der Oberflächenvergrößerung durch diese Innenmembran nutzt also hier den zur Verfügung stehenden Raum in genialer Weise aus. Die Biochemiker konnten nachweisen, daß die zahlreichen Enzymaktivitäten – es sind angenähert hundert (!) – allesamt sich in den Nischen der Innenmembran ab-

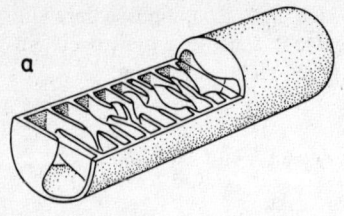
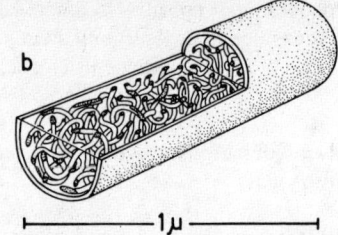

Abb. 4: Mitochondrien – schematisch in Teilansicht
a) sog. Cristatyp mit einem Labyrinth von Querfalten
b) Tubulustyp – feinste Röhrchen füllen das Lumen aus.

spielen. So mag die Bedeutung der Oberflächenvergrößerung für sich selbst sprechen. In jüngster Zeit hat man in den inneren Nischen auch noch winzige kugelige Körner gefunden; sie enthalten Calcium; ihre Funktion ist heute erst teilweise bekannt; daß sie aber vielfach bei Stoffwechselprozessen eingeschaltet sind, wird später noch öfter zu erwähnen sein.

Große Aufregung gab es unter den Zellbiologen, vor allem unter den Genetikern, als verfeinerte chemische Analysen meldeten, daß Mitochondrien vieler Organismen einen Teil der Erbsubstanz, also Desoxyribonucleinsäure (DNS) enthalten. DNS wurde ja bisher nur dem Zellkern zugeschrieben (s. S. 301).

Auch für die Abfallbeseitigung ist gesorgt

Zum Abschluß müssen wir noch in einer letzten chemischen Werkstatt zukehren, wo nichts Neues geschaffen, sondern Unbrauchbares abgebaut und ausgeschieden wird. Erst bei 120 000facher Vergrößerung erscheinen winzige Membranbläschen, die *Lysosomen* (zu deutsch: Abbaukörperchen). Sie besitzen eigene Enzyme, die unbrauchbare oder überschüssige Nucleinsäuren, Eiweiße, Kohlenhydrate und andere organische Stoffe abbauen. Wenn sich beispielsweise eine Kaulquappe zum ausgewachsenen Frosch umwandelt, müssen viele Gewebe und Millionen von Zellen abgebaut werden. Die Lysosomen sorgen für ein ökonomisches »Recycling«. In den weißen Blutkörperchen sind die Lysosomen besonders dann aktiv, wenn es darum geht, die eingedrungenen Bakterien durch sogenannte Phagozytose zu »fressen«.

1.5 Vielgestaltigkeit im Kleinen

Das Leben auf dieser Erde hat sicher auf der untersten Stufe der einzelligen Organismen begonnen. Man nennt diese Einzeller daher auch »Urtiere«. Nachdem wir uns mit der Feinstruktur einer Zelle vertraut gemacht haben, werden wir uns hüten, diese Einzeller, die Protozoen, als primitiv zu bezeichnen. Im Gegenteil; mit einigem Respekt werden wir vermerken, daß hier eine einzige Zelle alle Aufgaben absolviert, die sich bei den »höheren« Organismen Milliarden von Zellen, die zu Spezialisten geworden sind, teilen. Eine Leberzelle, eine Muskelzelle, eine Sinneszelle, eine Nervenzelle hat nur eine einzige, wenn auch wichtige Funktion zu erfüllen. Freilich ergibt sich da das heikle Problem, wie man alle diese Spezialisten zu einer harmonischen Zusammenarbeit zwingt.

In einem Punkt sind die Einzeller den vielzelligen Metazoen sogar voraus: Sie sind potentiell unsterblich. Durch einfache Teilung erzeugt eine Mutterzelle zwei Tochterzellen, kehrt also wieder in ihr Jugendalter zurück; die Tochterzellen wachsen heran, teilen sich wieder. So ergibt sich also in dieser ungeschlechtlichen Vermehrung eine ständige Verjüngung, es gibt keinen Tod und keine Leichen.

Natürlich kann zwischendrin allerhand Unglück passieren – man wird von einem Räuber gefressen, der Tümpel, in dem man sich tummelt, kann austrocknen, aber generell ist diesen Einzellern der Tod nicht aufgezwungen.

Nur aufgrund dieser vegetativen hemmungslosen Vermehrung, die nur gelegentlich von einer geschlechtlichen Generation unterbrochen wird, erklärt sich die ungeheure Vitalität der Einzeller, die auch dem Menschen heutzutage noch allerhand Sorge bereitet – die Erreger der Schlafkrankheit, der Malaria, der Amöbenruhr seien hier nur beispielhaft erwähnt.

Die Vitalität der Einzeller wird auch durch ihre Mannigfaltigkeit demonstriert (vgl. Tafel 2). Der Leser sei im folgenden eingeladen, einen Streifzug durch die Kleinlebewelt der Gewässer zu machen, um dann im Mikroskop die vielen Gestalten zu bewundern. Eine der einfachsten unter ihnen, die Amöbe, findet sich im Teichschlamm. Ihre Gestalt ändert sich dauernd; daher die deutsche Bezeichnung »Wechseltierchen«. Wir bemerken, daß sie sich fortbewegt. Sie braucht freilich 1 bis 2 Stunden, bis sie eine Wegstrecke von 1 cm zurückgelegt hat. Doch unter dem Mikroskop, da dieses ja die Wegstrecke wie den Wanderer in gleichem Maße vergrößert, scheint sie es sehr eilig zu haben und Riesenschritte zu machen, so daß wir uns Mühe geben müssen, sie nicht aus dem Gesichtsfeld zu verlieren. Die Schritte macht sie mit den Füßchen, die aber nicht dauernd vorhanden sind, sondern nach Bedarf entstehen und vergehen – Scheinfüßchen nennt man sie deshalb. Sie setzt auch nicht ein Bein vor das andere, wie wir es tun, sondern ihre Füßchen sind fusselartige oder lappenförmige Fortsätze der Zelle, die in der Bewegungsrichtung vorfließen und auf der Gegenseite eingezogen werden.

Obwohl sie keinen Mund hat, kann sie doch fressen. Jede beliebige Stelle ihrer Oberfläche kann sich bei Berührung mit der Nahrung – meist sind es noch kleinere Lebewesen, die verzehrt werden – als Rachen öffnen und die Beute durch Umfließen verschlucken. Dann liegt das Opfer im Innern der Zelle in einem Bläschen, das die Dienste eines Magens tut und den Inhalt verdaut.

Vielleicht haben wir das Glück, daß uns bei einer nächsten Probe, die wir mit einem Planktonnetz aus dem Tümpel entnommen haben, ein herrliches Sonnentierchen begegnet. Es ist eines der schönsten und größten von den einzelligen Tieren und schon mit freiem Auge als weißlicher Punkt ganz gut zu erkennen.

Unbeweglich schwebt es im Wasser. Im Mikroskop sieht es aus wie eine kleine Sonne (s. Tafel 2). Nach allen Seiten ragen von seiner Oberfläche feine Protoplasmastrahlen ins Wasser hinaus. Somit hat es eine Form, die für einen im Wasser schwebenden Flüssigkeitstropfen unmöglich ist.

Die Erklärung liegt darin, daß das Protoplasma im Inneren dieser Strahlen fest geworden ist und so eine Stütze bildet für die zarte, dünnflüssige Hülle, welche die Strahlen außen überzieht – Stützen, die nicht starr sind wie Stricknadeln, sondern elastisch, die auch nicht etwas Bleibendes sind wie die Knochenstützen unseres Körpers, sondern nach Bedarf entstehen und vergehen. Eine unsanfte Berührung genügt, und die kleine Sonne zieht ihre Strahlen ein. Wir kennen nicht im einzelnen die Ursachen, die solcherweise zur Erstarrung und wieder zur Verflüssigung von Protoplasmateilen innerhalb der Zelle führen; aber der Vorgang an sich ist uns nicht fremd: Wir wissen, das Protoplasma ist eine Flüssigkeit besonderer Art, eine kolloidale Lösung, bei der schon die geringsten Veränderungen den Übergang von flüssiger zu fester Form und umgekehrt bewirken können. Bilden wir uns nicht zu viel ein auf diese Gelehrsamkeit! Es bleibt das Geheimnis des lebendigen Sonnentierchens, wie es seine Strahlen auswachsen läßt. Nur die Erhaltung der gewonnenen Form durch das erstarrende Protoplasma können wir verstehen.

Der Strahlenkranz des Sonnentierchens ist kein Heiligenschein. Es sind giftige Fäden, die es scheinheilig nach allen Seiten ausstreckt, und wehe dem kleinen Wicht, der ihm harmlos in die Arme läuft! Er wird durch die Berührung gelähmt und dann in aller Ruhe verspeist; das heißt, er wird durch gemächliches Strömen des Protoplasmas entlang den Strahlen an den Körper herangebracht und in einem Nahrungsbläschen verdaut. Räuber und Mörder stellt man sich vor mit funkelnden Augen und drohend geschwungener Waffe. Dieses seltsame Tier ist ein gänzlich temperamentloser Wegelagerer, aber nicht minder erfolgreich.

In demselben Wassertropfen kann uns ein anderes Geschöpf begegnen, viel kleiner als das Sonnentierchen und für das bloße Auge nicht erkennbar. Es scheint es sehr eilig zu haben und schwimmt wie von einer unsichtbaren Macht gezogen frei durchs Wasser. Sein Körper erhält auch hier die feste Gestalt durch erstarrtes Protoplasma, das als zartes Häutchen die äußerste Hülle bildet (Abb. 5 links oben). Wo sitzt nur die treibende Kraft des winzigen Schwimmers? Erst die stärkste Vergrößerung läßt am Vorderende des Körpers einen Faden von höchster Zartheit erkennen, der um so schwerer zu bemerken ist, als er sich fortwährend lebhaft bewegt. Dabei wird das Wasser nach rückwärts gedrückt und dadurch das ganze Gefährt vorwärts getrieben, wie es beim Rudern eines Bootes geschieht. Geißeltierchen nennt man solche Wesen und Geißelfäden ihre Ruder. Diese haben trotz ihrer Zartheit eine äußere verhältnismäßig feste Hülle und im Inneren ein Bündel feinster, nur mit dem Elektronenmikroskop erkennbare Längsfasern. Man nimmt an, daß diese durch ihre Kontraktion den Geißelschlag und die Fortbewegung bewirken. Der Ausdruck Geißel*tierchen* ist übrigens etwas mißverständlich, besser wäre Geißelträger oder Flagellaten (von lat. flagellum, Geißel). Denn viele Arten sind grün und enthalten den gleichen Farbstoff (Chlorophyll), der die Blätter der Pflanzen grün färbt und sie befähigt, mit Hilfe des Lichtes organische Verbindungen aufzubauen, während sich andere, farblose Flagellaten auf tierische Weise durch Aufnahme organischer Stoffe ernähren. So sind diese bemerkenswerten Lebewesen an die Wurzel des Stammbaumes zu setzen, und es läßt sich sowohl das Pflanzenreich wie das Tierreich von ihnen herleiten.

Ein etwas gröberer Geselle, das Pantoffeltierchen (Abb. 5 links unten) besitzt hunderte, aber kürzere Ruder: Wimperhaare, die den ganzen Körper bekleiden. Seine Gestalt ist ganz eigenartig gemodelt und gleicht entfernt wirklich einem Pantöffelchen; nur dürfte es auch für die kleinste Wassernixe zu eng sein, denn das ganze Tier wird kaum $^1/_4$mm lang. Daß diese Form nur durch eine erhärtete Oberflächenhaut des Protoplasmas gewahrt bleiben kann, ist uns schon geläufig. Aber diese feste Hülle hat auch zur Folge, daß nicht mit jeder Stelle der Körperoberfläche Nahrung aufgenommen werden kann wie bei einer Amöbe. Nur im tiefsten Grunde der Eindellung, die zum Vergleich mit dem Pantoffel Anlaß gab, ist die Oberfläche weich und durchlässig und dient als Mundöffnung der Zelle. Besonders kräftige Wimperhaare treiben dauernd einen Wasserstrom heran und mit ihm die Nahrung, die nur hier ins Innere gelangen kann. Durch eine andere nachgiebige Stelle außen am Körper werden verdauliche Reste ausgestoßen.

Mannigfaltigkeit der inneren Einrichtung und der äußeren Gestalt bei einzelligen Wesen

Mit Hilfe eines kleinen Kunstgriffes gelingt es, das ruhelose Pantoffeltierchen zum Stillhalten zu bringen. Dann erkennt man noch mehr der wunderbaren Dinge. In seinem Inneren liegen zwei klare Bläschen, die sich abwechselnd zusammenziehen und wieder mit Flüssigkeit füllen. Ihr Inhalt wird ihnen durch sternförmig angeordnete Kanälchen aus dem Protoplasma zugeleitet (Abb. 5 links unten). Es sind keine Nahrungsbläschen. Wie langsam schlagende Herzen muten sie an, aber auch mit solchen haben sie nichts gemein als ihre rhythmische Tätigkeit. Es sind Pumpen, die dauernd das Wasser aus dem Körper schaffen müssen, das teils mit der Nahrung durch die Mundöffnung, teils durch die ganze Körperoberfläche ins Innere eindringt und das Pantoffeltierchen bald zum Platzen brächte, wenn diese Einrichtung nicht getroffen wäre. Sie findet sich ähnlich auch bei anderen Einzelligen.

Wer erst einmal am Mikroskop sitzt und eine Wasserprobe aus einem ergiebigen Tümpel durchmustert, kommt nicht so bald wieder davon los. Da ist das Trompetentierchen, das sich mit dem dünnen Hinterende seines Körpers auf Wasserpflanzen festsetzt (Abb. 5 Mitte). Wo bei der Trompete der Ton herauskommt, da liegt hier der gefräßige Zellmund; eine kräftige Bewimperung seiner Umgebung sorgt dafür, daß er auf seine Rechnung kommt.

Wohl das zierlichste und unterhaltsamste von den einzelligen Lebewe-

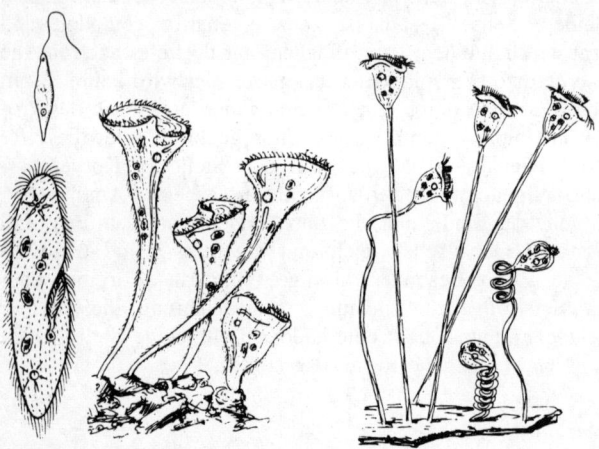

Abb. 5: Vielgestaltigkeit bei Einzellern
Links oben: Geißeltierchen, darunter von links nach rechts: Pantoffeltierchen, Trompetentierchen, Glockentierchen.

sen ist das Glockentierchen. Stundenlang könnte man ihm zusehen. Auf einem langen, dünnen Stiel, der auf irgendeinem Stengel oder dem Blatt einer Wasserpflanze festgewachsen ist, sitzt ein glockenförmiger Körper und strudelt, ähnlich wie das Trompetentierchen, durch einen Kranz von Wimperhaaren Nahrungsstoffe herbei. Es ist ganz gut, den habgierigen Körper auf dem langen Stiel so weit ins Wasser hinausstrecken zu können, solange nicht von seiten irgendeines Grobians Gefahr droht. Doch dann kann sich das Glockentierchen helfen. Mit einem Ruck schnurrt der lange Stiel zur Korkzieherform zusammen und bringt das Köpfchen an die schützende Unterlage (Abb. 5 rechts). Ganz allmählich streckt es sich wieder, und das Spiel der Wimperhaare beginnt von neuem. So plötzliche Körperbewegungen sind bei Einzelligen selten. Das Mikroskop läßt bei starker Vergrößerung erkennen, was das Tier zu diesen Bewegungen befähigt: Durch den ganzen Stiel zieht ein eigenartiger Protoplasmastrang, der in das Köpfchen ausstrahlt und sich, wie ein Muskel unseres Körpers, plötzlich verkürzen kann. Dadurch zieht er das Köpfchen an die Sitzfläche heran. Wenn er erschlafft, wird er durch die Elastizität der Stielhülle wieder gestreckt und emporgehoben.

In tausendfältiger Formenfülle zeigt sich das Leben schon bei diesen einzelligen Tieren. Wir wollen keine Zoologen werden und stellen darum diesen Streifzug jetzt ein – nicht, ohne aus ihm eine Lehre zu ziehen. Schon die wenigen Beispiele haben uns eine reiche Mannigfaltigkeit der äußeren Form enthüllt, aber auch eine erstaunliche Ausgestaltung des Inneren dieser selbständig lebenden Zellen. Wenn bei der fließenden Amöbe jeder Teil der Zelle zum Scheinfüßchen, jeder Teil zum Mund und jeder zum Magen werden kann, so erscheint beim Glockentierchen alles viel weitergehend geordnet und eingeteilt: Das feste Oberflächenhäutchen sorgt wie ein formgebendes Gerippe für die Erhaltung der Körpergestalt; die Wimperhaare schaffen wie hundert Arme die Nahrung heran, der Stielmuskel bringt das Köpfchen in Sicherheit. Kurz, im Bereich der Zelle haben verschiedene Teile verschiedene Aufgaben übernommen und sich so gestaltet, wie es diesen Zielen am besten entspricht. Es hat zwischen den Zellgebieten eine Arbeitsteilung Platz gegriffen.

Innerhalb einer Zelle, die doch immer klein bleibt, läßt sich aber in dieser Richtung nicht allzuviel erreichen. Die Natur hat einen anderen Weg gefunden, um die Leistung des Körpers durch Arbeitsteilung zu steigern. Bei den vielzelligen Pflanzen und Tieren bleiben die Zellen, die durch Wachstum und Teilung auseinander hervorgehen, miteinander verbunden. So entstehen die großen Gestalten einer Kohlpflanze oder eines Apfelbaumes, eines Regenwurmes oder einer Schnecke, einer Katze oder eines menschlichen Körpers. Nun besteht die Möglichkeit einer *Arbeitsteilung zwischen den Zellen:* Die einen werden für diese, die anderen für jene Aufgaben ausgestaltet. Von den vielseitigen Fähigkeiten wird hier die eine, dort die andere zu größter Vollkommenheit gesteigert.

1.6. Wege der Ausgestaltung und Arbeitsteilung

Bei der Entwicklung des Eies zum ausgebildeten Tierkörper geschieht zweierlei: *Erstens* entstehen aus dem Ei durch Teilung zwei Zellen, durch abermalige Teilung dieser beiden Zellen deren vier, dann acht usw. Und da sie sich nicht voneinander trennen wie bei den Urtieren, wird aus dem einzelligen ein vielzelliges Wesen. Wie viele Zellen gebildet werden, ist von Art zu Art verschieden. Bei manchen kleinen Würmern sind es nur ein paar hundert, beim Menschen sind es ungezählte Milliarden. Beim Elefanten sind es mehr als bei der Maus, denn nicht durch bedeutende Größe der Zellen, sondern durch ihre Zahl wird er zum Riesen. *Zweitens* nehmen sie auf einer bestimmten Entwicklungsstufe verschiedene Gestalt an, je nach ihrer späteren Aufgabe. Sie werden Spezialisten für bestimmte Leistungen.

Diesen Zusammenhang zwischen Zellform und Leistung verstehen wir am besten an ein paar Beispielen. Also setzen wir uns noch einmal ans Mikroskop und greifen nach unserer Präparatensammlung von Dünnschnitten durch allerhand Körperteile, die säuberlich zwischen Glasplättchen eingeschlossen und nach Art und Herkunft bezeichnet sind. »Schnitt durch die menschliche Körperhaut« steht auf einem solchen Präparat. Man sieht ihm nicht an, welche Mühe seine Herstellung gemacht hat.

Wie man feinsten Aufschnitt für die Wissenschaft herstellt

Will man recht dünne und gleichmäßige Brotscheiben abschneiden, so benützt man eine Brotschneidemaschine. Will man ein Stückchen Haut oder Leber, oder was es sonst sei, in so dünne Scheiben zerlegen, daß man unter dem Mikroskop die Zellen gut erkennen kann, dann benützt man ein »Mikrotom«. Das ist eine bessere Brotschneidemaschine mit einem scharf geschliffenen Messer, das in einer festen Führung läuft. Da die Scheiben sehr dünn sein sollen, wird das Stück stufenweise mit einer Präzisionsschraube gehoben; sie arbeitet so genau, daß man Scheiben herstellen kann, die nur ein Tausendstel Millimeter dick sind. Für das Elektronenmikroskop hat man mit verfeinerter Apparatur und einer besonderen Technik sogar Schnitte von einem Hunderttausendstel Millimeter fertiggebracht. Aber bleiben wir bei dem üblichen Verfahren.

Ein frisch gebackenes Brot zerkrümelt, wenn man es in dünne Scheiben schneiden will. Einem Stück Haut im Mikrotom erginge es nicht besser, wenn es nicht besonders vorbereitet wäre. Es soll sich schneiden lassen »wie Butter«. Dazu muß es mit einem gut schneidbaren Stoff durchtränkt werden.

Butter wäre noch viel zu weich; meistens benützt man Paraffin, das bei Zimmerwärme etwa so fest ist wie gefrorene Butter. Damit es eindringen kann, muß aus dem Hautstück durch eine umständliche Vorbehandlung mit verschiedenen Flüssigkeiten erst sorgfältig alle Feuchtigkeit entfernt werden. Hernach wird es in einem »Brutschrank« mit geschmolzenem Paraffin durchtränkt und wieder abgekühlt. Dann kann man es in die gewünschten Scheiben schneiden, diese auf Glas aufkleben und das Paraffin durch ein Lösungsmittel entfernen.

Viel Scharfsinn und unendliche Geduld hat man daran gewendet, um für jedes Tier und für jeden Körperteil die Flüssigkeiten herauszufinden, in die man das lebensfrische Gebilde zunächst bringen muß, um es möglichst naturgetreu ohne Schrumpfung und Verzerrung der Zellen zu erhalten. Und die fertigen Schnitte müssen erst noch mit allerhand Farbstoffen behandelt werden, damit man die Zellen selbst und ihren Feinbau gut erkennen kann.

Nun legen wir aber endlich den »Schnitt durch die Körperhaut« unter das Mikroskop.

Haut und Drüsen

Ob das Hautstück vom Bauch oder vom Rücken, von der Hand oder vom Fuß stammt, überall treffen wir als äußere Begrenzung des Körpers Zellen, die in mehreren Lagen übereinander angeordnet sind und einen schützenden Überzug bilden. Da sie alle die gleiche Aufgabe haben, sehen sie auch untereinander gleich aus. Ein solcher Verband gleichartiger Zellen heißt ein »Gewebe«. Als »Deckgewebe« haben die Hautzellen keine schwierigen Leistungen zu vollbringen; dementsprechend ist ihre Gestalt einfach und erinnert an zahlreiche Amöbenleiber, die sich dicht aneinandergelagert und an den Berührungsstellen abgeflacht haben. In der untersten Schicht vermehren sich die Hautzellen unser ganzes Leben lang. Durch diesen dauernden Nachwuchs werden die älteren Zellen emporgehoben und bilden die oberen Schichten. Während ihrer Wanderung nach oben sterben sie ab, und ihr Protoplasma wird zur zähen Hornsubstanz. Der äußerste Überzug unseres Körpers besteht also aus toten Zellen. Wir können ja mit einem scharfen Messer, ohne irgendwelchen Schaden und ohne etwas zu spüren, einen flachen Schnitz davon herunterschneiden, am leichtesten da, wo die Hornschicht dick ist, z.B. an einer Ruderschwiele oder an einem Fingernagel. Es ist klar, daß die abgestorbenen, verhornten Zellen durch ihre Zähigkeit und Unempfindlichkeit eine besonders gute Schutzhülle bilden. Außen schilfern sie sich dauernd in unmerklich kleinen Schüppchen ab. Bei einer Eidechse, die »sich häutet«, lösen sie sich in größeren Fetzen los, und eine Schlange macht es noch geschickter, indem sie von Zeit zu Zeit die äußerste Zellenlage im Zusammenhang abstreift und so auf einen Sitz aus ihrer Haut fährt.

Den Deckzellen im Aussehen ähnlich sind die *Drüsenzellen.* Darunter versteht man Zellen, die einen bestimmten Stoff bereiten und aussondern, wie Schleim, Schweiß, Speichel, Magensaft, Galle und dergleichen. Der Schleim, der den Fisch so schlüpfrig macht, wird von den Drüsenzellen ausgeschieden, die zwischen den Deckzellen seiner Haut eingelagert sind. Dies sind einzellige Drüsen. Wo sich viele zu einem Zellverband gruppieren, wird die »Drüse« mit bloßem Auge erkennbar und manchmal sogar sehr groß wie die Niere oder die Leber. Jede Drüsenzelle ist eine kleine chemische Fabrik.

Man muß den Biochemikern alle Hochachtung zollen, wie weit sie in die intimsten Geheimnisse dieser Fabriken vorgedrungen sind. Während in der letzten Auflage dieses Buches an dieser Stelle steht: »Leider hat die Natur bis jetzt ihre Fabrikgeheimnisse nicht verraten. Niemand ist noch dahinter gekommen, wie die Speichelzelle den Speichel, die Leberzelle die Galle bereitet«, kennen wir heute viele Kochrezepte in der Zelle in allen Einzelheiten. So weiß man, um nur ein Beispiel anzuführen, daß die Galle, die in der Leberzelle bereitet wird, aus Wasser, Cholesterin, anorganischen Ionen, Gallensäuren und Gallenpigmenten besteht. Die Gallensäuren werden aus Cholesterin gebildet und mit Aminosäuren-Na-Komplexen verbunden. Die Gallenpigmente wiederum stammen von Abbauprodukten des Hämoglobins, dem Billiverdin und Billirubin.

Besuch in der Küche

Wenn die Köchin einem Hasen das Fell abzieht, spannen sich zwischen dem Fell und dem Fleisch zarte Lamellen, die mit dem Finger leicht zu zerreißen sind: *Bindegewebe*. Wie der Name sagt, dient es zur Verbindung der Teile untereinander, wie hier zwischen Haut und Muskelfleisch, und

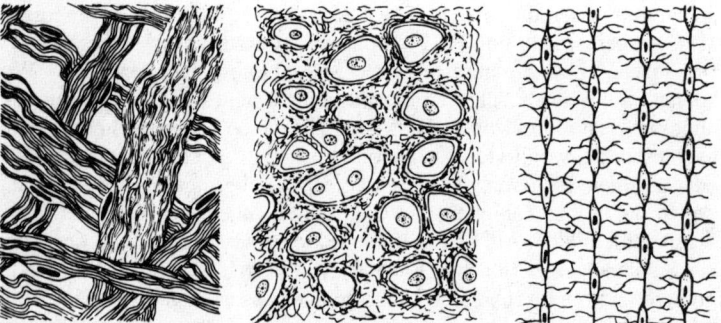

Abb. 6: Links: Bindegewebe, Mitte: Knorpelgewebe, rechts: Knochengewebe, stark vergrößert.

füllt die Lücken. Im Mikroskop sieht es ganz anders aus als die bisher besprochenen Gewebe. Die Zellen sind sehr klein und schließen nicht aneinander (Abb. 6 links). Nicht sie selbst versehen den Dienst als Bindemittel und als Füllmasse, sondern der von elastischen Fasern durchsetzte Stoff, in dem sie eingebettet liegen. Dieser Stoff ist aber als Absonderung von den Bindegewebszellen erzeugt worden. Ähnlich verhält es sich beim *Stützgewebe* des Körpers: Knorpel und Knochen (Abb. 6 Mitte und rechts). Nicht die Knorpel- und Knochenzellen selbst, sondern eine Absonderung, die sie zwischen sich abscheiden, gibt dem Stützgewebe seine Festigkeit, die beim Knochen durch eingelagerten Kalk noch erhöht wird.

Wenn wir uns einen hageren Jäger aus dem Gebirge vergegenwärtigen, so scheint sein Körper nur aus Haut und Knochen, Muskeln und Sehnen zu bestehen. Wir müßten den armen Jägersmann mit dem Messer zergliedern, um uns zu überzeugen, daß es auch Fett in seinem Leibe gibt. Stellen wir in Gedanken einen wohlbeleibten Dickwanst neben ihn, so leuchtet ein, daß kein anderes Gewebe durch den Grad seiner Entwicklung die äußere Erscheinung so sehr beeinflußt wie das *Fettgewebe*. Es findet sich überall, wo Platz ist: zwischen den Muskeln, an den Eingeweiden und an vielen anderen Stellen, ganz besonders aber dicht unter der Haut. Die Fettzellen sind mikroskopisch kleine Behälter, deren jeder einen Fetttropfen in seinem Inneren birgt. Protoplasma und Kern der Zelle werden durch den fetten Inhalt ganz an die Wand gedrückt, und es ist klar, daß diese Zellen für etwas anderes nicht zu gebrauchen sind. Aber wir dürfen sie darob nicht verachten. Das Gut, das sie bewahren, ist ein wichtiger Vorrat, von dem unser Körper zehrt, wenn er stark beansprucht wird oder in Zeiten der Krankheit und der Not. Nur wenn solcher Vorrat über Bedarf gespeichert wird, dann wird er zur Last.

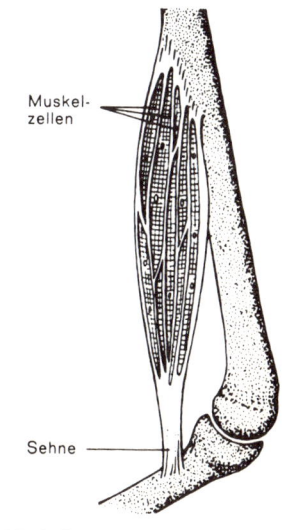

Doch zurück zum Hasenbraten! Nicht sein Fett und seine Knochen werden geschätzt, sondern sein Fleisch. Was die Hausfrau Fleisch nennt, heißt in der Gewebelehre: *Muskelgewebe*. Die Fasern, die man an gekochtem Fleisch ganz deutlich erkennen kann, sind die Muskelzellen. Fast ihr ganzes Protoplasma ist umgewandelt in allerfeinste »Fibrillen«, die sich sehr rasch und ausgiebig verkürzen können, so wie der Muskelstrang im

Abb. 7: Muskel.

Stiel des Glockentierchens. Nur ist hier die ganze Zelle in den Dienst dieser einen Aufgabe gestellt, sich zu verkürzen. Sie kann es um so mehr tun, je länger sie ist. Tatsächlich wird sie oft mehrere Zentimeter lang, was bei Einzelzellen sonst nur selten vorkommt.

In einem Muskel sind viele Muskelzellen vereint und durch Bindegewebe miteinander verbunden. Da sie so angeordnet sind, daß sie sich alle in der gleichen Richtung verkürzen, summieren sich ihre Kräfte. Wenn der Muskel von einem Knochen zu einem andern zieht (Abb. 7), bewegt er bei seiner Verkürzung die beiden gelenkig verbundenen Glieder gegeneinander. Gewöhnlich ist der Muskel an dem einen Knochen festgewachsen und mit dem anderen, der bewegt werden soll, durch eine Sehne verbunden. Die Sehne ist nichts anderes als Bindegewebe, dessen Fasern alle sehr regelmäßig geordnet in der Längsrichtung verlaufen. Daher kann man eine Sehne mit aller Gewalt nicht zerreißen, wenn man sie in der Richtung prüft, in der sie bei der Verkürzung des Muskels beansprucht wird. Aber in der Querrichtung kann man die Fasern leicht lösen und auseinanderziehen, gerade so wie die Hanffasern eines Bindfadens. Also auch hier höchste Spezialisierung auf die eine vom Gewebe geforderte Leistung.

Die Aristokraten unter den Zellen

Ganz eigenartig gestaltet sind die Nervenzellen, die Bausteine des *Nervengewebes*. Gehirn und Rückenmark, die Herrscherorgane des Körpers und der Sitz der geistigen Fähigkeiten, bestehen im wesentlichen aus ungeheuren Mengen dieser Zellen. Allein für das Großhirn des Menschen hat man ca. 30 Milliarden (!) errechnet. Wer möchte glauben, daß in dem unordentlichen Filz, den diese Zelleiber und ihre faserförmigen Fortsätze zu bilden scheinen, höchste Ordnung herrscht und daß jede Faser ihren wohlbegründeten Verlauf und ihr Ziel hat! Jede Nervenzelle besteht aus dem Zelleib und einigen verzweigten Fortsätzen, von denen einer besonders lang zu sein pflegt (s. Tafel 3 unten).

Diese langen Fortsätze können aus dem Gehirn oder Rückenmark austreten und sich mit anderen ihrer Art zu Faserstränge vereinen, die man Nerven nennt. Sie können z.B. zu einem Muskel verlaufen und an den Muskelzellen enden. Wenn wir z.B. ein Bein willkürlich bewegen, wird der Anstoß zur Verkürzung der zuständigen Muskelzellen vom Gehirn aus durch die Nervenfasern ihnen zugeleitet.

In den Nervenzellen pflanzt sich die Erregung sehr rasch und auf weite Strecken fort. Durch ihre kurzen Ausläufer stehen sie untereinander in leitender Verbindung. Hier sind die Entfernungen nicht zu groß. Aber der Fortsatz, der von einer Nervenzelle des Rückenmarkes zu einem Fußmuskel zieht und ihm den Befehl zur Verkürzung übermittelt, ist bei uns etwa ein Meter lang und beim Elefanten noch viel länger.

Das sind wieder Ausmaße, die in Anbetracht der sonstigen Größenverhältnisse bei Zellen ganz unwahrscheinlich anmuten. Man hat auch früher daran gezweifelt, daß dieser lange Fortsatz wirklich ein Teil der Nervenzelle ist, und hat gemeint, daß er von anderen, sich anschließenden Zellen geliefert wird. Ein amerikanischer Forscher, Professor Harrison, dem als erstem die künstliche Gewebezüchtung geglückt ist, hat aber an jungen, isolierten Nervenzellen von Fröschen das Auswachsen dieser Fortsätze unmittelbar unter dem Mikroskop beobachten können und hierdurch alle Zweifel beseitigt.

Wieder anders sehen die *Sinneszellen* aus. So sprechen die Sinneszellen in unserem Auge auf Lichtreize, die Hörzellen im Ohr auf Schallwellen, die Riechzellen in der Nase auf gewisse chemische Einwirkungen an, und als Spezialistin leistet jede dieser Zellen auf ihrem Gebiet mehr als die Amöbenzelle. Einseitig, wie sie sind, wären sie sinnlos für sich allein. So aber stehen sie in unserem Körper als die Mittler zwischen Außenwelt und innerem Erleben jede auf ihrem Posten. Einseitigkeit ist kein Fehler, sondern etwas sehr Gutes, wenn sie sich in den Dienst eines höheren Ganzen stellt.

1.7. Von Körper- und Keimzellen –
An der Wurzel des natürlichen Todes

Unter den Einzelligen haben wir das zierliche Glockentierchen kennengelernt (Abb. 5). Trotz seiner verwegenen Körpergestalt vermehrt es sich in so einfacher Weise wie eine Amöbe durch Teilung. Es teilt sich erst der Kern, dann das Köpfchen und schließlich der ganze Stiel der Länge nach durch. So kann man oft auf dem Blatt einer Wasserpflanze Hunderte von diesen Tieren, die durch Teilung auseinander hervorgegangen sind, beisammensitzen sehen. Jedes ist von dem anderen unabhängig und führt sein Leben für sich. Bei einer anderen Art dieser Glockentierchen greift die Teilung nicht durch den ganzen Stiel durch; sie bleibt gleichsam stecken, so daß nach wiederholter Vermehrung viele Köpfchen an einem gemeinsamen, verzweigten Stiel sitzen. Obwohl sie alle untereinander in Verbindung sind, spricht man doch nicht von einem vielzelligen Lebewesen, sondern von Einzelligen, die einen »Tierstock« bilden. Denn alle Zellen sind untereinander gleich, und jedes Köpfchen kann sich, wenn die Lebensbedingungen ungünstig werden, von seinem Stiel ablösen, davonschwimmen und sich anderwärts festsetzen, um einen selbständigen Stock zu gründen. Jede von diesen Zellen trägt die Fähigkeit zu unbegrenztem Leben in sich wie eine Amöbe.

Auch unter den Geißeltierchen gibt es Formen, die nach der Teilung vereint bleiben und Zellverbände bilden. Meist sind auch hier alle Zellen untereinander gleich und ohne Einschränkung vermehrungsfähig. Doch die schönste und größte Art unter ihnen, von der Wissenschaft als Volvox benannt, deren Körper aus etwa 10000 Geißeltierchen besteht, ist ein bemerkenswertes Mittelding zwischen einem Verband von Einzelligen und einem vielzelligen Lebewesen. Die Zellen sind nicht mehr alle untereinander gleich, sondern an dem Pol der Kugel, der beim Schwimmen nach vorn gerichtet ist, haben sie kräftigere Geißelfäden und eine gesteigerte Lichtempfindlichkeit als erste Andeutung einer Arbeitsteilung.

Noch auffallender äußert sich eine solche in anderer Beziehung: Nur wenige Zellen haben die Fähigkeit zu weiterer Teilung bewahrt. Wenn sie sich vermehren, bilden sich Tochterkugeln, die nach innen wachsen. Erst dadurch, daß die Mutterkugel platzt und zugrunde geht, werden sie frei und beginnen ihr selbständiges Leben. Das ist der einfachste Zellverband, bei dem eine Scheidung besteht in Zellen mit unbegrenzter und in solche mit begrenzter Lebensdauer – das einfachste Geschöpf, bei dem es einen natürlichen Tod gibt.

Die Scheidung in Körper- und Keimzellen

Bei den vielzelligen Tieren ist es dem Wesen nach nicht anders; nur die Form ist eine andere geworden. Weitgehende Arbeitsteilung hat zur Ausbildung der Zellgestalten geführt, die wir im vorigen Abschnitt kennengelernt haben. Mit ihrer einseitigen Spezialisierung haben sie eine beschränkte Aufgabe übernommen, der sie auf das vollkommenste gerecht werden, in deren Erfüllung sie sich aber abnützen und schließlich zugrunde gehen.

Wenn man sie frühzeitig aus dem Zellverband herausnimmt und unter günstigsten Bedingungen in einer Gewebekultur weiterzüchtet, dann leben sie, soweit unsere Erfahrungen reichen, unbegrenzt und vermehren sich immer fort. Aber unter natürlichen Bedingungen, im Dienste des Körpers, ist ihr Schicksal die Abnützung und der Verbrauch bis zum Ende. Die Gesamtheit dieser Zellen mit einseitiger Leistung und begrenzter Lebensdauer nennt man die *Körperzellen*. Ihr schließliches Versagen führt zum natürlichen Tod.

Für eine Art von Zellen gilt diese Betrachtung nicht. Es sind die *Keimzellen*. Sie erfahren keine Umbildung für eine einseitige Leistung; sie haben auch keinerlei Frondienst im Haushalt des Gesamtkörpers zu verrichten. Sie bewahren ihre vielseitigen Fähigkeiten und werden zu den Keimzellen der nächsten Generation. Die Keimzellen der Weibchen sind die Eizellen, die Keimzellen der Männchen sind die Samenzellen. Es gibt aber auch Tiere, bei denen man nur Weibchen kennt, oder Männchen zu den größten Seltenheiten gehören. Dies ist für unsere gegenwärtige Betrachtung der einfachere Fall, und wir können den anderen zunächst beiseite lassen. Wenn aus dem Ei ein vielzelliges Wesen hervorgeht, entwickeln sich die meisten Zellen zu Körperzellen mit ihren einseitigen Aufgaben und mit begrenzter Lebensdauer. Ein Teil der Zellen wird aber gleichsam zurückgestellt, wird weder zu Haut- noch zu Drüsenzellen, weder zu Muskel- noch zu Nervenzellen, sondern bleibt ursprünglich und zu allem fähig, bleibt frei von Alterserscheinungen und trägt als Keimzelle – wie die Amöbenzelle – die Fähigkeit in sich zu ewigem Leben, von Generation zu Generation. Das ist der biologische Kern der alten Redewendung, daß die Eltern in ihren Kindern weiterleben. Es ist wörtlich wahr. Für unser Empfinden ist es freilich eine symbolische Wendung. Denn unser Bewußtsein ist an die Nervenzellen gebunden und findet mit diesen beim natürlichen Tod sein natürliches Ende.

2. Die Organe des Körpers und ihre Leistungen

Wir haben in den Zellen kleinste Bausteine der Lebewesen kennengelernt. Es gibt auch Bausteine höherer Ordnung, die sich aus Millionen von Zellen zusammensetzen – umfangreiche Bausteine, die beim Zergliedern eines größeren Tieres ohne weiteres in die Augen fallen und die man seine *Organe* nennt. Die Bezeichnung kommt vom griechischen Wort »Organon«, das Werkzeug. Es sind gleichsam die Werkzeuge für die einzelnen Aufgaben, die im Dienste des Gesamtkörpers zu verrichten sind: gegeneinander abgegrenzte Körperteile, deren jedem eine bestimmte Leistung zukommt. So ist das Herz das Werkzeug zur Blutförderung, die Niere das Werkzeug zur Harnabsonderung; Magen und Darm sind Verdauungswerkzeuge, die Muskeln Bewegungswerkzeuge, die Nase ist ein Riechwerkzeug, und die Augen sind die wunderbaren Geräte, durch die der Zauber einer Landschaft den Weg zu unserer Seele findet.

Am Aufbau eines Organs pflegen sich mehrere Gewebearten zu beteiligen. Der Darm ist innen von Deckgewebe ausgekleidet; er enthält aber auch Drüsenzellen zur Absonderung des Verdauungssaftes; hinzu kommen Muskelzellen, die für die Weiterbeförderung seines Inhaltes sorgen, Nervenzellen, die seine Bewegungen regeln, Bindegewebe, das die Teile zusammenhält. So ist jedes Organ gegenüber den Zellen eine Einheit höherer Ordnung, in der alles wohl aufeinander abgestimmt ist, aber doch selbst ein Baustein, der für sich allein nicht bestehen kann, sondern nur im Zusammenspiel mit den anderen Organen des Körpers einen Sinn hat.

Um das Leben des Gesamtkörpers zu verstehen, gibt es keinen anderen Weg als das Studium seiner Teile – so wie man eine Maschine niemals begreifen wird, wenn man sich nicht mit ihren Bestandteilen vertraut macht.

Womit wollen wir beginnen? Gehen wir mutig an die Organe, die härter, spröder und trockener erscheinen als alle anderen: an unsere Knochen.

2.1. Vom Gerippe unseres Körpers und von anderen Skeletten

Die Knochen müssen hart sein. Dies liegt in ihrer Aufgabe begründet. Denn sie sind die Organe, die den Körper zu stützen und, stellenweise, zu schützen haben. – Einen sehr wichtigen *Schutz* bietet die knöcherne Schädelkapsel für das von ihr umschlossene Gehirn. Man fühlt sie, wenn man sich an den Kopf greift. Ohne sie wäre es jeder Kinderfaust ein leichtes, einen Riesen totzuschlagen; das Gehirn verträgt keinen Puff.

Die meisten Knochen aber sind in erster Linie *Stütz*organe. Der menschliche Körper würde in sich zusammenbrechen, wenn er kein Rückgrat hätte. Es besteht aus etwa zwei Dutzend Einzelknochen, den Wirbeln (Abb. 8). Da diese nicht unmittelbar, sondern durch Vermittlung dicker Bindegewebsscheiben – es sind die berüchtigten Bandscheiben – aneinandergefügt sind, hat die »Wirbelsäule«, wie man das Rückgrat zu nennen pflegt, eine gewisse Beweglichkeit. Ansonsten müßten wir uns ja immer so gerade halten, als wenn wir einen Stock verschluckt hätten. Getragen wird die Wirbelsäule, und hiermit der Körper, durch Vermittlung der Beckenknochen von den Beinen. Sie sind durch langgestreckte Knochen gestützt und in den Gelenken beweglich, ähnlich wie die Arme, an denen wir den Oberarm- und beide Unter-

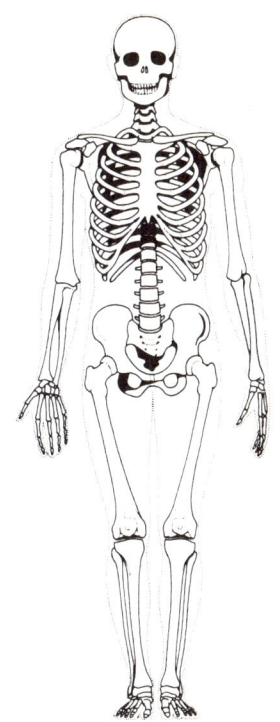

Abb. 8: Skelett eines Menschen.

armknochen ebenso wie Handwurzel-, Mittelhand- und Fingerknochen teilweise ganz gut an uns abtasten können. Erwähnen wir noch die Rippen, die dem Brustkorb Form und Halt geben und bei der Atmung eine wichtige Rolle spielen, so haben wir die wesentlichen Bestandteile unseres Gerippes kennengelernt, aber noch nicht seine Eigenschaften.

Die Knochen sind *hart*. Aber sind sie nur hart und weiter nichts? Zu dieser Frage läßt sich mit einfachen Mitteln ein lehrreiches Experiment ausführen. Wir legen einen Knochen – es muß kein Menschenknochen sein – für längere Zeit in ein Gefäß mit verdünnter Salzsäure. Die Säure löst den Kalk auf. Also wird man erwarten, daß der ganze Knochen zergeht wie ein Stück Zucker im Wasser. Das tut er nicht; seine Form bleibt unverändert erhalten. Denn er besteht nicht aus Kalk allein, sondern aus einer Bindegewebsmasse, in die der Kalk eingelagert ist. Nachdem die Säure den Kalk herausgelöst hat, ist diese Masse so weich, daß man den Knochen unter leichtem Druck zweier Finger abbiegen kann, und zugleich so *elastisch,* daß er beim Nachlassen des Druckes sofort seine frühere Gestalt wieder annimmt. Einen zweiten Knochen setzen wir der Glut eines Ofens aus, bis alle Bindegewebsmasse zerstört ist. Den Kalk kann die Hitze nicht zerstören, auch hier bleibt die Form erhalten, und die Härte bleibt gewahrt. Aber der Knochen ist so spröde geworden, daß man ihn zwischen zwei Fingern zerbröckeln kann. Die innige Durchdringung der weichen elastischen Grundmasse mit dem spröden, aber festen Kalk macht den Knochen elastisch und hart zugleich. Der Verquickung dieser beiden grundverschiedenen Anteile verdankt er seine besondere Eignung als Stützorgan des Körpers. Und wehe, wenn die beiden Teile nicht im rechten Verhältnis stehen! Bei einer bekannten Kinderkrankheit, der Rachitis, leiden die Knochen an Kalkmangel. Dann biegen sich die Beine unter der Last des Körpers. Wenn im Alter der bindegewebige Anteil schrumpft, werden die Knochen spröde, und schon ein leichter Sturz kann zu gefährlichen Brüchen führen.

Knochenbau und Technik

Eine alte Lebenserfahrung sagt: Man kann es nicht allen Teilen recht machen. Das gilt nicht nur für die menschliche Gesellschaft. Es ist überall so in der belebten Natur, und bis in die Knochen hinein besteht dasselbe Problem, zwischen widerstreitenden Bedürfnissen den richtigen Anspruch zu finden. Die Knochen unserer Beine z.B. müssen eine genügende Festigkeit haben, um den Körper zu tragen. Aber je massiver sie die Natur schafft und je mehr Kalk sie zu ihrer Verhärtung hineinlegt, desto schwerer werden sie und desto mehr behindern sie den Körper durch ihre Last. In einer ähnlichen Zwickmühle befindet sich ein Baumeister, der etwa einen von Säulen getragenen Balkon auszuführen hat. Die Säulen müssen so stark sein, daß sie die größte Belastung aushalten, die in Betracht kommt. Je mehr Eisen er zu ihrer Herstellung verwendet, desto teurer werden sie und erwecken Unzufriedenheit nach einer anderen Richtung.

Die Techniker haben herausgefunden, daß eine hohle Säule, wenn nur die Wandstärke ein gewisses Maß nicht unterschreitet, fast dasselbe Gewicht tragen kann wie eine massive Säule von derselben Dicke. Sie werden also durch Verwendung von Hohlsäulen den beiden widerstrebenden Anforderungen am besten gerecht. Schon ungezählte Jahrtausende, bevor Menschengeist diese Erfindung machte, hat die Natur den gleichen Vorteil angewendet: bei den schwankenden Halmen von Gräsern und Getreide, die eine erstaunliche Last zu tragen vermögen, ebenso wie bei den langen Knochen in unseren Beinen, die hohl sind wie die Säulen des Baumeisters und auf diese Weise geringes Gewicht und geringen Stoffbedarf mit großer Tragfähigkeit vereinigen.

Doch es kommt noch schöner. Wenn eine Säule nicht von oben, sondern einseitig belastet wird, dann treten in bogenförmig verlaufenden Richtungen Spannungen auf. Man nennt diese Linien der mechanischen Beanspruchung Zug- und Drucklinien. Am oberen Ende des Oberschenkelknochens, der durch die Körperlast einseitig beansprucht wird, bestehen solche Verhältnisse. Es war eine überraschende Entdeckung, daß die Knochenbälkchen, die hier das Innere durchziehen, genau in der Richtung der Zug- und Drucklinien angeordnet sind. Ein denkender und rechnender Baumeister hätte es nicht besser machen können. Und etwas ist hier verwirklicht, was der beste Baumeister nicht fertigbringt: Wenn das Unglück geschieht und der Knochen durch eine Gewalteinwirkung bricht, und wenn er, wie es vorkommen kann, schief zusammenheilt und in anderer Richtung als früher beansprucht wird, dann wird er innerlich umgebaut, und die Bälkchen passen sich dem neuen Verlauf der Zug- und Drucklinien an. So plastisch ist das »starre Gebein«!

Übrigens werden wir der Tatsache, daß der lebende Körper als Ganzes und in seinen Teilen auf Anforderungen, die an ihn herantreten, im Sinne bestmöglicher Leistung, also in zweckmäßiger Weise anspricht, immer wieder begegnen. Es ist ein Zug, der durch die gesamte Tier- und Pflanzenwelt geht und schon manchen Denker beschäftigt hat.

Eine Zwischenfrage

Nimmt jemand daran Anstoß, wenn nur vom Pflanzen- und Tierreich die Rede ist und das Menschengeschlecht nicht als übergeordnetes Drittes gesondert genannt wird? Es wäre in diesem Zusammenhang nicht berechtigt. Das Gerippe eines Affen ist in allen Einzelheiten dem Gerippe eines Menschen außerordentlich ähnlich. Die Unterschiede zwischen beiden sind viel geringer als etwa die Unterschiede zwischen dem Gerippe eines Affen und dem eines Hundes oder gar eines Fisches. Die Ähnlichkeit erstreckt sich auch auf alle anderen Organe. Unter den Gelehrten besteht daher gar kein Zweifel darüber, daß der Mensch nach seiner gesamten Organisation dem Tierreich angehört. Und niemand braucht sich dieser Gemeinsamkeiten zu schämen. Was uns vom »Tier« am stärksten unterscheidet, liegt auf anderem, seelischem Gebiet.

Die Ähnlichkeiten und Verschiedenheiten der körperlichen Baupläne vergleichend zu betrachten, ist eine Sache von großem Reiz, besonders nachdem man erkannt hat, daß die Pflanzen- und Tierwelt von heute nicht seit jeher in dieser Form bestanden hat, vielmehr in langer Entwicklungszeit allmählich geworden ist. Manches Zeugnis für ihre Geschichte läßt sich aus ihrem Bau herauslesen. Wir wollen jetzt nicht näher davon reden; aber schon ein flüchtiger Blick auf die Abbildungen, welche die Gerippe eines Menschen, eines Affen und eines Hundes, eines Adlers, eines Salamanders und eines Fisches darstellen (Abb. 9), zeigt uns trotz zunehmender Verschiedenheiten die innere Verwandtschaft des Bauplanes. Alle ha-

Abb. 9: Übereinstimmender Grundplan der Wirbeltierskelette:
a) Mensch, b) Affe, c) Hund, d) Vogel, e) Salamander, f) Fisch.

ben eine Wirbelsäule. Der Mensch und der Affe haben Arme, der Hund nicht. Aber seine Vorderbeine entsprechen unseren Armen. Wir finden dieselben Knochen wieder, nur dienen sie hier, wie bei den meisten Säugetieren, mit zum Tragen des Körpers. Den aufrechten Gang hat der Mensch mit den Vögeln gemeinsam, bei denen anstelle unserer Arme die Flügel sitzen. Auch hier dieselben Knochen, wenn auch – im Zusammenhang mit der anderen Aufgabe – teilweise in veränderter Gestalt. Sogar bis ins Gerippe des Fisches, dessen Brust- und Bauchflossen den Vorder- und Hinterbeinen des Salamanders und der anderen Landtiere entsprechen, lassen sich die Ähnlichkeiten verfolgen.

Gepanzerte Ritter

Ob auch ein Maikäfer ein Gerippe hat? Nicht jeder wird auf diese Frage die Antwort wissen. Aber die Zoologen wissen sie natürlich ganz genau. Denn welchen Käfer hätten sie in ihrem stillen Drange noch nicht zergliedert! Sie sagen uns: Ein Gerippe, ähnlich dem des Menschen, gibt es nur bei den Fischen, Lurchen, Kriechtieren, Vögeln und Säugetieren. Weil diese alle eine Wirbelsäule haben, nennt man sie Wirbeltiere. Nirgends sonst, weder bei Insekten noch bei Würmern oder Schnecken oder anderem Getier, trifft man ein solches Gerippe.

Aber damit ist nicht gesagt, daß diese anderen Tiere nicht doch ein Skelett haben können. Hartgebilde zum Schutz und zur Stütze des Körpers – Skelettbildungen nennen wir sie allgemein – sind sogar sehr verbreitet. Sie können in mannigfacher Form auftreten; denn die Natur ist erfinderisch.

Der Maikäfer hat kein inneres Skelett wie der Mensch und alle Wirbeltiere, sondern ein äußeres, ein Hautskelett. Darum ist er so hart anzufühlen. Es besteht nicht aus Knochen, die den kleinen Körper für den Flug zu sehr belasten würden, sondern aus einem Komplex von Chitin und Eiweißstoffen, der große Festigkeit mit größter Leichtigkeit verbindet. Er wird vom Hautgewebe nach außen abgeschieden, so daß der Körper in einem Panzer steckt, ähnlich wie ein mittelalterlicher Ritter in seiner Rüstung. Ähnlich wie dort bewegliche Stellen vorgesehen sein müssen, damit sich der Ritter in seinem Harnisch rühren kann, so hat der Hautpanzer des Maikäfers seine beweglichen Gelenke. Das gilt nicht nur für den Maikäfer; es gilt für alle Insekten, Krebse und andere Gliedertiere. Darum haben die Insektensammler so einfach; sie brauchen die toten Käfer nur aufzuspießen. Ein so behandelter Frosch würde verwesen und zerfallen bis auf die Knochen. Hier aber ist das Skelett die äußere Hülle, und wenn auch das Innere verwest, bleibt doch die Gestalt erhalten.

Nur einen Nachteil hat dieses vortreffliche Hautskelett für seinen Träger: es kann nicht wachsen und läßt sich auch nicht dehnen. Daher muß der Panzer in gewissen Zeitabständen gesprengt und abgeworfen werden. Das nennt man die Häutung. Sie ist eine gefährliche Angelegenheit; denn es ist für einen Krebs mit seinen dünnen Fühlern und Beinen gar nicht einfach, diese unversehrt aus den langen Skelettröhren herauszuziehen. Ist es geglückt, dann ist die ganze Haut zunächst sehr weich und gegen Angriffe aller Art schlecht gewappnet. In diesem Zustand wachsen die Tiere rasch erheblich heran, bis ihnen das Erhärten des neu gebildeten Panzers nach wenigen Stunden neuen Schutz gibt und zugleich dem Wachstum bis auf weiteres ein Ende setzt.

Viele kleine Lebewesen bauen ein Gebirge

Skelette gibt es noch vielerlei, und manches ließe sich erzählen von den schützenden Kalkschalen der Schnecken und Muscheln, von den stachelbewehrten Panzern der Seeigel, den Kalksockeln der Korallentiere oder den gläsernen Gerüsten absonderlicher Tiefseeschwämme.

Das Merkwürdigste ist, daß es schon unter den mikroskopisch kleinen, einzelligen Tieren solche gibt, die Skelette bauen. Die im Meere sehr häufigen Kammerlinge (Foraminiferen) sind amöbenähnliche Geschöpfe. Ihr Protoplasma speichert den Kalk, der ja stets in geringer Menge im Wasser vorhanden ist, und bringt ihn an der Zelloberfläche in Gestalt einer zierlichen Schale, die bei manchen Arten an ein Schneckenhäuschen erinnert, zur Abscheidung.

Die Kalkschalen gewähren dem zarten Körper Schutz. Aber sie behindern die Teilung der Zellen. Bei der Vermehrung werden daher die alten Schalen verlassen und nachher neue gebildet. So kommt es, daß an Stellen, wo diese Tiere häufig sind, Schalen in ungeheurer Menge entstehen. Der aufmerksame Strandwanderer kann, wenn er eine Sandprobe mit dem Vergrößerungsglas betrachtet, mancherorts die Entdeckung machen, daß die vermeintlichen Sandkörnchen vom Meeresstrand zum größten Teil leere Gehäuse von Foraminiferen sind. Gewaltige Kalkmengen werden durch ihre Tätigkeit im Laufe der Jahrmillionen dem Meerwasser entnommen und abgeschieden.

Da sich in der Erdgeschichte vielfach Landteile gesenkt haben und andererseits Meeresboden aus dem Wasser aufgestiegen ist, kann man heute solche Ablagerungen aus früheren Epochen auch mitten im Binnenland finden. Mächtige Schichten der Gebirge bestehen aus Kalk, der in vorgeschichtlicher Zeit, als an diesen Stellen noch Meer war, durch Foraminiferen ausgeschieden wurde. Ihre unzählbaren Häuschen, in langen Zeiträumen immer wieder gebildet und übereinandergelagert, sind schließlich zum festen Gestein verbacken, in dem sie heute noch erkennbar sind.

Sie sind keineswegs die einzigen Gesteinsbilder. Mancher Felsen ist ein altes Korallenriff und verdankt sein Dasein der Tätigkeit von Korallenpolypen längst vergangener Zeiten, während ihre Nachkommen auch heute noch in den südlichen Meeren weiterbauen an den ständig wachsenden Riffen, die schon manchem Schiff zum Verhängnis geworden sind. Muscheln, Schnecken und andere Tiere haben durch ihre Schalen beigesteuert, und auch die Pflanzenwelt hat in besonderer Art ihren guten Anteil an der Bildung von Kalkgesteinen. Die Foraminiferen aber gehören zu den kleinsten und, in ihrem unbewußten Walten, zu den kunstvollsten Handwerkern, die am Aufbau der Erdrinde mitschaffen.

2.2. Bewegungsorgane

Schon mancher studierende Jünger der Medizin hat einen Stoßseufzer zum Himmel gesandt: warum denn das menschliche Gerippe aus so vielen einzelnen Knochen besteht, die er alle kennen und deren Namen er behalten soll! Hätte die Natur unser Stützskelett nicht aus einem Guß machen können?

Gewiß, man kann alles auch anders machen. Niemand kann uns davon besser überzeugen als die Natur selbst, denn sie hat gegebene Möglichkeiten in verschwenderischer Fülle verwirklicht. Sie hat auch Stützskelette aus einem Guß geschaffen. Ein solches ist das Holz der Bäume. Eine Tanne ohne Holz würde in sich zusammenbrechen. Es ist nicht in einzelne Holzstücke gegliedert. Ein Baum kann sich aber auch nicht vom Fleck rühren. Manche Tiere haben dasselbe Schicksal. Die Glasschwämme der Tiefsee, deren zarter Körper innen durch ein starres Glasgerüst gestützt ist, oder die Korallentiere mit ihren Kalkskeletten können sich nicht fortbewegen und einer Gefahr nicht ausweichen.

Unser Körper ist dadurch so beweglich, daß das Skelett in viele gelenkig verbundene Knochen gegliedert ist. Die Organe, die sie in Bewegung setzen, sind unsere Muskeln. Wir kennen bereits ihren Aufbau aus Muskelzellen. Diese haben die Fähigkeit, sich in der Längsrichtung zu verkürzen. Das können sie sehr gut, sehr rasch und energisch. Es ist aber auch alles, was sie können. Sie sind nicht imstande, das Knochenglied, an dem sie ansetzen, einmal mehr nach dieser und dann mehr nach jener Richtung zu ziehen. Die vielseitige Beweglichkeit, die wir z.B. an unserer Hand beobachten, kommt durch das Zusammenspiel vieler, in verschiedener Richtung angeordneter Muskeln zustande. Der Bewegung unserer Hand allein dienen fünfzig verschiedene Muskeln. Wer die Schnürchen an einem Hampelmann bedient, muß wissen, wohin sie ziehen und was sie bewirken. Der Geiger, der die Kreutzersonate spielt, beherrscht die Tätigkeit der fünfzig Muskeln seiner Hand in feinster Abstufung, ohne daß er sie kennt und

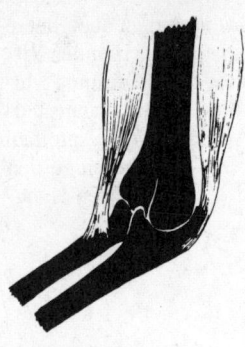

Abb. 10: Ellbogengelenk.

ohne Überlegung. Es wäre ein langes Studium, wollten wir ihren Verlauf und ihre Wirkungsweise im einzelnen untersuchen. Wir beschränken uns auf ein einfacheres Beispiel.

Der bekannteste Muskel, schon aus unserer Schulzeit, ist der Bizeps. Er tritt in Tätigkeit, wenn man den Unterarm im Ellbogengelenk *beugt* oder wenn man einen Gegenstand hebt. Jeder Muskel braucht seinen Gegenspieler. Der Gegenspieler des Bizeps liegt ihm gegenüber auf der Rückseite des Oberarmknochens und *streckt* bei seiner Tätigkeit den Unterarm im Ellbogengelenk (Abb. 10). Wenn der Beuger sich zusammenzieht, gibt der Strecker nach und umgekehrt. Gemeinsam beherrschen sie die Bewegung und Lage der Glieder, die sie verbinden. Das Gelenk zwischen unserem Oberarmknochen und der Elle des Unterarms ist ein Scharniergelenk; das heißt, es gestattet eine Bewegung nur in einer Ebene wie bei der Klinge des Taschenmessers. Zur Bedienung eines solchen Gelenkes genügen ein Muskel und sein Gegenspieler. Andere haben größere Freiheit, bis zum Kugelgelenk in unserer Schulter, das dem Keulenschwinger freies Spiel läßt. Die reichere Bewegungsmöglichkeit erfordert eine mannigfachere Bedienung. So brauchen wir allein für das Schultergelenk neun Muskeln. Und wie in manchen anderen Dingen bringt größere Freiheit auch größere Gefahren. Ein Scharniergelenk hat eine weit festere Führung. Es ist kein Zufall, daß man viel öfter von einer ausgekugelten Schulter hört als von einem ausgerenkten Ellbogen.

Bewegungserscheinungen bei Tieren und Pflanzen

Bisher war nur von unseren eigenen Bewegungsorganen die Rede. Wer die Bewegungsweise der Lebewesen allgemein schildern wollte, der könnte allein darüber ein dickes Buch schreiben, so bunt ist das Vielerlei. Da gibt es die Krebse und Insekten, die ihre Haut mit einem Skelett gepanzert haben und alle Weichteile im wohlgeborgenen Inneren führen. So ist das Bein eines Maikäfers gleichsam die Umkrempelung eines menschlichen Beines oder Armes, außen das harte Skelett und innen die Muskeln. Die Art der Gelenkverbindung bestimmt auch hier die Bewegungsfreiheit der Glieder; Beuger und Strecker führen die Bewegungen aus. – Da gibt es den Regenwurm, der überhaupt auf Knochen und jegliches Skelett verzichtet. Abwechselnd streckt und verkürzt er sich durch die Tätigkeit vieler

Muskeln in seiner Körperwand, und so schiebt er sich vorwärts. Er hat es dabei nicht eilig. Seine Muskeln können sich nur verhältnismäßig langsam zusammenziehen, während die einer Fliege zu einer Zuckung nur wenige Tausendstel einer Sekunde brauchen. Darum ist ein Regenwurm leicht zu fangen, eine Fliege aber schwer.

Es gibt auch Bewegung ohne Muskelzellen. Die Protoplasmabewegung einer Amöbe, die Flimmerhaare eines Pantoffeltierchens sind uns schon bekannt. Wir brauchen nicht einmal so weit zu gehen, um diese abweichenden Bewegungsformen anzutreffen. Gewisse Zellen in unserm Blut kriechen wie Amöben, und unsere Luftröhre ist innen mit Flimmerhaaren ausgekleidet, die den Schleim nach außen treiben, damit er nicht die Lunge verlegt. Auch solche Bewegung hat ihre Energiequelle im ATP (s. S. 27) und letzten Endes im Glykogen; nur der Motor ist anders gebaut.

Gänzlich abweichend ist die Art und Weise, wie manche Pflanzen sich bewegen. Sie sind ja nicht alle so steif, wie sie auf den ersten Blick erscheinen. Von einem Sproß, der sich zum Licht wendet, sagt man: Er wächst dem Licht entgegen. Tatsächlich ist dies eine Bewegung, die nur in Verbindung mit Wachstum möglich ist. Dadurch, daß die Pflanze auf der vom Licht abgewandten Seite schneller wächst als auf der Lichtseite, krümmt sie sich zum Licht – eine durchaus einwandfreie Art der Bewegung für ein Lebewesen, das im Wachsen ist und genug Zeit hat.

Nicht alle Pflanzen sind so langsam. Es gibt – als seltene Ausnahme – auch solche, die uns durch ihre plötzliche Gestaltsveränderung erschrekken können. Das gilt für die bekannte Mimose, die man bei uns gelegentlich in Gewächshäusern beobachten kann: bei unsanfter Berührung klappen plötzlich alle Fiederblättchen zusammen und die Blattstiele senken sich.

Solchen Bewegungen liegt ein Vorgang zugrunde, der wieder anders ist als alles, was wir bisher gehört haben. Daß grüne, nicht holzige Pflanzenteile eine gewisse Festigkeit haben, beruht auf der prallen Füllung der Pflanzenzellen mit Flüssigkeit. So wird jede einzelne Zelle, ähnlich wie ein stark aufgeblasener Kinderballon, hart und steif. Die Botaniker sagen, diese Zellen haben einen hohen »Turgor«. Ein abgeschnittener Zweig, den man nicht ins Wasser steckt, oder ein Blumenstock, den man nicht gießt, wird welk. Das heißt nichts anderes, als daß das aus den Zellen verdunstende Wasser nicht ersetzt werden kann. Der Turgor sinkt; die Zellen werden weich und schlaff, so wie der Kinderballon anderentags auszusehen pflegt, und die Blätter hängen infolgedessen herab. Die Bewegungen der Mimose beruhen auf Turgorschwankungen, die auf chemischem Wege veranlaßt werden.

2.3. Die Energiefrage – ein Kernproblem des Lebens

Wenn wir nach einer mühsamen Gartenarbeit oder einer langen Bergwanderung mit knurrendem Magen nach einer kräftigen Mahlzeit verlangen, so ist dies eine recht heilsame Methode des Organismus, die verausgabte Energie wieder in Form von Nahrung nachzufüllen.

Den Wert der Nahrungsmittel für den Körper pflegt man in Kilo-Kalorien, neuerdings in Kilo-Joule (1 kcal = 4,187 kJ) auszudrücken. Eine *kcal* (auf deutsch: Wärmeeinheit, calor ist das lateinische Wort für Wärme) ist die Wärmemenge, die nötig ist, um ein ccm Wasser um ein Grad zu erwärmen. Die Physiologen haben herausgebracht, daß ein Gramm Zucker oder Eiweiß bei seiner Verbrennung, wie sie im Körper stattfindet (wie man sie aber auch künstlich in einem Apparat durchführen kann), etwa vier kcal liefert – das heißt, die entstehende Wärme könnte die Temperatur von vier Liter Wasser um ein Grad hinauftreiben. Ein Gramm Fett liefert etwa neun kcal. Für alle so mannigfach zusammengesetzten Nahrungsstoffe läßt sich ihre »Verbrennungswärme« feststellen. Natürlich werden sie in unserem Inneren nicht *nur* in Wärme umgesetzt. Sie sind ja auch die Quelle unserer Kraftleistungen oder finden als Baustoffe Verwendung. Die Verbrennungswärme sagt nur aus, welche Wärmemenge bei der restlosen Verbrennung des Stoffes entstehen würde. Das gibt für eine vergleichende Beurteilung, was verschiedene Nahrungsmittel taugen, ein anschauliches Maß.

Ein Erwachsener, der keine schwere Arbeit leistet und weder von Kräften kommen noch Fett ansetzen will, muß täglich eine Nahrungsmenge zu sich nehmen, deren Verbrennungswärme etwa 3000 kcal entspricht. Millionen Menschen haben bei uns gegen Ende des zweiten Weltkrieges erfahren, was es bedeutet, wenn die tägliche Zuteilung von Lebensmitteln nur einem Wert von 1300 kcal entspricht. Wir brauchen keine Gelehrsamkeit, um zu erkennen, daß es zu wenig ist. Mit wunderbarer Sicherheit und gebieterischer Macht verlangt das Hungergefühl des gesunden Organismus nach jener Nahrungsmenge, die seinem täglichen Bedarf entspricht, so daß das Körpergewicht oft jahrelang unverändert bleibt, auch ohne daß man sich selbst und seine Speisen mit der Waage nachprüft.

Mit der Aufnahme der Nahrung und der Stillung des Hungers ist die Energiefrage noch nicht gelöst. Ein eigenes Kapitel wird die Umwandlung der Energie aus der Nahrung behandeln. Zunächst soll dem Physiker das Wort gegeben werden, der uns zwei wichtige Sätze zum allgemeinen Energieproblem vorgelegt hat: Für die Umwandlung jeglicher Art von Energie gilt für die lebenden Organismen ebenso wie für die leblose Materie das *erste thermodynamische Grundgesetz*, das seinerzeit Clausius im Jahre 1865 formulierte: »Die Energie der Welt ist konstant.« Wie auch immer Energie verbraucht, neu geschaffen, umgewandelt wird – ihre Gesamtmenge bleibt stets erhalten.

Eigentlich bräuchten wir uns also gar nicht um die Energieprobleme auf dieser Welt Sorge zu machen, wenn – ja wenn nicht das zweite thermodynamische Grundgesetz auch für die lebendige Welt gelten würde, das Boltzmann (1905) wie folgt formulierte: »Der allgemeine Lebenskampf der Lebewesen ist nicht ein Kampf um die Grundstoffe..., sondern ein Kampf um die Entropie, die durch den Übergang der Energie von der heißen Sonne zur kalten Erde disponibel wird.« Entropie bedeutet hier den Zerfall aller Energie in Wärme, so daß am Ende der viel zitierte Wärmetod steht, ein Zustand, in dem keine Ordnung mehr gilt. Wie sagt doch der Physiker: »Wärme ist ein ungeordneter, nur statistisch erfaßbarer Bewegungszustand der Atome und Moleküle.« Jedes System, das sich selbst überlassen bleibt, strebt diesem Zustand entgegen; denn Unordnung ist wahrscheinlicher als Ordnung. Es ist eine der erstaunlichsten Leistungen des Lebens – daß es dieser Entropie, diesem Verfall in die Unordnung, entgegenwirkt, indem es in dem schon erwähnten *Fließgleichgewicht* immer wieder den alten Zustand der Ordnung herstellt. Das Problem dabei ist natürlich, wie man die durch Entropie, d.h. durch nutzlos verpuffte Wärme, verlorengegangene Energie wieder beischafft. Auch die Lebewesen bleiben von der Entropie nicht ungeschoren. Beim Holzhacken z.B. werden nur etwa 30% der verbrauchten Energie für die effektive Muskelarbeit eingesetzt, das Übrige verflüchtet sich als Wärme – von uns unkontrolliert – ins Weltall. Der einfachste Weg, den Verlust wettzumachen, ist der über neue Nahrung: Wir füllen beim Essen wieder jenen Vorrat an chemischen Verbindungen auf, den wir bei unserer Arbeit verbraucht haben. Was heißt Nahrung überhaupt? Wir verzehren die energiereichen Moleküle, die von anderen Organismen stammen, seien es tierische oder pflanzliche. Durch chemische Umsetzungen, die wir noch näher zu beschreiben haben, wird unter Sauerstoffverbrauch, d.h. durch Verbrennung, die erwünschte Energie frei. Zucker ist z.B. ein Brennstoff, der bei der Muskelbewegung als Energie benutzt wird. Das klingt wohl überraschend. Muß man viel Zucker essen, um kräftig zu werden? Ganz so ist das nicht. Auch Brot und Kartoffeln werden durch unsere Verdauungsorgane in Zucker verwandelt. So wird den Muskeln auch ohne Besuch beim Konditor durch das Blut reichlich Zucker aus unserer Nahrung zugeführt. Er würde durch das Blut, in dem er ja so gut wie in Wasser löslich ist, ebenso schnell wieder hinausgeschwemmt wie er gekommen ist, wenn ihn die Muskelzellen nicht festhielten. Das tun sie, indem sie rasch viele Zuckermoleküle zu je 1 Molekül Glykogen zusammenbauen, das schwer löslich ist und daher in der Zelle liegen bleibt. Man kann durch ein chemisches Verfahren das Glykogen aus einem Muskel herausziehen; dann hat man ein weißes Pulver vor sich, das aussieht wie Mehl. Dies ist der Kraftvorrat, den jede Muskelzelle in sich hat, wie das Auto sein Benzin.

Die Energiereserven aller Lebewesen dieser Erde wären bald verbraucht, könnten sie nicht auf die Pflanzen bauen, die ständig aus anorganischem Material, nämlich aus dem für uns nutzlosen Kohlendioxid der Luft, mit Hilfe der Sonnenenergie organische Substanz, eben Zucker aufbauen. Wir nennen diesen Prozeß Photosynthese (zu deutsch Aufbau durch Licht). Wir sollten uns mit dieser Photosynthese, die alle Lebewesen vor dem Hungertod bewahrt, näher befassen. Sie ist ein äußerst komplizierter Prozeß; hier sei er nur skizzenhaft geschildert.

Sonnenlicht und Pflanzengrün als Urquellen unserer Nahrung

Als Pionier der Photosyntheseforschung sollten wir den Schweizer Naturforscher Nicholas de Saussure rühmend erwähnen, der bereits zu Beginn des 19. Jh. die wesentlichen Reaktionen der Photosynthese entdeckt hatte: Er fand immerhin heraus, daß unter Nutzung des Sonnenlichtes grüne Pflanzen das Kohlendioxid der Luft einfangen, es in Verbindung mit Wasser spalten und Zucker als wertvolle organische Substanz liefern; Saussure wußte sogar, daß dabei Sauerstoff frei wird. Die moderne Forschung faßt diese ehemaligen Erkenntnisse vereinfacht in einer Summenformel zusammen, wobei die einzelnen Reaktionsstufen exakte quantitative Angaben über die beteiligten Moleküle machen. Diese Summenformel lautet: $6\,H_2O + 6\,CO_2 \rightarrow C_6H_{12}O_6 + 6\,O_2$. Sie sagt aus: 6 Moleküle Wasser ergeben mit 6 Molekülen Kohlendioxid 1 Molekül Zucker, gleichzeitig werden 6 Moleküle Sauerstoff frei. Zum Erstaunen der Botaniker stellte sich heraus, daß der Photosyntheseprozeß nicht nur unter Lichteinwirkung abläuft, sondern auch in einer Dunkelphase weitere Reaktionen ausführt. In der »Lichtreaktion« wird die Strahlungsenergie der Sonne dazu verwendet, Wasser zu spalten; dabei werden Wasserstoffionen frei. Ebenso wie in Wasserkraftwerken die Energie abwärts fließenden Wassers benutzt wird, um Turbinen anzutreiben, kann die Energie von Wasserstoffionen dazu benutzt werden, ATP zu bilden. ATP ist uns schon mehrfach als Energielieferant der Zelle begegnet. Wasserspaltung und ATP-Synthese spielen sich in den Chloroplasten ab, den winzigen grünen Kügelchen im Blatt, in denen das Chlorophyll, der grüne Farbstoff der Pflanzen, in eigenen Membrandepots gespeichert ist. Ein Spinatblatt kann so viele Chloroplasten enthalten, wie Menschen auf unserer Erde leben. Leider müssen wir uns hier versagen, die äußerst komplexe Reaktionskette, die in den Membranen abläuft und in die eine Reihe von Enzymen eingespannt ist, im einzelnen zu schildern.

Im zweiten Abschnitt der Photosynthese, der »Dunkelreaktion«, wird die in Form von ATP und gebundenen Elektronen (die aus dem Wasser stammen) gespeicherte chemische Energie dazu eingesetzt, energiearme anorganische Moleküle, nämlich Kohlendioxid, in organische energiereiche Verbindungen zu überführen. Erst in dieser Dunkelreaktion passiert also das, was uns Nutznießer der Photosynthese eigentlich interessiert, nämlich die Bindung des Kohlendioxids aus der Luft, wobei Zucker bzw. Stärke als Endprodukte erscheinen.

Noch einmal sei hervorgehoben: Kein Tier kann aus dem anorganischen Material, das Luft und Boden bieten, energiereiche organische Verbindungen aufbauen. Die Pflanzenwelt ist also wirklich die Quelle aller Nahrung. Die gesamten Tiere sind auf die organischen Verbindungen angewiesen, die die grünen Gewächse mit Hilfe des Sonnenlichtes schaffen.

Warum man ein Kulturland düngen muß

Bei allem Respekt vor der Leistung der Photosynthese, die aus dem verschwindend geringen Kohlensäuregehalt der Luft organisches Material aufbaut, dürfen wir nicht übersehen, daß die Pflanze zu ihrem Gedeihen noch einen weiteren anorganischen Bestandteil der Luft oder des Bodens braucht, nämlich den Stickstoff. Stickstoff würde sich in der Luft in großer Menge anbieten, aber damit können die Gewächse nichts anfangen. Das läßt sich durch einen einfachen Versuch nachweisen: Man kann Pflanzen ganz ohne Erde aus dem Samen aufziehen, wenn ihre Wurzeln Wasser zur Verfügung haben, das die lebensnotwendigen Salze gelöst enthält. Wenn Stickstoffverbindungen darin aber fehlen, kommt das Wachstum zum Stillstand, sobald die Vorratsstoffe des Samens aufgezehrt sind. Nur wenn durch die Wurzeln neben gewissen anderen Salzen auch einfache Stickstoffverbindungen, z.B. Salpeter, aufgenommen werden können, ist ein Wachsen und Gedeihen möglich. Mit dem Stickstoff aus dem Boden und dem Kohlenstoff aus der Luft hat die Pflanze die zwei wichtigsten Elemente, die sie zum Aufbau der Zellen braucht.

Wie Zauberei mutet es an, wenn wir erfahren, daß einige Pflanzen, z.B. Leguminosen, Reis und Flechten, den molekularen Luftstickstoff binden, zu Ammoniak reduzieren und damit in den allgemeinen Stoffwechselkreislauf einführen können. Die Pflanze selber ist zu solcher Stickstoffbindung allerdings nicht fähig; sie holt sich Bakterien und Blaualgen als Hilfsknechte herbei, bietet ihnen großzügig Unterschlupf in den Wurzeln, wo sich ansehnliche Knöllchen bilden – man spricht dann von »Knöllchenbakterien«. In Reisfeldern binden diese Blaualgen etwa 30 bis 50 kg Stickstoff pro Hektar und Jahr. Die Knöllchenbakterien stehen mit der Wirtspflanze als Symbionten in einem Gleichgewicht; beide haben Nutzen voneinander, beide sind aufeinander angewiesen, und so gedeihen beide aufs beste.

An dieser Stelle ist auch eine Bemerkung zum *Waldsterben* angebracht, für daß das Schwefeldioxid (SO_2) unserer verpesteten Luft an erster Stelle verantwortlich gemacht wird. Das gasförmige SO_2 wird nämlich bei der Photosynthese zusammen mit dem CO_2 ins Plasma aufgenommen und wirkt dort als Zellgift, sofern es nicht zu Sulfid reduziert wird. Diese Reduktion gelingt den schnell wachsenden krautigen Pflanzen besser als den Bäumen. Vor allem die Nadelbäume sind da im Winter besonders gefährdet, da in der Kälte die Reduzierung, d. h. Entgiftung viel langsamer erfolgt als in der wärmeren Sommerzeit. Dabei hat jede Pflanze durchaus auch Bedarf an Schwefel, der sowohl aus der Luft wie aus dem Sulfat des Bodens gedeckt werden kann. Aber dies ist der Fluch unserer Industriegesellschaft – sie hat unsere Luft mit SO_2 über Maßen angereichert, daß dieses nicht mehr als Nährstoff dienen kann, sondern zum Schadstoff geworden ist.

Es ist ein steter, großartiger Kreislauf. Die grüne Pflanze zehrt an der Kohlensäure der Luft und an den Stickstoffsalzen des Bodens und erzeugt durch die Kraft der Sonne aus einfachen Bausteinen die organischen Verbindungen. Mit ihnen bestreitet sie die eigenen Bedürfnisse; aber sie schafft im Überfluß, und Mensch und Tier leben davon. Im tierischen Stoffwechsel werden die organischen Verbindungen zerstört, verbrannt, und die Energie, die in den grünen Blättern aus dem Sonnenlicht genommen wurde, kommt in unserem Körper als Wärme und Bewegung wieder zum Vorschein. Die Reste der zerstörten Brennstoffe sind die Kohlensäure, die wir ausatmen, und die einfachen Stickstoffverbindungen, die wir im Harn und im Kot ausscheiden.

Sie sind die Abfallstoffe unseres Körpers, aber neue Nährstoffe für die Pflanzenwelt. Und wenn nach dem Tode Pflanzen- und Tierleiber verwesen, so ist dies wieder ein Zerfall zu einfachen Verbindungen und zu neuen Nährstoffen für Pflanzen und für kommende Geschlechter. In langen Zeitläufen haben sich diese gegensinnigen Bedürfnisse aufeinander abgestimmt. Sie sind im Gleichgewicht, solange der Mensch nicht eingreift, der ärgste Störenfried der Natur.

Wenn er das Korn vom Acker holt, jährlich neue Samen in den Boden streut und die Früchte fortschafft, statt daß die sterbenden Halme wieder zu Humus werden können – wenn er die Wiesen mäht und das Gras wegführt, statt daß weidende Tiere der Erde in anderer Form zurückgeben, was sie ihr genommen haben, dann wird der Boden an Nährstoffen verarmen. Das hat man bald erkannt und dadurch abgeholfen, daß man den Mist aus dem Stall aufs Feld bringt und der Erde durch diese Düngung den Stickstoff und andere Pflanzennährstoffe zurückgibt. Aber je ärger der Raubbau, desto weniger genügt dies.

Darum führt man schon seit mehr als hundert Jahren aus Chile den Salpeter ein, die stickstoffreichen Reste vorzeitlicher Tiere oder Pflanzen, die sich dort in regenarmen Gebieten, wo sie weder fortgespült noch ausgelaugt wurden, in gewaltigen Schichten angesammelt haben. Und ehe noch die Sorge, daß diese Lager bald ein Ende nehmen, brennend wurde, haben die Chemiker ein Verfahren erfunden, den Stickstoff aus der Luft einzufangen und als Dünger auf die Felder zu bringen. Heute bestehen große Fabriken für diese Zwecke. So sucht menschlicher Erfindergeist die Sünden wider die Natur gutzumachen, zu eigenem Nutz und Frommen. Aber spärlicher und spärlicher werden in unserer Heimat die Fluren, wo noch das natürliche Gleichgewicht herrscht und wo sich der unverdorbene Mensch am wohlsten fühlt.

2.4. Wie der Muskel arbeitet und woher er seine Kraft nimmt

Nachdem wir in den vorausgehenden Kapiteln die Energiefrage so eingehend behandelt haben, dürfen wir es wagen, die Umsetzung dieser Energie bei der Muskelarbeit zu verfolgen. Es bleibt uns dabei freilich nicht erspart, daß wir da wieder bis in den molekularen Bereich vordringen; nur so werden wir das Prinzip einer Muskelkontraktion verstehen – nebenbei bemerkt, dieses Prinzip gilt praktisch für das gesamte Tierreich, angefangen von der Bewegung einer Geißel bei den Einzellern bis hinauf zum Bizeps des Menschen. Abb. 11 zeigt den Aufbau eines Muskels (*a*). Er ist zusammengesetzt aus einer großen Zahl von Muskelfaserbündeln (*b*), den Fleischfasern im Steak), die wiederum aus vielen Muskelfasern (*c*) zusammengesetzt sind. Diese Muskelfasern sind in Abschnitte, die Sarkomere (*d*), eingeteilt. Jedes Sarkomer besteht aus einigen Tausend Kästchen, jedes mit einer Grund- und einer Deckplatte. Im Mikroskop sind sie als sogenannte Z-Scheiben erkennbar. An diesen Z-Scheiben sind beiderseits ca. 2000 feinste Drähte, die Aktinfilamente, befestigt. Sie ziehen aber nicht durch das ganze Sarkomer, sondern enden vor dessen Mitte, wie in einem hohlen Zylinder. Keineswegs ist der Zylinder aber hohl; er ist in der Mitte ausgefüllt mit ungefähr tausend dicken Drähten, den Myosinfilamenten, die sich zwischen die Aktinfilamente hineinschieben (*e*). Diese Myosinfilamente sind Eiweißmoleküle mit einem langen, fadenförmigen Ende und einem Myosinköpfchen am anderen Ende. In diesen Köpfchen lauert das ATP als Energiereserve auf das Kommando zur Kontraktion. Bei der Kontraktion geschieht folgendes: Die Myosinfilamente machen sich mit ihren Köpfchen an die Aktinfilamente heran und knicken die Köpfchen, die zunächst senkrecht zu den Aktinfilamenten stehen, um 45° nach hinten; dabei werden die Aktinfilamente ein Stück nach hinten geschoben, d.h. Myosinfilamente und Aktinfilamente gleiten aneinander vorbei und verkürzen damit die Sarkomerenkästchen um ca. 200 Ångström (1 Å = $^1/_{100000000}$ cm). Es ist eine Art Ruderbewegung, die die Myosinfilamente zwischen die Aktinfilamente hineinschiebt. Da die Gleitbewegungen in allen Sarkomeren gleichzeitig und in Serie von 10 bis 30 Zyklen aufeinander folgen, ergibt sich insgesamt die nach außen beobachtbare Muskelkon-

Skelettmuskel

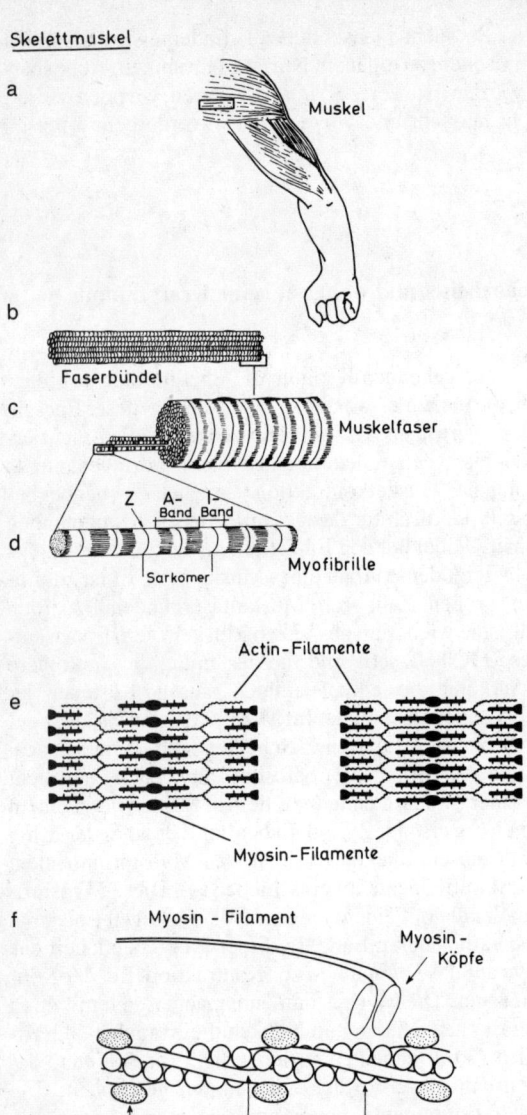

Abb. 11: Mikroskopischer und molekularer Feinbau einer Muskelfaser. In der Mitte (e) zeigt die linke Abbildung die Muskelfaser im erschlafften, die rechte Abbildung im kontrahierten Zustand. Die seitlichen Zapfen an den Myosinfilamenten deuten die Myosinköpfe an.

traktion. Man bedenke: Der Bizeps des Menschen enthält 10 Billionen (!) Sarkomere.

Das klingt eigentlich ganz einfach, soweit es die Kontraktion direkt betrifft; das Problem liegt aber darin, daß man die Muskelfaser vor unkontrollierter Kontraktion schützen muß. Dafür sorgt das Aktinmolekül, das recht kompliziert aufgebaut ist (*f*): es sind zwei Perlenketten umeinander gewunden, jede bestehend aus 180 globulären Aktinmolekülen. Damit bei der Tätigkeit der Fribrillen alles richtig abläuft, sind in den Rinnen der beiden Perlenketten sogenannte »Regulatorproteine«, das fadenförmige Tropomyosin und das kompakte Troponin, eingelagert. Ihre Funktion wird deutlich, wenn wir jetzt noch einmal und zwar schrittweise die Kontraktion einer Muskelfibrille verfolgen:

Ein Nervensignal erreicht die Muskelzelle und setzt zuallererst aus dem Sarcoplasmatischen Reticulum (ein Synonym zum Endoplasmatischen Reticulum) Calcium-Ionen frei. Diese suchen gezielt das Troponin am Aktinfilament auf. Das Troponin reagiert jetzt mit dem Tropomyosin, das daraufhin den bisherigen Sperrmechanismus gegenüber unkontrollierter Kontraktion frei macht. Die Myosinköpfe lagern sich jetzt in senkrechtem Winkel an das Aktinfilament an, das Köpfchen biegt sich um 45° ab und schiebt das Aktinfilament zur Mitte des Sarkomers. Die Fachleute der Muskelphysiologie erfaßt ein Schauder beim Anblick dieses erstarrten stabilen Zustandes der abgewinkelten Myosinköpfe; es wäre nämlich der Zustand der Totenstarre, wenn nicht unverzüglich wieder der Myosin-Aktinkomplex gelöst würde, d.h. die Köpfchen wieder in die 90°-Winkelstellung zurückkehren würden. Da greift jetzt ATP als »Weichmacher« ein, wobei es gleichzeitig das Myosinmolekül auf ein höheres Energieniveau, nämlich in die Wachposition des Köpfchens bringt.

Unser berühmtes ATP hat also hier eine Doppelfunktion. Zum einen liefert es die Energie für die Muskelarbeit, wobei immerhin noch 66% als Wärme frei werden. Das ist der Grund, warum uns bei harter Arbeit oder beim Laufen immer warm wird. Daneben hat ATP Weichmacherfunktion, indem es uns vor der Totenstarre bewahrt. Es wird in dieser Position von den Myosinköpfchen aufgenommen, der Komplex löst sich, das Myosin spaltet ATP. An dieser Stelle darf auch ein Wort zum Muskelkater gesagt werden: Der Vorrat an ATP in der Muskelzelle reicht nämlich nur für wenige Kontraktionen aus. Es muß dann Glykogen als Energiereserve angezapft werden. Dafür sorgt zunächst ein sparsamer Haushalt: Über die normale Atmungskette werden Kohlendioxid und Wasser abgespalten. Bei andauernder Arbeit aber geht der Muskel eine Sauerstoffschuld ein und baut Glykogen in einem Luxushaushalt zu Brenztraubensäure und Milchsäure ab. Diese Milchsäure ist es, die die Ermüdungserscheinungen und den Muskelkater bei uns verursacht. Die Milchsäure wird dann im gesunden, geruhsamen Schlaf wieder abgebaut. Zu bemerken ist nur noch, daß über die normale Atmungskette 18mal mehr Energie freigesetzt werden kann als über den Abbau ohne Sauerstoff.

Was hier in sehr stark vereinfachter Weise für die Kontraktion eines einzigen Sarkomers geschildert wurde, spielt sich, wie oben erwähnt – ohne unser bewußtes Zutun –, gleichzeitig in 10 Billionen Sarkomeren unseres Bizeps ab, wobei pro Sekunde ca. 200 Kontraktionen aufeinanderfolgen. Ohne Zweifel, unser Gehirn wäre in wenigen Sekunden ein Torso, müßten wir jede dieser Kontraktionen mit unserem Verstand überwachen!

2.5. Die verschlungenen Wege unserer Nahrung

Soviel haben wir bis jetzt von Energie gesprochen. Da wird es Zeit, daß wir uns klarmachen, wie denn diese Energie aus unserer Nahrung freigesetzt wird.

Aus den Augen, aus dem Sinn! Wer seine Mahlzeit verzehrt hat, denkt nicht weiter an sie, es sei denn, daß sie ihm »im Magen liegt«. Er denkt nicht daran, daß ihm jede feste Mahlzeit zunächst für etliche Stunden im Magen liegt und daß die Vorgänge, die sich hier in der Verborgenheit des Darms abspielen, lebenswichtiger sind als alle Kochkunst der Hausfrau. Er braucht nicht daran zu denken, denn sobald der Bissen verschluckt ist, vollzieht sich seine weitere Verarbeitung ohne sein Wissen und Wollen. Sorgfältig gesammelte Erfahrungen und viele Versuche an Menschen und Tieren haben aufgeklärt, was dem unmittelbaren Erleben fremd bleibt, und verständlich gemacht, was das Verdauen der Nahrung eigentlich bedeutet.

Der Weg ist ihr vorgezeichnet wie dem Wasser in einem Spritzenschlauch. Wenn der Bissen glücklich, ohne »Verschlucken«, über den Kehlkopf weggeglitten ist, muß er die Speiseröhre hinunter in den Magen, eine sackartige Erweiterung des Verdauungsrohres (Abb. 12). Dieser setzt sich ohne anderen Ausweg in den Darm fort, der in vielfachen Windungen im Bauch liegt und da endet, wo die unverdaulichen Reste schließlich wieder ans Tageslicht kommen. Der Darm liegt in Windungen, weil er viel länger ist als der ganze Mensch; man könnte sich seinen Darm siebenmal um die eigenen Hüften legen. Darum muß die besorgte Mutter etwas Geduld haben, ehe ein verschluckter Pflaumenkern wieder zum Vorschein kommt. Er hat eine erhebliche Wegstrecke zurückzulegen.

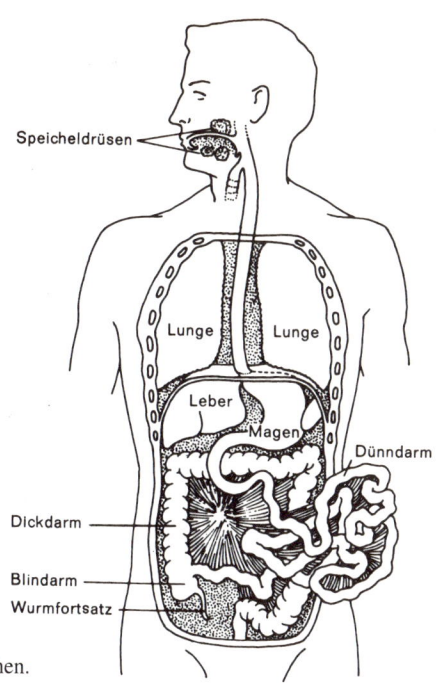

Abb. 12: Eingeweide des Menschen.

Was heißt »verdauen«?

Der Pflaumenkern erleidet auf dem Weg durch den Darm keine Veränderung; er ist unverdaulich. Unsere gewöhnliche Nahrung aber unterliegt im Magen und im Darmschlauch der *Verdauung*. Darunter versteht man ihre Überführung in eine Form, in der sie durch die Wand des Darmschlauches hindurch in das Blut übertreten kann. Durch den Blutstrom werden die Bestandteile der Nahrung im Körper verteilt, damit sie als Bau- und Betriebsstoffe an die Stellen des Bedarfs gelangen: in die arbeitenden Muskelzellen, in die wachsenden Gewebe usw.

Im einfachsten Falle besteht die Verdauung nur darin, daß der Nährstoff sich im flüssigen Inhalt des Verdauungskanals auflöst. Für flüssigen Inhalt ist auf zweierlei Weise gesorgt: dadurch, daß wir trinken, sowie durch Absonderung von Flüssigkeit durch die Verdauungsdrüsen und die Wand des Verdauungskanals. Die Speicheldrüsen liefern den Mundspeichel, die Magen- und die Darmwand den Magensaft und den Darmsaft, die Leber und die Bauchspeicheldrüse die Galle und den Bauchspeichel. Wenn wir Zukker in fester Form zu uns nehmen, so kann er sich schon im Mundspeichel lösen, so wie er sich in einem Glas Wasser auflöst. Die meisten Nahrungsmittel sind aber in wässerigen Flüssigkeiten nicht löslich. Sie in wasserlösliche Verbindungen überzuführen und in so kleine Moleküle zu zerlegen, daß diese durch die winzigen, unsichtbaren Poren der Darmwand hindurchtreten können, ist die besondere Aufgabe der Verdauungssäfte.

Diese sind ja keineswegs reines Wasser. Als wichtigste Bestandteile enthalten sie sehr merkwürdige Substanzen, die schon erwähnten *Enzyme* (auch *Fermente* genannt), die sich über die Nahrungsstoffe hermachen und sie in ihre chemischen Teilstücke zerlegen. Es scheint ihnen nicht einmal Mühe zu machen. Denn es ist ein Wesenszug der Enzyme, daß sie chemische Umsetzungen in großem Umfang bewerkstelligen können, ohne daß sie sich selbst dabei erschöpfen.

Man denkt sich die Wirkungsweise dieser Zauberstoffe folgendermaßen (Abb. 13): die Außenfläche eines Enzyms zeigt jeweils eine bestimmte Struktur von Zacken, Nischen und Spalten, gleich einem Druckstock. Mit diesem Druckstock als *Matrize* sucht das Enzym jenen Stoff ab, mit dem es reagieren soll, also mit Fett, Fleisch, Stärke, und verbindet sich wie Schlüssel und Schloß vorübergehend mit diesem *Substrat*. Dadurch erfolgt die Spaltung oder Synthese zu einer neuen Substanz. Ist die Reaktion beendet, trennen sich Enzym und Substrat wieder, das Enzym ist für eine neue Reaktion frei. Spezifität und immer neue Reaktionsbereitschaft sind also wesentliche Eigenschaften der Enzyme. Man könnte auch so sagen: Sie sind zwar extrem wählerisch in ihrer Tätigkeit, dafür aber arbeiten sie höchst ökonomisch, weil sie praktisch nach getaner Arbeit wieder zur Verfügung stehen. Sie werden nur in kleinsten Mengen benötigt.

Diese Grundkenntnis über die Wirkungsweise der Enzyme hat in jüngerer Zeit große Bedeutung für die Medizin bekommen: Wenn wir von Vergiftung sprechen, handelt es sich in vielen Fällen um Enzymgifte, d. h. um Substanzen, die in hinterhältiger Weise sich an das Enzymmolekül heranmachen, mit ihm eine chemische Verbindung eingehen und somit die Wir-

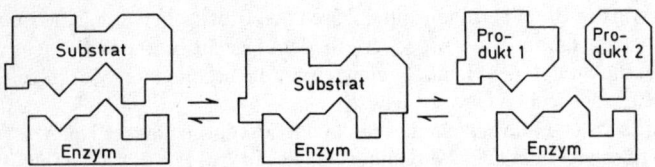

Abb. 13: Schematische Darstellung der Enzym-Substrat-Wirkung: Jedes Enzym sucht sich aufgrund seiner Molekülstruktur einen Nahrungsstoff, z. B. Fett oder Eiweiß oder Zucker auf, zu dem es wie Schlüssel und Schloß paßt. Durch die Verbindung mit dem Substrat kann es seine spaltende oder synthetische Wirkung geltend machen. Nachdem sich die Verdauungsprodukte selbständig gemacht haben, ist das Enzym für eine neue Reaktion frei.

kung des Enzyms teilweise oder ganz unterbinden. Dazu gehören viele Nervengifte und die Insektizide als organische Phosphorverbindungen, Quecksilberverbindungen, Cadmium und andere Schwermetalle. Besonders hinterhältig wirkt das Malanat, das sich lediglich an jenen winzigen Abschnitt an der Oberfläche des Enzymmoleküls Cytochrom c heranmacht (s. Tafel 1), der allein für den sogenannten Enzym-Substratkomplex wirksam ist. Dieser Abschnitt wird vom Malanat besetzt; da es sich um ein Atmungsferment handelt, ist verständlich, daß dieses Enzymgift tödlich wirken muß.

Mit einiger Vorsicht kann man Enzymgifte freilich auch für eine Therapie bei Bakterieninfektionen einsetzen: Das Puromycin greift an einer ganz bestimmten Stelle der Eiweißsynthese ein; es wirkt daher als Antibiotikum; dabei wird gezielt die Eiweißsynthese der Bakterien gestört.

Die Wirkungsweise der Enzyme wurde hier sehr vereinfacht dargestellt. Nicht um zu verwirren, sondern lediglich um das Staunen über diese biochemischen Laboratorien zu steigern, sei angefügt, daß viele Enzyme einen Hilfsarbeiter brauchen, um ihre katalytische Tätigkeit anzukurbeln. Es sind einfach gebaute Stoffe, die sogenannten Coenzyme. Das bekannteste davon ist wohl das schon mehrfach genannte Adenosintriphosphat (ATP). Es ist praktisch bei allen energetischen Prozessen als Überträger von Phosphat beteiligt.

Ein besonders einfaches Beispiel möge uns den *Erfolg* der Enzymtätigkeit klarmachen. Wenn wir ein Stück Brot lange kauen, erhält es einen süßlichen Geschmack. Das kommt daher, daß die Getreidestärke, die ja aus einer Vereinigung vieler Zuckermoleküle entstanden ist, durch ein im Speichel enthaltenes Enzym in ihre Bestandteile, eben in Zuckermoleküle, zerlegt wird. Stärke ist in wässerigen Flüssigkeiten unlöslich, könnte also aus dem Darmschlauch nicht durch die Darmwand in die Körpersäfte aufgenommen werden. Wenn das Enzym des Speichels das Stärkemolekül in seine kleineren Bestandteile, die Zuckermoleküle zersprengt, macht es aus der unlöslichen Verbindung eine wasserlösliche, die durch die Poren der Darmwand aufgesogen werden kann. Das ist die Bedeutung des Verdauungsvorganges.

Lob der Kochkunst

Die Kochkunst dient nicht nur zur Steigerung der Lebensfreuden, sondern sie hat für die Verdauung der Speisen einen unmittelbaren Nutzen.

Es hat einen guten Sinn, wenn das Fleisch gekocht oder gebraten wird und wenn die Kartoffeln nicht roh auf den Tisch kommen. Bei der Zubereitung des Fleisches wird das Bindegewebe zwischen den Muskelfasern durch die Hitze gelockert und in eine Form gebracht, in der es leichter verdaulich ist; es werden auch Fleischfasern selbst den Verdauungssäften besser zugänglich gemacht. Beim Kochen der Kartoffeln platzen die pflanzlichen Zellwände, die für uns unverdaulich sind, und geben die von ihnen umschlossenen nahrhaften Stärkekörner frei, die ihrerseits durch die Hitze aufquellen und leichter verdaulich werden. Ähnliche Veränderungen vollziehen sich bei der Zubereitung der Gemüse oder beim Backen des Brotes. Und auch das leckere Anrichten einer Mahlzeit sowie die kleinen Mittel, die zur Hebung ihres Wohlgeschmacks angewandt werden, haben ihre Bedeutung. Schon der Anblick oder der Duft eines guten Gerichts genügt, damit uns »das Wasser im Munde zusammenläuft«. Das heißt aber nichts anderes, als daß die Speicheldrüsen und, ohne daß wir es merken, auch die anderen Verdauungsdrüsen ihre Absonderung verstärken. So ist eine geschmackvoll bereitete Mahlzeit ein starker Anreiz für die Abscheidung der Säfte, die für ihre Verarbeitung vonnöten sind, und daher von großem Wert für ihre Bekömmlichkeit.

Die andere Seite

Empfindsame Gemüter mögen mir verzeihen, wenn ich nun vom Bratenduft zu weniger appetitlichen Düften abschweife. Die Menschen setzen sich gern gemeinsam zu Tisch; aber zu anderen Zwecken, die hiermit in sachlicher Verbindung stehen, ziehen sie sich an einen einsamen Ort zurück. Woher die merkwürdige Wandlung der Gerüche? Als rechte Biologen müssen wir der Sache doch auf den Grund gehen, da sie von nicht geringer Wichtigkeit ist.

Bleibt ein Stück Fleisch vergessen in der Speisekammer liegen, so kann man nach einiger Zeit, auch ohne daß es verzehrt wurde, eine ähnliche Wandlung an ihm beobachten. Es wird mißfarben und übelriechend; man sagt, es ist faulig geworden. Die Ursache der Fäulnis sind winzige pflanzliche Lebewesen von noch einfacherem Bau als die einzelligen Tiere und noch erheblich kleiner als diese. Da sie sehr häufig stäbchenförmige Gestalt haben, nennt man sie *Bakterien* (vom griechischen Wort Bakterion gleich Stäbchen). Deren gibt es vielerlei Arten. Nicht alle sehen wie Stäbchen aus. Viele sind winzige Kügelchen, andere kommaförmig. Manche sind als Erreger von Krankheiten übel beleumundet; manche spielen eine sehr nützliche Rolle im Haushalt der Natur, die meisten fristen unbemerkt und unbeachtet, für uns belanglos, allenthalben ihr Dasein. In diesem Zusammenhang interessieren uns nur die fäulniserregenden Bakterien.

Ohne ihr Wirken gibt es keine Fäulnis; sie sind aber auf Erden fast allgegenwärtig. Jeder Windhauch führt ihre Keime mit sich, und ein Stück Fleisch, das nur kurze Zeit der Luft ausgesetzt ist, wird sicherlich von ihnen befallen. Hier finden sie günstige Lebensbedingungen. Sie vermehren sich lebhaft und entnehmen dem Fleisch die Stoffe, die sie zum Aufbau ihres Körpers brauchen, indem sie sein Eiweiß zerstören und in einfachere chemische Verbindungen umsetzen. So verfahren sie mit dem vergessenen Fleisch in der Speisekammer, und so verfahren sie auch mit tierischen Leichen, die durch sie zum Verfaulen gebracht und in brauchbare Nährstoffe für die Pflanzenwelt verwandelt werden. Es ist aber eine Eigentümlichkeit des Stoffwechsels der Fäulnisbakterien, daß bei diesen Umsetzungen gewisse chemische Verbindungen von sehr üblem Geruch entstehen.

Solche Fäulnisbakterien leben in großen Mengen auch im Darm. Sie nehmen ihren Tribut von unserer Nahrung, aber sie helfen andererseits durch Zersetzung der Nahrungsstoffe bei ihrem Abbau mit und unterstützen so die Wirkung der Verdauungssäfte. Vielleicht haben sie auch noch andere Aufgaben zu erfüllen, über die man sich noch nicht so recht im klaren ist. Man hat versucht, die Fäulnisbakterien aus dem Darm von jungen Hühnchen oder neugeborenen Meerschweinchen fernzuhalten. Bei ihrer allgemeinen Verbreitung ist das keine einfache Sache. Aber wenn es gelungen war, wollten die Tiere nicht wachsen und gedeihen. Daraus hat man geschlossen, daß ihre Mitwirkung für den Ablauf der Verdauungsvorgänge doch sehr wichtig sei. Die üblen Gerüche, eine Frucht ihrer Tätigkeit, muß man eben in Kauf nehmen.

Wenn die wertvollen Bestandteile der Nahrung auf ihrem langen Weg durch den Darm in einfache Verbindungen aufgespalten und in gelöster Form durch die Darmwand aufgenommen sind, werden sie wieder zu höher zusammengesetzten Verbindungen aufgebaut, der Zucker zu Glykogen, die Bestandteile des Fettes wieder zu Fett, die Bausteine des Eiweißes wieder zu Eiweiß. Im letzten Darmabschnitt wird noch das überschüssige Wasser aufgesogen. Die eingedickten, unverdaulichen Reste, durchsetzt von zahllosen Bakterien, bilden den Kot. Das Aufsaugen der Nährstoffe spielt sich hauptsächlich im Dünndarm ab, das Eindicken der unverdaulichen Reste im Dickdarm.

Der Blinddarm als Plagegeist und Helfer

Wo der Dünndarm in den Dickdarm übergeht, sitzt der berüchtigte Blinddarm, der im »Wurmfortsatz« endet (Abb. 12). Dieser letztere ist bei der sogenannten Blinddarmentzündung der Sitz der Entzündungsvorgänge und muß dann häufig durch eine Operation entfernt werden. Mancher hat ihn auf diese Weise verloren; aber niemand hat ihn nachträglich vermißt, und viele haben sich bei ihrem Arzt vergeblich erkundigt, warum unser Darm mit diesem Anhängsel ausgestattet ist, das so gefährlich werden kann und anscheinend zu gar nichts nützlich ist. Tatsächlich ist er für uns belanglos. Aber bei manchen Tieren spielt er eine sehr wichtige Rolle und ist dort auch viel größer. So mag er auch für irgendwelche von unseren Ur-Ur-Vorfahren einst von Bedeutung gewesen sein, und seit er diese verloren hat, ist er in Rückbildung begriffen. Aber das geht nicht so schnell. Die

Natur ist recht konservativ und schleppt solche »rudimentären Organe«, solche bedeutungslos gewordenen Reste von einst sinnvollen Einrichtungen des Körpers, durch Hunderttausende von Jahren fort, nur deshalb, weil sie eben im Erbgut vorgesehen sind. Wir werden später noch davon hören.

Wenn schon der Blinddarm bei uns unnütz ist, sollten wir wenigstens wissen, wozu er bei manchen Tieren gut ist. Und das ist merkwürdig genug! Es steht in Zusammenhang mit der Tatsache, daß die pflanzlichen Zellwände aus einem Kohlenhydrat von besonderer Art bestehen, der Zellulose, die von den Verdauungssäften der meisten Tiere nicht aufgelöst werden kann. Wir haben ja schon davon gesprochen, daß wir die Kartoffeln kochen, um die Zellwände zum Platzen zu bringen und so erst den nahrhaften Inhalt der Zellen den Verdauungssäften zugänglich zu machen. Aber niemand ist da, der den pflanzenfressenden Tieren in der freien Natur das Gemüse kocht. Sie helfen sich auf andere Art. Viele ausgesprochene Pflanzenfresser unter den Säugetieren, so z. B. die Meerschweinchen, die Pferde, die Hasen und Kaninchen, haben einen ungeheuer großen Blinddarm. In diesem findet man immer in gewaltigen Mengen bestimmte Bakterienarten, welche die Fähigkeit haben, die Zellulose zu spalten und aufzulösen. Indem sie dies tun, bestreiten sie als Kostgänger ihrer Wirtstiere aus deren Nahrung den eigenen Lebensunterhalt, machen aber zugleich den Inhalt der Zellen, deren Wände sie auflösen, den Verdauungssäften

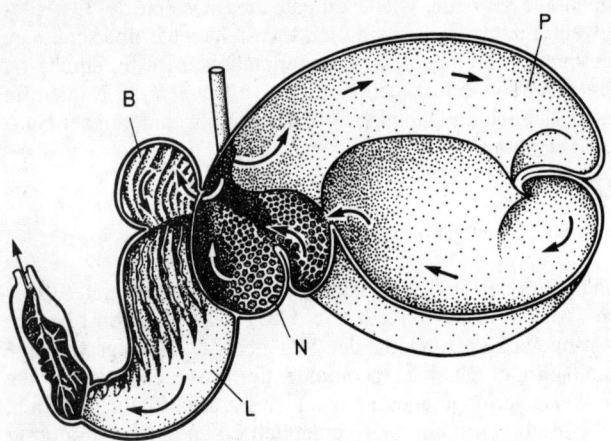

Abb. 14: Der Wiederkäuermagen eines Schafes:
P = Pansen, N = Netzmagen, B = Blättermagen, L = Labmagen. Die Nahrung kommt aus der Speiseröhre zunächst in den Pansen, von da in den Netzmagen, wird dann zum Wiederkäuen zurück in die Mundhöhle hinaufbefördert. Nach nochmaligem Verschlucken kommt der Nahrungsbrei in den Blättermagen und in den Labmagen, wo die enzymatische Spaltung der Nahrung stattfindet.

ihrer Wirtstiere zugänglich und erweisen diesen dadurch einen großen Gegendienst.

Noch merkwürdiger ist es bei den Wiederkäuern eingerichtet, einer anderen Gruppe von Pflanzenfressern (Rinder, Ziegen, Schafe, Rehe u. a.), deren Blinddarm nicht so stark entwickelt ist. Bei ihnen ist der Magen eigenartig gestaltet (Abb. 14). Alles, was sie fressen, gelangt zunächst in den großen Vormagen, Pansen genannt. Dieser ist, wie der Blinddarm der anderen Pflanzenfresser, die Brutstätte für Kleinlebewesen, welche die Zellwände der pflanzlichen Kost auflösen und verdauen. Ist dies geschehen, dann wird der Inhalt des Vormagens in kleinen Bissen nochmals in den Mund gebracht, wiedergekäut und dann den weiteren Magen- und Darmabschnitten zur Ausnutzung zugeleitet.

Eine ähnliche Verbrüderung mit zellulosespaltenden Bakterien gibt es bei Vögeln. Diese haben sogar zwei Blinddärme. Bei besonders schwer verdaulicher und zellulosereicher Kost, wie sie z. B. die Waldhühner genießen, sind sie erstaunlich groß und haben dieselbe Bedeutung wie der große Blinddarm oder der Vormagen der pflanzenfressenden Säugetiere. Beim Hühnerhabicht, in dessen Nahrung die Zellulose keine Rolle spielt, sind sie winzig.

Die verschwundenen Glasperlen und andere eigenartige
Verdauungsgeschichten

Manche niederen Tiere, wie die Schnecken, haben im eigenen Speichel ein Enzym, das die Zellulose zu lösen vermag. Andere, zum Beispiel die Schmetterlingsraupen, besitzen weder selbst ein solches Enzym, noch haben sie so tüchtige Gesellschafter in ihren Verdauungsorganen, wie wir sie in den zellulosespaltenden Bakterien kennengelernt haben. Sie können daher die Nahrung sehr schlecht ausnutzen; denn nur die wenigen Pflanzenzellen, die sie beim Abbeißen zufällig verletzt haben, sind ihren Verdauungssäften zugänglich. Daher kommt es, daß die Raupen ungeheuer viel fressen müssen, und daß sie dadurch so großen Schaden machen.

Nun sind wir vom Menschen abgekommen. Doch wollen wir von der Ernährung der Tiere gar nicht richtig anfangen, sonst würden wir nicht so bald ein Ende finden. Wenn wir nur an die Zähne denken, von denen wir überhaupt noch nicht geredet haben! Wir führen sie im Munde, und daß sie zum Abbeißen und Zerkleinern der Nahrung dienen, damit diese von den Verdauungssäften besser durchtränkt werden kann, darüber braucht es keine lange Auseinandersetzung. Aber jede Aufgabe läßt sich auf vielerlei Weise lösen. Der Karpfen hat sein Gebiß tief rückwärts im Schlund; der Krebs hat es sogar im Magen. Das eine ist nicht schlechter als das andere.

Die Vögel haben überhaupt keine Zähne und kauen doch viel gründlicher als wir. Dies haben schon vor mehr als zweihundert Jahren einige gelehrte Herren erfahren, die sich für die damals noch offene Frage interessierten, ob die Verdauung der Körner bei den Vögeln durch chemische Auflösung oder durch mechanische Zerkleinerung geschehe. Um diese Frage zu entscheiden, gaben sie Hühnern Glasperlen zu verschlucken, deren Durchbohrung mit Körnern gefüllt war. Sie erwarteten, daß die Körner bei mechanischer Verdauung erhalten bleiben, bei chemischer Verdauung aber herausgelöst würden. Wie erstaunt waren die Herren, als nicht nur die Körner, sondern auch die Glasperlen verschwunden blieben: sie wurden im Magen der Hühner zu Pulver zerrieben! Ihr »Kaumagen« ist innen mit einer harten, widerstandsfähigen Haut ausgekleidet und von so kräftigen Muskeln umhüllt, daß der Inhalt wie zwischen Mühlsteinen zermahlen wird. Die Wirkung wird noch dadurch verstärkt, daß neben der Nahrung auch Sand und Steinchen verschluckt werden, die man in jedem Hühnermagen finden kann. Ja der Vogel Strauß schluckt sogar Münzen und Nägel, wenn er sie findet, und nimmt davon keinen Schaden, sondern verbessert nur seine Verdauung. So haben alle Körnerfresser unter den Vögeln in einem kräftigen Kaumagen den besten Zahnersatz.

Man kann auch ohne Zähne und ohne Kaumagen auf gänzlich andere Weise zum Ziel kommen, sogar bei einem so harten Bissen, wie ihn eine schalengepanzerte Auster darstellt. Das zeigt uns der Seestern, der so harmlos und gutmütig aussieht und doch auf den Austernbänken als arger Räuber sehr schädlich wird. Wenn er Hunger hat, umfaßt er eine Auster von beiden Seiten und sucht die Schalen mit seinen Saugfüßchen zu öffnen. Die Auster schließt sich natürlich; sie zieht die Schalen zu, der Seestern zieht auf. Die Auster ist die stärkere; aber der Seestern hat die größere Ausdauer: nach einer viertel bis einer halben Stunde wird die Auster müde und öffnet sich. Dann ist es um sie geschehen. Der Seestern kann zwar weder ihre Weichteile abbeißen, noch kann er die Auster ganz verschlucken; aber er hilft sich, indem er seinen Magen ausstülpt und den Magensaft über das Fleisch der Auster ergießt. So verdaut er sie außerhalb seines Leibes, und in wenigen Stunden kann er den ganzen Inhalt der Austernschalen in flüssiger Form aufschlürfen.

Solche Verdauung außerhalb des Körpers ist gar nicht so selten. Und da wir doch nicht so leicht dazu kommen, eine Austernbank zu besuchen, erwähnen wir noch ein anderes Beispiel, das jeder selbst beobachten kann: Wenn eine Spinne eine Fliege fängt, so tötet sie die Beute durch ihren giftigen Biß; dann spuckt sie etwas von ihrem Speichel durch die Bißwunden in die Fliege hinein. Dieser Speichel verflüssigt die Muskeln und alle Gewebe der Fliege innerhalb ihrer harten unverdaulichen Chitinhülle, so daß die Spinne nach einiger Zeit den gesamten Inhalt der Fliege durch ihren engen Schlund aufsaugen kann. Zurück bleibt nur der leere Hautpanzer der Fliege wie die Schale eines ausgelöffelten Eies.

Diese wenigen Beispiele können nur eine schwache Vorstellung davon geben, wie vielfältig im Tierreich die Ernährungsweise ist. So verschieden die Methoden sind, sie steuern alle auf dasselbe Ziel los: die Nahrung durch die Einwirkung von Enzymen in einfache Bausteine zu zerlegen, die durch die Darmwand aufgenommen und dann vom Körper verwertet werden können. Ob sich das Tier der eigenen oder fremder Enzyme bedient, ob es sie im Darm oder vor dem Mund zur Geltung bringt, dieses und tausend andere Möglichkeiten sind nur Variationen des einen großen Themas.

2.6. Vitamine – unentbehrliche Heinzelmännchen

Noch vor 100 Jahren dachte man, mit Kohlenhydraten, Fetten und Eiweiß, mit Wasser und einer kleinen Menge Salzen dem Organismus alles bieten zu können, was er zu seinem Gedeihen braucht. Darin sah man sich aber getäuscht. Als man junge Ratten mit chemischen Stoffen der genannten Art nach allen Regeln der Wissenschaft aufzog, wollten sie durchaus nicht wachsen. Erst als man dem Futter kleine Mengen ihrer natürlichen Nahrungsmittel zusetzte, wurden sie zu normalen und kräftigen Rattenkindern.

Aus diesen und anderen Versuchen hat man geschlossen, daß eine vollwertige Nahrung neben den schon bekannten Bestandteilen noch andere Stoffe enthalten muß, die zwar nur in sehr geringer Menge gebraucht werden, aber doch lebenswichtig sind. Man hat sie *Vitamine* genannt und kennt heute schon etwa zwanzig von verschiedener Art, die man zum größten Teil auch in ihrer chemischen Zusammensetzung erforscht hat und sogar künstlich herstellen kann.

Von manchen Vitaminen ist bekannt, daß sie als ein notwendiger Bestandteil zum Aufbau lebenswichtiger Stoffe des Körpers gebraucht werden. Von manchen weiß man nicht, worin eigentlich ihre segensreiche Wirkung besteht. Wohl aber kennt man die Schäden, die auftreten, wenn sie in der Nahrung fehlen. Man kennt die Schäden sogar schon sehr lange, ohne daß man sie früher zu deuten wußte. Nicht nur das Wachstum wird beim Fehlen der Vitamine behindert; es treten auch schwere Krankheiten auf. So hatten Polarfahrer, die monate- und jahrelang auf einseitige Konservenkost angewiesen waren, unter Skorbut zu leiden. Blutungen des Zahnfleisches, Geschwüre, Schwellungen und innere Blutungen waren die Folge. Todesursache bei schwerem Skorbut können Herzschwäche oder Infektionen sein.

Letztlich sind die Mangelkrankheiten dadurch bedingt, daß der tierische Organismus unfähig ist, Vitamine selber herzustellen. Es ist wie bei der Photosynthese – wir sind auf die Pflanze als Vitaminlieferer angewiesen. Dabei ist es wichtig, daß wir in unserer Vitaminnahrung die richtige Dosis und die richtige Zusammensetzung wählen. Bei der oft so einseitigen Ernährung unserer Industriegesellschaft fehlt nur allzu oft eine scheinbar unwichtige Komponente. Auch wenn für einige Vitamine nur einige Mikrogramm pro Tag benötigt werden (das ist 1 Millionstel Gramm), können die Folgen, wenn sie gänzlich fehlen, katastrophal sein. Es gibt ja viele Ratgeber für eine vitaminreiche Ernährung. Wir wollen uns über die Wirkungsweise der wichtigsten Vitamine klar werden.

Vitamin A: Das Vitamin liefert den Grundstoff für das Sehen, nämlich den Sehpurpur. Ohne Vitamin A, das wir reichlich mit Tomaten und Karotten aufnehmen können, werden wir blind. Die Nachtblindheit ist das erste Anzeichen von Mangel an Vitamin A. Es folgt die »Xerophthalmie«, d.h. die Verhornung der Cornea, die zur Blindheit führen kann; die Haut wird schuppig, man wird anfällig gegen Infektionen. Der Bedarf des Menschen ist im Vergleich zu anderen Vitaminen enorm: wir brauchen 2 mg pro Tag!

Vitamin B: Wenn man in der Apotheke Vitamin B-Pillen verlangt, bekommt man nicht *das* Vitamin B, sondern einen »Vitamin B-Komplex«. In ihm faßt man eine ganze Gruppe von Vitaminen zusammen, angefangen von Vitamin B_1 bis Vitamin B_{12}! Allesamt sind sie für den richtigen Ablauf des Stoffwechsels unentbehrlich. Nur einige ihrer Wirkungen seien dargestellt:

Vitamin B_1 überwacht den Kohlenhydratstoffwechsel, vor allem im Nervensystem und in der Muskulatur. Die Beri-Beri-Krankheit ist durch Mangel von Vitamin B_1 bedingt. Genuß von Pflanzensamen, besonders von Getreideschrot, von Bohnen und Erbsen bringt Abhilfe.

Vitamin B_2-Mangel verursacht Hautentzündungen; die »Pellagra« ist ein bekanntes Beispiel; Durchfall, Wachstumsstillstand sind weitere Folgen.

Vitamin B_6- + *Vitamin B_{12}*-Mangel verursacht Gehirnschädigungen und perniziöse Anämie, hervorgerufen durch eine Störung bei der Bildung von Blutzellen. Durch reichlichen Genuß von Milch, Gemüse und Früchten kann man sich vor solchen Ausfällen schützen.

Vitamin C: Dieses Vitamin ist an einer ganzen Reihe von Stoffwechselprozessen beteiligt. Sein Mangel kann zu Skorbut führen; die Knochen stellen ihr Wachstum ein, die Zähne werden locker, die feinen Blutäderchen werden brüchig und es kommt zu Blutergüssen in der Haut, zur Blutung beim Zähneputzen. Vorsorge und Heilung ist kein Problem: Zitronen, Orangen oder Vitamin C-Pillen helfen zuverlässig und rasch.

Vitamin D: Dieses Vitamin kann der Organismus ausnahmsweise selbst herstellen; er braucht dazu aber Bestrahlung durch Ultraviolett. Das Vitamin überwacht vor allem den Calciumstoffwechsel, also den Einbau von Kalk in die Knochen. Mangel führt bei Kindern, bei denen die Knochen noch wachsen sollen, zu Rachitis. Vitamin D wird reichlich in der Leber von Dorschen und Schellfischen gespeichert. Es wird zunächst von winzigen Kieselalgen gebildet, die dann von kleinen Meerestieren verzehrt werden. Diese wieder dienen größeren als Nahrung, und so gelangt der Stoff schließlich über eine Reihe von Mägen auch in die der großen Nutzfische, in deren Leber er gespeichert wird.

Vitamin E ist besonders reichlich in keimenden Getreidekörnern zu finden; der Mensch braucht pro Tag immerhin 5 mg. Dieses Vitamin wird mit sexuellen Funktionen in Beziehung gesetzt – Nagetiere werden bei Vitamin E-Mangel steril. Auch Muskelschwund wurde beobachtet. Der biochemische Wirkungsmechanismus ist aber noch nicht geklärt.

Vitamin K ist an der Bildung des Prothrombins, das für die Blutgerinnung unentbehrlich ist, beteiligt. Bei Mangel von Vitamin K treten Blutungen in der Haut und im Darmgewebe auf. Alle grünen Pflanzen liefern Vitamin K. Der Bedarf des Menschen ist minimal, nur 1 µg pro Tag.

2.7. Die Körpersäfte

Zitronensaft ist jedem ein geläufiger Begriff; man kann aus einer zerschnittenen Zitrone eine Menge Flüssigkeit ausdrücken. Aber »Körpersäfte«?

Nun, so abwegig ist das Wort nicht. Denn unser Körper enthält mehr Flüssigkeit, als man gewöhnlich meint, und manche Tiere sind noch viel wässeriger veranlagt. Durch Hitze kann man Wasser zum Verdunsten bringen. Läßt man ein Kochgefäß mit Suppe lange genug auf der heißen Herdplatte stehen, so geht alles Wasser als Wasserdampf in die Luft. Was an Salz und anderen festen Stoffen darin enthalten war, bleibt als Kruste am Boden des Gefäßes zurück. Würde man einen 70 kg schweren Menschen so lange im heißen Wüstensand dörren, bis alles Wasser aus seinem Körper verdunstet ist, so würde seine ausgetrocknete Mumie nur mehr etwa 20 kg wiegen – alles andere ist Wasser gewesen. Das Wasser des menschlichen Körpers ist teils in den Zellen selbst enthalten, teils in den Flüssigkeiten, die man als Körpersäfte im engeren Sinne bezeichnet: in der Gewebeflüssigkeit, welche die kleinen Spalten und Hohlräume zwischen den Zellen erfüllt, und im Blut. Dieses ist wohl der interessanteste Körpersaft, und nach ihm, besonders nach seiner Verteilung im Körper, nach seiner Beschaffenheit und Bedeutung wollen wir jetzt fragen.

Herz und Adern

Für die unbefangene Auffassung ist das Herz der Sitz des Gemütes. Man sagt: Die beiden sind »ein Herz und eine Seele« – das Erlebnis hat ihm »das Herz gebrochen« – oder: Er ist ein »herzloser Mensch«. Der nüchterne Naturforscher muß aber feststellen, daß das Herz weder zur Liebe noch zur Seele tiefere Beziehungen hat. Es ist innen hohl und hat eine dicke, aus kräftigen Muskelzellen gebildete Wand; seine Aufgabe besteht darin, das Blut im Körper herumzutreiben.

Vom Beginn unseres Lebens bis zum Tode zieht sich die Muskelwand des Herzens einmal in jeder Sekunde, oder noch öfter, kräftig zusammen; das ist der Herzschlag. Niemals darf es ausruhen. Indem es sich zusammenzieht, preßt es das Blut, das sein hohles Innere erfüllt, durch die Adern in den Körper. Die Adern gabeln sich zunächst in mehrere Hauptäste, diese teilen sich wieder und wieder, schließlich in allerfeinste Äderchen, die man Haargefäße (Kapillaren) nennt; sie sind aber noch viel dünner als ein Haar und mit bloßem Auge gar nicht sichtbar. Wenn das Blut durch die Kapillaren geflossen ist, sammelt es sich wieder in größeren Adern, die es schließlich zum Herzen zurückführen. Die Adern, die das Blut vom Herzen wegbringen, nennt man *Arterien;* die Adern, die es zum Herzen zurückleiten, heißen *Venen*. Zwischen den kleinsten Arterien und den kleinsten Venen sind die Haargefäße eingeschaltet. Nirgends verläßt das Blut diese vorgeschriebenen Bahnen.

Das klingt vielleicht nicht ganz glaubwürdig. Denn wo immer wir uns mit einer feinen Nadel in den Finger stechen, quillt Blut heraus. Aber die Haargefäße bilden eben ein so dichtes Netzwerk, daß es unmöglich ist, eine Nadel einzustechen, ohne daß man eine Anzahl von ihnen zerreißt. Wie dicht und wie ungeheuer zahlreich die Kapillaren sind, davon kann man sich durch folgende Berechnung eine gewisse Vorstellung bilden: Würde man nur aus den Muskeln eines einzigen Menschen alle Haargefäße herausnehmen und mit ihren Enden aneinanderkleben, so entstünde eine Kapillare von 100 000 Kilometer Länge – man könnte sie also $2^1/_2$ mal um den Äquator der Erde wickeln.

Warum wir an einem Nadelstich nicht verbluten

Bohrt man ein kleines Loch in den Boden eines Wasserfasses, so wird das Wasser heraustropfen, bis das Faß leer ist. Sticht man sich in den Finger, so gibt es einige Tropfen Blut; aber selbst bei viel größeren Verletzungen kommt die Blutung nach einiger Zeit zum Stillstand. Und das ist gut! Denn wenn die fünf Liter Blutflüssigkeit, die ein erwachsener Mensch im Körper hat, durch die verletzten Adern abtropfen würden wie das Wasser aus dem Faß, dann wäre das Taschenmesser als ein lebensgefährliches Werkzeug schon längst abgeschafft. Daß eine Wunde von selbst zu bluten aufhört, beruht auf der *Gerinnungsfähigkeit* der Blutflüssigkeit. Das ausgetretene Blut erstarrt, wovon man sich leicht überzeugt, wenn man es in einem Gefäß auffängt und kurze Zeit stehenläßt. Der Vorgang hat eine gewisse Ähnlichkeit mit der Gerinnung des Eiweißes beim Kochen eines

Hühnereies, denn er beruht hier wie dort auf dem Festwerden eines flüssigen Eiweißstoffes. Im Blut bildet sich ein mikroskopisch feines Maschenwerk von Eiweißfäden, wenn es aus den Adern ausgetreten ist. Aber es bedarf nicht des Kochens; schon der Austritt aus den Adern genügt, um diese Veränderung herbeizuführen. Das geronnene Blut verstopft die angeschnittenen Gefäße und verhindert dadurch eine weitere Blutung.

Sogar in einer unverletzten Ader kann sich, wenn ihre Innenwand gewisse Altersschäden erlitten hat, an solchen schadhaften Stellen ein Gerinnsel bilden. Wird es dann durch den Blutstrom fortgetragen, so kann es eine lebenswichtige Ader verstopfen und dadurch Ursache eines »Schlaganfalles« werden. Andererseits gibt es einzelne Menschen, deren Blut infolge erblicher Veranlagung sehr langsam oder überhaupt nicht gerinnt. Diese »Bluter« sind schlimm dran, denn jede geringfügige Verletzung kann zu lebensgefährlichem Blutverlust führen.

Es sind keine erfreulichen Dinge, auf die wir da zuletzt gekommen sind. Aber sie zeigen die Wichtigkeit einer rechten Versorgung der Körperteile mit Blut und bringen uns auf die Frage nach seinen Aufgaben. Warum kann der Körper einen übermäßigen Blutverlust nicht ertragen – warum ist ein Organ, das vom Blutstrom abgesperrt ist, nicht länger lebensfähig?

Ein Tröpfchen Blut unter dem Mikroskop

Die Zellen unseres Körpers brauchen zum Leben Sauerstoff. Nur bei Zufuhr von Sauerstoff können sich jene chemischen Stoffwechselvorgänge in den einzelnen Organellen, wie sie auf S. 24 beschrieben wurden, abspielen, welche die Grundlage für alle Lebensäußerungen der Zellen bilden und hiermit für das Leben der Organe und des ganzen Körpers. Die Zellen mit dem nötigen Sauerstoff zu versorgen, ist eine der wichtigsten Aufgaben des Blutes. Bevor wir davon reden, wie das geschieht, wollen wir ein Tröpfchen Blut im Mikroskop betrachten.

Da ist es nicht mehr die gleichmäßig rote Flüssigkeit, wie sie dem bloßen Auge erscheint oder wie es eine rote Tinte oder roter Rübensaft auch bei stärkster Vergrößerung bleiben würde. Man erkennt vielmehr zahllose runde, rötliche Zellen, die »roten Blutkörperchen«, die in einer farblosen – in dicker Schicht gelblichen – Flüssigkeit schwimmen. Man bemerkt auch vereinzelte farblose Zellen, die »weißen Blutkörperchen«.

Die roten Blutkörperchen sind so klein, daß man auf einer 1 cm langen Strecke 1250 Stück in einer Reihe nebeneinanderlegen könnte. Sie enthalten einen roten Farbstoff, das *Hämoglobin,* und seinetwegen sind sie überhaupt da. Es ist ihr wichtigster Bestandteil. Das Hämoglobin ist ein Eiweißkörper mit der merkwürdigen Fähigkeit, Sauerstoff sehr leicht chemisch an sich zu binden und ihn in einer Umgebung, die weniger Sauerstoff enthält, sehr leicht wieder abzugeben. Ist es mit Sauerstoff beladen, so ist es hellrot; hat es ihn abgegeben, so ist es dunkelrot. Das Blut der Tintenfische enthält einen verwandten Stoff, der denselben Zwecken dient; er ist aber in sauerstoffreichem Zustand blau und in sauerstoffarmem farblos. Nicht die Farbe ist das Wesentliche, sondern die Fähigkeit dieser Farbstoffe, den Sauerstoff so leicht an sich zu fesseln und so leicht wieder herzugeben. Dadurch werden sie zu Überträgern des Sauerstoffs im Körper.

Das kreisende Blut und seine Aufgaben

Der Innenraum des Herzens ist durch eine Längsscheidewand in eine rechte und linke Hälfte abgeteilt. Bei jedem Herzschlag wird das Blut, das die rechte Hälfte erfüllt (in der Abb. 15 schwarz; der Mensch ist von vorne gesehen, so daß seine rechte Körperseite im Bild links liegt), durch die Lungenschlagader nach den Lungen getrieben, das Blut aus der linken Hälfte (weiß) gleichzeitig durch die Körperschlagader in den ganzen Körper. Bei der Erschlaffung des Herzens füllen sich seine beiden Hälften aus den Venen wieder mit Blut.

Die Blutkörperchen machen dabei folgenden Weg: Aus der rechten Herzhälfte gelangen sie durch die Lungengefäße in die Lungen, wo sich die Adern in Haargefäße aufteilen. Diese haben eine so zarte Wand, daß hier der Sauerstoff aus der Atemluft leicht in das Blut eindringen kann, wo ihn das gierige Hämoglobin gleich an sich reißt. Die mit Sauerstoff beladenen roten Blutkörperchen werden nun mit dem Blutstrom durch die Lungenvenen nach der linken Herzhälfte befördert, von hier durch die Körperschlagader in die Gewebe des Körpers, wo sie den Sauerstoff durch die zarte Kapillarwand an die benachbarten Zellen abgeben.

Das Tempo des Kreislaufes ist sehr flott. In weniger als einer halben Minute können Blutkörperchen den Weg vom Herzen durch die Lunge zum Herzen zurück und durch die Körperschlagader bis in ein entlegenes Organ und wieder bis zum Herzen zurück machen. Bei dieser Schnelligkeit und bei ihrer ungeheuer großen Zahl vermö-

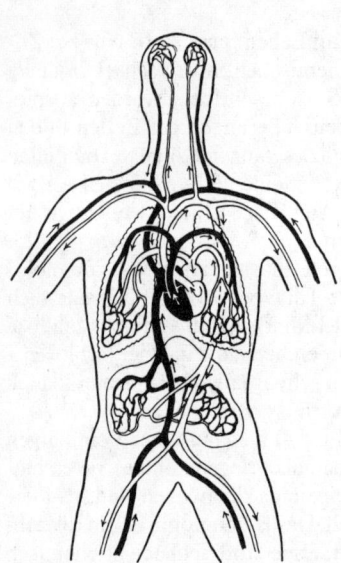

Abb. 15: Blutkreislauf des Menschen.

gen sie eine bedeutende Menge Sauerstoff zu befördern. Er wird von den Zellen im Stoffwechsel verbraucht. Unter Aufnahme von Sauerstoff zerfallen hoch zusammengesetzte chemische Verbindungen in einfache, das heißt nur aus wenigen Molekülen bestehende Stoffe. Wir wissen bereits, daß dieser Vorgang eine »Verbrennung« ist und sich von der Verbrennung im Ofen durch seinen langsameren Ablauf unterscheidet. Die einfachsten Verbindungen, die nach vollzogener Verbrennung übrigbleiben, sind Wasser (H_2O), Kohlensäure (Kohlendioxid, CO_2) und – beim Abbau der stickstoffhaltigen Eiweißkörper – Ammoniak (NH_3). Letzteres wird, weil es giftig ist, schleunigst in unschädliche Substanzen, Harnstoff $CO(NH_2)_2$ und Harnsäure ($C_5H_4N_4O_3$), umgesetzt.

Damit das Feuer in einem Ofen nicht erstickt, muß ihm durch das offene Ofentürchen Sauerstoff zugeführt und müssen durch den Schornstein die gasförmigen Endprodukte der Verbrennung, Wasserdampf und Kohlensäure, abgeleitet werden. Flammen und Rauch – das sind glühende und unvollkommen verbrannte Teilchen (Ruß, Kohlenstoff) – treten bei der weniger stürmisch ablaufenden Verbrennung in den Zellen nicht auf. Aber die Endprodukte der chemischen Umsetzungen müssen auch hier abgeführt werden; ihre Anreicherung in den Geweben würde diese schädigen. Wie das zuströmende Blut für die Zufuhr des Sauerstoffs sorgt, so übernimmt das abströmende Blut die Rolle des Schornsteins. Durch die dünnen Kapillarwände nimmt es in den Geweben die entstandene Kohlensäure aus den Zellen der nächsten Umgebung auf, führt sie in die rechte Herzhälfte, von da durch die Lungenschlagader in die Lungen, und hier, wo die Gefäße sich abermals in feinste Kapillaren aufteilen, kann die Kohlensäure durch deren zarte Wände in die Lungenluft entweichen, während gleichzeitig frischer Sauerstoff eindringt.

Harnstoff und Harnsäure werden gleichfalls durch den Blutstrom aus den Geweben abbefördert. Aber da diese Stoffe nicht gasförmig sind, können sie nicht durch die Lungen mit der Atemluft ausgeschieden werden. Ihrer Entfernung dient eine besondere Drüse, die Niere. Hier werden Harnstoff und Harnsäure zusammen mit mineralischen Abfallstoffen aus der Blutflüssigkeit ausgesondert und, in Wasser gelöst, als Harn abgeschieden.

Osmoregulation: Warum der Mensch in Seenot mitten im Meer verdurstet

Die Ausscheidung von Harnstoff und Harnsäure als unbrauchbare und giftige Abfallstoffe ist nur eine Seite der Nierenfunktion. Viel aufwendiger und diffiziler ist eine andere, vom Laien viel zu wenig beachtete, die sog. *Osmoregulation*. Damit ist die erstaunliche Fähigkeit der Organismen gemeint, die Konzentration ihrer Körperflüssigkeit das ganze Leben hindurch konstant zu halten, auch wenn das Außenmedium salzhaltiger ist oder wenn es *hypotonisch* ist, also eine viel niederere Konzentration verschiedener Salze aufweist, als sie im Blut erforderlich ist. Da wir heutzutage so viel von Nierenversagen hören, wo man mit Erfolg durch Nierentransplantation Abhilfe schaffen kann, sollten wir uns gerade über die osmoregulatorischen Leistungen der Niere Klarheit verschaffen. Man darf dieses Problem nicht einfach mit dem Hinweis abtun, die Tiere hätten doch eine Haut, sie hätten Schuppen oder gar einen Hautpanzer als Körperdecke, der sie gegen unerwünschte Flüssigkeitsüberschwemmung oder gegen lebensgefährlichen Wasserverlust schützt. Nein, die Haut muß permeabel sein, vergleichbar den Kiemen der Fische, mit denen sie Sauerstoff aus dem Wasser aufnehmen; auch der Frosch atmet überwiegend durch die permeable Haut. Außerdem: Mit unseren Exkrementen verschwinden wir eine Menge Wasser, ebenso beim Ausatmen oder beim Schwitzen, wenn uns zu heiß wird.

Den osmotischen Gesetzen zufolge würden Süßwassertiere, wenn sie keine Gegenmaßnahmen treffen, sehr schnell ums Doppelte oder Dreifache aufquellen, bis das osmotische Gleichgewicht zwischen der höheren Salzkonzentration der Körperflüssigkeiten und der Zellsäfte mit dem salzarmen Außenmedium hergestellt ist. Meeresbewohner hingegen, deren Innenmilieu »hypotonisch«, d.h. salzärmer ist als das Meerwasser, würden zusammenschrumpfen, da sie ständig Flüssigkeit nach außen verlieren würden.

Die Forschung der letzten Jahre hat viel zum Verständnis der Osmoregulation beigetragen. Um die vielfältigen genialen Anpassungen der Bewohner des Meeres, des Süßwassers und der Luft erschöpfend darzustellen, müßten wir weiter ausholen. Einige Beispiele mögen genügen, uns das Staunen zu lehren:

Die Süßwasserfische, denen wohl oder übel allzu viel Wasser durch die feinhäutigen Kiemen ins Blut kommt, können diesen Überschuß durch reichlichen und wäßrigen Harn wieder abführen. Die Niere ist also bei diesen Tieren stark gefordert. Sie bringen es zudem fertig, Kochsalz aus dem Süßwasser der Flüsse und Seen auf dem Weg über die Kiemen anzureichern – eine Leistung, die dem Biochemiker Respekt abverlangt. Man bedenke, Süßwasser enthält bestenfalls ein Tausendstel mol Kochsalz, der Zellsaft aber hundertmal mehr. Der aktive Bergauftransport in den Kiemen erfolgt also gegen ein Konzentrationsgefälle von mehr als dem Hundertfachen! Nebenbei sei angemerkt: Unsere Süßwasserfische vermeiden es, Wasser zu trinken, um so einer drohenden Wassersucht im Körper nicht Vorschub zu leisten und die Nieren zu entlasten. Unter den Meerestieren haben die primitiveren Vertreter, wie die Schnecken und die Seesterne, aber auch die Knorpelfische die schlaueste – weil einfachste – Lösung des Problems gefunden: sie steigern den osmotischen Wert ihrer Körperflüssigkeit, bis er der des Meerwassers gleich, d.h. isosmotisch ist. Man kann sich fragen, warum die höheren Organismen, also die Knochenfische des

Meeres, nicht genau so verfahren, sondern generell ihr Zellplasma gegenüber dem Außenmedium hypotonisch, also weniger salzreich halten. Die Vermutungen der Fachkollegen gehen heute dahin, daß hier die anspruchsvollere Nerventätigkeit die Schuld trägt: für die Erregungsübertragung von den Nerven zu den Muskelfasern ist eine besonders fein titrierte Konzentration der zuständigen Ionen, nämlich von Natrium, Kalium, Chlor gefordert (s. S. 59). Man muß sich das so vorstellen, daß bei den Meeresfischen die Muskeln dem Nervenkommando nicht mehr folgen können, wenn das Blut und die Zellflüssigkeit eine zu hohe Konzentration der genannten Ionen hätten. Um dem drohenden Wasserverlust zu entgehen, arbeiten bei den marinen Knochenfischen Nieren und Kiemen in geradezu genialer Weise zusammen: Da diese Fische viel Wasser trinken, kommt zunächst über den Stoffwechsel viel Kochsalz ins Blut. Um die Nieren von dieser Überlast freizuhalten, wird bereits beim Atmungsvorgang dieses Kochsalz über die Kiemen aktiv ins Meerwasser zurückgegeben. Die Nieren sind dadurch entlastet und können andere Ionen, nämlich Calcium und SO_4-Ionen ausscheiden. Diese Zusammenarbeit zwischen Nieren und Kiemen macht es zum Beispiel dem Lachs möglich, bei seinen Wanderungen über Nacht sogar vom Süßwasser ins Meer und umgekehrt zu wechseln.

Auch die Möwen an der Meeresküste dürfen ohne Bedenken Meerwasser trinken. Sie haben an der Nase sogenannte Salzdrüsen, über die sie aktiv hoch konzentriertes Salzwasser ausscheiden. Neuerdings weiß man, daß ein höheres Kontrollzentrum in der Hypophyse diese Vorgänge hormonell überwacht – ein Zeichen, wie wichtig dem Organismus diese Osmoregulation ist.

Gegenüber solchen Meisterleistungen der Osmoregulation muß der Mensch zurücktreten. Er hat einzig und allein seine Nieren für diesen Dienst zur Verfügung. Sie bringen es zu unserem Leidwesen nicht fertig, den Harn so stark zu konzentrieren, daß sie aus getrunkenem Meerwasser das Wasser zurückhalten und das Kochsalz ausscheiden. Wer in Seenot geraten ist und aus Verzweiflung Wasser trinkt, muß mitten im Meer verdursten.

Der aufmerksame Leser wundert sich vielleicht, daß die Endprodukte der Verbrennung aus dem Körper so leicht durch Lungen und Nieren entfernt werden können, während man aus dem Ofen nach einem tüchtigen Kohlenfeuer doch eine ansehnliche Menge Asche und Schlacken ausräumen muß. Aber Asche und Schlacken sind nicht eigentlich Enderzeugnisse, sondern Rückstände des Verbrennungsvorganges, vergleichbar dem unverdaulichen Inhalt unserer Nahrung, und dieser wird ja schon im Darm von den verdaulichen Bestandteilen gesondert. So werden in die Körpersäfte nur hochwertige Stoffe aufgenommen, die dann auch restlos bis zu den genannten Verbindungen abgebaut werden.

Neben der Zufuhr des Sauerstoffes zu den Geweben und der Abfuhr der entstandenen Abfallstoffe hat das Blut eine dritte wichtige Aufgabe zu erfüllen. Das Feuer im Ofen geht aus, wenn man nicht nachlegt. Der Stoffwechsel der Gewebe käme zum Stillstand, wenn kein Brennmaterial nachgeliefert würde. Es stammt aus der Nahrung und wird durch den Blutstrom im Körper verteilt. Es bringt den Zellen den Brennstoff; es bringt auch die Stoffe zum Ersatz verbrauchter Teile und zum Wachstum der Zellen. Während der Sauerstoff in den roten Blutkörperchen befördert wird, reisen die Nährstoffe in der Blutflüssigkeit selbst. In den Haargefäßen, die allein dünnwandig genug sind, um den Stoffaustausch zwischen Blut und Gewebe zu ermöglichen, sickert Blutflüssigkeit, mit Nährstoffen beladen, durch die feinsten Lücken der Kapillarwände hindurch in die Gewebsspalten, wo die Nährstoffe an die Zellen abgegeben werden. Da die roten Blutkörperchen durch diese Lücken nicht durchkommen, ist die ausgesickerte Flüssigkeit nicht rot gefärbt. Es ist die klare, gelbliche »Lymphe«. Auf besonderen Bahnen, durch die Lymphgefäße, wird sie, an Nährstoffen verarmt, aus den Gewebsspalten den Blutgefäßen wieder zugeführt.

Schutzpolizei des Körpers

Das mikroskopische Bild eines Bluttröpfchens hat uns neben den zahllosen roten Blutkörperchen in geringer Anzahl auch farblose, sogenannte »weiße« Blutkörperchen gezeigt. Beiden gemeinsam ist, daß sie sich nicht zu einem Gewebe zusammenschließen, sondern einzeln im Blutstrom herumgetrieben werden. Während sich aber die roten, wie leblose Stäubchen mitnehmen lassen, wohin der Strom geht, haben die weißen Blutkörperchen eine gewisse Selbständigkeit. Wie kleine Amöben können sie Plasmafortsätze ausstrecken. Sie können mit diesen Scheinfüßchen an der inneren Wand der Blutgefäße klebenbleiben; sie können sich durch die feinen Lücken in der Wand der Haargefäße hindurchzwängen und in den Gewebsspalten zwischen den Zellen umherwandern. Ja, sie können wie Amöben selbständig fressen und feste Gegenstände, die kleiner sind als sie selbst, mit ihren Scheinfüßchen umfließen und in ihr Inneres aufnehmen. Dadurch schützen und säubern sie unseren Körper. Wie wachsame Polizeitruppen durchstreifen sie die Gewebe, um in Tätigkeit zu treten, wo es nötig ist. Von ihren wohl sehr mannigfachen Aufgaben sind zwei schon lange bekannt: sie bekämpfen eingedrungene Bakterien und beseitigen zerstörte Gewebszellen.

Wir haben früher von den Fäulnisbakterien gesprochen und dabei auch erwähnt, daß es viele Arten von Bakterien gibt und daß manche von ihnen als Krankheitserreger gefährlich werden können. Wenn eine Verletzung durch den gefürchteten »rostigen Nagel« zu einer Entzündung führt, so ist nicht der Rost des Nagels schuld, der ganz unschädlich ist, sondern es sind gewisse weitverbreitete Bakterien, die am Nagel oder an der verletzten Hautstelle klebten, in die Wunde gelangten und hier ihnen zusagende Lebensbedingungen gefunden und sich vermehrt haben. Ihre giftigen Stoffwechselprodukte schädigen das Gewebe.

Ein vermehrter Blutzustrom, die Ursache der Rötung einer entzündeten Hautstelle, bringt Blutkörperchen in vermehrter Zahl heran. Die weißen Blutzellen sammeln sich in dem entzündeten Gewebe an und nehmen den Kampf mit den eingedrungenen Bakterien auf, indem sie diese fressen und durch Verdauung vertilgen. Haben sie rasch genug eingegriffen, und werden sie schnell mit den Bakterien fertig, so klingt die Entzündung bald ab. Gelingt es den Bakterien zunächst, stark zu wuchern, so können sie das Gewebe so weit schädigen, daß die Zellen zerstört werden. Dann kommen immer mehr weiße Blutkörperchen zur Abwehr heran, so viele, daß die Körpersäfte an dieser Stelle eine weißliche Farbe annehmen: es bildet sich *Eiter*. Und es gibt reichlich Arbeit für die versammelten weißen Blutzellen. Denn sie haben nicht nur die Bakterien zu bekämpfen, sondern sie müssen auch die zerstörten Gewebszellen auffressen und wegschaffen. Wenn die Bakterien die Stärkeren bleiben, wenn sie sich von der zuerst befallenen Stelle im Körper ausbreiten und ihn mit ihren Giften überschwemmen, dann kommt es zur *Blutvergiftung*.

Immunität und Impfung

Von den berüchtigten Infektionskrankheiten Tuberkulose, Typhus, Ruhr, Cholera, Pest, Diphterie usw. wird jede durch eine bestimmte Bakterienart verursacht. Nicht jedes Eindringen solcher Bakterien in den Körper muß zum Ausbruch einer Krankheit führen; denn die weißen Blutkörperchen suchen sie rasch zu vernichten. Und nicht nur durch sie werden Bakterien gleichsam im Handgemenge bekämpft; auch die Blutflüssigkeit enthält Stoffe, die sie auf chemischem Wege schädigen. Auf der Menge und Wirksamkeit dieser Abwehrkräfte beruht die natürliche Widerstandskraft (»natürliche Immunität«) gegen Infektionen, der es zu danken ist, daß nicht jeder verschluckte Typhuserreger zum Typhus führt und daß wir Großstadtmenschen nicht alle an Tuberkulose leiden, obwohl wir alle gelegentlich Tuberkelbazillen mit dem Straßenstaub einatmen.

Gelingt es aber den krankheitserregenden Bakterien, sich im Körper zu vermehren und auszubreiten, so ist ihnen auch dann der Organismus nicht wehrlos preisgegeben. Er bildet Abwehrstoffe (»Antikörper«), die sich teils gegen die Bakterien selbst richten, teils gegen die von ihnen erzeugten Gifte, die sog. Antigene, die sie unwirksam machen. Einerseits von der Kraft und Schnelligkeit der Antiköperbildung, andererseits von der Lebenskraft und der Widerstandsfähigkeit der Bakterien hängt der Ausgang des Kampfes ab, der über Leben und Tod entscheidet.

Die Antikörper sind Eiweißstoffe, die in bestimmten Arten von weißen Blutkörperchen, den Lymphozyten, gebildet werden. Einige Tage nach

Beginn der Krankheit sind sie in der Blutflüssigkeit nachweisbar. Ihre Wirkung richtet sich nur gegen diejenigen Bakterien und ihre Gifte, die den Anlaß zur Bildung der Antikörper gegeben haben. Antikörper, die gegen Typhuserreger entwickelt wurden, sind nur gegen Typhusbazillen wirksam und machtlos gegenüber anderen krankheitserregenden Bakterien; bei einem Pockenkranken entstehen Antikörper, die sich nur gegen die Pockenerreger und ihre Giftstoffe richten, usw. Wenn die Abwehrstoffe geholfen und zur Genesung geführt haben, dann können sie auch nach überstandener Krankheit Schutz gewähren vor einer neuerlichen Infektion derselben Art, manchmal für lange Zeit, bei manchen Krankheiten sogar lebenslänglich (»erworbene Immunität«).

Aus dieser Erkenntnis hat man sehr weittragende Nutzanwendungen gezogen. Man kann einem Tier, z.B. einem Pferd, krankheitserregende Bakterien einimpfen und es so zur Bildung von Abwehrstoffen gegen diese Bakterien veranlassen. Diese sind dann in seiner Blutflüssigkeit enthalten. Solche Blutflüssigkeit, von ihren Blutkörperchen befreit, findet als Impfstoff oder Heilserum vielfache Verwendung. Man kann die Menschen gegen eine Krankheit (auch gegen Viruskrankheiten) unempfänglich machen, indem man ihnen mit dem Tierserum die Abwehrstoffe einspritzt, oder es läßt sich auf dieselbe Weise nach dem Ausbruch einer Krankheit die Gesundung beschleunigen. In anderen Fällen bringt man die Krankheitserreger selbst in den menschlichen Körper, entweder in so abgeschwächtem Zustand, daß sie keinen Schaden anrichten (Pockenimpfung), oder völlig abgetötet (Typhus, Kinderlähmung u.a.); auch die geschwächten oder toten Krankheitserreger veranlassen die Bildung der Gegengifte, die für lange Zeit oder dauernd vor der Krankheit schützen.

Es gibt grundsätzliche Impfgegner. Wenn sie Einblick hätten, wieviel Leiden der Menschheit seit der Einführung der Impfung erspart geblieben sind, wären sie rasch bekehrt. Allein in Preußen sind im achtzehnten Jahrhundert jährlich etwa 40000 Menschen an Pocken gestorben. Dank der Einführung der Pockenschutzimpfung ist diese Seuche heute auf der ganzen Welt ausgerottet.

Die Immunabwehr hat aber auch ihre Schattenseiten; sie kann zur *Allergie* führen. Hierbei werden nicht nur gegen Bakteriengifte, sondern auch gegen allerlei körperfremde Stoffe, die wir als Blütenpollen, als Pilzsporen, als Haare von Haustieren einatmen oder durch einen Insektenstich ins Blut eingespritzt bekommen, Antikörper gebildet. Auf diesem Gebiet hat die Immunforschung in den letzten Jahren rasante Fortschritte gemacht, deren Erkenntnisse für die Medizin aktuelle Bedeutung bekommen haben.

Bei der *zellvermittelten Immunität* hat man unter den Lymphozyten spezifische »T-Killer-Zellen« gefunden. Sie erkennen Körperzellen, in die ein Virus oder ein Bakterium eingedrungen ist, an der Hülle, die diese Viren oder Bakterien an der Zellmembran hinterlassen haben. Diese befallene Zelle wird dann von den Killer-Zellen zerstört und so eine weitere Ausbreitung der Infektion verhindert.

Weit interessanter ist aber die Tätigkeit der *humoralen Immunreaktion,* wobei also Antikörper gebildet werden. Für diese Antikörperbildung stehen dem Menschen mehr als 10 Millionen verschiedene, spezifisch ausgerüstete Abwehrzellen, die sog. B-Lymphozyten, bereit. Sie besitzen in ihrer Zellmembran spezifische Nischen, »Rezeptoren«, in die die Antigene wie Schlüssel und Schloß hineinpassen. Lange Zeit haben sich die Forscher den Kopf zerbrochen, wie denn das Immunsystem der B-Lymphozyten so viele potentielle Antigene erkennen kann. Die Aufklärung der molekularen Struktur der Antikörper half da weiter: Es sind die sog. Immunglobuline, die eben diese vielen verschiedenen Nischen zur Bildung eines Antigens aufweisen.

Diese Abwehrzellen warten alle auf ihren Einsatz, der dann gekommen ist, wenn ein Antigen in den Körper eindringt. Neuerdings hat man gefunden, daß, noch ehe es zur Antikörperbildung kommt, die B-Lymphozyten von sogenannten T-Lymphozyten oder T-Helfer-Zellen unterstützt werden. Letztere nehmen zuallererst Kontakt mit einem Antigen auf, bilden hormonartige Moleküle, die sog. Lymphokine oder Interleukine, wodurch eine rapide Vermehrung der B-Lymphozyten und dann die Antikörperbildung in Gang gesetzt wird. Man hat sogar noch eine dritte Gruppe von Lymphozyten gefunden, die sogenannten Supressor-T-Zellen, die dafür sorgen, daß nach überwundener Krankheit die Immunreaktion gestoppt wird. Ein recht komplexes Geschehen also, das leider für den Menschen auch gelegentlich zu Entgleisungen führt, wenn harmlose Substanzen wie die erwähnten Blütenpollen oder bestimmte Medikamente als fremd und gefährlich erkannt werden und dann eine allergische Überreaktion auslösen.

Noch schlimmer sind die sogenannten Autoimmunkrankheiten, bei denen das Immunsystem körpereigene Gewebe angreift, wie es etwa bei der Multiplen Sklerose der Fall ist. Aber solche Fehlreaktionen des Immunsystems treten glücklicherweise sehr selten auf. Wir dürfen hoffen, daß aus diesen Erkenntnissen einer Grundlagenforschung sich die noch anstehenden Probleme der autoaggressiven Lymphozyten lösen lassen; durch immunologische Methoden lassen sie sich vielleicht in absehbarer Zeit aus dem Körper schadlos entfernen. Man denkt auch daran, sie für die Tötung von Krebszellen einzusetzen; auch unsere Aids-Kranken setzen alle ihre Hoffnung auf die kommenden Fortschritte in der Immunologie.

Herzlose Tiere und solche, die für jedes Bein ein eigenes Herz haben

Nun war so viel von der Wichtigkeit des Blutes die Rede, daß ich es fast nicht zu sagen wage: Wir kennen auch Tiere, die weder ein Herz noch Blutgefäße haben. Sind also diese Organe doch nicht so lebensnotwendig? Das wäre ein voreiliger Schluß. Ein und dasselbe schickt sich nicht für alle; es kommt auf den Bau des Körpers und auf seine Größe an.

In Tümpeln und Teichen lebt der Süßwasserpolyp, ein Tier von wenigen Millimetern Körperlänge. Seine Körperwand besteht nur aus zwei Zellschichten. Sie umschließen einen mit Flüssigkeit erfüllten Hohlraum, den Magen des Tieres. Die beweglichen Fangarme rund um die Mundöffnung sorgen dafür, daß er häufig gefüllt wird. Was im Magen verdaut wird, hat bei der Dünnheit der Körperwand nirgends einen weiten Weg zu den Zellen, welche die Nährstoffe brauchen. Auch der Sauerstoff aus dem umgebenden Wasser kann leicht durch die dünne Haut zu allen Zellen vordringen. Hier ist eine Blutflüssigkeit als Beförderungsmittel unnötig.

Ähnlich liegen die Verhältnisse bei vielen niederen Tieren. Nimmt die Körpergröße zu, so ergeben sich zuerst für die Beförderung der Nährstoffe Schwierigkeiten. Die leichter beweglichen Gase, Sauerstoff und Kohlensäure, können auch durch etwas dickere Gewebsschichten noch genügend eindringen. Da wird bisweilen so Abhilfe geschafft, daß sich der Darm verzweigt und durch den ganzen Körper ausbreitet (Abb. 16). Dann ist auch hier wieder kein weiter Weg von der Darmwand, welche die Nährstoffe aufsaugt, bis zu den Stellen des Verbrauchs, den Körperzellen. Die Abfuhr der schwerer beweglichen Stoffwechselschlacken ist erleichtert, indem sich auch die Nierenorgane im ganzen Körper verzweigen und die Abfallstoffe von allen Seiten herausholen.

Wird der Körper noch größer und massiger, dann tritt auch bei niederen Tieren ein Herz mit Blutgefäßen und Blutflüssigkeit auf. Meist ist die Ausgestaltung viel weniger vollkommen als beim Menschen. Oft fehlen die Haargefäße; die Arterien hören nach mehr oder weniger weitgehender Verzweigung einfach auf und ergießen das Blut in die Gewebsspalten, von wo es durch Venenstämme wieder aufgenommen und zum Herzen geleitet wird. Bei manchen Krebsen und Insekten fehlen Blutgefäße überhaupt; nur ein ständig schlagendes, schlauchförmiges oder sackförmiges Herz sorgt wie ein Rührwerk, daß die Körpersäfte in Bewegung bleiben. Das genügt für bescheidene Ansprüche.

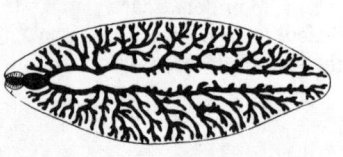

Abb. 16: Ein Wurm mit verzweigtem Darm: der Leberegel (etwa natürliche Größe).

Freilich, die dünnen und langen Beine einer Blattlaus wären schlecht mit Blut versorgt, denn es würde an ihnen vorbei- und nicht in sie hineinströmen. Darum hat hier – und auch bei vielen anderen Insekten – jedes Bein sein eigenes kleines Sonderherz, das ihm vom kostbaren Lebenssaft sein Teil zupumpt. Bei allen Wirbeltieren aber – schon bei den kaltblütigen Fischen – sind das Herz und die Blutgefäße eine geschlossene Einheit, wie wir es für den Menschen geschildert haben. Nur ist die Zahl der Kapillaren, die Dichte des Blutnetzes, bei einem Fisch lange nicht so groß wie bei einem Vogel oder Säugetier, die als Warmblüter mit lebhaftem Stoffwechsel eine bessere Blutversorgung brauchen und auch wirklich haben.

2.8. Atmung: Gespeicherte Energie wird in den Körperzellen freigesetzt

Nachdem wir verfolgt haben, wie die Nahrung verdaut und die Nährstoffe durch das Blut bis zu den einzelnen Körperzellen transportiert werden, können wir uns mit der letzten und eigentlich wichtigsten Phase befassen: Wie wird die gespeicherte Energie in den Zellen freigesetzt, damit sie für die zu leistende Arbeit zur Verfügung steht? Energie wird ja zunächst wie schon erwähnt (S. 54) als Stärke, als Fett, selten als Eiweiß in den Körperzellen gespeichert. Sie muß in einer Form freigesetzt werden, daß sie den jeweiligen Aufgaben: Bewegung, Transport, Wachstum, Reizaufnahme und Nerventätigkeit gerecht wird. Die Freisetzung der Energie geschieht durch *Atmung*. Die allgemeine Umgangssprache versteht unter Atmung Aufnahme von Sauerstoff aus Luft oder Wasser und Abgabe von Kohlendioxid an die Umwelt als Endprodukt der Atmung; das ist aber nur die »äußere Atmung«, d. h. Ausgangs- und Endprodukt dieses wichtigen Lebensprozesses. Die Forschung der letzten Jahrzehnte hat uns in allen Einzelheiten über den eigentlichen Atmungsvorgang in der Zelle aufgeklärt – es ist wiederum ein äußerst komplexer Prozeß, an dem an die hundert (!) Enzyme beteiligt sind und der in Form einer Atmungskette abläuft. Wir wollen wenigstens einen flüchtigen Blick in diese Geheimkammer wagen, wo ohne unser bewußtes Zutun, in aller Stille, zu jeder Sekunde in Milliarden von Körperzellen das Wunder der Energiefreigabe mit Hilfe von Sauerstoff erfolgt.

Nehmen wir als Beispiel die Veratmung von Zucker, also von Glukose oder Stärke. Da erscheint zunächst die Angelegenheit recht einfach, wenn wir nur Ausgangs- und Endproduktformel einbringen: Ein Molekül Glukose ergibt mit sechs Molekülen Sauerstoff sechs Moleküle Kohlendioxid, ferner sechs Moleküle Wasser und eben die freigesetzte Energie.

Keineswegs verläuft aber diese Zellatmung in einem einzigen Schritt;

da würde viel Energie verlorengehen. Es ist eine verwickelte Serie von Einzelprozessen, jeder durch die erwähnten Enzyme kontrolliert. Wenn man in unseren Bibliotheken nach Büchern über die Zellatmung sucht, dann füllen sie heute bereits ganze Regale; wir müssen uns also auf die wesentlichen Tatsachen beschränken.

In einer ersten Phase wird Glukose durch Aufnahme von Sauerstoff gespalten; es werden Wasserstoff-Ionen und Elektronen auf Trägermoleküle übertragen. Kohlendioxid wird frei und ATP gewonnen. Dieser Prozeß wird nach dem Entdecker »Krebszyklus« genannt. Die wichtigsten Reaktionen dieses Krebszyklus spielen sich in speziellen organischen Molekülen, den *Cytochromen,* ab, die wir schon in den Mitochondrien gefunden haben (Tafel 1). An diesen Cytochromen erfolgt die Dehydrierung, die Elektronenübertragung, die Aufnahme von Wasserstoff-Ionen durch Sauerstoff, also die Entstehung von Wasser. Nur durch die etappenweise Veratmung von Glukose wird vermieden, daß die meiste Energie als Wärme verlorengeht; ATP wird als allgemeine Energiereserve gewonnen. Ein einziges Glukosemolekül liefert dabei 38 ATP-Einheiten; der Wirkungsgrad beläuft sich auf etwa 44%. Das ist eine eindrucksvolle Bilanz, die Technik kann darüber nur staunen.

Atmungsorgane

Der Aquarienfreund, der schon manches trübe Erlebnis mit einem allzu temperamentvollen Liebling hatte, wird vielleicht zu unserem Kapitel bemerken, daß er herausgesprungene Fische *vertrocknet* auf dem Fußboden gefunden hat – daß sie an der Luft *erstickt,* also an Luftmangel gestorben seien, das klingt ihm etwas sonderbar; und doch ist es so. Es hängt dies mit dem Bau der Atmungsorgane zusammen, die bei einem Fisch ganz anders aussehen als bei einem Landbewohner. Was ist nun eigentlich ein *Atmungsorgan*?

Es ist ein Organ, das der Aufgabe dient, den Körpersäften aus der Umgebung Sauerstoff zuzuführen.

Die Lungen und ihre Lüftung

Bei einem Feuersalamander sind die Lungen sehr einfach gebaut. Es sind zwei zartwandige, mit Luft gefüllte Säcke, die auf dem Wege durch die Nasenlöcher, den Rachen und die Luftröhre ventiliert werden. In ihrer Wandung verzweigen sich die Gefäße der Lungenschlagader bis zu Kapillaren. Der Gasaustausch zwischen der Luft in den Lungen und dem Blut in ihren Wandungen kann um so lebhafter vor sich gehen, je größer die Oberfläche ist, die hierfür zur Verfügung steht. Das gilt für jeden Austauschvorgang.

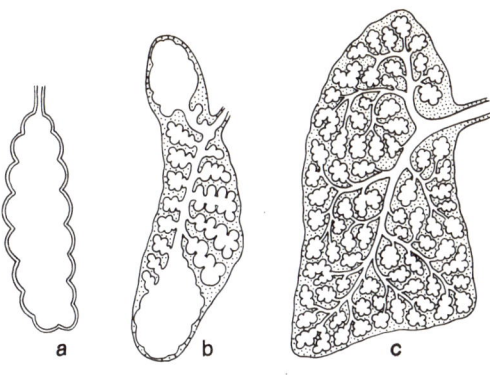

Abb. 17: Lunge: a) Salamander, b) Eidechse, c) Mensch.

Wir machen beispielsweise davon Gebrauch, wenn wir heiße Milch aus einer Tasse in einen flachen Teller gießen, damit sie rascher auskühlt: Von der größeren Oberfläche wird die Wärme schneller abgegeben. Oder ein anderes Beispiel, mit dem wir unserem Problem schon näherkommen: Früher hat man Fische oft in runden »Goldfischglocken« gehalten, und mancherorts tut man es leider auch heute noch. Da sieht man die armen Tiere häufig nach Luft schnappen, weil bei der Glockenform der Behälter die Wasserfläche, die mit der Luft in Berührung steht, zu klein ist. Nur durch diese Berührungsfläche kann Luft ins Wasser eindringen und so den von den Fischen verbrauchten Sauerstoff ersetzen. In einem rechteckigen Aquarium ist diese Oberfläche viel größer.

In der Lunge eines Feuersalamanders steht die innere Oberfläche der blasenförmigen Lunge für den Gasaustausch zwischen der Atemluft im Inneren und den Körpersäften in der Lungenwand zur Verfügung. Das genügt für den geringen Sauerstoffbedarf eines Salamanders, der als träges Tier keinen lebhaften Stoffwechsel hat. Aber schon bei der lebendigeren Eidechse würde es nicht genügen. Da hilft sich die Natur, indem sie die innere Oberfläche vergrößert. Die Lungenwand bildet einspringende Falten (Abb. 17); so entstehen Hunderte von Bläschen, deren Wände alle von Blut durchströmt werden. Die menschliche Lunge ist grundsätzlich nicht anders gebaut. Nur ist hier von einem einheitlichen Luftraum nichts mehr übrig, sondern das ganze Innere der Lunge ist in zahllose Bläschen aufgeteilt. Das bedeutet eine weitere, gewaltige Steigerung der inneren Oberfläche, also der Berührungsfläche zwischen der Luft und den blutdurchströmenden Lungenbläschen. Man hat ausgerechnet, daß diese Oberfläche, wenn man sie zu einer ebenen Fläche ausbreiten könnte, 90 m² einnehmen würde. Zum Vergleich sei gesagt, daß unsere ganze Körperhaut weniger als 2 m² mißt. Jedesmal also, wenn das Herz die fünf Liter Blut unseres Körpers durch die Lungen gepumpt hat, ist es so, als wären sie auf der Bodenfläche eines zehn Meter langen und neun Meter breiten Saales flach ausgegossen worden. Man wird begreifen, daß auf diese Weise der Gasaustausch zwischen Blut und Lungenluft außerordentlich gefördert wird. Natürlich muß dafür gesorgt werden, daß die verbrauchte Lungenluft durch frische ersetzt wird. Das geschieht durch die Atembewegungen. Wenn wir den Kolben einer Glasspritze zurückziehen, saugen wir durch die Spritzenöffnung Luft hinein. Die Luft ist nicht zu sehen. Stecken wir die Spritzenmündung in ein Glas Wasser und ziehen den Kolben zurück, so sehen wir das Wasser in der Spritze hochsteigen.

Auf ähnliche Weise erfolgt die Lüftung der Lungen. Ihr Innenraum entspricht dem Inneren einer Spritze, die Spritzenmündung den Nasenlöchern, von wo der Weg durch die Nasenhöhle, den Rachen, die Stimmritze und die Luftröhre in die Lungen führt. Unser Spritzenkolben aber ist das Zwerchfell, ein kuppelförmig gewölbter Muskel, der den Brustraum vom Bauchraum abschließt. Wenn sich das Zwerchfell bei der Einatmung zusammenzieht, also verkleinert, flacht sich seine Wölbung ab. Das heißt, der Kolben geht nach unten; der Brustraum vergrößert sich wie der Spritzenraum beim Anziehen des Kolbens, und es wird Luft eingesaugt. Die Wirkung wird noch dadurch verstärkt, daß gleichzeitig durch besondere Muskeln die Rippen gehoben werden, wodurch sich der Brustkorb auch in seitlicher Richtung vergrößert. Beim Erschlaffen der Muskeln ziehen sich die elastischen Lungenwände zusammen und treiben die Luft nach außen, was bei heftigem Ausatmen durch gegensinnige Rippenbewegungen und durch Einziehen des Bauches noch beschleunigt wird. Wir können aber die Lungenluft nicht ganz entleeren, so wie man den ganzen Inhalt einer Spritze herausdrücken kann. Nur ein Teil der Luft wird bei jedem Atemzug gewechselt: Die Lunge wird gelüftet.

Warum der Mensch unter Wasser nicht atmen kann und der Fisch nicht an der Luft

Es wurde schon erwähnt, daß Wasser, das mit der Luft in Berührung steht, Sauerstoff aufnimmt. Alle Gase, aus denen Luft zusammengesetzt ist, sind in gewisser Menge in Wasser löslich. Man kann sie allerdings darin nicht erkennen, sowenig wie man Zucker im Wasser sehen kann, wenn er sich darin gelöst hat. Sehen kann man sie, wenn man das Wasser erwärmt. Dann steigen Gasblasen auf, weil warmes Wasser weniger Gas zu lösen vermag als kaltes. Würde das Wasser keinen Sauerstoff annehmen, so würde uns ja die Lungenatmung gar nichts nützen. Erst den Sauerstoff, der in die wässerige Blutflüssigkeit eingedrungen ist, können die Blutkörperchen an sich reißen und in die Gewebe tragen.

Warum ersticken wir aber dann im Wasser? Können wir unsere Lungen nicht auch mit Flüssigkeit füllen und den darin enthaltenen Sauerstoff ausnutzen? Tatsächlich kommt es vor, daß ein Ertrinkender seine Lungen mit Wasser füllt, doch das rettet ihn nicht. Gase sind sehr leicht beweglich. Wenn wir bei jedem Atemzug nur einen Teil der Luft durch frische ersetzen, breitet sich der Sauerstoff mit genügender Geschwindigkeit von selbst durch die ganze Lunge aus. In einer mit Wasser gefüllten Lunge aber kann der verbrauchte Sauerstoff nicht rasch genug ergänzt werden.

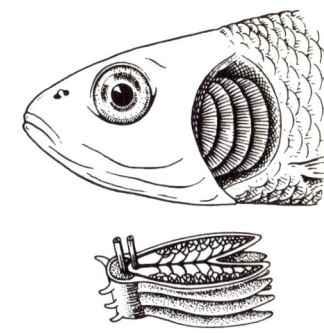

Abb. 18: Fischkiemen, unten: vier Kiemenblättchen stärker vergrößert.

Bei einem Fisch sind die Atmungsorgane ganz anders gebaut. Er hat Kiemen statt Lungen. Man kann sie sehen, wenn man den Kiemendeckel abschneidet (Abb. 18). Schon ihre rote Farbe verrät, daß sie reich durchblutet sind und daß sie eine äußerst zarte Haut haben: Einrichtungen, die den Gasaustausch mit der Umgebung begünstigen. Dazu kommt auch hier als wichtigstes Hilfsmittel der Atmung die Vergrößerung nicht nach innen wie bei den Lungen, sondern nach außen durch die Entwicklung vieler kleiner Kiemenblättchen. Erst wenn wir solche Kiemenblättchen unter das Mikroskop legen, erkennen wir das wirkliche Maß ihrer Oberflächenentfaltung. Zu beiden Seiten tragen sie, dem bloßen Auge unsichtbar, viele Tausende von zarten, vorspringenden Querfalten, in denen sich die Haargefäße verzweigen. Das Wasser, das der Fisch bei seinen Atembewegungen dauernd durch die Kiemen pumpt, streicht an diesen Blättchen und Falten vorbei und kann den gelösten Sauerstoff an sie abgeben.

Da gibt es keinen toten Raum wie in den Lungen. Kommt aber der Fisch aufs Trockene, dann kleben alle die Kiemenblättchen zusammen wie die Federn eines nassen Federbüschels, während sie sich im Wasser ausbreiten können und auseinandergehen. Durch das Zusammenfallen der Kiemenblättchen wird die Oberfläche, die für den Gasaustausch in Betracht kommt, auf einen kleinen Bruchteil der früheren Oberfläche vermindert. Dann hilft es nichts, daß in der umgebenden Luft reichlich Sauerstoff vorhanden ist. Der Fisch muß trotzdem ersticken, lange bevor er vertrocknet ist.

So sind die Atmungsorgane, ein jedes in seiner Art, in hohem Grade zweckdienlich, solange die Wesen in der Umgebung bleiben, für die sie geschaffen sind. Dem Menschen im Wasser wie dem Fisch auf dem Trockenen wird gerade die Vollkommenheit seiner Atemwerkzeuge zum Verhängnis.

Außenseiter in puncto Atmung

Lungen und Kiemen sind besonders hochentwickelte Atmungsorgane der Wirbeltiere, die ausnahmslos ihren Sauerstoff auf das Blut übertragen, von dem aus er dann über die roten Blutkörperchen an die Körperzellen weitergegeben wird. Das ist nicht überall so. Es wäre verlockend, die Vielfalt der Atmungsorgane bei anderen Tiergruppen in ihren Einzelheiten darzustellen. Da zeigt sich nämlich die Natur wieder als Erfindungskünstler und als Meister der Anpassung an die unterschiedlichsten Lebensweisen. An einigen Beispielen sei dies dargestellt.

Bei Einzellern und bei den primitivsten Vielzellern erfolgt der Gasaustausch über die gesamte Körperoberfläche, so bei den Amöben und Pantoffeltierchen. Aber auch für Süßwasserpolypen, Meeresquallen, für die Strudelwürmer und den Regenwurm ist es kein Problem, den Sauerstoff über die feine Haut aufzunehmen und das Kohlendioxid ins Wasser abdiffundieren zu lassen. Die Polypen, Quallen und Strudelwürmer stellen zusätzlich noch ihren Magen, das »Gastrovaskularsystem«, diesem Gasaustausch zur Verfügung; mit der Nahrung wird ja stets eine Menge Wasser verschluckt – warum sollten da die benachbarten Zellen nicht gleich das O_2-Angebot aus dem eingestrudelten Wasser nutzen?

Wen sollte es überraschen, daß die Insekten, die in den meisten Lebensfunktionen eine Sonderstellung einnehmen, auch mit ihren Atmungsorganen eigene Wege gegangen sind? Der Hauptunterschied zu Lungen und Kiemen besteht darin, daß nicht das Blut als Sauerstoffüberträger genutzt wird, sondern daß die eingeatmete Luft über ein reich verzweigtes Röhrensystem direkt in die einzelnen Körperzellen gebracht wird. Da findet man beiderseits am Körper mehrere Atemöffnungen, die Stigmen, die sich in eine Atemröhre, die Trachee, fortsetzen und in feinsten Endverzweigungen, den Tracheolen, jeweils in eine Körperzelle eindringen. Im Zellplasma wird dann der Sauerstoff gelöst und das Kohlendioxid wieder abgegeben. Noch einmal sei betont, daß das Blut mit der Atmung nichts zu tun hat; es ist bei Insekten lediglich für den Transport der Nährstoffe zuständig. Man darf sich ruhig die Frage vorlegen, welches System wirkungsvoller ist. Für Insekten, die sich das Luftmeer als rasante Flieger erobert haben, ist es zweifellos von Vorteil, wenn bei dem enormen Energieverbrauch während des Fluges Flugmuskeln und auch das Nervensystem direkt mit Sauerstoff versorgt werden können.

Eine Einschränkung ist allerdings dem Tracheensystem auferlegt: Es taugt nur für kleine Tiere. Das Röhrensystem könnte mit seinen Verzweigungen niemals bei einem Pferd oder bei einem Elefanten alle Körperzellen erreichen – ein Glück für die übrige Tierwelt und die gesamte Pflanzenwelt; man stelle sich vor, Blattläuse oder Mücken, so groß wie Ratten, würden millionenfach in unsere Gärten und Wohnungen einfallen!

Die Atmung der Pflanzen und wo sie ihre »Nasenlöcher« haben

Bei den Stoffwechselvorgängen in pflanzlichen Zellen werden hoch zusammengesetzte chemische Verbindungen unter Sauerstoffaufnahme gespalten und abgebaut; es finden also Verbrennungen statt, die von den entsprechenden Vorgängen in tierischen Zellen nicht wesentlich verschieden sind. Daher ist auch für die lebende Pflanze die Zufuhr von Sauerstoff nötig. Sie braucht dafür keine den Lungen oder Kiemen entsprechenden Organe, weil sich der Pflanzenkörper im ganzen weit verzweigt und flächenhaft entwickelt, daher eine viel größere Oberfläche entfaltet als der Tierkörper und so genügend Sauerstoff aufnehmen kann. Immerhin haben die Pflanzen, wenn auch keine Lungen, so doch so etwas wie Nasenlöcher. Mikroskopisch kleine Nasenlöcher sind es, die als »Spaltöffnungen« an den Blättern der Pflanzen auftreten und die Außenluft mit den Lufträumen im Inneren der Blätter in Verbindung setzen, so daß genug Sauerstoff zu den Zellen gelangen kann. Sie sind so zahlreich, daß zum Beispiel an der Unterseite eines Pfirsichblattes einhundert bis zweihundert Öffnungen auf die Fläche eines Quadratmillimeters kommen.

Bei allen grünen Pflanzen wird der Sauerstoffverbrauch freilich nur nachts, wenn es finster ist, deutlich. Im Licht findet ja, wie wir schon wissen, mit Hilfe des grünen Blattfarbstoffes in den Geweben der Pflanze eine Nutzung der Kohlensäure (CO_2) statt, wobei der Kohlenstoff zum Aufbau organischer Verbindungen dient, während der Sauerstoff an die Luft zurückgegeben wird. Obwohl auch in den Geweben der Pflanze die Zellatmung mit ihrem Sauerstoffverbrauch stets nebenher läuft, erfolgt doch der gegensinnige Vorgang in weit höherem Maße, so daß die grünen Gewächse trotz ihrer Atmung große Überschüsse von Sauerstoff an die Luft abgeben.

Daher kommt es, daß der Sauerstoffvorrat in unserem Luftraum nicht weniger wird, obwohl ungezählte tierische Lebewesen und in bescheidener Weise die Pflanzen selbst dauernd von ihm zehren.

Leben ohne Sauerstoff

Die meisten Tiere und Pflanzen bestreiten ihren Energiebedarf aus Verbrennungsvorgängen, also aus einem Zerfall chemischer Verbindungen unter Aufnahme von Sauerstoff. Darum müssen sie atmen. Aber es kann auch aus chemischen Umsetzungen anderer Art, ohne Beteiligung von Sauerstoff, Energie gewonnen werden. Es ist kein Naturgesetz, daß jedes Lebewesen atmen muß.

Die Hefezellen (mikroskopisch kleine, einzellige Pflanzen) spalten mit Hilfe eines von ihnen erzeugten Ferments Zucker ($C_6H_2O_6$) in Alkohol

(C_2H_5OH) und Kohlendioxid (CO_2). Auch diese Umsetzung liefert Energie und ist die Quelle aller Lebensvorgänge in den Hefezellen. Die Menschen machen sich dies zunutze, indem sie zur Bereitung von Bier, Wein und anderen geistigen Getränken Hefe in zuckerhaltige Flüssigkeit hineinbringen. Der Zucker wird dann durch das Ferment der Hefezellen »vergoren«. Die Kohlensäure entweicht als Gas aus der Flüssigkeit; der Alkohol bleibt darin. Besonders unter den niedersten pflanzlichen Lebewesen, den Bakterien, gibt es viele, die aus solchen Umsetzungen ohne Beteiligung von Sauerstoff ihr Leben bestreiten. Es muß dabei durchaus nicht immer Alkohol entstehen; die Endprodukte des chemischen Zerfalls können auch von anderer Natur sein.

Im Tierreich ist das Leben ohne Sauerstoff eine ziemlich seltene Erscheinung. Aber es gibt doch Sonderlinge, die auf dieses Lebenselement verzichten können. Bandwürmer und Spulwürmer, diese unappetitlichen Schmarotzer, die sich gelegentlich in den Eingeweiden ansiedeln, sind derartige Gesellen. Sie haben im Darm ihres Wirtes fast keinen Sauerstoff zur Verfügung. Denn wenn solcher vorhanden ist, wird er bei den Fäulnisvorgängen aufgezehrt. Versuche haben gezeigt, daß diese Tiere tatsächlich keinen Sauerstoff brauchen. Durch Umsetzungen anderer Art gewinnen sie die Energie für ihren Lebenshaushalt. Freilich, sehr sparsam ist dieser Haushalt nicht, und die biedere Hausfrau, die in die Einzelheiten des Bandwurm-Stoffwechsels Einblick hätte, würde die Hände über dem Kopf zusammenschlagen ob dieser Lotterwirtschaft, bei der so wertvolle Dinge wie Valeriansäure als Abfall ausgeschieden werden.

Ein Verschwender ist nur, wer mehr ausgibt, als er hat. Wer in solchem Überfluß von Nährstoffen lebt wie der Bandwurm im Darm, muß mit dem Futter nicht haushalten.

2.9. Körperwärme

Viele schützen sich vor der Winterkälte, indem sie einen wärmenden Pelz anziehen; aber wenige werden sich darüber Gedanken machen, daß doch der Pelz selbst in Wirklichkeit gar nicht warm ist. Er hat dieselbe Temperatur wie seine Umgebung. Er wärmt nicht, sondern er hält warm.

Warum wir einen Wintermantel brauchen, die Spatzen und Eidechsen aber nicht

Die Quelle der Wärme ist nicht der Pelz, sondern unser Körper. Verbrennungsvorgänge sind ja immer mit Wärmeerzeugung verbunden, auch die langsame Verbrennung in den Zellen, die wir Atmung genannt haben. Der Pelz hütet diese Wärme und hindert ihr rasches Abfließen in die kalte Umgebung. Er ist dazu ganz besonders geeignet. Niemand wird sich statt eines Pelzes einen Blechmantel umhängen oder einen Ritterharnisch anziehen, obwohl sie den Körper noch dichter gegen die kalte Winterluft abschließen würden. Metall ist nämlich ein »guter Wärmeleiter« und deshalb ein schlechter Kälteschutz.

Setzt man eine Kochpfanne auf das Feuer, so wird der Stiel aus Eisen bald so heiß, daß man ihn nicht anfassen kann, weil die Wärme im Eisen rasch weiterfließt. Ein hölzerner Stiel wird nicht leicht heiß, weil sich im Holz die Wärme sehr schlecht ausbreiten kann. Wasser ist ein viel besserer Wärmeleiter als Luft. Darum empfinden wir einen Raum von 20°C auch im Badeanzug als behaglich, ein Bad von 20°C erscheint uns aber kühl. Das Wasser entzieht unserem Körper, dessen Eigentemperatur ja noch erheblich höher liegt, viel mehr Wärme als die Luft. Ein sehr schlechter Wärmeleiter ist die Hornsubstanz, aus der unsere Fingernägel bestehen. Man kann sich davon leicht überzeugen. Einen heißen Gegenstand, den wir mit den Lippen oder mit der Hand höchstens einen Augenblick berühren dürfen, um uns nicht zu verbrennen, können wir längere Zeit an den Fingernagel halten, ohne daß seine Wärme zu einer empfindlichen Schicht unter dem Nagel weitergeleitet wird. Aus genau derselben Hornsubstanz wie die Fingernägel bestehen auch die Haare und die Vogelfedern. Sie sind also sehr schlechte Wärmeleiter, und darum bilden sie einen so guten Kälteschutz. Er wird noch verstärkt durch die zwischen ihnen eingeschlossene Luft, die ebenfalls schlecht leitet.

Darum also brauchen der Spatz und die Gans, der Hase und selbst der Bär in der Kälte Sibiriens keinen Wintermantel. Die Natur hat ihnen den Pelz in die Haut gepflanzt, und so vortrefflich ist er geraten, daß der Mensch, der nur kümmerliche Reste des Haarkleides besitzt, seit alters her nichts Besseres zu tun weiß, als sich den Pelz als Mantel umzuhängen, den er den Tieren über die Ohren gezogen hat, oder als wärmste Decke ein Federbett über sich zu breiten.

Nur Säugetiere und Vögel haben ein Haar- oder Federkleid. Alle übrigen Wirbeltiere wie Eidechsen, Frösche, Fische und auch die Krebse, Schnecken und Würmer usw. haben eine nackte Haut. Mißt man die Körpertemperatur, so entdeckt man einen merkwürdigen Zusammenhang. Bei einer Eidechse wechselt die Körperwärme mit der Temperatur der Umgebung. In der Sommersonne ist sie heißblütig; bei abnehmender Temperatur kühlt ihr Körper aus. Auch die Eidechse bildet Verbrennungswärme, aber sie kann die Wärme nicht festhalten. Daher ist sie in hohem Grade von der Umgebung abhängig: lebhaft bei Sonnenschein, träge bei kühlem Wetter, und in kalten Nächten oder im Winter verfällt sie in einen Zustand der Starre. So sind alle Kriechtiere, Lurche und Fische, alle Insekten und niederen Lebewesen *wechselwarme Tiere*. Man hat sie auch Kaltblüter genannt; aber die Bezeichnung ist nicht ganz treffend, denn in der heißen Sonne kann das Blut einer Eidechse sogar wärmer werden als das des Menschen.

Die Vögel und Säugetiere aber sind *Warmblüter*; sie haben annähernd die gleiche warme Körpertemperatur, Sommer und Winter, Tag und Nacht, bei Sonnenschein und Regen. Sie sind Tiere mit beständiger Körperwärme. Das ist vorteilhaft, denn ihr Stoffwechsel und ihre körperlichen Leistungen werden dadurch weitgehend unabhängig von den schwankenden Bedingungen der Umwelt. Es ist aber nur möglich durch besondere Einrichtungen, die das Abfließen der Körperwärme in die Umgebung verhindern, und eine der wichtigsten von diesen Einrichtungen ist eben das Feder- und Haarkleid. Der Mensch, der kein Haarkleid hat, kann seine Eigenwärme von angenähert 37°C in unserem Klima nur durch die künstliche Kleidung halten.

Kleider, Haare und Federn sind Mittel, um einen übermäßigen Wärmeverlust zu verhindern. Sie erklären uns aber nicht, wieso die Körperwärme bei wechselnder Außentemperatur beständig bleibt. Dazu bedarf es besonderer Einrichtungen, welche die Wärmeabgabe regeln.

Die Regelung der Körperwärme

Eine Regelung grober Art ist es, wenn wir bei kühlerem Wetter einen dikkeren Rock anziehen. Auch die Natur macht von dieser Möglichkeit Gebrauch, indem sie den Tieren für den Winter ein dichteres Haarkleid wachsen läßt, das im Frühjahr wieder ausfällt.

Die dauernd notwendige, feinere Regelung ist von anderer Art. Ohne unseren Willen, und oft ohne unser Wissen, tritt sie in Tätigkeit, sobald unsere Körperwärme nur ein wenig von der normalen Temperatur von etwa 37°C abweicht, auf die nun einmal das gesamte Leben unserer Zellen eingestellt ist. Wird unser Körper zu warm, so erweitern sich die Blutgefäße der Haut – daher das rote Gesicht eines Erhitzten. Es wird dann mehr Wärme aus dem Blut nach außen abgegeben. Die Verbrennungsvorgänge werden auf das mögliche Mindestmaß zurückgestellt, es wird weniger Wärme erzeugt, der Physiologe sagt, der *Grundumsatz* wird eingeschränkt; außerdem treten die Schweißdrüsen in lebhafte Tätigkeit. Durch das Verdunsten des Schweißes wird Wärme verbraucht und der Körper gekühlt. Die Hunde, die aus Mangel an Schweißdrüsen nicht schwitzen können, lassen die Zunge heraushängen, wenn ihnen zu heiß wird, und befördern durch lebhafte Atmung die kühlende Verdunstung von der Zunge und aus den Lungen. Wenn andererseits unser Körper zu kühl wird, so wird das Blut aus der Haut mehr in die tieferen Organe geleitet und dadurch die Wärmeabgabe nach außen eingeschränkt. Im Innern wird durch gesteigerte Verbrennung mehr Wärme erzeugt – Steigerung des Grundumsatzes. Wenn dies nicht genügt, beginnen wir »vor Kälte zu zittern«; das heißt, wir betreiben eine Muskelbewegung ohne Bewegungssinn, nur zur Erzeugung von Wärme. An dieser Regelung ist auch ein unsichtbar kleines, aber ständig vorhandenes Muskelzittern beteiligt: minimale Kontraktionen, die abwechselnd verschiedene Muskelfasern ergreifen, nur bei Warmblütern vorkommen und bei diesen als »Mikrovibrationen« von der Geburt bis zum Tode immer, auch im Schlafe, nachweisbar sind. Wenn die normale Frequenz dieser Vibrationen (etwa zehn Zusammenziehungen in jeder Sekunde) sich steigert, wird die Körpertemperatur erhöht, bzw. es wird eine Abkühlung vermieden.

So kommt es, daß unsere Temperatur Sommer und Winter gleichbleibt und nur im Fieber, wenn jene Vorgänge durch eine Krankheit gestört sind, um wenige Grade steigt, oder bei tiefster Erschöpfung um einige Grade sinkt. Manche Säugetiere haben eine etwas niedrigere, die meisten eine etwas höhere Körpertemperatur als der Mensch. Bei den Vögeln mißt man sogar allgemein etwa 41 bis 42°C, also Temperaturen, die beim Menschen kaum in der schlimmsten Fieberhitze erreicht werden. Sonst kennen wir in der Tierwelt nur noch von staatenbildenden Insekten eine Temperaturregelung. Die Feldwespen, deren offene, an Steinen, Balken oder Zweigen angebaute Brutwaben aller Unbill der Witterung ausgesetzt sind, schützen an warmen Tagen ihre Brut vor Überhitzung, indem sie Wasser eintragen. Sie erbrechen es über den papierartigen Stoff, aus dem ihr Nest besteht. Dann sitzen sie auf dem Nest und fächeln eifrig mit den Flügeln als lebende Ventilatoren. Dadurch bringen sie das Wasser rasch zum Verdunsten und kühlen das Nest, wie wir unseren Körper durch den verdunstenden Schweiß. Ist es aber kühl, so sitzen sie auf ihrer Wabe dicht beisammen, um durch ihre Leiber die Wärmeabgabe nach außen möglichst einzuschränken.

Zu einer hohen Vollkommenheit der Wärmeregulierung haben es die Bienen gebracht. Im Brutnest ihres Stockes herrscht Tag und Nacht eine Temperatur von 35°C, die so genau eingehalten wird wie unsere Körpertemperatur von 37°C. Wenn es zu warm wird, tragen sie in hellen Scharen Wasser ein. Sie spucken es auf die Waben und in die Zellen, legen auf solche Weise zahllose kleine Pfützen an und fördern deren rasche Verdunstung durch Fächeln mit den Flügeln. Diese auch von den Wespen angewandte Methode der Kühlung wird hier durch die rasche und harmonische Zusammenarbeit vieler Stockgenossen besonders wirksam. Wenn aber die Temperatur absinkt, heizen die Bienen ihr Heim – nicht mit Holz oder Kohle, sondern mit ihrer eigenen Körperwärme. Sie sind keine »Warmblüter«, aber sie können doch durch Steigerung der Lebensvorgänge in ihrem Inneren vorübergehend ihre Körpertemperatur um mehr als zehn Grad über die Umgebungstemperatur bringen.

Im Freien wird die so erzeugte Wärme rasch von der vorbeistreichenden Luft entführt. Im geschlossenen Stock kann sie voll zur Geltung kommen, um so mehr, als bei Unterkühlungsgefahr die kleinen lebenden Öfchen auf den Brutwaben zu Tausenden eng zusammenrücken.

Unter ähnlichen Bedingungen wird auch bei anderen Tieren und sogar bei Pflanzen die Wärmebildung deutlich, die mit allem Leben verbunden ist. Wenn bei der Malzbereitung aufgehäufte Gerstenkörner zum Keimen gebracht werden, erhöht sich die Temperatur der unmittelbaren Umgebung um 5 bis 10° über die Lufttemperatur des Raumes. Bei den grünen Pflanzen wird die Wärmebildung häufig verschleiert, schon durch den Vorgang der Photosynthese, bei dem Wärme gebunden wird, also eine Abkühlung eintritt. Doch im Inneren von Blütenköpfchen ist die Atmungswärme bisweilen so deutlich, daß man eine Temperaturerhöhung um mehrere Grade gegenüber der umgebenden Luft messen kann. Insekten, die oft in Blumenkelchen nächtlichen Unterschlupf suchen, finden da nicht nur Schutz, sondern ein geheiztes Stübchen. Manche Alpenblumen, die am Rande eines Schneefeldes ihre Blütenköpfchen emportreiben, können sich sogar durch eine harte Eiskruste hindurch mit ihrer Atmungswärme den Weg empor zu Licht und Sonne schmelzen.

2.10. Die Sinnesorgane als Brücke zwischen der Umwelt und dem inneren Erleben

Jegliche Kenntnis von der schönen, weiten Welt verdanken wir unseren Sinnesorganen. Jedwede Erfahrung vom ersten Lebenstag an gründet sich auf die wahrnehmbaren Eindrücke, das gilt für all unsere Vorstellungen, für unser gesamtes Tun und Handeln und für das Weltbild des einfach denkenden Menschen wie des Philosophen. So sind sie wohl einer näheren Betrachtung wert.

Zuallererst sollten wir uns darüber Gedanken machen, wie denn überhaupt eine Sinneszelle erregt werden kann, d. h. wie sie Verbindung mit der Umwelt aufnimmt und das vielfältige Angebot an Reizen in eine Sprache übersetzt, die das Gehirn versteht. Die rotglühende Abendsonne, die auf die Stäbchen und Zapfen unseres Augenhintergrundes abgebildet wird, der Lockruf einer Meise, der die Hörzellen in unserem Innenohr trifft, die süße Schokolade, die über die Geschmacksrezeptoren unserer Zunge sich ergießt – alle diese Reize sollen fehlerfrei den höheren Instanzen mitgeteilt werden. Dies geschieht keineswegs in der geschilderten blumenreichen Form, sondern in einer denkbar einfachen und nüchternen Weise: Jeder ankommende Reiz, sei es ein Lichtstrahl, ein Vogelgesang, eine Geschmacksprobe, wird als einförmiger simpler elektrischer Impuls, als sogenanntes *Aktionspotential*, den ableitenden Nervenfasern zugespielt. Der ahnungslose Laie, der mit reichen Eindrücken von einem Spaziergang heimkehrt, wird enttäuscht sein, wenn er erfährt, daß im Prinzip alle Sinneszellen, ganz gleich ob sie im Auge, im Ohr, in der Fingerkuppe, in der Nase oder auf der Zunge sitzen, die gleiche Meldung ans Gehirn weitergeben eben in Form des genannten elektrischen Impulses, der eine winzige Spannung von etwa 100 Millivolt aufweist. Mit Recht wird man da die Gegenfrage stellen: Wie kommt es denn da zu so vielfältiger Wahrnehmung? Hier sind wir in der Tat an die Grenze unserer Erkenntnis gekommen; wie es zu einer *bewußten* Wahrnehmung kommt, wissen wir nicht. »Und wenn ein Engel herniederstiege und uns die Lösung brächte, wir würden ihn nicht verstehen« – so hat sich vor langer Zeit ein bekannter Physiologe geäußert. Wir wissen lediglich, daß die einzelnen Sinnesorgane im Gehirn ihre eigenen Instanzen für die Auswertung der gemeldeten Signale haben. Ins optische Zentrum werden nur Meldungen aus dem Auge geleitet. Das Ohr gibt seine Impulse an das akustische Zentrum weiter usw.

Was aber in der Sinneszelle selber vor sich geht, wenn ein ihr angepaßter Reiz eintrifft, darüber hat die Wissenschaft in jüngster Zeit den Schleier zu lüften verstanden; wir haben damit Einblick gewonnen in eines der wesentlichen, bereits früher angedeuteten Kennzeichen des Lebens, die Reizbarkeit oder Irritabilität (s. S. 14). Es ist den Forschern mit allerlei Akribie gelungen, mit feinsten Sonden aus Silber oder Platin bzw. mit Glaskapillaren, die mit einer stromleitenden Salzlösung gefüllt sind, in eine Sinneszelle einzudringen – der Spitzendurchmesser dieser »Mikroelektroden« beträgt nur ein Tausendstel Millimeter (!). Man kann auf diese Weise die elektrische Spannung einer Sinneszelle sowohl in Ruhe als auch bei Erregung durch einen Reiz messen.

Wie jede Körperzelle, so sind auch die Sinneszellen von Gewebsflüssigkeit umgeben, die Kochsalz enthält. Da dieses sich in Lösung befindet, schwimmen die Natrium- und Chlor-Ionen frei darin herum. Im Zellinnern einer Sinneszelle finden wir aber andere Ionen: Den Hauptanteil bilden die großen Eiweißionen; als Partner binden sie Kalium-Ionen an sich.

Wären die beiden Salzlösungen nicht durch die Zellmembran getrennt, würde gemäß dem Diffusionsgesetz sehr schnell eine Vermischung der Ionen zwischen Innen- und Außenmedium erfolgen. Das Entscheidende, zugleich das Geniale an der Feinstruktur der Zellmembran von Sinneszellen ist nun, daß sie nicht eine völlig undurchlässige Scheidewand darstellt, sondern feinste Poren besitzt, die selektiv die eine Ionenart passieren lassen, eine andere nicht. Hier sind die Biophysiker den Biologen zu Hilfe gekommen, indem sie mit ihren ausgeklügelten Methoden eigene Natrium-Ionen-Kanäle und Kalium-Ionen-Kanäle ausfindig gemacht haben, die je nach der Reizsituation geöffnet oder versperrt werden können. Auf solche Weise ist es möglich, bereits in Ruhe ein sogenanntes Ruhepotential, d. h. eine elektrische Spannung zwischen Innen- und Außenmedium aufzubauen. Da dieses Ruhepotential Voraussetzung für die spätere Erregung durch einen Reiz ist, müssen wir uns die Verhältnisse etwas genauer betrachten:

Als erstes stellen wir fest, daß im Zellinnern die riesigen Eiweiß-Anionen in hoher Konzentration verbleiben. Es ist ihnen unmöglich, durch einen der Porenkanäle nach außen zu entwischen. Die kleinen Kalium-Ionen hätten zwar das Bestreben, durch ihre Kanäle nach außen zu entweichen, sie sind aber elektrostatisch an die negativ geladenen Eiweiß-Anionen gebunden, bleiben also an der Außenwand der Zellmembran hängen. Dies gibt bereits ein sogenanntes Kalium-Diffusions-Potential. Sehr merkwürdig verhält es sich mit den Natrium-Ionen. Sie könnten, da sie wie die Kalium-Ionen sehr klein sind, ohne weiteres von außen ins Innere hineindiffundieren; das wird aber dadurch vermieden, daß sie in Ruhe sich mit einem Wassermantel umgeben; je zwei Wassermoleküle hüllen die Natrium-Ionen ein; damit wird für sie der Natrium-Kanal unpassierbar. Die negativen Chlor-Ionen wiederum sind auf diese Weise außen an die Natrium-Ionen elektrostatisch gebunden. Ganz dicht halten die Natrium- und Kalium-Kanäle aber nicht; es ergeben sich sogenannte Leckströme. Insgesamt ergibt sich ein Ruhepotential von etwa – 80 mV mit negativer Ladung innen. Es hat seinen Sinn darin, daß es in »Hab-acht«-Stellung auf einen auslösenden Reiz wartet, um dann das sogenannte Aktionspotential auszulösen. Wie ein Wachhund liegen also die Sinneszellen auf Lauer, um sich dann, wenn ein Lichtstrahl, ein Duftmolekül, eine Druckwelle ankommt, lawinenartig zu entladen und einen Nervenimpuls aufzubauen. Dies geschieht auf folgende Weise:

Wir lassen einen feinen Lichtstrahl auf ein Stäbchen unseres Auges treffen; augenblicklich, d. h. in Bruchteilen von Millisekunden, werfen die Natrium-Ionen ihren Wassermantel ab und strömen lawinenartig durch die Natrium-Kanäle nach innen. Die Folge ist, daß die Membran entladen wird und das Ruhepotential zusammenbricht. Zwangsläufig werden jetzt nachträglich auch die Kalium-Ionen zu wandern anfangen. Sie sind ja nicht mehr an die Anionen gebunden, da sich jetzt Natrium-Ionen als Partner den Eiweiß-Anionen anbieten. Es erfolgt eine völlige Depolarisierung der Zellmembran. Bei der überstürzten Umschichtung kommt es sogar zu einem Überschießen, zu einer Umkehr der elektrischen Polarisation der Membran.

Wie neueste Untersuchungen vermuten lassen, wird der Einstrom der Na-Ionen auch noch durch einen eigenen »Torwächter« reguliert: Die Moleküle, die den Na-Kanal auskleiden, können durch sogenannte »Konformationsänderung«, d. h. durch innermolekulare Umlagerung, zwei Tore

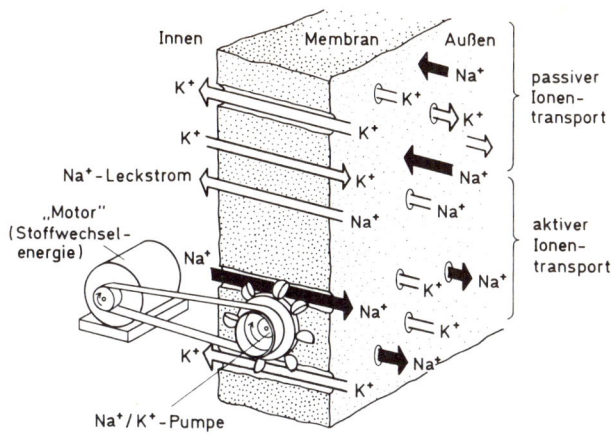

Abb. 19: Die Ionen-Pumpen befördern unter ATP-Verbrauch Natrium-Ionen nach außen, Kalium-Ionen nach innen, wodurch das normale Ruhepotential wieder hergestellt wird.

schließen oder wieder aufmachen. Ein Tor, das in der Mitte der Membran liegt, öffnet sich bei der Depolarisierung, womit also die Na-Ionen einströmen können. Um den Na-Einstrom zu blockieren, wird unmittelbar danach an der Innenseite der Membran ein anderes, dahinter liegendes Tor geschlossen und damit das Einströmen weiterer Na-Ionen beendet.

Anschließend kommt es darauf an, die alte Situation so schnell wie möglich wieder herzustellen, denn nur wenn das Ruhepotential wieder aufgebaut ist, kann die Sinneszelle neu erregt werden. Das geschieht beim Menschen im optischen Bereich zwanzig Mal in der Sekunde – wenn im Film die Bilder öfter als zwanzig Mal pro Sekunde hintereinander folgen, können wir die Einzelbilder nicht mehr erkennen; es erfolgt eine Verschmelzung der einzelnen Reize. Es müssen also schnellstens die Natrium- und Kalium-Ionen wieder an ihren angestammten Platz beordert werden, denn der nächste Reiz als zweiter Lichtblitz wartet draußen schon, um wieder mit einem sauberen Aktionspotential weitergeleitet zu werden. Diese rasche und vollständige Wiederherstellung des Ruhepotentials läßt sich der Organismus einiges kosten: Er stellt für das rasche Hinausbefördern der Natrium-Ionen aus dem Zellinnern und für die ebenso rasche Einwanderung der Kalium-Ionen entgegen dem Konzentrationsgefälle die sogenannten *Ionen-Pumpen* zur Verfügung, die sie unter erheblicher Energieaufnahme (ATP wird verbraucht) bergauf befördern (s. Abb. 19).

Wer bisher dem dramatischen Ablauf der Umformung eines Reizes in Erregung gefolgt ist, dem sei noch verraten, daß dieses Geschehen offenbar so grundlegend ist, daß es im gesamten Tierreich Anwendung findet.

Es gilt in gleicher Weise für die niedersten Vielzeller wie für den Menschen; es gilt für alle Arten von Sinneszellen. Wo sich in der Natur ein Prinzip bewährt, wird es auch konservativ beibehalten.

Wie das Gehirn »Geschwätz« und »Weißen Lärm« wegfiltert

Der unbefangene Leser wird sich vorstellen, daß jede Sinneszelle ihre Erregung unverändert und ungeschwächt den obersten Kommandostellen im Gehirn weiterleitet, damit daraus ein sinnvoller Handlungsentwurf entsteht. Wäre dies der Fall, dann wären wir in wenigen Sekunden ein psychischer Torso, denn das Angebot an Sinneseindrücken, das uns die Umwelt Sekunde für Sekunde anbietet, ist so überwältigend, daß wir es auch bei größter Aufmerksamkeit niemals voll verarbeiten könnten. In genialer ökonomischer Art versteht es das Gehirn, Unwichtiges, Uninteressantes abzufiltern. Sehen wir einmal davon ab, daß schon die Sinnesorgane nur einen begrenzten Ausschnitt der realen Umwelt aufnehmen können – unser Auge beispielsweise kann aus dem elektromagnetischen Spektrum, das von den kilometerlangen Radiowellen bis zu den kurzwelligen Gammastrahlen reicht, nur ein Billionstel herausschneiden, nämlich jenen Bereich von 400–800 Nanometer, der uns die erlebnisreiche Welt der Farben bietet. Aber auch das ist noch viel zuviel, um bewußt verarbeitet werden zu können. Spitzfindige Forscher haben mit ihren Computern errechnet, wieviel Information sich dem Mensch pro Sekunde über Auge, Ohr und Tastsinn anbietet. Um das mathematisch exakt berechnen zu können, haben sie ein Einheitsmaß für Information, das »Bit«, aufgestellt. Bit (von »Binary digit«) bedeutet nichts anderes als eine Ja-Nein-Entscheidung. Ist die Kreide weiß oder farbig? Rund oder eckig? Weich oder hart? – man sieht, schon beim Anblick einer Kreide ergibt sich eine große Zahl von Bit; wenn dann noch alle Gegenstände in einem Raum hinzukommen, die Bewegung, das gesprochene Wort eines Redners usw., dann summiert sich das alles auf ca. 1 Milliarde (!) Bit pro Sekunde. Nur ein ganz geringer Anteil dieser Informationslawine wird unserem Bewußtsein zugeführt. Von 10 Millionen Bit sind es bestenfalls – wenn der Student einer Vorlesung wirklich aufmerksam folgt – 100 Bit/Sekunde. Alles übrige wird als unwichtig, als »Schnee von gestern«, oder wie der Fachmann sagen würde, als »weißer Lärm« abgefiltert – zum Glück, dürfen wir sagen; denn dadurch, daß Nebensächliches schon in den untersten Etagen und in den Vorstuben des Großhirns abgeschirmt wird, werden die letzten Instanzen für wirklich Wesentliches, vor allem für neuartige Informationen freigestellt. Diese wichtigen Neuigkeiten werden dann im Gedächtnis gespeichert und in gegebener Situation an die Umwelt wieder in Form einer sinnvollen Handlung zurückgegeben.

Die derzeitige passive Überschwemmung unserer Sinne mit Fernsehen, mit überlauter Disco-Musik, mit Reklame aller Art kann sehr wohl zu einer ernsten Gefahr werden. Hier sei auch angemerkt, daß unser Auge keineswegs dem rasanten Tempo unserer Autos angepaßt ist; wir sind Fußgänger von Natur aus und können nur »schrittweise« die vorbeiziehenden Bilder einer Gegend voll verarbeiten. Darum sind wir nach einer Autofahrt viel ärmer an Erlebnissen und Eindrücken als nach einem Spaziergang.

Eine Entdeckungsreise am eigenen Leib

Wir sprechen gewöhnlich von unseren »fünf Sinnen« und denken dabei an Auge und Ohr, an Geruchssinn, Geschmackssinn und an den Tastsinn. Aber ein Mensch nur mit diesen fünf Sinnen wäre eine Mißgeburt. Wir haben mehr Sinne. Es braucht einige Aufmerksamkeit, um sie zu erkennen.

Am besten machen wir es ähnlich wie der Käfersammler. Wenn er auf stundenweiten Wegen durch Wiesen und Wälder läuft, wird er vielleicht auf einen schönen Spaziergang zurückblicken, aber auf eine geringe Ausbeute. Es ist für ihn lohnender, einen kleinen Fleck recht gründlich abzusuchen. Beginnen wir unsere Entdeckungsreise am eigenen Körper, und beschränken wir uns zunächst auf ein kleines Stück Haut, etwa auf einen 2 cm langen und ebenso breiten Fleck am Unterarm, den wir mit Tintenstrichen abgrenzen.

Einen leichten Druck auf diese Hautstelle empfinden wir als Berührung. Das ist eine Angelegenheit des Tast- oder Drucksinns. Es sind aber nicht etwa die gewöhnlichen, überall vorhandenen Zellen der Haut, die uns diese Empfindung vermitteln. Wenn wir die Hautstelle statt mit der Fingerkuppe oder einem anderen größeren Gegenstand mit der Spitze einer sehr feinen Borste berühren, die wir an ein Holzstäbchen ankleben können, machen wir die auffallende Beobachtung, daß man die Berührung nur an bestimmten Punkten empfindet, den *Druckpunkten*. Man kann sie mit Tintentupfen bezeichnen und dann feststellen, daß es immer dieselben Hautpunkte sind, an denen das Aufsetzen der Tastborste empfunden wird, während man es an den dazwischenliegenden Stellen überhaupt nicht bemerkt.

Auf unserem abgegrenzten 4 cm^2 großen Bezirk finden wir etwa hundertzwanzig Druckpunkte. Sie sind durch Nervenendigungen von besonderer Art ausgezeichnet, die Drucksinnesorgane der Haut.

Die räumlich getrennten, scharfumschriebenen Druckpunkte bemerken wir erst bei Anwendung von Tastborsten, weil sonst die Berührungsfläche in der Regel so groß ist, daß Dutzende von benachbarten Drucksinnesorganen gleichzeitig erregt werden. Dann erkennen wir nicht, daß zwischen ihnen unempfindliche Stellen liegen.

Benützt man noch zartere Borsten oder Haare, so bemerkt man, daß der Druck eine bestimmte Stärke haben muß, damit eine Empfindung auftritt. Entsprechendes gilt für eine Licht-und Schallwahrnehmung so gut wie für den Tastsinn und jedes andere Sinnesorgan. Man nennt die Reizstärke, die notwendig ist, um eine eben wahrnehmbare Empfindung auszulösen, den *Schwellenwert* des Reizes. Dabei folgen alle Sinneszellen dem sogenannten »Alles-oder-Nichts-Gesetz«. Das bedeutet, daß ein unterschwelliger Reiz keine Erregung, aber in dem Moment, in dem er die Schwelle überschreitet, das normale Aktionspotential auslöst. Halbheiten oder Unentschlossenheit kennt also die Sinneszelle nicht. Bei zunehmender Reizstärke, die also weit über dem Schwellenwert liegt, werden die gleichen Aktionspotentiale ausgelöst wie bei schwachen, eben noch überschwelligen Reizen; lediglich die Frequenz der Pulsfolge ist dann erhöht. Im allgemeinen ist die Reizschwelle auf allen Sinnesgebieten aber so niedrig, daß sich der Laie kaum eine Vorstellung davon machen kann: Bereits ein Lichtquant (!) kann das Stäbchen unserer Netzhaut erregen. Der leiseste Laut, durch den unsere Hörhaare im Innenohr eben noch erregt werden, entspricht einer Energie von ca. 10^{-17} Watt/Sec. Was Riechorgane zu leisten vermögen, wird anschließend geschildert werden.

Zunächst setzen wir unsere Entdeckungsreise fort. Die Haut vermittelt uns nicht nur Druck-, sondern auch Temperaturwahrnehmungen. Wenn wir die abgegrenzte Hautfläche mit der Spitze einer erwärmten und einer in Eis gekühlten Stricknadel abtasten, erweisen sich die Druckpunkte als unempfindlich für die Temperaturreize. Deren Sinnesorgane liegen vielmehr zwischen den Druckpunkten verteilt.

Am meisten überrascht aber der Befund, daß die warme und die kalte Nadelspitze an getrennten Orten wahrgenommen werden. Wir haben in unserem Hautfeld von 4 cm² etwa zwanzig *Kältepunkte* und etwa zwei *Wärmepunkte*. Bezeichnet man sie zum Beispiel mit roten und grünen Tintenpunkten, so überzeugt man sich, daß auch ihre Lage beständig ist. An diesen Stellen liegen mikroskopisch kleine Sinnesorgane in die Haut eingebettet, von denen durch die Besonderheit ihres Feinbaues die einen bei Abkühlung, die anderen bei Erwärmung erregt werden.

Weit dichter noch als die Druck-, Wärme- und Kältepunkte liegen die Schmerzpunkte in der Haut verstreut. Mit sehr feinen Nadelspitzen gelingt es, auch sie getrennt zu erregen. In unserem Feld würden wir etwa siebenhundert finden. Auch der Schmerz hat einen besonderen Sinn und ist keineswegs überflüssig. Würde es nicht so schändlich weh tun, wenn man in die Flamme greift oder wenn man sich eine Wunde reißt, dann hätten wir uns alle schon als Kinder durch Unachtsamkeit die schwersten Verletzungen zugezogen. Wir brauchen ihn nötig, den unbarmherzigen, den lebensrettenden Warner, den Schmerz.

Also, es gibt mehr als fünf Sinne. Wir haben jetzt nicht den Ehrgeiz, sie alle aufzuzählen. Manche sind in unscheinbarer Weise über die Körperhaut verteilt, während andere, wie Auge und Ohr, durch ihre Beschränkung auf eine bestimmte Körperstelle und durch auffallendes Beiwerk, wie Augapfel und Ohrmuschel, jedermann bekannt sind. Der wichtigste

Bestandteil eines jeden Sinnesorgans sind seine *Sinneszellen*. Sie sind, je nach der Art der Organe, auf bestimmte Reize eingestellt und durch sie erregbar: die Sinneszellen des Auges durch Lichtreize, jene des Ohres durch Schallreize, wie die des Tastsinnes durch Druckreize und so weiter.

2.11. Riechen und Schmecken

Wer von einer Kunstausstellung oder aus dem Theater nach Hause kommt, wird berichten, was er Schönes gesehen oder gehört hat. Wer von einer Bergtour heimkehrt, wird vielleicht erfüllt sein von der herrlichen Aussicht, die er genossen hat. Aber selten wird jemand sagen: »Schön war's; es hat gut gerochen.« Und wenn er von einem Ausflug nichts anderes zu erzählen weiß, als wie es ihm geschmeckt hat, wird er von vielen Mitmenschen etwas über die Achsel angesehen. Darin kommt zum Ausdruck, welche untergeordnete Stellung der Geruchssinn und Geschmackssinn in unserem Kulturleben gegenüber dem Gesicht und Gehör einnehmen. Auge und Ohr sind beim Menschen die führenden Sinne. Aber es wäre ein Irrtum zu glauben, daß es auch bei den Tieren allgemein so sein muß.

Geruchs- und Geschmackssinn haben gemeinsam, daß sie auf *chemische* Reize abgestimmt sind.

Der Sitz des *Geruchssinns* ist die Nasenhöhle. In ihrem oberen Bereich findet man bei mikroskopischer Untersuchung in der Schleimhaut, die sie auskleidet, zahllose Sinneszellen, die durch Nervenfasern mit dem Gehirn in Verbindung stehen.

Es ist bezeichnend für alle Riechstoffe, daß sie »flüchtig« sind. Ein Stück Kampfer, das wir als Schutz gegen Mottenfraß in den Schrank legen, ist nach einigen Wochen deutlich kleiner geworden und verschwindet schließlich. Mit einer feinen Waage kann man schon in wenigen Minuten eine Gewichtsabnahme feststellen. Fortwährend lösen sich kleinste Teilchen von der Oberfläche ab und fliegen davon. Sie kommen mit der Atemluft in die Nase und bleiben an der feuchten Riechschleimhaut haften; sie sind es, die die Geruchsempfindung bewirken. Je nach der chemischen Natur der Riechstoffe sind diese Empfindungen von solcher Mannigfaltigkeit, daß unserer Sprache die Ausdrücke dafür fehlen. Wir pflegen darum die Düfte nach ihren Quellen zu bezeichnen und reden von Flieder- oder Lavendelduft; wir sagen, es riecht nach angebrannter Milch oder nach Aas.

Viele Riechstoffe haben sehr niedere Schwellenwerte. Der Geruchssinn ist also ein besonders empfindlicher Sinn. Die Chemiker machen oft davon Gebrauch, da sie manche Stoffe in so geringen Mengen, wie sie mit feinsten chemischen Reaktionen nicht mehr nachweisbar sind, durch ihre

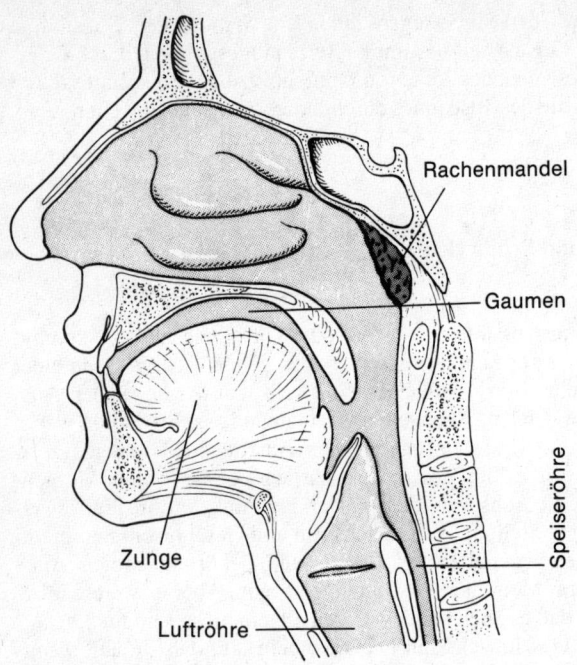

Abb. 20: Längsschnitt durch Nasen- und Mundhöhle des Menschen.

Nase noch feststellen können. Künstlicher Moschus kann zum Beispiel noch geruchlich erkannt werden, wenn wir mit einem Atemzug nur 0,000 000 000 003 Gramm davon in die Nase bekommen; das ist um ein Vielmillionenfaches weniger als das kleinste sichtbare Stäubchen dieser Substanz.

Der Sitz des *Geschmackssinns* ist die Zungenoberfläche. Hier liegen die Sinneszellen zu Gruppen (Geschmacksknospen) vereint in kleinen Erhebungen, den Zungenpapillen, zum Teil auch in der Wandung ringförmiger Furchen, wo die Schmeckstoffe besonders nachhaltig auf sie einwirken können. Geschmeckt werden nur Stoffe, die im Speichel gelöst an die Sinneszellen gelangen.

Der Geschmackssinn ist nicht so empfindlich und braucht nicht so empfindlich zu sein wie der Geruchssinn. Denn er hat die Aufgabe, die Nahrung im Munde auf ihre chemischen Eigenschaften zu prüfen, während der Geruch eben dadurch, daß er auf kleinste Mengen anspricht, ein Sinn ist, der in die Ferne reicht.

Der Geschmackssinn ist ihm auch in vieler Hinsicht unterlegen. Wir schmecken nur viererlei: süß, sauer, bitter, salzig. Wenn wir bei einer wohlbereiteten Mahlzeit oder bei einem guten Schluck Wein noch ganz anderes empfinden, so ist dies nicht dem Geschmackssinn zuzuschreiben, sondern flüchtigen Duftstoffen der Nahrung und der Getränke, die aus dem Munde von hinten her, um den Gaumen herum, in die Nase gelangen (Abb. 20). Daher kommt es auch, daß beim Schnupfen, wenn der Geruch durch die übermäßige Schleimabsonderung der Nase behindert ist, alles so fade »schmeckt«. Wir werden uns gewöhnlich dessen nicht bewußt, wie stark auf diese Weise der Geruchssinn am vermeintlichen Geschmack der Dinge beteiligt ist. Durch Übung kann die Leistungsfähigkeit des Geruchssinnes ganz erheblich gesteigert werden. Das sieht man am besten bei Leuten, die ihre Nase bei der Ausübung ihres Berufes brauchen. Der Weinkoster erkennt nicht nur die örtliche Herkunft eines Weines, sondern oft auch den Jahrgang am »Geschmack«. Maßgebend sind die flüchtigen Duftstoffe, die »Blume« des Getränkes. Fast unbegreiflich erscheint es, was die Tabaksachverständigen oder die »Teeriecher« aus dem Aroma ihrer Ware entnehmen. Und doch sind sie im Vergleich mit vielen Tieren nur Stümper.

Meister des Schnüffelns

Schon der Bau der Nasenhöhle verrät, daß bei den meisten Säugetieren der Geruchssinn viel besser entwickelt ist als beim Menschen. Während sich bei diesem die Riechsinneszellen auf einen kleinen Teil der obersten Nasenmuschel und auf eine ebenso große Fläche der Nasenscheidewand beschränken, erstrecken sie sich z. B. beim Reh über mehr als den halben Nasenraum (Abb. 21). Die wahre Entfaltung der Riechfläche wird aber erst offenbar, wenn man die Nasenhöhle quer durchschneidet. Die Spalten zwischen den Nasenmuscheln führen nämlich beim Reh in ein Gewirr von lufterfüllten Gängen, die alle mit Riechsinneszellen ausgekleidet sind, während in der Nasenhöhle des Menschen statt dieser vielen Wülste und Buchten jederseits nur eine einzige schmale Tasche mit den Sinneszellen ausgestattet ist. Wie beim Reh ist die Nasenhöhle auch bei den meisten anderen Säugetieren entwickelt. Dem ist ihr ausgezeichnetes Witterungsvermögen zuzuschreiben. Von Hunden weiß man,

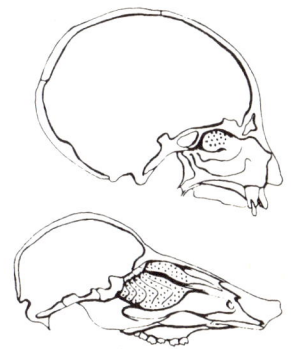

Abb. 21: Der Nasenraum beim Menschen (oben) und beim Reh (unten); die Ausbreitung der Riechsinneszellen ist durch Punktierung angegeben.

daß sie gewisse Duftstoffe noch in millionenfach stärkerer Verdünnung wahrnehmen als wir.

Bei den Tieren in freier Wildbahn ist das Auffinden und Verfolgen der Fährten ihrer Artgenossen von großer Wichtigkeit. Es kann ihnen durch besondere Hilfsmittel wesentlich erleichtert werden. So hat das Reh zwischen den Hufen der Hinterbeine eine Duftdrüse, deren Absonderung sich den Tritten beimischt. Freilich, jedes Ding hat zwei Seiten: Auch die Raubtiere kennen diesen Duft und ziehen ihren Nutzen daraus.

Polizeihunde müssen fähig sein, die Fußspur eines Diebes über Felder und Wiesen zu verfolgen – auch wenn diese von einer Schafherde gekreuzt wurde! Winzige Proben von Fettsäuren, die aus der Fußsohle austreten und den Ganoven individuell kennzeichnen, dienen dabei als Orientierungssignal. Heutzutage leisten diese Hunde den Zollbeamten bei der Fahndung nach Rauschgift recht gute Dienste.

Mit modernen Methoden hat man Spitzenleistungen des Geruchssinnes festgestellt, die geradezu unglaublich erscheinen: Bei besonders empfindlichen Riechern, wie dem Hund oder dem Aal, genügt schon ein einziges Duftmolekül, um eine Riechzelle zu erregen. Allerdings, die höheren Zentren im Gehirn trauen einer solchen isolierten Meldung nicht; es müssen schon gleichsinnige Erregungen mehrerer Sinneszellen eingehen. Erst wenn diese gemeinsam weitergeleitet und untereinander bestätigt werden, kommt es zu einer Riechempfindung. Der Biophysiker und der Nachrichteningenieur können uns genau berechnen, daß nur auf solche Weise im molekularen Bereich der Störpegel, das gefürchtete thermische Rauschen, verhindert wird. Was die Meister des Schnüffelns für ihre Orientierung erreichen können, soll am Aal gezeigt werden: Man konnte einen Aal auf einen bestimmten Duftstoff dressieren, und er reagierte dann auf eine Verdünnung, die der entspricht, wenn man 1 ccm dieses Duftstoffes in den Bodensee schüttete, umrührte und dann noch 58fach verdünnte (!). Natürlich möchten die Fachkollegen gerne wissen, wie sich so ein Duftmolekül mit einer Riechzelle verbindet, damit es zu einer Erregung, einem Aktionspotential, kommt. Die derzeitige Vorstellung geht dahin, daß die äußere Form der Moleküle, ihre »Konfiguration«, in vorgebildeten Nischen der Riechzellen einschnappen und anschließend eine Reaktion auslösen, d. h. den entsprechenden Ionen-Kanal öffnen.

Bei den meisten Säugetieren ist der Geruchssinn der führende Sinn; das Auge tritt ihm gegenüber an Bedeutung zurück. Hätten sie es zu einem höheren Geistesleben gebracht, hätten sie Kultur und Kunst, so gäbe es schwerlich Maler unter ihnen, wohl aber Künstler, die Geruchssymphonien schaffen.

Warum beim Menschen die Nase so viel schlechter entwickelt ist, ist leicht einzusehen. Durch seinen aufrechten Gang ist sie vom Boden abgerückt, so daß Geruchsspuren, die naturgemäß am Boden haften, nicht mehr von so lebenswichtiger Bedeutung sind. Auch die Affen, die sich in den Bäumen umhertreiben, und die Fledermäuse und Vögel, die sich die Luft erobert haben, besitzen gegenüber den bodennahen Tieren nur ein schwaches Riechvermögen.

Vom Geruchssinn der Insekten; eine merkwürdige Liebesgeschichte

Ganz anders als bei den Wirbeltieren sind die Geruchsorgane bei den Insekten gelegen. Sie haben keine Nase; ihre Atemöffnungen sind vorwiegend zu beiden Seiten des Hinterleibes angebracht. Die Riechorgane sitzen aber besser am Kopf, denn ihr Interesse gilt den Dingen, die vorne sind.

Bei den meisten Insekten sind die Fühlhörner die Träger der Geruchswerkzeuge. Bei der Biene kennt man ihre Leistungen genau und weiß, daß sie denen der menschlichen Nase annähernd entsprechen. Für einige Düfte aber, die für das Sozialleben im Bienenstaat wichtige Funktionen haben, sind sie besonders empfindlich. Das gilt z. B. für den Sterzelduft, den die Schwarmbienen aus einer Drüse an der Hinterleibspitze freigeben, um dadurch jene Stelle anzuzeigen, wo sich die Königin niedergelassen hat. Dadurch werden die übrigen Bienen des Schwarmes angelockt und können sich somit als Schwarmtraube sammeln. Auch am Flugloch sieht man immer wieder sterzelnde Bienen, vor allem am Nachmittag beim sogenannten »Vorspiel«, wo die Jungbienen ihre ersten Ausflüge wagen; der Sterzelduft am Stockeingang erleichtert ihnen das Heimfinden.

Die Königin wiederum entläßt aus ihrer Oberkieferdrüse einen Duft, der beim Hochzeitsflug eine besondere Rolle spielt: Da sammeln sich viele Tausend Drohnen aus der näheren und weiteren Umgebung an bestimmten Balzplätzen, etwa dreißig Meter hoch in der Luft. Eine jungfräuliche Königin stürzt sich in diesen Drohnenschwarm, läßt aus ihren Oberkieferdrüsen ein duftendes Sekret frei, das den Drohnen anzeigt, wo sie sich auf diese Königin zur Begattung stürzen können.

Auch unter anderen Insekten sind solche mit hervorragendem Witterungsvermögen. Manche Schlupfwespen mit phantastisch langem Stachel können an einem gesunden, nicht vermorschten Baumstamm von außen geruchlich feststellen, wo in der Tiefe ein Holzwurm sitzt, um ihn anzustechen und mit einem Ei zu belegen

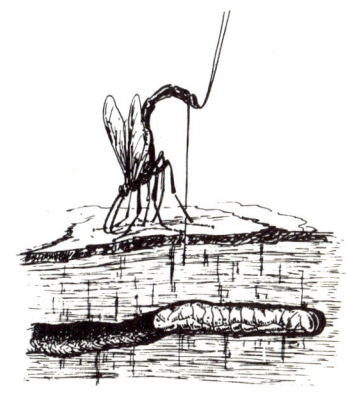

Abb. 22: Schlupfwespe sticht einen Holzwurm an.

(Abb. 22). Das ist die Art ihrer Kinderfürsorge. Als ihr Kind schlüpft eine weißliche Made aus dem Ei, die den Holzwurm bei lebendigem Leibe von innen auffrißt. Dann verpuppt sie sich, wie es die Schmetterlingsraupe auch macht, und verwandelt sich in das beschwingte Insekt, das nach einer weiteren Generation von Holzwürmern die Fühler ausstreckt.

Bei manchen Nachtschmetterlingen sind nur die Männchen mit einem unerhört feinen Geruchssinn begabt. Wie man bei den Säugetieren schon aus der Entwicklung der Nasenmuscheln auf das Riechvermögen schließen kann, so hier aus der Entwicklung der Fühler (Abb. 23). Die Männchen brauchen diese Sinnesschärfe, denn sie finden die Weibchen nur durch den Geruch. Der verführerische Duft des Weibchens hat seine Quelle in gewissen Drüsen seines Körpers. Man hat diese unscheinbaren Gebilde bei einem Schmetterling herausgeschnitten und neben dem Falter, der sich den Eingriff nicht weiter zu Herzen nahm, auf den Tisch gelegt. Von diesem Augenblick an interessierten sich die anwesenden Männchen nur mehr für die Duftdrüsen, denen nun alle Annäherungsversuche galten, und nicht mehr für den daneben flatternden Schmetterling, der äußerlich für uns nicht verändert schien. So verkörpert sich in diesem Duft für die sonderbaren Tiere der Inbegriff aller weiblichen Reize.

Diese »Sexuallockstoffe« – so ist der wissenschaftliche Name – haben in jüngerer Zeit die Biologen in mehrfacher Weise in ihren Bann gezogen. Da hatte man zunächst bei den Nachtschmetterlingen mit Erstaunen festgestellt, daß die weiblichen Lockstoffe gar nicht in so großer Zahl als eigene Duftmoleküle zur Verfügung stehen, wie es Schmetterlingsarten gibt. Wie können die Männchen trotzdem ihr artgemäßes Weibchen erkennen? Es muß ja eine Fehlkopulation zwischen fremden Arten vermieden werden. Die Lösung ist wiederum so einfach wie genial: Die Weibchen verwenden nicht nur einen einzigen Lockstoff, sondern neben einer Hauptkomponen-

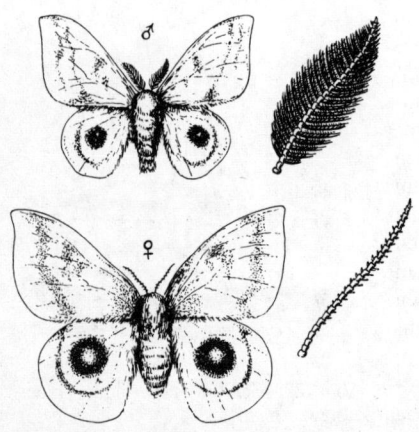

Abb. 23: Oben: Männchen, unten: Weibchen eines Nachtfalters; daneben je ein Fühler, stark vergrößert.

te mehrere Nebenkomponenten, die sie zusammenmischen. Die Kombinationsmöglichkeiten werden dann noch stark erweitert, indem verwandte Arten zwar die gleichen Lockstoffkomponenten in ihrer Mischung haben, diese aber in verschiedener Konzentration anbieten. Für den Menschen ist es nicht leicht, sich in diese Sinneswelt, in der allerlei Duftgemische ihr Spiel treiben, zu versetzen. Aber wir dürfen ohne Bedenken eine Parallele zum optischen Sinn ziehen, bei dem wir zum Mustererkennen ja auch verschiedene Intensitäten und räumliche Anordnungen von Farben und Einzelformen zu einer beliebig großen Zahl von Einzelbildern kombinieren können. Wichtig ist für unsere Betrachtung festzustellen, daß nicht die Riechzellen für sich schon eine gute Orientierung ermöglichen; erst das Zentralnervensystem tut dies durch Kombination der eingehenden Meldungen.

Vieles wäre noch über weitere biologisch wirksame Duftstoffe zu sagen: Da gibt es Alarmstoffe bei Bienen, Wespen, Ameisen, die den gefürchteten gemeinsamen Angriff von vielen Einzeltieren vorbereiten. Es gibt Duftstoffe, die den Termiten und Ameisen zum Spurenlegen dienen und damit dem Nestgenossen das Auffinden einer Futterstelle erleichtern. Es gibt Duftstoffe, die ein Territorium, d.h. ein eigenes Wohngebiet, umzäunen und damit dem Rivalen anzeigen, daß er hier nichts zu suchen hat.

Große Bedeutung hat die Grundlagenforschung über die Leistungen des Geruchssinnes für die biologische Schädlingsbekämpfung erhalten. Darüber soll in einem späteren Kapitel (s. S. 219) berichtet werden.

Fußspitzengeschmack

Der Geschmackssinn hat auch bei Insekten in der Regel seinen Sitz an den Mundteilen, und wie bei uns ist er stumpfer als der Geruch. Er braucht nicht auf die winzigen Mengen chemischer Stoffe anzusprechen, die aus weiter Ferne herangetragen werden, sondern er dient der Prüfung der Nahrung bei ihrer Aufnahme.

Doch gibt es auch Ausnahmen von dieser Regel. Bei manchen Fliegen und Schmetterlingen sitzen Geschmacksorgane von großer Empfindlichkeit – an den Fußspitzen! Wenn eine Fliege, die über den Tisch läuft, in ein verspritztes Tröpfchen Marmelade steigt, oder wenn ein Schmetterling sich auf reifem Obst niederläßt, durch dessen Duft angelockt, und auf eine Stelle tritt, wo die Schale verletzt ist, wird der süße Saft sofort geschmacklich wahrgenommen und der Rüssel herausgeschnellt.

Eine ähnliche Einrichtung findet sich übrigens auch bei manchen Fischen. Beim Knurrhahn, einem häufigen Bewohner der Mittelmeerküsten, sind die vordersten Strahlen der Brustflossen zu fingerartigen, beweglichen Gliedern umgebildet, mit denen er auf dem Boden vorwärts krabbeln kann (Abb. 24). Auch diese Fingerspitzen sind übersät mit Ge-

Abb. 24: Knurrhahn.

schmacksorganen, so daß der Fisch sofort aufmerksam wird, wenn er auf etwas Genießbares stößt.

Der Mensch nimmt sich selbst gern als Maßstab aller Vollkommenheit. Doch im Riechen und Schmecken haben es viele Tiere entschieden weiter gebracht.

2.12. Fühlen und Hören

Fühlen und Hören scheinen zwei grundverschiedene Dinge zu sein. Wenn man eine Türklinke anfaßt und wenn man eine Amsel singen hört, haben die beiden Empfindungen nichts miteinander gemein. Wir sind geneigt, ihnen jede nähere Verwandtschaft abzusprechen. Und doch ist das Gehörorgan nach seinem Bau und seiner Entstehungsgeschichte nichts anderes als ein gewaltig verfeinerter Tastapparat.

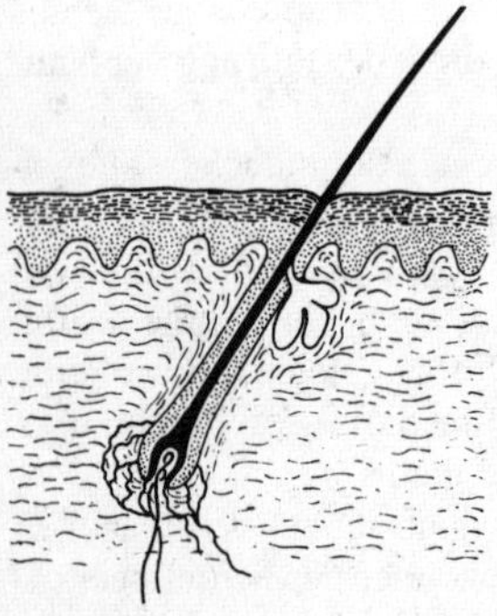

Wir kennen bereits die Druckpunkte der menschlichen Haut, die auf Berührungsreize anklingen. An behaarten Hautstellen entspricht ihre Lage meistens genau den Haarwurzeln, die von Nervenendigungen umsponnen sind (Abb. 25). Hier ist das Haar ein Hilfsorgan zur Steigerung der Leistung. Wie ein Arbeiter einen Baumstamm mit geringem Kraftaufwand bewegen kann, wenn er einen Hebel darunterschiebt, so wird

Abb. 25: Das schräg in der Haut sitzende Tasthaar wirkt wie ein Hebel auf die druckempfindlichen Nerven.

das Drucksinnesorgan wirksam erregt, wenn der lange Hebelarm, das frei hervorragende Haar, nur ganz leise berührt wird. Besonders stattlich entwickelte Tasthaare sind die sogenannten Schnurrhaare, z.B. bei den Katzen. Durch ihre Länge vermitteln sie ein Tasten auf Entfernung; ihnen verdanken es ihre Träger, daß sie sich nicht den Kopf stoßen, wenn sie nächtlicherweile durch das Gebüsch schlüpfen.

Gleichgewichtsorgane

Durch Beifügen eines weiteren Hilfsorgans hat die Natur aus ähnlichen Tasthaaren eigenartige Sinnesorgane gestaltet, die nicht allen, aber vielen Tieren zukommen, die *Gleichgewichtsorgane*. Sie ermöglichen ihnen, selbst im Finstern und beim freien Schweben im Wasser oder in der Luft, zu wissen, wo oben und unten ist. Wie sollte sich sonst eine augenlose Qualle anders in der Weite des Ozeans zurechtfinden? Auch wir selbst haben solche Organe, obwohl wir uns dessen gewöhnlich gar nicht bewußt werden. Beim Aufzählen der menschlichen »fünf Sinne« gehört der Gleichgewichtssinn zu den vergessenen Größen. Im Zeitalter der Raumfahrt ist aber dieser urplötzlich ins Gerede gekommen: Je weiter wir uns von der Erde entfernen, um so schwächer wird ihre Anziehungskraft; besser gesagt, die Schwerkraft der Erde nimmt mehr und mehr ab und verschwindet schließlich ganz. Damit haben die zuständigen Sinnesorgane keinen Ansprechpartner mehr, und eine Orientierung im Schwerefeld wird daher unmöglich.

Ein Gleichgewichtsorgan ist im einfachsten Fall ein kleines Bläschen mit Tasthaaren, auf denen ein Steinchen ruht, das sich in der Blasenflüssigkeit wie ein Kristall gebildet hat (Abb. 26). Infolge der Schwerkraft drückt das Steinchen auf das Polster der Tasthaare genau in der Richtung nach unten. Bei seitlicher Neigung des Körpers drückt es also schief auf das Polster; das wird sofort als Schräglage empfunden und durch eine entsprechende Bewegung ausgeglichen. Wo die Organe liegen, ist gleichgültig; manche Tiere haben sie im Schwanz, andere im Kopf. Beim Flußkrebs und bei seinen Verwandten, den Garnelen des Meeres, liegen sie in den Fühlern und sind offene Grübchen, die, statt mit einem Kristall, mit Sandkörnchen und Schmutzteilchen angefüllt sind. An Garnelen hat man

Abb. 26: Gleichgewichtsorgan, Schema.

schon um die Jahrhundertwende durch einen geistreichen Versuch zuerst nachgewiesen, daß diese Organe der Erhaltung des Gleichgewichtes und nicht, wie man bis dahin glaubte, dem Hören dienen. Wenn sich der Krebs häutet, wird auch aus jenen Grübchen die Chitinhaut abgestreift. Dabei werden die Sandkörnchen mit entfernt, und das Tier stopft sich mit den feinen Scheren seiner Vorderbeine neue hinein. Setzt man es in ein Aquarium, dessen Boden nur mit Eisenfeilspänen bedeckt ist, so nimmt es in Ermangelung von Sandkörnchen diese Eisenfeilspäne. Nähert man ihm jetzt von der Seite einen Magneten, so wird das Eisen von der Schwerkraft nach unten, vom Magneten nach der Seite gezogen; es drückt also in der Richtung der Resultierenden zwischen beiden Kräften schräg auf das Sinnespolster, und sofort stellt sich der Krebs mit dem Bauch nach dieser Richtung ein. Er hat offenbar das zwingende Gefühl, daß sich das Becken schiefgestellt hat.

Vibrationssinn

Im Bereich des Tastsinnes gibt es eine Sinneswelt, die uns Menschen verschlossen, vielen Tieren aber, wie den Spinnen, den Schaben, den Ameisen, den Bienen, praktisch allen Insekten so reichhaltige Informationen bringt, wie wir sie nur mit unserem Auge einfangen können – es ist die Welt des Vibrationssinnes. Anders als Schallwellen, die sich in der Luft oder im Wasser wellenförmig ausbreiten, werden Vibrationen nur durch direkten Kontakt oder über Grenzschichten zwischen Boden und Luft oder Wasser und Luft fortgetragen. In den Beinen der Spinnen und Insekten hat man hochempfindliche Erschütterungsorgane gefunden; man stelle sich vor: Eine Ameise wird noch von einer Erschütterungswelle erregt, wenn deren Wellenberg (Amplitude) nicht höher ist als der Durchmesser der ersten Elektronenbahn des Wasserstoffatoms (!). Es können nur einige Beispiele aufgezählt werden, wie die genannten Tiergruppen ihre Lebensweise ganz auf die Leistungen des Vibrationssinnes ausgerichtet haben.

In den riesigen unterirdischen Bauten der Blattschneiderameise kommt es bei einem kräftigen tropischen Platzregen leicht vor, daß einige Kammern und Gänge verschüttet werden. Die verschütteten Ameisen geben SOS-Rufe von sich, indem sie mit einer Schrilleiste im Hinterleib kräftig geigen und damit die nähere Umgebung erschüttern. Das veranlaßt die Kollegen in der Nachbarschaft sofort, zu graben und so die gefährdeten Tiere zu befreien.

Was eine Spinne mit ihrem Vibrationssinn erlebt, übersteigt unsere Vorstellungskraft. Ein Spinnennetz ist nicht nur ein Fangnetz für die Beutetiere; es ist zugleich eine raffinierte Alarmanlage: Wenn sich eine Fliege in dieses Netz verfängt, eilt die Besitzerin schnell aus ihrem Versteck und lähmt die Beute durch Biß, bevor sie wieder entweichen kann. Auch solche Spinnen, die kein Netz bauen wie die Springspinnen, lauern ihrer Beute in der Weise auf, daß sie deren Herumkrabbeln am Boden oder auf den Blättern als charakteristisch für einen Käfer oder eine Heuschrecke erkennen und orten. Dabei müssen sie das »Hintergrundrauschen«, das durch Pflanzen, die sich im Wind bewegen, oder durch herumlaufende größere Tiere entsteht, als uninteressant herausfiltern; sie müssen den sich nähernden Feind – eine Eidechse zum Beispiel – an ihrem Vibrationsmuster erkennen, das ihre Schritte am Boden auslöst. Nicht zuletzt soll auch der männliche Freier, der sich ebenfalls mit einem Zupfkonzert nähert, als solcher erkannt werden. Für dieses Balzkonzert hat das Weibchen eigens einen Signalfaden gesponnen. Da gibt es dann ein stundenlanges Balzspiel; alle Zupfregister sind zu ziehen, denn ein Spinnenweibchen zu gewinnen ist eine riskante Sache. Wenn es sich vorher nicht mit einer fetten Mahlzeit gesättigt hat, nimmt es gerne den Freier selbst als Ersatz. Der Zoologe Barth weiß uns aber zu beruhigen: Das Minnelied der Spinnenmännchen hebt sich deutlich durch Frequenz und seine zeitliche Struktur, d. h. durch seine Silbenfolge, von dem verworrenen Vibrationsrauschen einer Beute, eines nahenden Feindes oder vom Hintergrundrauschen einer im Winde bewegten Pflanze ab.

Da gibt es aber einige Beutetiere und einige Jäger, die es verstehen, ein Spinnenweibchen zu täuschen: Frösche oder Salamander, die Spinnen als Beute jagen, haben es gelernt, in einem Spinnenrevier möglichst weich aufzutreten und sehr, sehr langsam voranzuschreiten. Das gibt auf dem Boden und im Graswuchs nur Erschütterungen tiefer Frequenz, denen nichts Verdächtiges anhaftet. Auch Heuschrecken als Beutetiere der Springspinnen haben sich solche vorsichtige Schreitbewegung angewöhnt.

Schlimmeres haben sich einige Spinnenräuber ausgedacht: Da gibt es eine Raubfliege *Argyrodes*, die sich mit weichen, langsamen Schritten in ein Netz der Spinne *Nephila* einschmuggelt. So wie sich ein Insekt im Netz verfängt, ist sie sofort zur Stelle, und mit einer raffinierten Maßnahme täuscht sie die Nesteigentümerin: Sie schneidet flugs die Beute aus dem Netz heraus, mit den Vorderbeinen hält sie aber gleichzeitig das Netz künstlich gespannt, so daß keine Erschütterungen von der zappelnden Beute bis zu der Netzwarte vordringen können und somit keinen Alarm bei der Besitzerin auslösen.

Die Wasseroberfläche ist eine ideale Arena für Vibrationsspiele aller Art. Eine Fliege, die im Wasser zappelt, verrät sich dem Taumelkäfer durch ein typisches Wellenspiel. Auch ein Hindernis, das die Wellen entsprechend verformt zurückwirft, kann nach Entfernung und Form erkannt werden. Man kann an dem zeitlichen Verzug, an der Änderung der Frequenz und der Intensität auch die Beute oder das Hindernis lokalisieren und identifizieren.

Wen überrascht es da, daß das Männchen des Teichwasserläufers sein Revier mit einem Wellenzaun, den es ständig durch Beinklopfen setzt, abgrenzt und einen sich nähernden Rivalen mit besonders kräftigen »Drohwellen« verjagt? Bleibt nur noch zu ergänzen, daß er alle seine Kunstfertigkeit aufwendet, um mit einem besonders fein abgestimmten Wellenkonzert ein Weibchen von draußen anzulocken. So wie bei den Spinnen das Zupfkonzert, wird also auch hier mit einem Wellenspiel die Balz eingeleitet. Problematisch wird die Angelegenheit freilich, wenn es zwischendrin plötzlich zu regnen anfängt, da ist auch beim balzenden Teichwasserläufermännchen alle Kunst zu Ende – man muß das Rendezvous auf später verschieben, wenn der Regen vorbei ist.

Frau Grille wird ans Telefon gerufen

Eine andere Anordnung der Sinneszellen und ihre Verbindung mit anderen Hilfsapparaten läßt aus dem Tastorgan ein *Gehörorgan* werden. Ein solches ist auf Schallwellen eingestellt, also auf die periodischen Erschütterungen, die wir als Töne und Geräusche wahrnehmen. Sie haben ihren Ursprung in irgendeinem vibrierenden Gegenstand und können sich durch die Luft nach allen Seiten fortpflanzen. Man kann sie in der Haut *fühlen*, wenn sie sehr heftig sind, etwa bei einem tiefen und lauten Orgelton. Aber meistens sind sie zu schwach, um den Drucksinn der Haut zu erregen; nur die *Hörorgane* sprechen auf sie an. Deren Bau und Wirkungsweise ist vielleicht bei Insekten am einfachsten zu verstehen.

Viele Insekten haben nämlich Ohren. Sie sitzen nicht am Kopf, sondern meist am Hinterleib, manchmal auch – bei den Grillen und den großen grünen Heuschrecken – an den Vorderbeinen. Da sind sie unschwer zu finden; man darf nur nicht nach Eselsohren suchen. Von außen sieht man jederseits nichts als einen kleinen Spalt. Er führt in eine Tasche, die innen von einem dünnen, straff gespannten Häutchen begrenzt wird; es ist eine Art Trommelfell, und dahinter liegt ein Luftraum. Durch Schallwellen wird das Häutchen zum Vibrieren gebracht. In seiner nächsten Nachbarschaft befinden sich die Sinneszellen, die durch die Schwingungen des Trommelfells erregt werden. Was das Tier dabei empfindet, das können wir natürlich nicht wissen. Aber daß das Organ der Tonwahrnehmung dient, also ein Gehörorgan ist, das wissen wir seit den hübschen Untersuchungen eines Wiener Gymnasialprofessors (J. Regen).

Grillen, Heuschrecken und Zikaden sind durch ihre Zirpkonzerte bekannt. Bei Grillen und bei den großen Zikaden zirpen nur die Männchen. Das hat schon der boshafte Grieche Xenarchos gewußt, der schrieb: »Glücklich leben die Zikaden, denn sie haben stumme Weiber.« Aber taub sind die Weibchen offenbar nicht, denn sie fliegen und laufen den zirpenden Männchen zu. Es scheint also, als brächten diese ihr Ständchen, um die Liebste dadurch herbeizulocken. Sind wirklich die Töne das Lockmittel? Um das zu erfahren, setzte Professor Regen ein zirpendes Grillenmännchen unter einen schwarzen Pappzylinder, der nur am unteren Rande einen kleinen Ausschnitt hatte. Ein Grillenweibchen lief den aus dem Verborgenen kommenden Tönen nach und spazierte nach kurzem Suchen durch das Türchen in das Innere des Zylinders. Aber vielleicht hat es sich doch nicht durch die Töne leiten lassen, sondern durch den Duft des Männchens, ähnlich wie manche Nachtschmetterlinge durch einen Duft zu ihren Weibchen geführt werden? Um das zu entscheiden, ließ Regen ein gefangenes Grillenmännchen in einem Zimmer zirpen und übertrug die durch ein Mikrofon aufgenommenen Zirplaute durch einen Fernsprecher in einen entlegenen Raum, in dem ein Weibchen saß. Da lief das Weibchen an den Telefonhörer! Es können also nur die Töne das Lockmittel gewesen sein.

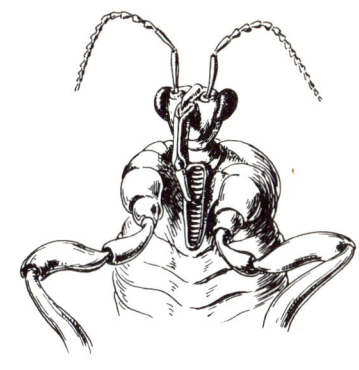

Abb. 27: Zirpende Wanze.

Solche Verständigung ist bei Insekten weit verbreitet. Es gibt nicht nur zirpende Heuschrecken, Grillen und Zikaden, sondern auch Käfer, Schmetterlinge, Ameisen, Wanzen. Die Musikinstrumente bei ihnen sind recht verschiedenartig. Manche Heuschrecken geigen mit ihrem Oberschenkel, der eine Zahnleiste trägt, über eine scharfe Flügelkante; andere reiben die Flügel aneinander. Manche Wanzen tragen auf der Brust eine gerippte Stelle (Abb. 27), ähnlich wie die altmodischen Rumpeln der Wäscherinnen, und wenn sie sich bemerkbar machen wollen, greifen sie mit ihrer Rüsselspitze in diese eigenartige Harfe. So musiziert jedes auf seine Art und Weise. Manche Insekten und die niederen Tiere scheinen allerdings stumm und taub zu sein.

Wir wagen uns in ein Labyrinth

Von unserem eigenen Gehörgang kennen wir gewöhnlich nur die Ohrmuschel und den Gehörgang. Diese Zuleitungswege und anschließend die Mittelohrknöchelchen haben für das Hören eine sehr wichtige Aufgabe übernommen: Wenn die Schallwellen über das Trommelfell und das Mittelohr am ovalen Fenster des Innenohrs ankommen, müssen sie den enormen Widerstand, den sie beim Übergang vom Luftraum in das flüssige Medium des Innenohrs zu überwinden haben, ausgleichen. Das geschieht auf zweierlei Weise: zum einen durch Verkleinerung des bewegten Luftrau-

Abb. 28: Oben: Säugetierlabyrinth, unten: Schema der drei Bogengänge.

mes, durch den die Schallwellen über die Ohrmuschel und den Gehörgang eindringen; zum zweiten durch die Hebelwirkung der Mittelohrknöchelchen, deren komplizierte Anatomie wir uns ersparen wollen. Durch beide Maßnahmen wird der Schalldruck erheblich verstärkt.

Das Sinnesorgan selbst liegt tief im Schädelknochen und hat einen derart verwickelten Bau, daß es »das Labyrinth« heißt. Seien wir mutig und versuchen wir, in dieses Labyrinth einzudringen!

Daß beim Menschen – und bei allen Wirbeltieren – das innere Ohr so verwickelt gebaut ist, hat zwei Gründe. Erstens ist bei ihnen das Gleichgewichtsorgan mit dem Gehörorgan räumlich vereinigt; zweitens ist das Gleichgewichtsorgan nicht mehr ein einfaches Bläschen wie beim Krebs, sondern weiter ausgestaltet und zu höheren Leistungen befähigt.

Denken wir uns vom Labyrinth den umgebenden Knochen entfernt, so bleibt das innere Ohr als ein zarthäutiges Gebilde übrig, dessen Aussehen in Abb. 28 etwas vereinfacht dargestellt ist. Durch die Einschnürung ist es in eine obere und untere Abteilung gegliedert. Das obere Säckchen mit den drei bogenförmigen Kanälen ist das Gleichgewichtsorgan; das untere mit dem schneckenförmigen Anhang dient als Gehörorgan.

Daß Gleichgewichtsorgan und Hörapparat vereinigt sind, ist nebensächlich; wahrscheinlich könnte jenes ebensogut irgendwo anders sitzen. In dem oberen Säckchen ist ein Polster von Sinneszellen, das mit Kalkausscheidungen bedeckt ist; sie drücken durch ihre Schwere nach unten. Dieser Labyrinth-Teil entspricht ganz dem Gleichgewichtsorgan eines Krebses und unterrichtet uns über unsere *Lage im Raum*. Durch die Bogengänge aber fühlen wir jede *Drehung im Raum,* sei es, daß wir uns selbst drehen, sei es, daß wir gedreht werden. Wie die Erregung der Sinnesorgane hierbei zustandekommt, ist nicht schwer zu verstehen. Wenn wir eine Waschschüssel drehen, bleibt das Wasser gegenüber der Wand der Schüssel zurück. Dasselbe geschieht, wenn wir in die Schüssel einen Blumentopf verkehrt hineinstellen, so daß ein Wassergraben entsteht. Und das gleiche geschieht auch in einem Bogengang des Labyrinths, wenn wir den Kopf drehen. Der Bogengang hat am einen Ende eine ampullenförmige Erweiterung, in die eine zarte Gallertkuppel hineinragt. Bei einer Kopfdrehung drückt die zurückbleibende Flüssigkeit gegen die Kuppel und erregt dadurch die druckempfindlichen Sinneszellen. Dadurch kommt die Wahrnehmung der Drehung zustande. Für das Erkennen der Drehrichtung ist es wichtig, daß jedes Labyrinth drei Bogengänge hat, die in den drei aufeinander senkrecht stehenden Raumebenen angeordnet sind (Abb. 28). Drehen wir den Kopf in der waagerechten Ebene, so wird natürlich nur in den waagerechten Bogengängen die Flüssigkeit gegenüber der Wandung in Bewegung kommen. In den senkrechten aber wird sie in Ruhe bleiben, so wie sich das Wasser in der Waschschüssel gegenüber der Wand nur beim Drehen, aber nicht beim Aufheben des Beckens verschiebt. Bei Drehung in einer senkrechten Ebene werden hingegen die Sinneszellen in den senkrechten Bogengängen gereizt, und die in den waagerechten bleiben in Ruhe.

Unter normalen Umständen sind die Gleichgewichtsempfindungen für uns Menschen nicht von allzu großer Bedeutung, weil wir uns auch durch andere Sinne, vor allem mit Hilfe der Augen, unserer Lage und Bewegungen bewußt werden. So achten wir kaum auf sie, es sei denn, daß wir die Bogengänge durch einen tollen Reigen übermäßig beanspruchen und dann »schwindlig« werden. Beim Tauchen unter Wasser aber leisten sie uns wichtige Dienste. Leute mit erkranktem Labyrinth können dabei in die Gefahr des Ertrinkens kommen, weil sie nicht mehr zur Oberfläche zurückfinden.

Das eigentliche *Gehörorgan* ist das untere Labyrinthsäckchen und sein aufgewundener Anhang, die »Schnecke«. Die Schallwellen treffen am Ende des Gehörganges auf das Trommelfell; hinter ihm liegt das mit Luft erfüllte Mittelohr. Wie im Bein einer Heuschrecke ist also das Trommelfell eine zwischen zwei Lufträumen ausgespannte Membran, die durch Schallwellen zum Mitschwingen kommt. Aber die Sinneszellen liegen ihr nicht an wie bei der Heuschrecke, sondern zu ihnen ist noch ein umständlicher Weg.

Durch die Kette der drei winzigen Gehörknöchelchen (Hammer, Amboß und Steigbügel) werden die Schwingungen des Trommelfelles auf die Flüssigkeit übertragen, die das Labyrinth umgibt. Ein Fensterchen im Knochen stellt die Verbindung her. Ein zweites Fensterchen ist durch eine elastische Membran verschlossen. Flüssigkeiten lassen sich sehr schwer zusammenpressen. Jedesmal, wenn die vibrierenden Gehörknöchelchen nach innen drücken, weicht das Labyrinthwasser nach der einzigen Stelle aus, wo das möglich ist, indem es die elastische Wand des anderen Fensterchens nach außen drückt, und umgekehrt bei der gegensinnigen Bewegung. Der Weg von dem einen Fenster zum anderen (in Abb. 29 durch Pfeile bezeichnet) führt nun durch die ganze Schnecke entlang der Basilarmembran, die zum Mitschwingen gebracht wird und dadurch die Hör-Sinneszellen erregt, die ihr aufsitzen.

Je größer die Schwingungszahl, desto höher erscheint uns der Ton. Die

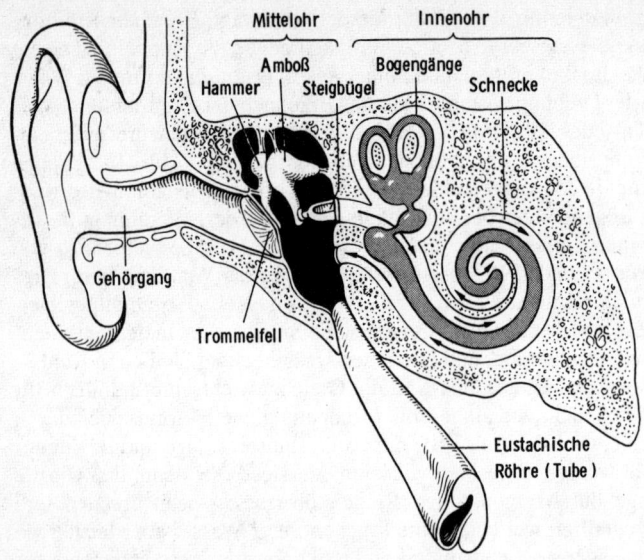

Abb. 29: Anatomie des Ohres. Schematische Darstellung. Die Schallwellen werden vom äußeren Ohr aufgenommen und über Gehörgang, Trommelfell und die drei Gehörknöchelchen des Mittelohrs weitergeleitet. Die Mittelohrhöhle steht durch die Eustachische Röhre, die für den Luftausgleich sorgt, mit dem Rachen in Verbindung. Von der Steigbügelfußplatte werden die Schwingungen über das ovale Fenster auf die Flüssigkeit, die das Labyrinth des Innenohrs erfüllt, übertragen. Das Innenohr enthält zwei Sinnesorgane, die aus einem komplizierten Schlauchsystem bestehen. Die Sinneszellen des Hörorgans befinden sich in der Schnecke, die Sinneszellen des Gleichgewichtsorgans im sogenannten Vestibularapparat mit seinen Bogengängen und Bläschen.

angestrichene G-Saite einer Geige gibt etwa zweihundert, die E-Saite etwa sechshundertfünfzig Schwingungen in der Sekunde.

Schon eine Abweichung von wenigen Schwingungen in der Sekunde empfinden wir als deutlichen Tonunterschied. Man hat dies in verschiedener Weise zu erklären versucht. Eine der bekanntesten Theorien ging davon aus, daß die Basilarmembran feine, in der Querrichtung gespannte Fasern enthält, die von einem Ende der Schnecke zum anderen allmählich an Länge abnehmen und dadurch auf verschiedene Tonhöhen abgestimmt sind. Eine kürzere Saite gibt, unter sonst gleichen Umständen, einen höheren Ton. Davon macht ja der Geigenspieler Gebrauch, wenn er die schwingenden Saiten durch einen Fingerdruck verkürzt. Derselbe Ton, den eine schwingende Saite erzeugt, bringt eine ruhende Saite zum Mitschwingen. Nach der »Resonanztheorie« in ihrer ursprünglichen Form beruht nun die

Tonunterscheidung durch das Ohr darauf, daß die verschieden hohen Töne verschieden lange Fasern der Basilarmembran zum Mitschwingen bringen und so je nach der Tonhöhe verschiedene Sinneszellen gereizt werden. Neuere Untersuchungen haben die Annahme von v. Helmholtz bestätigt, daß durch verschieden hohe Töne die Sinneszellen verschiedener Bezirke der Basilarmembran erregt werden. Doch sind deren Fasern keine frei schwingenden Saiten wie im Klavier. Die Ursache für die lokale Erregung sieht man heute nicht mehr in der Resonanz einzelner Fasern, sondern in komplizierteren physikalischen Vorgängen.

Die Lösung brachte v. Békésy, ehemals ein Telefoningenieur aus Ungarn, später für seine Untersuchungen am menschlichen Ohr mit dem Nobelpreis ausgezeichnet. Er wollte eigentlich nichts anderes als die Resonanztheorie von v. Helmholtz nachprüfen, indem er bei einer menschlichen Leiche mit dem Skalpell einen Schnitt in die Basilarmembran des Innenohrs machte. Erwartungsgemäß sollte dann die Basilarmembran, wenn sie straff gespannt war und damit Voraussetzung für eine Resonanz der Querfasern bot, auseinanderklaffen. Dies war keineswegs der Fall. Im Gegenteil: Vom ovalen Fenster ab bis zur Schneckenspitze wurde diese Basilarmembran immer elastischer. V. Békésy kam als Schlußfolgerung zur *Wanderwellentheorie* der Tonhöhenunterscheidung: Die am ovalen Fenster eintreffenden Schallwellen versetzen die Flüssigkeit des Innenohrs und die Basilarmembran in Mitschwingung. Da nun die Basilarmembran zur Spitze der Schnecke hin immer elastischer wird, nimmt die Schwingungsweite der Basilarmembran zur Spitze der Schnecke hin zu. Somit ist für jeden Ton an einem spezifischen Ort in der Schnecke die Schwingungsweite am größten. Da nun hohe Töne stärker gedämpft werden als tiefe, liegt dieses Maximum für hohe Töne nahe beim ovalen Fenster und für tiefere Töne mehr bei der Schneckenspitze.

Warum wir bei der Erregung der Sinneszellen durch die Schallwellen gerade Töne empfinden, warum diese, je nach ihrer Art und Weise, zu erlesenem Genuß oder auch zu einer schrillen Dissonanz werden können, das sind Dinge, über die manches kluge Wort geschrieben worden ist, von denen aber der letzte Schleier nicht gefallen ist.

Können die Fische hören?

Bei den meisten Wirbeltieren ist das innere Ohr ähnlich gebaut wie beim Menschen. Dem Labyrinth der Fische fehlt jedoch die Schnecke, und darum hat man sie für taub gehalten. Es scheint ja auch wirklich so zu sein. Man kann einem Fisch zurufen, was man will, er wird sich nicht darum kümmern. Aber fehlt nicht vielleicht nur das geistige Band? Hat der Fisch einen Anlaß, sich um die Worte des Menschen zu kümmern, die in seinem normalen Leben niemals für ihn von Bedeutung sind?

Ich will es gleich sagen: Manche Fische können tatsächlich ausgezeichnet hören. Ich hatte einmal einen blinden Zwergwels. Er ist bei meinen Mitarbeitern und Freunden sehr populär geworden und wurde Xaverl genannt. Aber das wußte er nicht, und es tut auch nichts zur Sache. Er hielt sich meistens in einem Versteck am Boden seines Beckens auf. Da faßte ich einen Plan, der ganz über Erwarten rasch gelang. Der Wels sollte auf einen Pfiff aus seinem Versteck kommen. Ich brauchte nur wenige Tage bei jeder Fütterung zu pfeifen, dann hatte er den Zusammenhang erfaßt und kam stets sofort auf den Pfiff an die Wasseroberfläche geschwommen, um das Futter in Empfang zu nehmen.

Durch solche »Dressur« auf Töne ließ sich weiterhin bei vielen Fischen ein Gehörsinn nachweisen und sehr genau untersuchen. Es hat sich gezeigt, daß es scharfhörige und schwerhörige Fische gibt. Zu den scharfhörigen zählen die Welse, die Weißfische, die Karpfen und manche andere. Sie hören noch so leise Töne, wie sie für den Menschen kaum noch wahrnehmbar sind. Man wird fragen, wozu? Sie sind doch stumm und haben sich nichts zu sagen? Doch das stimmt nicht. Im zweiten Weltkrieg wurden leistungsfähige Geräte zur Aufnahme von Unterwasserschall entwickelt, mit denen Unterseeboote rechtzeitig bemerkt werden konnten. Die Lauscher an der amerikanischen Küste machten die unerwartete Entdeckung, daß manche Meerestiere recht lautstarke Töne und Geräusche erzeugen. Der Schallempfang wurde dadurch ernsthaft gestört. Es gibt Fische, die sich durch Grunzen oder Knurren, durch Piepsen und Pfeifen, durch Trommeln, Zähneknirschen oder Klopflaute untereinander verständigen. So können zur Laichzeit die Weibchen nach den Männchen rufen und, wo sie zu einem Schwarm versammelt sind, als lärmende Gesellschaft auftreten. Männchen verteidigen durch Drohlaute ihr Revier. Man hat bei vielen Fischen mannigfach gestaltete Organe zur Lauterzeugung gefunden.

Die Fische haben auch ein gewisses Unterscheidungsvermögen für verschieden hohe Töne. Das kann man nachweisen, indem man sie zunächst auf einen Pfeifenton von bestimmter Tonhöhe dressiert. Sobald sich der Fisch gemerkt hat, daß dieser Ton »Futter« bedeutet, wird ihm abwechselnd mit dem Dressurton ein anderer, z.B. höherer Ton vorgeblasen, bei dem es kein Futter gibt. Zunächst wird das Tier auch bei diesem Ton Futter erwarten und herumsuchen; dann bekommt es aber eine Verwarnung durch einen leichten Schlag mit einem Glasstab. Nach einiger Zeit begreift es den Unterschied und sucht nur mehr beim Futterton nach dem Futter, während es beim »Warnton« die Flucht ergreift. Durch allmähliche Annäherung der beiden Töne findet man, welches Intervall die Fische noch sicher unterscheiden können. Gewöhnlich ist es etwa eine Oktave. Wenn man die beiden Töne nicht in größeren Zeitabständen, sondern rasch nacheinander erklingen läßt, können sie sogar im Bereich ihres besten Hörvermögens (das ist zwischen vierhundert und achthundert Schwingungen in der Sekunde) noch den Höhenunterschied eines Vierteltones sicher erkennen. Gegenüber dem feinen Tonunterscheidungsvermögen eines Menschen oder eines Hundes ist das allerdings keine bedeutende Leistung. Die Überlegenheit der Ohren bei höheren Wirbeltieren beruht auf dem Besitz einer Schnecke mit ihrer Basilarmembran.

Daß die Tonwahrnehmungen auch bei den Fischen durch das Labyrinth vermittelt werden, und zwar durch dessen unteres Säckchen, aus dem bei den höheren Wirbeltieren die Schnecke hervorgegangen ist, läßt sich durch Versuche nachweisen. Es enthält nur zwei Kalksteinchen, die mit Polstern von Sinneszellen in Berührung sind und diese erregen, sobald sie durch Schallwellen erschüttert werden. Bei den scharfhörigen Fischen ist durch verwickelte Hilfseinrichtungen dafür gesorgt, daß die Erschütterung der Kalksteinchen recht energisch erfolgt. Aber keine Basilarmembran verhilft zur scharfen Unterscheidung der Schwingungszahlen, wie sie den verschiedenen Tonhöhen entsprechen. Alle Schwingungen treffen nur immer dasselbe Sinnespolster. Ähnlich ist es, wenn wir die Fingerspitze leicht auf einen vibrierenden Gegenstand legen. Dann können wir auch die Schwingungszahlen innerhalb gewisser Grenzen unterscheiden. Das Ohr der Fische leistet in dieser Hinsicht nicht wesentlich mehr als der Tastsinn unserer Haut. Es ist gleichsam ein Mittelding zwischen einem Tastorgan und unserem Ohr und zeigt uns aufs neue, daß Fühlen und Hören doch nicht so himmelweit verschiedene Dinge sind.

Das kann man übrigens auch aus den Erfahrungen an taubstummen Menschen schließen. Sie können lernen, für das fehlende Gehör in ihrem Tastsinn einen gewissen Ersatz zu finden, indem sie seine Leistung durch Aufmerksamkeit und Übung steigern. Sie können die Sprachlaute bis zu einem gewissen Grade abtasten, wenn sie die Finger an den Kehlkopf oder an die Brust des Sprechenden legen. Ja die berühmte Helen Keller, die taub und blind war, ließ sich sogar auf der Orgel oder dem Klavier vorspielen und scheint nach ihrer Schilderung am Fühlen der Tonschwingungen einen ähnlichen Genuß erlebt zu haben wie ihre hörenden Mitmenschen. Freilich hat ihr die Möglichkeit gefehlt, ihre Empfindungen mit dem wirklichen Hören eines Musikstückes zu vergleichen, und erst der Vergleich mit Besserem und Schönerem ist ja allezeit auf Erden der Quell der Unzufriedenheit.

Jagd mit Ultraschall

Im Alter verstummt für uns das Zirpen der Grillen, weil unsere Ohren die hohen Töne nicht mehr wahrnehmen. Für Kinder liegen die höchsten Töne bei 20 000 Schwingungen in der Sekunde. Im Alter sinkt die obere Hörgrenze auf etwa 10 000 bis 5000 Schwingungen. Der tiefste für uns hörbare Ton liegt bei sechzehn Schwingungen in der Sekunde. Für Fledermäuse fängt das Hören erst mit etwa 3000 Schwingungen an, und das eigentliche Reich ihrer Töne liegt ungefähr bei 40 000 bis 120 000 Schwingungen, im Bereich des Ultraschalls, in dem es für uns längst kein Hören mehr gibt. Das ist für sie von lebenswichtiger Bedeutung.

Fledermäuse fliegen im Dämmerlicht, und überdies sind ihre Augen nur kümmerlich entwickelt. Trotzdem können sie im Fluge auch kleinen Hindernissen geschickt ausweichen und sogar zwischen herabhängenden Bindfäden hindurchfliegen, ohne anzustoßen, wie schon 1793 der italienische Bischof und Naturforscher Spallanzani mit Überraschung festgestellt hat. Sie erhaschen im Fluge die Insekten, die ihnen zur Nahrung dienen, und wenn sie satt sind, landen sie zielsicher an ihrem Ruheplätzchen. All das können sie ebensogut auch, wenn sie blind sind oder wenn man sie in einem völlig verdunkelten Raum fliegen läßt. Sie verlassen sich dabei auf ihre Ohren. Das vermutete seinerzeit schon Spallanzani: Wenn er seinen Fledermäusen die Ohren mit Paraffin verstopfte, rannten sie hilflos gegen alle Hindernisse. Sie waren auch hilflos, wenn er ihnen einen Maulkorb umband. Erst 150 Jahre später fand man des Rätsels Lösung: Bei ihrem Flug senden die Tiere fortwährend Peillaute aus, warten deren *Echo* ab, das eine Wand oder ein Nachtfalter zurückwirft. An der zeitlichen Verzögerung des Echos kann man so die Entfernung des Hindernisses errechnen; an weiteren Veränderungen des Echomusters (s. unten) läßt sich sogar die Gestalt und die Oberflächenbeschaffenheit erkennen. Unsere Radartechnik benutzt ein ähnliches Prinzip. Die Echopeilung der Fledermäuse ist aber in ihrer Genialität und Eleganz dieser Technik weit überlegen.

Es war eine glänzende Idee, für diese Echopeilung Ultraschall zu benutzen. Das Echo soll ja ein scharfes, gebündeltes »Bild« des reflektierten Hindernisses oder der Beute geben. Anders als Lichtstrahlen haben Schallwellen aber die für eine Echoortung unangenehme Eigenschaft, um einen Gegenstand, den sie treffen, herumzuwandern, etwa so wie Wasserwellen um einen Holzpfahl. Je kleiner die Wellenlänge, desto gebündelter und präziser wird der Schall reflektiert. Nur der kurzwellige Ultraschall erfüllt diese Bedingung. Die Sache hat jedoch einen Haken: Je weiter wir in den kurzwelligen Bereich vordringen, desto stärker wird der Schall im umgebenden Luftraum verschluckt. Im Ultraschallgebiet geht das so weit, daß ein Echo, das aus 2 m zurückkommt, zehntausendmal schwächer ist als der ausgesandte Peillaut. Der Fledermaus bleibt keine andere Lösung, als möglichst laut zu schreien – 100 Dezibel und mehr hat man gemessen; das entspricht dem Lärm eines Preßlufthammers. Mit Recht fragt man sich, ob denn die Tiere unter solchem Lärm nicht selbst Schaden leiden. Mit einigem Neid werden wir lärmgeplagten Menschen zur Kenntnis nehmen, daß sich unsere Fledermäuse gegen das eigene laute Geschrei weitgehend *taub* machen können! In dem Moment nämlich, in dem sie ihren Schrei ansetzen, zuckt ein Muskel im Mittelohr, der *Musculus stapedius,* zusammen und unterbricht zu einem guten Teil die Schalleitung über die drei Gehörknöchelchen des Mittelohrs. Für das nachfolgende Echo sind die Hörzentren im Gehirn dann um so aufmerksamer. Unsere Radaringenieure könnten sicher noch vieles dazulernen, wenn sie erfahren, was diese Hörzentren einer Fledermaus aus dem Echo heraushören. Da ist eine erste wichtige Feststellung, daß kein Peillaut dem anderen völlig gleicht, sondern in seiner Lautstärke und in seiner Frequenz ein individuelles Muster darstellt – etwa so, als wenn wir jemandem in der Ferne zehnmal »Hallo« zurufen. Die spitzfindigen Fledermausexperten haben nun in den Hörzentren Nervenzellen gefunden, die sich als *Echodetektoren* entpuppt haben. Sie liegen ständig auf der Lauer, um jeden Peillaut in seinem Muster momentan im Gedächtnis zu behalten und ihn mit dem zurückkommenden Echo zu vergleichen – Kreuzkorrelation nennt es der Radaringenieur. Das heißt: Das Echo wird mit dem Muster des ausgesandten Peillautes auf Ähnlichkeit geprüft; mit anderen Worten: Aus dem Gedächtnis wird der Originallaut dem Echo gegenübergestellt und daraus das Hindernis herausgelesen. Ein Nachtschmetterling zum Beispiel verschluckt in seinem Schuppenkleid einzelne Frequenzen und die Intensität des Echos vermittelt ihm, ob es von einer glatten Mauer oder von einer beborsteten Mücke zurückgeworfen wird.

Natürlich wird man auch den zeitlichen Verzug des Echos in Rechnung stellen, wobei man freilich mit wenigen Millisekunden auskommen muß. Daß hier die Echodetektoren im Gehirn mit solcher Präzision und Geschwindigkeit in der Auswertung der eingehenden Information arbeiten können, übertrifft unsere Vorstellungskraft. Kaum zu glauben ist, was der Münchner Zoologe Neuweiler entdeckt hat: Die Fledermäuse sind Feinschmecker. Im tropischen Indien, wo es von Nachtinsekten nur so wimmelt, suchen sich die Fledermäuse bei ihrer nächtlichen Jagd ihre Lieblingstiere; sie erkennen sie an ihrem Flugmuster. Jeder Flügelschlag, ob schnell oder behäbig, ob weitausladend wie bei einem Spinner oder winzig wie bei einer Mücke, jeder dieser Flügelschläge gibt dem Echo den sogenannten Dopplereffekt mit auf die Reise. Winzige Frequenzänderungen im Echo sind die Folge – wie beim Anblick eines schmackhaften Bratens verrät sich so die Beute dem »akustischen Geschmack« der Fledermaus.

Mit Recht wird man sich fragen, wieso bei derart genialer Jagdmethode überhaupt noch Nachtinsekten am Leben geblieben sind. Wie immer, so hat auch hier die Natur die bedrohten Beutetiere nicht ganz schutzlos gelassen: Nachtschmetterlinge besitzen ein eigenes Hörorgan, das nur auf Ultraschall anspricht. Sobald nun ein Nachtfalter in den Schalltrichter eines Fledermauspeillautes kommt, taucht er im Sturzflug zu Boden oder versucht durch allerlei Loopings dem Verfolger zu entkommen. Beim Bärenspinner hat man sogar einen Störsender entdeckt: Er reibt einige Rippen seines Chitinpanzers aneinander, erzeugt damit Ultraschall und macht so die Fledermaus bei ihrer Echopeilung konfus.

Eine Echo-Orientierung kommt ausnahmsweise auch bei Vögeln vor.

Eine in Venezuela heimische Nachtschwalbe, der Fettschwalm, mit unserem Ziegenmelker verwandt, brütet im Inneren von Felshöhlen, oft mehrere hundert Meter vom Eingang entfernt in tiefster Dunkelheit. Nie stoßen die Vögel gegen die Wand, und immer finden sie ihr Nest, wobei sie sich nach dem Echo der ausgestoßenen Ratterlaute zurechtfinden. Verschließt man ihnen die Ohren, so sind sie verloren und prallen gegen den Felsen. Ihre Töne liegen nicht im Ultraschallbereich und sind auch für uns gut hörbar. Bei großen und festen Gegenständen macht sich ja das Echo nicht nur im Ultraschallbereich geltend. Vom Autofahren und von der Eisenbahn kennt jeder den Widerhall beim Passieren von Brückenpfeilern und dergleichen. Aber die differenzierte Feinfühligkeit einer Fledermaus ist nur durch Ultraschall erreichbar.

Elektrische Organe, die zum Beutefang und zur Orientierung dienen

Viele Millionen Jahre bevor der Mensch die Elektrizität entdeckte, haben sich die sogenannten elektrischen Fische die Gesetze der elektrischen Kräfte zunutze gemacht. Da gibt es zum Beispiel Fische, die eine Spannung bis zu 900 Volt erzeugen und damit ihre Beutetiere lähmen.

Viel interessanter sind für den Biologen aber Fische, die nur eine Spannung von wenigen Volt erzeugen. Damit können sie zwar ihre Beute nicht betäuben, aber diese geringen Potentiale werden in genialer Weise zur Orientierung benutzt. Regelmäßig wie unser Herzschlag, also Tag und Nacht, das ganze Leben lang, entlädt solch ein elektrischer Fisch je Sekunde etwa 5mal seine Muskelplatten und schafft damit ständig um seinen Körper herum ein elektrisches Feld: Vorne ist der Pluspol, hinten der Minuspol. Wenn nun ein Hindernis – eine Pflanze, ein daherschwimmender Holzstumpf oder auch ein anderer Fisch – in dieses Feld gerät, wird das sonst so gleichmäßig aufgebaute Feld *verzerrt*. Hat das Hindernis eine größere Leitfähigkeit als Wasser, wie zum Beispiel eine Metallplatte, dann werden die Feldlinien gebündelt; hat es, wie Holz, eine geringere Leitfähigkeit als Wasser, dann werden sie auseinandergedrängt.

Hochempfindliche Elektrorezeptoren in der Haut dieser Fische nehmen noch eine Potentialdifferenz von 0,01 nV/cm wahr (1 nV ist 1 Milliardstel Volt!).

Das ist aber noch nicht alles: Diese schwach-elektrischen Fische verwenden ihre elektrischen Organe auch zur gegenseitigen Verständigung. Sie legen um ihr Revier einen elektrischen Zaun, indem sie regelmäßig die Außengrenze dieses Reviers abschwimmen und dabei besonders häufig und intensiv ihre elektrischen Platten entladen und so den Rivalen davor warnen, sich in das eingezäunte Eigentum zu wagen.

2.13. Das Auge

Es besteht kein Zweifel darüber, daß wir mit den Augen sehen. Ebenso selbstverständlich wird man annehmen, augenlose Geschöpfe seien blind. Aber wer hat schon einmal einem Regenwurm in die Augen geschaut? Auch mit der schärfsten Lupe findet man keine. Trotzdem kann dieses lichtscheue Wesen sehr gut zwischen Hell und Dunkel unterscheiden. Setzt man Regenwürmer einer grellen Beleuchtung aus, so kriechen sie eiligst davon und kommen zur Ruhe, sobald sie an einen dunklen Ort gelangen. Bei mikroskopischer Untersuchung entdeckt man in ihrer Haut zerstreute, einzeln liegende Sinneszellen, die genauso aussehen wie die lichtempfindlichen Sinneszellen in den Augen anderer Würmer. Das sind die einfachsten Lichtsinnesorgane, die wir kennen. Man kann sie kaum als Augen bezeichnen. Sie bestehen *nur* aus den Lichtsinneszellen, ohne die ja kein Lichtsinnesorgan denkbar ist, jeder Hilfsapparat fehlt.

Derlei Hilfsapparate, die dem Auge ein Richtungssehen, ein Bildsehen, ein scharfes Sehen für Nah und Fern, ein Sehen bei Tag und in der Dämmerung ermöglichen, finden wir bei den einzelnen Tiergruppen in fantasiereicher Ausstattung. Bevor wir uns diesem amüsanten Kapitel zuwenden, wollen wir uns kurz dem *Elementarprozeß* des Sehens zuwenden. Da sich dieser im molekularen Bereich abspielt, müssen wir uns wohl oder übel mit der Chemie des Sehvorganges vertraut machen.

Zwei Tatsachen verdienen da von vornherein unser Interesse: Wie sonst auf keinem anderen Gebiet der Sinnesforschung ist hier die Umsetzung von Energie in Erregung bis in den molekularen Bereich aufgeklärt worden. Reizbarkeit, dieses erwähnte Grundphänomen des Lebens, können wir also hier bis ins letzte Geheimnis verfolgen.

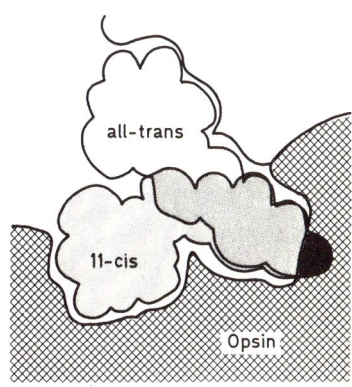

Abb. 30: Das Sehpigment, als 11-cis-Retinal (im Dunkel) und als all-trans-Retinal bei Belichtung.

Um es einfach zu schildern: Jede Sehzelle enthält einen Farbstoff, das Sehpigment, den »Sehpurpur«. Bei Belichtung zerfällt dieses Pigment und gibt Energie frei, die zu einem Aktionspotential, also zu einem Nervenimpuls führt. Das Sehpigment setzt sich aus zwei Bausteinen zusammen: einer Eiweißkomponente, dem Opsin, und dem Retinal, einem Aldehyd des Vitamin A. Aus dieser Erkenntnis wird verständlich, daß wir, wie schon erwähnt, bei Vitamin-A-Mangel unter Nachtblindheit leiden (s. S. 72).

In Ruheposition, also im Dunkel, sitzt das Retinal wie ein Reiter im Sattel des Opsin. Als 11-cis-Retinal – wir müssen uns hier eines Fachausdruckkes des Chemikers bedienen – ist es in seiner Molekülstruktur am Schwanzende eingeknickt und paßt so genau in eine vorgebildete Nische des Opsin (s. Abb. 30). Sowie ein Lichtstrahl auf dieses Retinal fällt, ändert sich die äußere Struktur, das heißt die »Konfiguration« des 11-cis-Retinals wird in das all-trans-Retinal umgewandelt, wobei es an der Knickstelle das Schwanzende zurückschnellen läßt; das Retinal wird also geradegestreckt. Die Folge ist, daß der Reiter aus dem Sattel geschleudert wird; Retinal und Opsin lösen sich voneinander. Das Opsin wird dabei in eine reaktionsaktive Form umgewandelt, die wahrscheinlich die Öffnung von Porenkanälen und damit das Aktionspotential einleitet.

Diese Primärprozesse an einer Sehzelle haben sich in gleicher Weise im gesamten Tierreich bewährt: Sie laufen beim Regenwurm genauso ab wie bei einer Schnecke, einer Biene, einem Fisch oder auch im menschlichen Auge. Und wer hätte das für möglich gehalten: Neuerdings hat man sogar bei Bakterien, den sogenannten Purpurbakterien, eine positive Lichtreaktion beobachtet; sie schwimmen dem Licht entgegen und nutzen das Licht zur Photosynthese. Auch bei diesen Bakterien dient der Zerfall des Sehpigments als Primärprozeß für die Lichtreaktion.

Wer bisher folgen konnte, dem sei verraten, daß mit dieser Abspaltung des Retinals die Grundlagen für das *Farbsehen* gegeben sind. Es gibt zwei verschiedene Retinale und mehrere verschiedene Opsine, also auch verschiedene Sehpigmente. Jedes dieser Sehpigmente reagiert nun unterschiedlich auf verschiedene Wellenlängen des Lichtes. Das eine resorbiert primär Rot, das andere Grün, das andere Blau. Bei der Biene vermag sogar ultraviolettes Licht das Sehpigment zu spalten (s. S. 134).

Vom Augenfleck zum Linsenauge

Eine Hilfseinrichtung einfacher Art, die die Leistungsfähigkeit erheblich steigert, ist die einseitige Abschirmung der Sinneszellen durch einen schwarzen Farbstoff. Solche Augen kommen bei kleinen Würmern vor, die unsere Bäche und Tümpel zahlreich bevölkern, wo sie sich meist unter Steinen verborgen halten. Sie besitzen winzige schwarze »Augenflecke«,

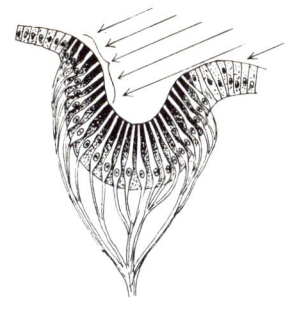

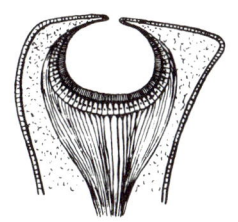

Abb. 31: Auf dem Weg zum Linsenauge Auge einer Napfschnecke (oben links), einer Ohrschnecke (oben rechts) und des Nautilus.

dabei ist der schwarze Pigmentbecher nur Beiwerk; die lichtempfindlichen Sehzellen liegen innen in dem Kelch. Licht, das von vorn kommt, kann sie treffen und erregen; Licht von hinten wird durch den Pigmentschirm abgefangen. So stehen diese Augen schon um eine Stufe höher, denn sie vermitteln den Würmern eine Wahrnehmung der *Lichtrichtung,* so daß ihnen das rasche Aufsuchen ihrer dunklen Schlupfwinkel erleichtert ist.

Eine ähnliche Wirkung ist bei den Augen mancher Meeresschnecken erzielt. Die Sehzellen liegen in größerer Zahl an einer grubenförmig eingesenkten Hautstelle des Kopfes, seitlich und hinten durch einen schwarzen Mantel abgeschirmt (Abb. 31 oben links). Bei der Ohrschnecke, deren Schale man nicht selten als Aschenbecher verwendet sieht, ist die Grube viel tiefer eingesenkt und die Öffnung verengt (Abb. 31 oben rechts). Diese scheinbar nebensächliche Veränderung hatte vielleicht ursprünglich nur die Bedeutung, die Sehzellen in eine besser geschützte Lage zu bringen; sie eröffnet aber ganz neue Möglichkeiten für die Leistung des Auges. Bei einem anderen Weichtier, dem Nautilus, dem letzten Überlebenden aus dem Geschlecht der Ammonshörner, von deren weiter Verbreitung in früheren Zeiten der Erdgeschichte uns nur die Versteinerungen Kunde geben, ist die Augenöffnung auf ein winziges Loch verkleinert (Abb. 31 unten). Die Natur war hier wieder einmal dem menschlichen

Geist weit voraus, der erst vor etwa vierhundert Jahren die »Lochkamera« erfunden hat. Das ist ein schwarzer Kasten, lichtdicht abgeschlossen, nur mit einem engen Loch in der Vorderwand. Da sich die Lichtstrahlen geradlinig fortpflanzen, muß von jedem Gegenstand, der sich vor dem Kästchen befindet, eine umgekehrte Abbildung auf seiner Rückwand entworfen werden. Das ist am leichtesten zu verstehen, wenn man sich den Gegenstand, etwa einen Stab, aus einer Anzahl leuchtender Punkte zusammengesetzt denkt. Jeder Lichtpunkt sendet nach allen Seiten Strahlen aus. Je kleiner die Öffnung der Lochkamera, desto schärfer wird der auf der Rückwand abgebildete Stab. Setzt man in die Kamera statt der Rückwand eine Mattscheibe, so kann man den Stab oder einen anderen Gegenstand, sofern sie hell erleuchtet sind, sehen. Ersetzt man die Mattscheibe durch eine lichtempfindliche Platte, so kann man es fotografieren. Das Auge des Nautilus ist auch eine solche Lochkamera: Anstelle der fotografischen Platte liegt die Netzhaut des Auges, liegen also zahllose lichtempfindliche Sinneszellen, welche die Wahrnehmung des Bildes vermitteln.

Dieses Auge vermag nicht nur hell und dunkel, vermag nicht nur die Richtung wahrzunehmen, aus der das Licht kommt, sondern es liefert ein *Bild* von der Umgebung.

Heute benutzt man keine Lochkamera mehr zum Fotografieren, und zwar aus einem einfachen Grund: Macht man das Loch sehr eng, so gibt es zwar ein scharfes, aber sehr lichtschwaches Bild. Macht man es lichtstärker, indem man das Loch vergrößert, wird es unscharf. Denn dann kommt ja von jedem Gegenstandspunkt, der Licht aussendet, ein ganzes Bündel von Lichtstrahlen herein, die auf der Rückwand statt eines Punktes einen Lichtfleck erzeugen. Die benachbarten Lichtflecken überdecken sich teilweise, das Bild wird verwaschen.

Beim fotografischen Apparat hat man sich so geholfen, daß man die Öffnung vergrößert und eine Linse hineingesetzt hat. Durch sie werden die von einem Punkt ausgehenden Strahlen derart gebrochen, daß sie sich auf der Rückwand wieder in einem Punkt vereinigen. Nun ist das Bild scharf und lichtstark zugleich. Dieselbe Erfindung hat die Natur schon gemacht,

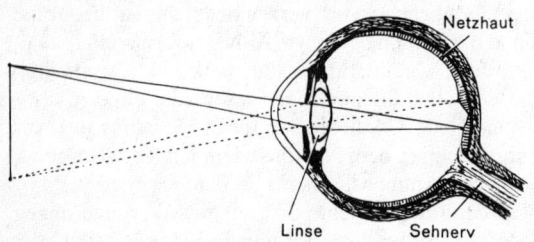

Abb. 32: Schnitt durch das menschliche Auge.

lange bevor es Menschen auf der Erde gab. Sie hat das Sehloch des Auges, die Pupille, erweitert und eine Linse dahintergesetzt. So ist das Auge vieler Würmer und Schnecken, so ist das Auge aller Wirbeltiere, einschließlich des Menschen, eingerichtet (Abb. 32). Das Lochkamera-Auge mit seiner engen Öffnung, das nur bei stärkstem Licht leistungsfähig ist und in der Dämmerung den Dienst versagt, ist nur durch den Nautilus bis auf unsere Tage gekommen wie ein Wahrzeichen, daß keine große Aufgabe auf den ersten Wurf gelingt und die allmähliche Entwicklung und Vervollkommnung nicht eine Sonderheit menschlicher Geistesarbeit ist, sondern ein allgemeiner Wesenszug der belebten Natur.

Verkehrte Welt – das Loch im Sehfeld

Das Linsenauge entwirft also ein umgekehrtes Abbild der Gegenstände auf der Netzhaut im Augenhintergrund. Das muß nicht nur aus seinem Bau geschlossen werden, sondern man kann es unmittelbar sehen. Beim Menschen und auch bei Tieren kommt es als krankhafte Abweichung vor, daß kein dunkles Pigment gebildet wird, das sonst Haut und Haare bräunt. Es fehlt diesen *Albinos* der schwarze Farbstoff auch in der Netzhaut des Auges, so daß ihre Pupillen blutrot erscheinen. Albinos kommen in allen Erdteilen vor. Bei unseren Kaninchen sind sie sehr häufig. Wenn man von einem toten Tier solcher Art das Auge herauslöst und in der Dunkelkammer gegen einen leuchtenden Gegenstand richtet, kann man, da die schwarze Pigmenthülle fehlt, das verkehrte Bild im Augenhintergrund wunderschön von außen erkennen.

Auch unser eigenes Auge entwirft ein umgekehrtes Bild. Warum steht dann die Welt für uns nicht auf dem Kopf? Diese Frage kann man oft hören. Zunächst ist zu bedenken, daß nicht die Netzhaut des Auges, sondern das Gehirn der Ort ist, an dem uns das Bild bewußt wird. Dort liegen nun seine Teile ganz anders zueinander, so wie es der Verlauf der Nervenfasern mit sich bringt, welche die lichtempfindlichen Sehzellen mit den Nervenzellen des Gehirns verbinden. Für die Entwicklung des Raumbildes, für die Vorstellung von der gegenseitigen Lage der gesehenen Dinge ist vor allem das Zusammenspiel von Gesichts- und Tasteindrücken seit frühester Jugend von größter Bedeutung. Man sieht an den zahllosen Greifbewegungen jüngster Kinder, wie sehr es da mit der Raumvorstellung noch hapert. Man merkt aber auch den raschen Erfolg der täglichen Erfahrungen. Zwar kann sich niemand erinnern, wie er die Welt in den ersten Lebenstagen gesehen hat, jedoch kann man einem Erwachsenen, der imstande ist, über seine Eindrücke zu berichten, eine Brille aufsetzen, die für ihn das Bild der Umgebung umkehrt. Anfangs ist seine Orientierung sehr gestört, aber nach fünf bis zehn Tagen sieht er alles wieder aufrecht. Nimmt er nun die Brille ab, so steht für ihn abermals die Welt auf dem Kopf; Tische, Stühle,

Abb. 33: Zum Nachweis des blinden Flecks im Auge.

Personen scheinen ihm an der Decke zu hängen. Auch diesmal halten die Störungen einige Tage an, dann sieht er wieder normal. Bei diesen Versuchen an Erwachsenen war deutlich zu verfolgen, daß für die Wiederherstellung des aufrechten Sehens das Abtasten der Gegenstände, aber auch ihr Gewicht, das erfahrungsgemäß nach unten drückt, und auch bekannte optische Eindrücke, wie eine nach oben züngelnde Flamme oder aufsteigender Rauch, von großer Bedeutung sind. Das ist ein wunderliches Zusammenspiel der Sinneseindrücke, dessen Endergebnis, unser vertrautes Raumbild, für den beschränkten Menschengeist trotz aller Kenntnisse ein Rätsel bleibt.

Die Dinge, wie wir sie sehen, sind nicht ein einfacher Abklatsch der Netzhautbilder, sondern das Ergebnis ihrer geistigen Verarbeitung. Wir haben ja zwei Netzhautbilder, in jedem Auge eins, und diese decken sich nicht einmal, da wir jeden Gegenstand mit dem rechten Auge von einem etwas anderen Standpunkt sehen als mit dem linken. Man kann sich davon leicht überzeugen, indem man den Kopf ruhig hält, irgendeinen nahen Gegenstand betrachtet und beide Augen abwechselnd schließt. Diese beiden nicht übereinstimmenden Bilder verschmelzen in unserem Bewußtsein zu einem einzigen plastischen Bild. Daß wir die Dinge plastisch sehen, daß wir ihre Entfernung richtig beurteilen und alle Tiefenwahrnehmung im Raum, beruht zum großen Teil auf der Verschiedenheit der beiden Netzhautbilder, die sich mit wechselnder Entfernung gesetzmäßig ändert. Wir können diesen Zusammenhang feststellen, aber der seelische Vorgang der Angelegenheit bleibt unserem Verständnis verschlossen.

Auch auf andere Weise kann man sich sehr leicht klarmachen, daß das erschaute Bild mit dem Netzhautbild nicht ganz übereinstimmt. Bei treuer Übertragung in unser Bewußtsein müßte es ein großes Loch haben. Der Sehnerv durchbricht nämlich die Augenhüllen an einer Stelle, von der die Nervenfasern sich auf die Netzhaut ausbreiten, um zu den Sinneszellen zu gelangen (Abb. 32). An der Durchbruchstelle fehlen die lichtempfindlichen Sehzellen vollständig. Das ist der »blinde Fleck« des Auges. Man bemerkt ihn, wenn man das linke Auge schließt, das Buch etwa 35 cm vor das rechte Auge hält und den Blick fest auf das kleine Kreuz richtet (Abb. 33). Dann verschwindet der schwarze Kreis, weil sein Bild auf den blinden Fleck fällt. Er ist so groß, daß elf aneinandergereihte Vollmonde am nächtlichen Himmel darin verschwinden könnten. Aber wir nehmen das Loch im Gesichtsfeld nicht wahr. Wir vermissen nichts, wo wir niemals etwas gesehen haben.

Akkommodation, Weit- und Kurzsichtigkeit

Die Sinneszellen sind die Mittler zwischen dem von der Linse entworfenen Bild und unserer Wahrnehmung. Es sind schmale Zellen, die in wunderbarer Ordnung nebeneinanderstehen, eine jede so schlank, daß erst mehrere hundert die Strecke eines Millimeters füllen. Auch ihre Tiefenausdehnung ist von mikroskopisch kleinen Ausmaßen. Das von der Linse entworfene Bild muß also genau in diese Sinnesfläche fallen, wenn es nicht verschwommen werden soll (Abb. 34 oben). Das ist ähnlich wie bei einem fotografischen Apparat: Das von der Objektivlinse entworfene Bild muß genau auf die lichtempfindliche Schicht der Platte fallen. Ist diese Einstellung für einen entfernten Gegenstand richtig, so wird sie bei seiner Annäherung falsch. Die Strahlen, die von einem näher gelegenen Lichtpunkt ausgehen, werden erst hinter der Platte vereinigt und erzeugen auf der Platte selbst einen Lichtfleck, also einen verschwommenen Punkt (Abb. 34 Mitte). Das Bild wird unscharf. Der Fotograf hilft sich, indem er bei Nah-

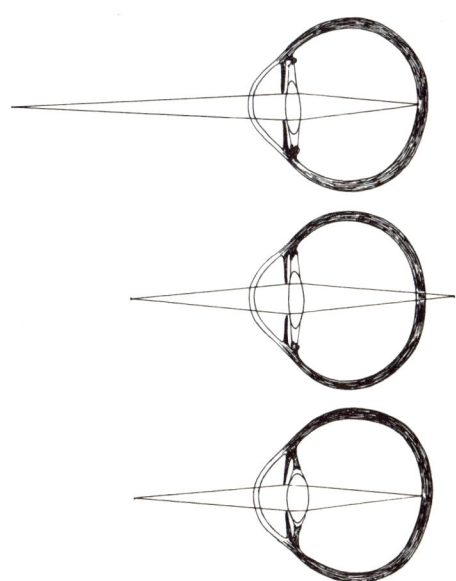

Abb. 34: Akkommodation.

aufnahmen durch Verlängern des Auszugs das Objektiv so weit von der Platte entfernt, bis das Bild wieder scharf ist. Einen entsprechenden Vorgang im Linsenauge nennt man *Akkommodation*.

Es gibt tatsächlich Augen, bei denen zur Naheinstellung der Abstand der Linse von der Netzhaut vergrößert wird wie bei einem fotografischen Apparat. Die Frösche machen es so. Ein Muskel im Auge dient dazu, die Linse nach vorn zu verschieben. Beim Menschen wird die Naheinstellung durch einen anderen Mechanismus erreicht: Bei ihm ist die Linse elastisch und ringsum durch einen Gürtel zarter, aber straff gespannter Fasern aufgehängt. Die Akkommodationsmuskeln verlaufen so, daß sie bei ihrer Kontraktion die Aufhängung der Linse entspannen. Diese nimmt, ihrer Elastizität folgend, eine *stärkere Krümmung* an (Abb. 34 unten). Im Alter vermindert sich ihre Elastizität. Dann können nahe gelegene Gegenstände nicht mehr scharf auf der Netzhaut abgebildet werden. Sehr richtig hat ein zeitungslesender alter Bauer diesen Zustand gekennzeichnet durch den Ausspruch: »Die Augen san scho' noch guat, aber die Arm' san z'kurz.« Die Arme kann er nicht länger wachsen lassen; aber er kann eine Brille aufsetzen, die das an Brechkraft hinzufügt, was die eigene Linse vermissen läßt (Abb. 35 links).

Weitsichtigkeit kann auch schon bei jungen Leuten auftreten und hat dann eine andere Ursache: Ist das Auge beim Wachstum zu kurz geraten, der Abstand zwischen Linse und Netzhaut also zu klein, so fällt schon das Bild von weit entfernten Gegenständen hinter die Netzhaut. Der Akkommodationsvorgang muß schon beim Sehen in die Weite in Tätigkeit treten und kommt entsprechend früher an die Grenze seiner Leistungsfähigkeit. Andererseits sind Augen, die zu lang geraten sind, *kurzsichtig*. Das Bild eines weit entfernten Gegenstandes fällt vor die Netzhaut; die auseinanderlaufenden Strahlenbündel erzeugen auf der Sinnesfläche verwaschene

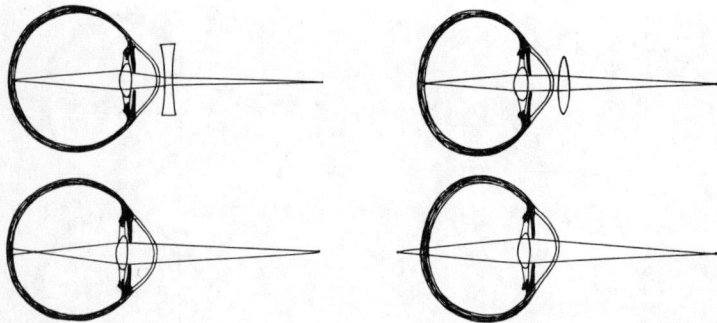

Abb. 35: Weitsichtigkeit (links) und Kurzsichtigkeit (rechts) und ihre Korrektur durch Augengläser.

Punkte und ein verschwommenes Bild (Abb. 35 rechts). Erst bei Annäherung des Gegenstandes auf einen Abstand, bei dem das normale Auge schon akkommodieren müßte, wird das Bild scharf. Auch dem Kurzsichtigen ist durch Augengläser zu helfen; nur müssen sie anders geschliffen sein und die Strahlen nicht zusammen-, sondern auseinanderbrechen.

Das Reich der Farben

Was wäre der schönste Sonnenuntergang ohne sein Farbenspiel! Bei der Besprechung des Elementarvorganges beim Sehen haben wir kurz erwähnt, wie Farbsehen zustande kommt: unterschiedliche Absorption der Wellenlängen des Lichtes durch verschiedene Kombination der Sehpigmente.

Unser Auge spricht auf Lichtwellen an, deren Wellenlänge zwischen etwa achthundert und vierhundert Millionstel Millimeter liegt. Ein Gemisch von Lichtstrahlen verschiedener Wellenlänge, wie es uns im Sonnenlicht zufließt, empfinden wir als weiß. Schickt man weißes Licht durch ein Prisma, so werden die Strahlen nach ihrer Wellenlänge geordnet, da ihre Brechung von dieser abhängig ist, und man sieht ein farbiges Spektrum. Die langwelligsten Strahlen, die wir wahrnehmen können, sehen wir rot, die kurzwelligsten violett; dazwischen liegen, nach ihrer Wellenlänge, die anderen Farben des Regenbogens. Auch dieser entsteht ja auf ähnliche Weise, nämlich durch Brechung des weißen Sonnenlichtes in Regentropfen. Die Farben der meisten Gegenstände kommen aber nicht durch Brechung zustande, sondern dadurch, daß von dem weißen Licht, das sie trifft, manche Wellenlängen ausgelöscht, andere bevorzugt zurückgeworfen werden. So erscheint uns eine Blume rot, wenn sie von den auffallenden Strahlen des Tageslichtes vorwiegend die langwelligen zurückwirft und die kurzwelligen gleichsam verschluckt.

Der Farbensinn der Bienen und die Blumenfarben

Die Blumenfarben gehören zu den schönsten und leuchtendsten Farben der Natur. Es fällt aber auf, daß durchaus nicht alle Blütenpflanzen »Blumen« hervorbringen, sondern nur solche, die in ihren Blüten Nektar absondern und von Bienen und anderen Insekten besucht werden. Diese sammeln den zuckersüßen Nektar als Nahrung. Sie kommen nicht als Plünderer, sondern als ehrliche Gäste. Denn sie leisten den Blumen, freilich unbewußt, einen wichtigen Gegendienst: Sie übertragen den Blütenstaub (Pollen), mit dem ihr Körper bepudert wird, von einer Blüte zur anderen. So vollziehen sie die Bestäubung und führen dadurch die Befruchtung der weiblichen Keimzellen herbei, ohne die es keinen Samenansatz gäbe.

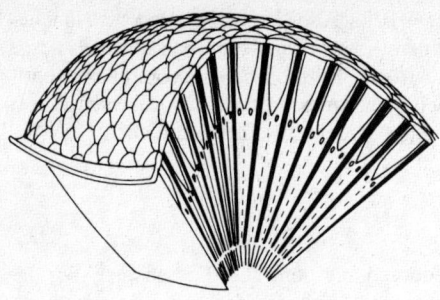

Abb. 36: Schnitt durch ein Facettenauge.

Bei Gräsern, Nadelhölzern, Pappeln und anderen Gewächsen geschieht die Übertragung des Blütenstaubes durch den Wind, wie es der Zufall will; sie ist daher nur durch die außerordentliche Menge der erzeugten Pollen einigermaßen gesichert. Diese *Windblütler* (z. B. Gräser oder Nadelhölzer) haben unscheinbare Blüten, die keinen Nektar absondern. Nur die *Insektenblütler* und – in den Tropen – durch Vögel bestäubte Pflanzen haben »Blumen«, die durch ihre bunten Farben, oft auch durch ihren Duft, auffallen. Es liegt nahe, in den bunten Fähnlein der Blumenblätter ein Aushängeschild zu sehen, das den Bienen und anderem beschwingten Volk schon aus der Ferne zeigen soll, wo es für sie etwas zu holen gibt und wo ihre Einkehr erwünscht ist.

Können auch die Bienen, so wie wir, Farben sehen?

Das ist keineswegs selbstverständlich. Das Insektenauge ist völlig anders gebaut als das Linsenauge. Am Kopf einer Biene oder einer Fliege (Abb. 36; vgl. auch Tafel 4 unten) sitzen viele tausend winzige Äuglein, von denen jedes nicht ein Bild, sondern nur einen Bildpunkt liefert. Doch da es so viele sind und jedes ein wenig in anderer Richtung blickt, fügen sich die vielen Einzelaugen zu einem Gesamtauge (dem sogenannten *Facettenauge* oder *Komplexauge*) und die vielen Bildpunkte mosaikartig zu einem Gesamtbild von der Umgebung aneinander.

Ob sie allerdings Farben wahrnehmen, kann man nicht aus ihrem Bau schließen, sondern nur durch Versuche herausbekommen.

Wenn man Bienen auf einem blauen Blatt Papier mit Zuckerwasser füttert, so tragen sie es ebenso eifrig ein wie Nektar aus Blumen. Nachdem sie ein paarmal heimgeflogen und wiedergekehrt sind, entfernen wir das Futter und legen ein *reines* blaues und ein rotes Blatt hin. Die Bienen setzen sich nur auf das Blau. Sie haben sich gemerkt, daß es auf Blau Futter gab, und sie können offenbar Blau von Rot unterscheiden. Aber das beweist noch nicht ein Farbensehen. Es gibt als seltenes Augenleiden der Menschen die totale Farbblindheit. Solche Leute sehen eine farbige Landschaft ähnlich, wie sie uns in einer schwarzweißen Fotografie erscheint. Jeder Farbe entspricht eine bestimmte Helligkeit. Auch sie können Rot und Blau unterscheiden lernen, weil Rot für sie sehr dunkel, Blau verhältnismäßig hell ist. Um auszuschließen, daß die Bienen etwa die Farbe nur an ihrer Helligkeit erkannt hätten, müssen wir den Versuch anders durchführen:

Wir füttern sie wieder auf Blau; dann legen wir ihnen ein blaues Blatt inmitten von grauen Blättern vor, die in allen Helligkeitsabstufungen von Weiß bis zum tiefsten Schwarz führen. Unter diesen Umständen kann ein total farbenblindes Auge das Farbpapier nicht mit Sicherheit herausfinden. Denn es erscheint ihm ja als ein Grau von bestimmter Helligkeit, muß also einem der abgestuften Graupapiere zum Verwechseln gleichen. Die Bienen, die durch die vorhergegangene Fütterung auf Blau dressiert sind, fliegen aber auch jetzt zielsicher das farbige Feld an und beweisen uns dadurch ihren Farbsinn. Doch stimmt ihr Farbensinn mit dem unseren nicht überein. Nach Dressur auf Scharlachrot befliegen sie nicht nur rote, sondern ebenso lebhaft schwarze und dunkelgraue Papiere. Rot und Schwarz sind für die Bienen dasselbe; sie sind »rotblind«. In anderer Hinsicht jedoch ist ihr Farbensinn dem unseren überlegen. Die ultravioletten Lichtstrahlen, die eine noch kürzere Wellenlänge haben als die violetten und für uns nicht sichtbar sind, werden von ihnen wahrgenommen und sogar als besondere Farbe gesehen. Wie sie ihnen erscheint, davon können wir uns freilich sowenig ein Bild machen wie von den anderen Dingen, die in der Bienenseele vorgehen.

Durch diese Erfahrung wird nämlich verständlich, warum scharlachrote Blumen in unserer Flora kaum vorkommen. Die meisten »roten« Blüten, wie Heidekraut, Alpenrosen oder der rote Klee, sind blaurot und sind für Bienen blau, da sie in der Mischfarbe den roten Anteil nicht sehen. Scharlachrot sind Mohnblüten. Sie werfen aber sehr viel ultraviolette Strahlen zurück, und das Bienenauge sieht, wie man durch Dressurversuche mit Mohnblüten nachweisen kann, deren Blumenblätter in ultravioletter Farbe. Scharlachrote Blüten von der Farbe des Mohns haben auch manche viel gepflegte Zierpflanzen, die in den Tropen heimisch sind; sie werden dort nicht von Bienen, sondern durch Vögel bestäubt, durch die Kolibris und Honigvögel, die, vor den Blüten schwebend, den reichlich abgesonderten Nektar saugen. Für das Vogelauge ist das Rot eine gut sichtbare Farbe.

Bei vielen Blumen ist der Zugang zur Nektarquelle durch einen auffallenden Farbfleck gekennzeichnet, so daß anfliegende Insekten den Rüssel ohne Herumsuchen sofort an der richtigen Stelle einführen können. Wer dem Vorkommen solcher »Saftmale« nachgeht und bedenkt, daß die Augen der Blütengäste für ultraviolettes Licht empfindlich sind, erlebt die schönsten Überraschungen. Er wird entdecken, daß auch viele, für uns einfarbige Blüten durch Saftmale ausgezeichnet sind, die aber nur von Insekten wahrgenommen werden. Als Beispiel bringt Tafel 4, oben, die gelbe Sumpfdotterblume. Erst eine Fotografie in ultraviolettem Licht läßt das prächtige Saftmal dieser Blüte erkennen (Tafel 4 oben, rechts). Es kommt dadurch zustande, daß die inneren Teile dieser Blütenblätter das Ultraviolett verschlucken und daher in einer solchen Aufnahme schwarz aussehen, die äußeren Teile es aber reflektieren, weshalb sie hell sind. Im Tageslicht wirft die für unser Auge einheitlich gelbe Blüte innen nur das Gelb, außen aber Gelb und Ultraviolett zurück. Gelb und Ultraviolett geben für das Bienenauge, wie durch Versuche nachgewiesen ist, eine purpurrote Mischfarbe, von der sich innen das reine Gelb klar abhebt. Solche auf ultraviolettsichtige Augen berechneten Saftmale sind in der Blütenwelt ungemein häufig. Man kann daraus sehen, daß die Blumenfarben nicht dem Menschen zur Augenweide, sondern für die Augen der Blütengäste geschaffen sind.

Wir wollen uns dennoch nicht minder an ihrer Schönheit freuen.

Die Wahrnehmung polarisierten Lichtes und der Himmelskompaß

Seit dem Jahre 1948 weiß man, daß das Auge der Bienen eine Gabe hat, die dem unseren fehlt: Es vermag die Schwingungsrichtung polarisierten Lichtes wahrzunehmen.

Die meisten Menschen kennen »polarisiertes Licht« nicht aus eigener Erfahrung, sondern höchstens aus dem Schulunterricht. Da haben wir gelernt, daß bei der Wellenbewegung der Lichtstrahlen die Schwingungen quer zu ihrer Fortpflanzungsrichtung vor sich gehen (transversale Wellen) und daß die Schwingungsebene im natürlichen Licht der Sonne rasch und in ungeordneter Weise wechselt, während bei polarisiertem Licht die Schwingungen in bestimmter Weise ausgerichtet sind und in einer Ebene liegen. Bei vielfacher Gelegenheit fällt polarisiertes Licht in unser Auge. Im Sonnenlicht, das von einer nassen Straße gespiegelt wird, liegen die Schwingungen parallel der Straßenfläche; vom blauen Himmel kommt polarisiertes Licht, dessen Schwingungsrichtung an verschiedenen Himmelsstellen verschieden ist und sich – weil sie vom Sonnenstand abhängt – auch an ein und derselben Stelle im Laufe des Tages in bezeichnender Weise ändert. Wir bemerken das nur mit Hilfe physikalischer Apparate, weil unser Auge für die Wahrnehmung der Schwingungsrichtung polarisierten Lichtes nicht eingerichtet ist. Bei den Augen der Bienen und anderer Insekten und auch bei Spinnen und Krebsen ist das anders. In mikroskopisch kleinen Ausmaßen sind in ihren Sehwerkzeugen Vorrichtungen eingebaut, durch die sie die Schwingungsrichtung polarisierten Lichtes unmittelbar erkennen.

Das ist von großer Bedeutung für ihr Orientierungsvermögen. Wenn wir bei Wanderungen eine bestimmte Himmelsrichtung einhalten wollen, gebrauchen wir einen Kompaß. Tiere haben kein solches Instrument. Aber sie benutzen vielfach die Sonne als Kompaß. Sie ist von größter Zuverlässigkeit, nur hat sie – als Kompaß betrachtet – die Unart, zu jeder Stunde des Tages in einer anderen Himmelsrichtung zu stehen. Man kann sie also nur dann zur Orientierung einsetzen, wenn man die Tageszeit entsprechend berücksichtigt.

Nun haben Versuche an Bienen gezeigt, daß sie ein unglaublich sicheres Gefühl für die Tageszeit besitzen. Das wird offenbar, wenn man einige gekennzeichnete Bienen an einem künstlichen Futterplatz zu bestimmten Tagesstunden füttert. Sie merken sich schnell die Futterstunden und stellen sich dann, auch wenn von früh bis abends überhaupt kein Futter aufgetischt wird, genau zu den richtigen Zeiten am Futterplatz ein. Sie tun es auch dann, wenn man das Experiment in einem geschlossenen Raum oder in einem tiefen Bergwerk durchführt. Sie lesen also die Zeit nicht etwa von der Sonne ab, sondern tragen ihr Uhrwerk im Innern mit sich. Von welcher Art es ist, darüber kann man nur Vermutungen anstellen (s. S. 146).

Dank dieser inneren Uhr kennt die Biene genau die Tageszeit, und, so erstaunlich es klingt, sie weiß auch, wo die Sonne zu jeder Stunde des Tages hingehört. Daher kann ihr die wandernde Himmelsleuchte als Kompaß dienen. Das zeigt sich in überraschender Weise, wenn man ein Bienenvolk in eine ferne, ihm unbekannte Gegend versetzt. Die Sammlerinnen suchen auch in einer völlig anderen Landschaft in der gewohnten Himmelsrichtung nach ihren Futterquellen.

Wenn die Sonne für die Bienen nicht sichtbar ist, dann zeigt sich, wozu die Wahrnehmung polarisierten Lichtes gut ist. Ein Stück blauen Himmels tut denselben Dienst wie die Sonne, weil die Schwingungsrichtung des polarisierten Lichtes den Sonnenstand anzeigt.

Bienen nehmen im Reich der Insekten eine hohe Stelle ein. Aber daran liegt es nicht. Die besprochenen Fähigkeiten sind bei Gliederfüßern weit verbreitet. Ein kleines unscheinbares Krebschen, das in der Gezeitenzone des Strandes lebt, orientiert sich genauso wie die Biene und findet, wenn es vom Sturm auf den trockenen Sand verweht wird, die Richtung zum Meer zurück nach dem Sonnenstand und polarisiertem Himmelslicht. Auch andere Krebse und Spinnen und vielerlei Insekten steuern ihren Weg nach diesem Himmelskompaß.

2.14. Nerven und Botenstoffe als Regler der körperlichen Leistungen

Der Körper des Menschen ist einem Staatswesen vergleichbar. Der Vielfalt der Bürger mit ihren mannigfaltigen Aufgaben im Staatsganzen entspricht die Vielfalt der Zellen und Organe im Körper. Ihr richtiges Zusammenspiel zu sichern, ist die Aufgabe des Nervensystems. Wie aus allen Teilen eines Staates die Meldedrähte bei seiner obersten Leitung zusammenlaufen, wo die Nachrichten verarbeitet werden und entsprechende Anordnungen nach allen Seiten hinausgehen, so laufen in der obersten Leitung unseres Körpers, im Gehirn, alle Meldungen der Sinnesorgane zusammen, werden verarbeitet und geben Anlaß zu entsprechenden Weisungen an die ausführenden Organe des Körpers. Die Nervenzellen, die in ungeheuerlicher Menge das Gehirn aufbauen, verarbeiten die Meldungen; sie sind die Bindeglieder zwischen allen Teilen. Die Nervenstränge sind die Meldedrähte. Wie es in einem Staate untergeordnete Zentralstellen gibt mit gewissen selbständigen Befugnissen, so auch im Tierkörper. Beim Menschen und allen Wirbeltieren ist das Rückenmark ein solches, dem Gehirn untergeordnetes Zentrum. Wie ferner im Staate Anordnungen nicht nur durch den Draht, sondern auch durch Boten übermittelt werden können, so hat auch der Organismus neben den Nervensträngen seine Boten, die Hormone. Von ihnen wird später noch zu reden sein (s. S.161).

Vorstoß in die Geheimkammern des Nervensystems

Das menschliche Großhirn setzt sich aus etwa 30 Milliarden Nervenzellen zusammen, die untereinander mit vielen Schaltstellen verknüpft sind. Je Nervenzelle findet man von ihnen mehrere tausend. Es war eine mutige Tat, sich in diese Geheimkammern der Schaltstationen vorzuwagen. Bislang konnte man nur aus den Verhaltensantworten auf bestimmte Reize folgern, daß eine komplexe Informationsverarbeitung durch Kombination, durch Filterung, durch Hemmung erfolgen müsse, daß Botschaften als Gedächtnis gespeichert werden, um dann an höheren Kommandostellen zu einem Handlungsentwurf umgewandelt und als Befehl an die Muskeln oder an bestimmte Drüsen weitergegeben zu werden.

Roeder, ein Pionier der Neurobiologie, hat seine Kollegen mit Kumpeln verglichen, die einen Stollen in einen großen Berg treiben, jeder für sich allein. Erst wenn alle diese Stollen einmal untereinander Verbindung aufnehmen, könnten wir verstehen, wie ein Handlungsentwurf zustande kommt. Hoyle, ein anderer Neurobiologe, schätzt, daß es mindestens noch 200 Jahre dauern könnte, bis wir diesen komplexen Schaltvorgang im Nervensystem durchschauen und verstehen können.

Wir wollen uns bescheiden und uns zunächst darauf beschränken, die Vorgänge an einer dieser Schaltstellen, die als *Synapsen* bezeichnet werden, zu verfolgen. Um diese Synapsen hat sich ein eigenes Forschungsgebiet aufgebaut. Nicht nur Zoologen, sondern auch Biochemiker, Pharmakologen und nicht zuletzt Mediziner interessieren sich brennend für das, was die jüngste Forschung an neuen Kenntnissen erbracht hat.

Als erstes sollten wir festhalten, daß sich diese Synapsen keineswegs da-

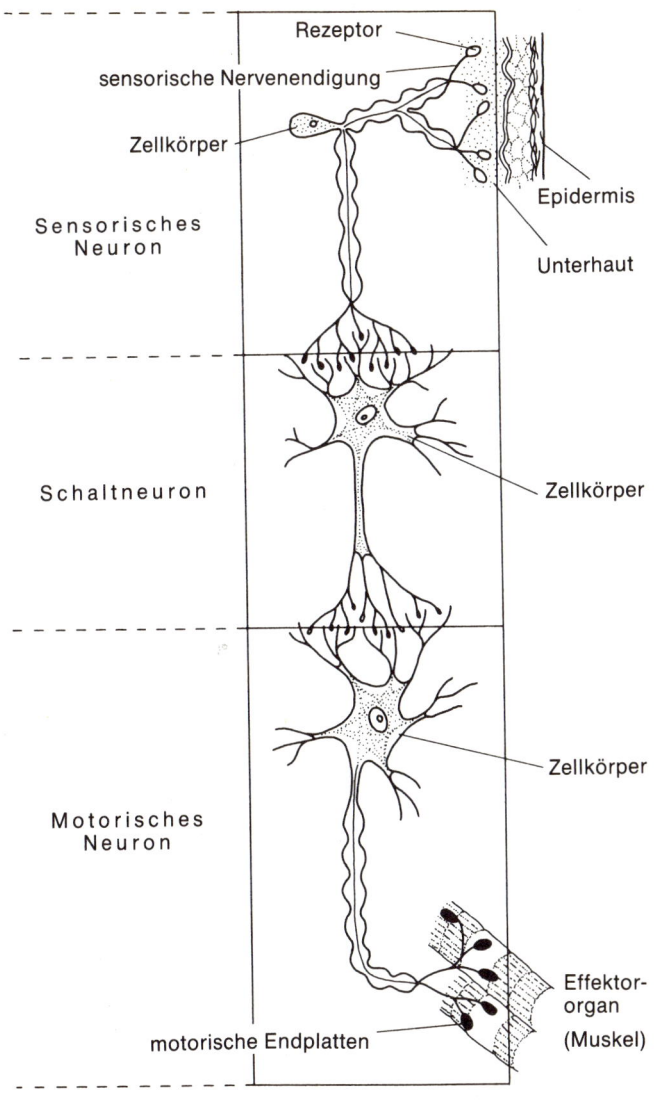

Abb. 37: Verarbeitung einer Meldung aus dem Sinnesorgan der Haut zu einem Kommando, das die Muskeln auszuführen haben. Die Erregungsübertragung von einem Neuron zum andern erfolgt an speziellen Schaltstellen, den Synapsen.

mit zufrieden geben, die ankommende Erregung unverfälscht und ungeschwächt auf eine weitere Nervenzelle, ein Schaltneuron oder ein Motoneuron, zu übertragen (Abb. 37). Es gibt erregende Synapsen, die in der Tat die Erregung sauber weiterleiten, wir kennen aber auch hemmende Synapsen, die einen kommenden Impuls abschalten. Wichtig ist auch noch zu bemerken, daß es Schaltsysteme gibt, die durch Verzweigung eine Erregung an mehrere Nervenzellen verteilen, oder durch Konvergenz die Erregung aus mehreren Nervenzellen auf eine einzige Zelle umleiten. Die hemmenden Synapsen haben vor allem bei den Lernpsychologen Interesse gefunden. Durch subjektive Erfahrung kann beim Lernvorgang ein vorher versperrter Weg geöffnet werden; es erfolgt eine *Bahnung* in bestimmten Schaltkreisen, was die morphologische Grundlage für ein Gedächtnis, zumindest für ein Kurzzeitgedächtnis, sein soll.

Sehen wir uns aber jetzt endlich die Übertragung der Erregung an der Synapse im einzelnen an. Wie die Sinneszelle liegt auch die Nervenzelle auf der Lauer, um bei Ankunft eines Aktionspotentials diese Erregung ohne Verzögerung und unverfälscht weiterzuleiten oder anzuhalten.

In der knöpfchenförmigen Schwellung der Präsynapse findet man einige hundert Bläschen, die eine hochwirksame chemische Substanz, die sogenannten Transmitter, speichern. Es sind Acetylcholin oder Noradrenalin, Dopamin und andere biogene Amine.

Sowie nun ein Aktionspotential als Nervenimpuls an der Synapse eintrifft (Abb. 38), platzen etwa 100 bis 200 Bläschen auf, ihr Inhalt ergießt

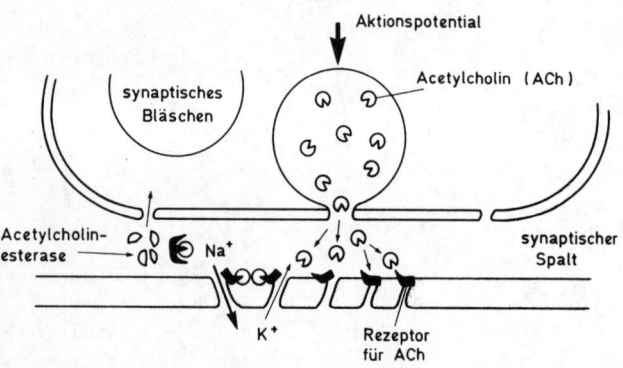

Abb. 38: Erregungsübertragung an der Synapse.
Das ankommende Aktionspotential setzt den »Transmitter«, hier das Acetylcholin, aus den Bläschen frei. Seine Moleküle suchen gezielt entsprechende Rezeptorstellen an der gegenüberliegenden Membran auf. Dadurch werden Na- und K-Kanäle frei.
Das Enzym Acetylcholinesterase löst anschließend die Bindungsstellen wieder und ermöglicht Rückresorption des überschüssigen Acetylcholin.

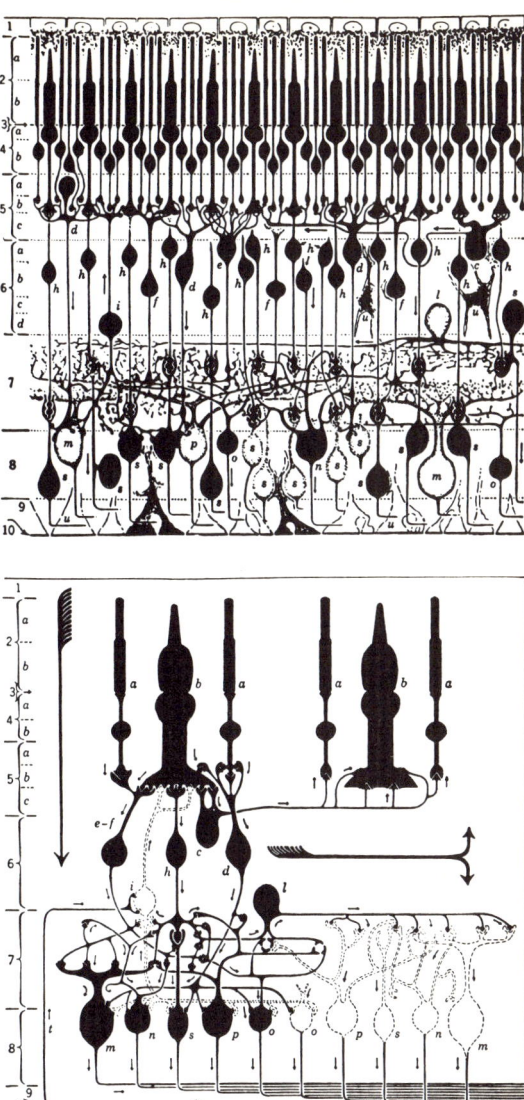

Abb. 39: Die Erregungen, die die Zapfen und Stäbchen (in der Schicht 2) weiterleiten, werden durch komplexe Querverbindungen (in der Schicht 5 und 7) durch bipolare Zellen (in der Schicht 6) sowie durch weitere Vernetzung der »amakrinen« Zellen (in der Schicht 7) verschaltet. Aufgrund dieser Informationsverarbeitung ist ein Mustererkennen möglich.

sich in den Spalt unterhalb des Knöpfchens, seine Moleküle suchen gezielt vorgebildete Nischen in der gegenüberliegenden Membran, das heißt einer zweiten Schaltstelle oder einer Muskelfaser auf, schnappen in diese Nischen wie Schlüssel und Schloß und setzen einen hochkomplizierten chemischen Prozeß in Gang, dessen Einzelheiten hier übergangen werden sollen. Es bleibt aber bei dieser Erregungsübertragung noch ein letztes Problem, das wir auf keinen Fall übergehen dürfen: Wenn ein Nervenimpuls auf die nächste Zelle weitergeleitet wurde, muß sofort und schnellstens die Verbindung der Transmittermoleküle mit den Rezeptorzellen gelöst werden, damit diese Rezeptoren für die nächsten Nervenimpulse wieder frei sind. Auch müssen überschüssige Transmittermoleküle, die da eventuell in dem Spalt noch unverbraucht herumschwimmen, abgebaut und rückresorbiert werden, damit für den nächsten Impuls wieder reiner Tisch gemacht ist.

Hier staunt sogar der versierte Biochemiker: Sofort nach erfolgreicher Erregungsübertragung steht ein Enzym, z.B. »Acetylcholinesterase«, bereit, um durch Spaltung des Acetylcholin die Bindung mit dem Rezeptormolekül zu lösen und die überschüssigen Moleküle abzubauen. Sparsam wie die Natur in vielen Fällen ist, werden diese Spaltprodukte wieder zurückbefördert und neu in den Bläschen gespeichert. Man kennt bis heute keinen enzymatischen Vorgang, der in ähnlicher Geschwindigkeit abläuft. Wenn wir uns zurückerinnern, daß wir 20 Lichtblitze pro Sekunde gezielt wahrnehmen können, eine Biene sogar 200 pro Sekunde, dann ist dies eben nur möglich, wenn alle 50 Millisekunden bzw. alle 5 Millisekunden (!) die Bahn an der Synapse wieder freigemacht wird.

Wenigstens in Andeutung soll auf eine Leistung des Nervensystems hingewiesen werden, die sich aus der komplexen Verschaltung von erregenden und hemmenden Synapsen ergibt. Abb. 39 soll zeigen, welcher strengen Kontrolle z.B. ein Lichtstrahl, der einen Zapfen oder ein Stäbchen in der Retina trifft, in den nachfolgenden Verarbeitungszentren unterworfen wird: Da gibt es Querverbindungen auf horizontaler und vertikaler Ebene, die die millionenfach eintreffenden Meldungen miteinander verschalten, vergleichen, Unwichtiges ausschalten. Nur dank solcher Operationen werden Konturen und Kontraste herausgefiltert und *Muster* werden erkennbar.

Solche Schaltprinzipien lassen sich auf alle Sinnesgebiete anwenden. Sie sind unter dem Namen »laterale Hemmung« bekannt geworden. Das reine Tastempfinden eines Erblindeten, der die Buchstaben der Blindenschrift abtastet, ist nur mit solcher organisierter Kontrastwahrnehmung zu erklären.

Eine Kriminalgeschichte der Nervengifte und Psychopharmaka

Wer sich durch die schwierige Biochemie der Erregungsübertragung an der Synapse nicht vergrämen ließ, dem ist der Weg geebnet für ein Verständnis dafür, wie Nervengifte, aber auch die berüchtigten Psychopharmaka in dieses Geschehen eingreifen. Nur einige Beispiele seien herausgegriffen:

Curare, das Pfeilgift der Indianer, versteht es in geradezu krimineller Weise, sich mit den Acetylcholinrezeptoren, die da in der subsynaptischen Membran bereitstehen, zu verbinden, ohne jedoch die Natrium-Kanäle freizugeben. Was besonders fatal ist: Sie lassen sich von dem Enzym, das das überschüssige Acetylcholin wieder abbaut und von den Rezeptoren löst, nicht spalten. Wenn also die Acetylcholinmoleküle aus den Bläschen frei werden und herangeschwommen kommen, finden sie die Rezeptoren allesamt besetzt; die Erregung kann nicht weitergeleitet werden; gezwungenermaßen muß dieses Gift tödlich wirken.

In gewissem Sinne betätigt sich das *Tetanusgift* als Gegenspieler zu Curare. Es wird von jenen heimtückischen Bakterien frei, die mit einer Bodenverunreinigung in eine Wunde gelangen und sich dort, wenn zu wenig Sauerstoff zur Verfügung steht, also bei engen, abgeschlossenen Wunden, lawinenartig vermehren. Sie setzen jenes Enzym, das das Acetylcholin zersetzen soll, lahm, verhindern also die Spaltung und die Rückbeförderung von Acetylcholin, was zur Folge hat, daß dieses ständig Erregung auslöst; es kommt zum Starrkrampf, zunächst in der Mundgegend, dann am ganzen Körper. Wenn man nicht frühzeitig eine Gegeninjektion erhält, wird diese Infektion tödlich verlaufen.

Botulinus-Gift, das der Botulinus-Bazillus in verdorbenem Fleisch, Fisch oder Gemüse produziert, hat sich die erste Station der synaptischen Erregungsübertragung als Angriffspunkt ausgesucht: Es blockiert die Freisetzung des Acetylcholin aus den synaptischen Bläschen. Wenn es sich, wie gar nicht so selten, in der Atemmuskulatur anreichert, führt deren Lähmung ebenfalls zum Tode.

Harmlos scheinen da auf den ersten Blick die Rauschmittel und Psychopharmaka, also weiche und harte Drogen, zu wirken. Dafür sind sie, auf längere Zeit genommen, um so heimtückischer. Tranquilizer, Neuroleptika und auch Schlafmittel dämpfen zentral die Erregbarkeit an den Synapsen, zum Beispiel im limbischen System. Es sind Gegenspieler zu Dopamin; sie beruhigen oder beseitigen Angstzustände. Bei längerem Gebrauch wird man aber psychisch abhängig, sie verändern die Persönlichkeit.

Cocain und Amphetamine bewirken das Gegenteil: Es sind zentral aktivierende Mittel. Wahnvorstellungen, Halluzinationen und Verfolgungswahn sind einige der Auswirkungen.

Schmerzlindernde Mittel: Analgetica wie Opium, Morphium, Heroin,

Phenazetin hemmen die Synthese von Transmittern; dadurch wirken sie schmerzstillend, stark beruhigend und rufen Euphorie hervor. Weil man sie immer in höherer Dosis verlangt, führen sie oft zum Tod durch Atem- und Herzstillstand; berüchtigt ist der »tödliche Schuß« bei Heroin geworden.

Halluzinogene: Haschisch, Marihuana, LSD (Lysergsäure-Diäthylamid), Meskalin führen zu Halluzinationen vor allem dadurch, daß sie die Umsatzrate der Transmittersubstanzen verringern. Dies führt zu Gleichgültigkeit, zu Neurosen; die Konzentration und Leistungsfähigkeit nehmen ab, Endstadium ist eine traurige Persönlichkeitsveränderung.

Um der erschreckend zunehmenden Drogensucht Einhalt zu gebieten, wäre vielleicht das Wissen um deren heimtückische Störung im neuronalen Ablauf der Erregungsübertragung an der Synapse hilfreich. Wer die Gefahr vorzeitig erkennt, wird mit seinem – noch gesunden – Menschenverstand jeder Versuchung aus dem Weg gehen.

»Wo die erste Regelung, da war das erste Leben«

Jedes Kommando und jede Nachricht, die von einer Nervenzelle weitergegeben werden, bleiben keineswegs auf Nimmerwiedersehen sich selbst überlassen. Ein äußerst präzises Kontrollsystem überwacht, ob jeder Befehl richtig ausgeführt wurde, jede Nachricht an den richtigen Platz gelangt ist, welche Auswirkungen das Kommando hatte und welche Folgen daraus gezogen wurden. »Rückkoppelung« nennt der Fachmann diesen Vorgang; erst in jüngerer Zeit hat dieses wichtige Prinzip, das alle Lebensvorgänge betrifft, die Biologen aufhorchen lassen. Wir sollten uns wenigstens mit den Grundtatsachen der biologischen Regelung befassen.

Mit Recht sind unsere Ingenieure stolz auf ihre Erfindung, durch einen Regler selbsttätig technische Aufgaben lösen zu lassen. Allgemein bekannt sind Druckregler, Thermoregler, Wasserstandsregler usw. Erst nachträglich haben unsere Techniker und Biologen die Parallele zur biologischen Regelung gesehen. Diese biologische Regelung allerdings haben die lebenden Organismen bereits vor dreieinhalb Milliarden Jahren entdeckt, als Leben auf dieser Erde entstand: »Wo die erste Regelung, da war das erste Leben« – so äußerte sich mit Überzeugung ein Münchner Physiologe, als er 1924 erstmals beim Menschen in der Blutdruckregelung dieses selbständige Prinzip der biologischen Regelung gefunden hatte. Seit den 40er Jahren hat dieses Gebiet in der Biologie mächtigen Aufschwung genommen und nimmt heute als »Kybernetik« einen wichtigen Platz innerhalb der Biowissenschaften ein. Immer mehr wird offenkundig, daß fast alle Lebensabläufe in einen sogenannten *Regelkreis* eingeschaltet sind, ob Verdauung, Exkretion, Bewegung; sogar die Sinneswahrnehmungen und ihre zentrale Verarbeitung unterliegen größtenteils einem Regelvorgang.

Das entscheidende Moment in einem Regelkreis ist die *Rückkoppelung,* das heißt die Rückmeldung, inwieweit ein ausgegebenes Kommando ausgeführt wurde. Diese Zusammenhänge machen wir uns am besten an einem einfachen Beispiel biologischer Regelung beim Menschen, der Temperaturregelung, klar: davon wurde bereits auf Seite 94 berichtet, wir betrachten sie jetzt »von höherer Warte« aus.

Da soll also die Körpertemperatur jahraus, jahrein auf ca. 37° konstant gehalten werden – es ist dies der sog. *Sollwert.* Die Kälte im Winter, die brennende Sonne im Sommer, schwere Arbeit beim Holzhacken oder beim Bergsteigen gefährden als *Störgrößen* diesen Sollwert. Um rechtzeitig Gegenmaßnahmen treffen zu können, müssen die Abkühlung und die Überhitzung durch Fühler gemessen werden. Das sind beim Menschen die sogenannten Kälte- und Wärmerezeptoren in der Haut; zusätzlich wird die innere Temperatur, das heißt die Bluttemperatur durch Wärmerezeptoren im Zwischenhirn, dem Hypothalamus, gemessen. Diese Fühler melden ständig den momentanen Zustand, den *Istwert,* dem Reglerzentrum im Hypothalamus. Das ist die eigentliche Kommandostelle, die das richtige Funktionieren in diesem Regelkreis zu überwachen hat. Zuallererst wird von diesem Zentrum der gemeldete Istwert mit dem ihm bekannten *Sollwert* – der Sollwert ist genetisch für jede Tierart spezifisch vorgegeben – verglichen. Daraufhin gibt es ein entsprechendes *Kommando* an seine Knechte: »Aufheizen« oder »Abkühlen«! Mit einer Präzision sondergleichen wird dieses Kommando von den zuständigen Instanzen ausgeführt: Bei Unterkühlung verengen sich die feinen Blutgefäße, um eine Wärmeabfuhr möglichst zu vermeiden; wir werden blaß vor Kälte. Durch Muskelzittern schaffen wir künstliche Wärme herbei, der Grundumsatz wird insgesamt erhöht.

Bei drohender Überhitzung erweitern sich die Hautgefäße. Man wird knallrot im Gesicht, um so Wärme abzugeben; die Schweißdrüsen sorgen durch Wasserverdunstung für Abkühlung, der Grundumsatz ist gedrosselt.

Wichtig ist nun, daß der Erfolg dieser Maßnahmen unverzüglich zurückgekoppelt, das heißt ständig durch die Fühler wieder als neuer Istwert dem Reglerzentrum gemeldet wird. Auf solche Weise pendelt sich der Istwert in Form einer Schwingung auf den Sollwert ein.

Zwei charakteristische Leistungen biologischer Regelung sollen ihre Überlegenheit gegenüber allen technischen Reglern kundtun:

1. In eleganter Anpassung an periodische und unerwartete Umweltereignisse ist es allen Lebewesen möglich, den Sollwert ihrer Regelkreise sinnvoll zu verstellen: Bei Infektionen schnellt der Sollwert auf 39°–40°C – eine durchaus sinnvolle Maßnahme, um die Abwehrkräfte des Körpers zu steigern. Fiebersenkende Mittel allein sind da nicht unbedenklich. Blutdruck, Sauerstoffdruck, Herzschlag können ebenfalls auf den Sollwert der jeweiligen Beanspruchung verstellt werden.

2. Weit überlegen ist die biologische Regelung der technischen dadurch,

daß alle Regelkreise untereinander in vielfacher Weise »vermascht«, das heißt untereinander verkettet sind und sich so gegenseitig beeinflussen.

Hormone und Enzyme, Kreislauf, Osmoregulation geben ein umfangreiches Kapitel vermaschter Regelkreise. Ein guter Arzt wird sich bewußt sein, daß Kranksein in erster Instanz eine Störung in dem harmonischen Zusammenwirken vermaschter Regelkreise bedeutet, und er wird seine Diagnose und Therapie darauf einstellen.

Am Beispiel des Hitzekollaps soll abschließend dargelegt werden, wie der Mensch seiner Gesundheit schweren Schaden zufügt, wenn er sich gegen die Grundprinzipien biologischer Regelung vergeht:

Wenn wir bei großer Hitze schwer arbeiten, werden zwei Regelkreise gegeneinander derart ausgespielt, daß der eine von ihnen überfordert wird und der Kollaps die unweigerliche Folge ist. Was ist passiert? In der Hitze erweitern sich die Hautgefäße, um Wärme abzustrahlen; die Folge ist Blutdruckabfall. Schwere Arbeit aber verlangt Blutdruckerhöhung, einer der Regelkreise muß also zusammenbrechen.

Wieviel könnten wir zu unserer Gesundheit und unserem Wohlbefinden beitragen, wenn wir uns mit Bedacht an die Gesetze biologischer Regelung hielten!

2.15. Die biologische Uhr – Ordnungswächter in der Natur

Leben ist ein dynamischer Prozeß, in dem die Zeit als koordinierender Faktor dafür sorgt, daß alle Funktionen und Ereignisse nicht in einem heillosen Durcheinander, sondern in der rechten Ordnung ablaufen. »Der rechte Stoff, in der richtigen Menge, am richtigen Ort, zur *rechten Zeit*«, das ist eine Grundforderung aller Lebenserscheinungen. Nehmen wir nur als Beispiel die Entwicklung eines Embryos, angefangen von der Befruchtung der Eizelle bis zur Geburt: Da ist alles, was in den einzelnen Zellen und Organen vor sich geht, an einen strikten Zeitplan gebunden. Knochen und Drüsen müssen zur rechten Zeit angelegt werden; die Sinnesorgane müssen zeitlich genau der Entwicklung der Nervenzellen angepaßt werden; es wäre eine Katastrophe, wenn Niere und Lunge und Darmsystem in ihrer Entwicklung nicht aufeinander abgestimmt wären. Auch im späteren Leben ist die zeitliche Ordnung Voraussetzung dafür, daß alles seinen richtigen Gang geht: Jede Muskelzuckung muß auf Millisekunden das Zusammenspiel von Actin und Myosin mit dem ATP sinnvoll ablaufen lassen (s. S. 59). Würde beispielsweise das ATP nur um ein paar Millisekunden zu spät freigesetzt, würde der Muskel in Totenstarre verfallen. Man bedenke, daß diese zeitliche Ordnung für

Milliarden von Muskelfibrillen peinlichst genau aufeinander abgestimmt sein muß!

Wie arm wäre unsere gesamte Sinneswelt ohne die Fähigkeit der Zeitmessung. Der Gesang der Vögel, das Gezirpe der Grillen bekommen ihren Informationsgehalt erst durch das zeitliche Muster, das Silben und Strophen als Artgesang charakterisiert. Ein Pendel, bestehend aus Schnur und Gewicht, nimmt unser Auge, so lange es ruht, lediglich als Raumgestalt wahr. Aber erst, wenn es schwingt, wird es zum echten Pendel unserer Vorstellungswelt. Wir fügen die einzelnen Raumpositionen in unserem Gedächtnis zu einer Serie, zu einer Zeitgestalt zusammen und schaffen damit, wie der Schwede Bergson schon 1889 formuliert hatte, »eine vierte Dimension des Raumes, die wir homogene Zeit nennen können«.

Neben der elementaren Zeitmessung haben die Organismen die Zeit noch in anderer Weise in ihren Dienst gestellt: Grundlegende Lebensprozesse wie Atmung, Pulsschlag, Schlafen, Wachen wiederholen sich *rhythmisch*. Es sind Schwingungsvorgänge, die selbsttätig, ohne unsere bewußte Kontrolle, ablaufen und stabilisierend gegenüber Störungen von außen wirken. Zentrale Bedeutung kommt dabei dem Tag-Nacht-Rhythmus zu. Beim Menschen kennt man mehr als 150 rhythmische Prozesse, die mit Tag und Nacht gekoppelt sind. Nicht nur Körpertemperatur, Blutdruck, Harnausscheidung, Enzymaktivität gehören dazu, auch allerlei körperliche und geistige Leistungen weisen einen Tagesgang auf. Von 7 bis 13 Uhr morgens ist unsere Aufmerksamkeit und geistige Konzentration in Hochform. So ist die Ablesegenauigkeit eines feinen Meßinstrumentes zwischen 7 und 12 Uhr am besten und um 3 Uhr morgens am schlechtesten. Auf ein akustisches Signal reagiert der Mensch am schnellsten abends zwischen 18 und 22 Uhr, am schlechtesten wiederum um 3 Uhr morgens.

Auch die Reizbarkeit der Sinnesorgane weist einen tagesperiodischen Gang auf: Der nachtaktive Skorpion schaltet bei Dunkelheit seine Sehzellen auf die höchste Empfindlichkeitsstufe ein; mit anderen Worten, bei Tag sieht er unter sonst gleichen Bedingungen schlechter. Den Mediziner interessiert, daß auch die Sensibilität gegenüber Drogen und Bestrahlung einem 24-Stunden-Rhythmus folgt. Nachtaktive Mäuse und Ratten sprechen auf Röntgenstrahlen am schnellsten zwischen 24 und 4 Uhr an, gegenüber Infektionen sind sie hingegen um 12 Uhr mittags am empfindlichsten. Die bekannten Mittel Librium, Barbitol, Amphetamin, aber auch Nikotin zeigen ihre stärkste Wirkung bei Nacht, Diuretika und Insulin hingegen in den Abendstunden. »Dreimal am Tag eine Tablette« kann also eine unnötige Anreicherung solcher Drogen bedeuten.

Besonders schlimme Folgen kann die unvorsichtige Anwendung bestimmter Medikamente dadurch haben, daß sie von sich aus die biologische Uhr im gesamten Organismus verstellen. Hormonpräparate sind hier an erster Stelle zu nennen: Injektionen von Corticosteroiden, also von Hormonen der Nebennierenrinde, stören empfindlich den normalen tagesperiodischen Ablauf der Nierentätigkeit und der Magensekretion. Auch organische Erkrankungen sollten mehr aus dieser Sicht beurteilt werden. Nur ein Beispiel: Hepatitis kehrt den Rhythmus der Harnausscheidung um, vermutlich als Folge der oben geschilderten Nebennierenrindentätigkeit. Tumorgewebe kennt keine Tagesrhythmik der Zellteilung, wie das bei gesunden Zellen der Fall ist.

Neben dem 24-Stunden-Rhythmus haben sich die Organismen auch andere Zeitmaße in ihren Dienst genommen. Angefangen von den Millisekunden der Nervenimpulse über den Sekundenrhythmus des Herzschlages, den Minutenbereich der Blutzirkulation, den Jahreszyklus der Brunftperioden oder des Vogelzuges ist also eine erstaunliche Hegemonie der Zeitphasen in der Natur festzustellen.

Seit vielen Jahrzehnten zerbrechen sich die Biologen den Kopf, wie denn das Uhrwerk der biologischen Uhr beschaffen ist, das heißt welcher Mechanismus ihm zugrunde liegt. Die Antwort steht bis heute noch aus; es sind aber hoffnungsvolle Ansätze gegeben, die uns eine Entscheidung zwischen den derzeit geltenden zwei Theorien erhoffen lassen. Die eine Theorie besagt, die biologische Uhr sei eine innere Uhr, das heißt ein autonomer physiko-chemischer Mechanismus auf zellulärer Basis, also eine selbsterregte Schwingung. Die Gegentheorie sieht die biologische Uhr ausschließlich unter dem Regime äußerer Umweltfaktoren, das heißt von geophysikalischen Faktoren, die mit der Erdumdrehung gekoppelt sind. Wie so oft im Lebensbereich wird die Lösung wohl in der Mitte liegen. Wir wollen beide Theorien zu Wort kommen lassen und ganz kurz ihre Argumente vorbringen:

Beweise für eine innere Uhr:

Da sollte man den französischen Astronomen Mairan an erster Stelle erwähnen, der bereits im Jahre 1729 einen bahnbrechenden Versuch gemacht hat: Er hat eine Mimosenpflanze, die bekanntlich in ihrer Blattbewegung einen strengen Tag-Nacht-Rhythmus zeigt, in Dauerdunkel gestellt; auch da öffneten sich die Blätter, wenn draußen der Morgen dämmerte und klappten in der Abenddämmerung zusammen. Erst 220 Jahre später wurde diese Idee der »freilaufenden Rhythmik« – so heißt der Fachausdruck der Biorhythmiker – wieder aufgegriffen. Auch tagaktive Vögel, Insekten oder nachtaktive Skorpione, Flughörnchen usw. behalten ihren Aktivitätsrhythmus im Dauerdunkel und im Dauerlicht bei. Allerdings haben unsere Biorhythmiker dabei eine wichtige zusätzliche Feststellung gemacht: Dieser freilaufende Rhythmus, der Tage, Wochen im Dauerdunkel oder Dauerlicht anhält, weicht bei genauer Beobachtung um einen kleinen Betrag vom 24-Stunden-Tag ab. In einem Fall kann er kürzer sein, also zum Beispiel $23^1/_2$ oder 23 Stunden, im andern Fall länger, zum Beispiel 25 Stunden. *Circadianer* Rhythmus wird er in der Fachsprache genannt. Daraus haben die Forscher den zwingenden Schluß gezogen, daß Tiere und Pflanzen eine innere Uhr besitzen, die unabhängig von geophysikalischen Faktoren, die mit der Erdumdrehung gekoppelt sind, weiterläuft. Für die Pädagogen, die Psychologen, für private und öffentliche Arbeitgeber sei hier ein Wort zur circadianen Rhythmik des Menschen gesagt: Medizinstudenten haben sich für einige Wochen in einem unterirdischen Bunker in Einzelkabinen isolieren lassen. Völlig sich selbst überlassen, durften sie sich zur Ruhe legen und aufstehen, wann sie wollten und konnten zu einer ihnen genehmen Stunde ihre Mahlzeiten verlangen. Sie mußten lediglich darüber genau Protokoll führen; auch waren Körpertemperatur, Puls, Urinabgabe usw. zu messen. Das Ergebnis war überraschend: Zwar kristallisierte sich durchgehend ein circadianer Rhythmus bei den Studenten heraus, er war jedoch eindeutig individuell ausgeprägt, zum Beispiel 23,4 Std. für eine, 25,3 Std. für die andere Versuchsperson. Das ist zweifellos eine ererbte Eigenschaft, die jeweils vom Arbeitgeber respektiert werden sollte, wenn der eine unter den Bediensteten als Frühaufsteher, der andere als Nachtarbeiter voll einsatzfähig ist.

Gegenüber der endogenen Rhythmik, der inneren Uhr, wurde bislang die Rolle der exogenen Zeitgeber allzu wenig beachtet. Welche Aufgabe kommt denn diesen Zeitgebern, zum Beispiel dem Tag-Nacht-Wechsel zu? Ihre Hauptaufgabe ist es, die vielen individuellen Oszillatoren im Organismus zu *synchronisieren* und damit zu einer harmonischen Funktion zu führen. Diese Rolle wird besonders deutlich demonstriert, wenn wir die natürlichen Zeitgeber ausschließen und an deren Stelle einen künstlichen Tag-Nacht-Rhythmus anbieten. Es ergibt sich nach einigen Tagen oder Wochen eine *Phasenverschiebung*. Das heißt, wir können in einem künstlichen Tag-Nacht-Rhythmus, bei dem wir von 18 bis 6 Uhr Licht geben und von 6 Uhr bis 18 Uhr Dunkel machen, eine Umstellung und Synchronisation der entsprechenden Aktivitäten auf den künstlichen Tag erreichen. Man kann Bienen sogar auf einen 22-Stunden- oder 26-Stunden-Tag dressieren. Erst beim 19-Stunden-Tag sind sie zu einer Phasenumstellung nicht mehr imstande.

Solche Phasenverschiebung ist auch beim Menschen möglich – bei Schichtarbeit oder bei Transozeanflügen. Dabei ist aber zu bedenken, daß die vielen individuellen Oszillatoren im Organismus unabhängig und inhomogen auf solche rapiden und unnatürlichen Phasensprünge antworten. Dies führt dann zu einer bedenklichen Disharmonie im Organismus, wenigstens für ein paar Tage oder auch für ein bis zwei Wochen. Das sind Erkenntnisse, die wir im Zeitalter der Jetflüge, wo wir uns in wenigen Stunden nach Amerika oder Japan, d. h. in eine andere Tag-Nacht-Phase, versetzen lassen, sehr ernst nehmen sollten. Das gleiche gilt auch, wenn wir zum Beispiel unsere Krankenschwestern in unregelmäßiger Folge zur Nachtschicht einteilen.

Man hat in den letzten Jahren fieberhaft nach einem Kontrollzentrum der biologischen Uhr im Gehirn gesucht. Zum Teil ist man fündig geworden, aber viele Fragen bleiben noch offen. Bei Eidechsen und Vögeln zum

Beispiel hat man das Pinealorgan – das ist ein in seiner Funktion noch nicht voll verstandener Anhang des Zwischenhirns – als eine »Master-Clock« erkannt. Wenn man das Pinealorgan entfernt, dann ist die Biorhythmik stark gestört.

Bei Insekten scheint in einem bestimmten Teil des Gehirns, den sogenannten Pilzkörpern, ein regulierendes Zentrum für die biologische Uhr zu sitzen. Aber die Forschung ist hier noch im Gange; es ist abzuwarten und zu hoffen, daß die nächsten Jahrzehnte Endgültiges über den Mechanismus der biologischen Uhr bringen.

2.16. Vom Verhalten – dem Endziel aller Lebensprozesse

Wir haben viel über die Leistungen der Sinnesorgane und des Nervensystems gehört. Gemeinsam haben sie die Aufgabe, in einem wohlorganisierten Wirkungsgefüge ein Verhalten auszulösen, das zum einen die Auseinandersetzung des Individuums mit der Umwelt regelt, zum andern die Fortpflanzung und damit die Erhaltung der Art liefert. Damit wird Verhalten zur höchsten Integrationsstufe, die sich an einem Organismus untersuchen läßt; es stellt das Endziel dar, auf das alle Lebensprozesse ausgerichtet sind.

Damit dieses Verhalten nicht in Eigenbrötelei ausufert, bei dem jeder tut, was ihm gerade behagt, hat die Evolution zwei Gesetze vor jede Handlung gestellt:

Erstens legt sie ihr ein genetisch festgelegtes Programm zugrunde, das strikte Anweisungen in den Chromosomen enthält (s. S. 304). Das ist das sogenannte »geschlossene Programm« für jedes Verhalten. Zweitens darf man durchweg auch etwas dazu lernen, wobei man subjektive Erfahrungen – gute oder schlechte – mit einbringt (s. S. 156). Das ist das »offene Verhaltensprogramm«. In der Mitte dieses Jahrhunderts gab es zwischen Verhaltensforschern und Psychologen heftigen Streit. Die Psychologen und Behavioristen in den USA bestanden darauf, daß es überhaupt kein angeborenes Verhalten gäbe; alles sei ausschließlich durch den Einfluß der Umwelt, insbesondere durch den Einfluß seitens des Sozialpartners bedingt und geprägt; mit anderen Worten: Jedes Verhalten sei *erlernt*.

Demgegenüber beharrten die Ethologen auf europäischer Seite hartnäckig auf ihrem Standpunkt, daß wesentliche Elemente des Verhaltens angeboren seien, also instinktiv ablaufen. In der Zwischenzeit haben sich die heißen Gemüter beruhigt – man hat sich in der Mitte getroffen: Angeborenes und erlerntes Verhalten ergänzen sich sinnvoll, wobei entweder der angeborene Anteil oder der erlernte überwiegen kann. Der Mensch – dies sei hier hervorgehoben – unterscheidet sich in dieser Hinsicht von der Tierwelt, indem er sich weitgehend von den Fesseln eines angeborenen Verhaltensprogrammes lösen kann; Erziehung, kulturelle Tradition, ethisches Empfinden geben ihm weit größeren Freiraum für eine subjektive Handlungsentscheidung, als wir das bei Tieren finden. Aber in grundlegenden Verhaltensmustern – man denke an die mütterliche Pflege des Kindes, an Sexualverhalten, Schreckverhalten, an Aggressionen gegenüber einem bösen Nachbarn – da sind auch beim Menschen bestimmte Handlungsabfolgen festgelegt. Man kann dies sehr eindrucksvoll bei zweieiigen und eineiigen Zwillingen beobachten, die unter sonst gleichen Umweltverhältnissen bei eineiigen Zwillingen ein verblüffend homogenes Verhalten zeigen, während sich zweieiige Zwillinge, die ja unterschiedliches Erbgut tragen, genauso verschieden verhalten können wie Geschwister untereinander.

Einen klaren Beweis für angeborenes Verhalten sehen die Verhaltensforscher in der Tatsache, daß elementare Verhaltensformen, z.B. Balz, Kopulation, Nestbau, Brutpflege, Nahrungssuche weltweit einheitlich ablaufen, soweit die Individuen der gleichen Art angehören, das heißt einen gleichen Grundstock von Erbanlagen mit sich tragen. Der Biber baut seine Burg im Staat New York genauso wie in Finnland und im Altmühltal. Als seinerzeit aus Brunnwinkl im Salzkammergut die Kunde kam, daß erfolgreiche Sammelbienen ihren Kolleginnen im Stock durch einen Rund- und Schwänzeltanz detaillierte Mitteilung über Qualität, Rentabilität und Lage des Trachtplatzes machen (s. S. 205), da schauten die Bienenforscher voller Neugier auch in der Schweiz, in Holland und in den Vereinigten Staaten in ihre Bienenstöcke und stellten fest, daß sowohl die Form des Tanzes, als auch dessen Informationsgehalt und dessen Alarmwirkung die gleiche war, wie in dem abgelegenen stillen Winkel am Wolfgangsee. Man fand lediglich verschiedene »Dialekte«, sofern man unterschiedliche Rassen unserer Honigbiene untersuchte.

Die folgenden beliebig herausgegriffenen Beispiele mögen jeden Skeptiker überzeugen, daß es im gesamten Tierreich angeborenes, das heißt instinktives Verhalten gibt, das dem strengen Programm, wie es in den Chromosomen als Erbinformation niedergelegt ist, folgt.

Wenn die Yuccapflanze in ihrer amerikanischen Heimat die gelblichweißen Blütenrispen entwickelt, ist auch die Flugzeit eines winzigen Schmetterlings, der Yuccamotte. Die Weibchen fliegen zu einer geöffneten Blütenglocke und kratzen von deren Staubbeuteln einen mächtigen Pollenballen ab, den sie fest gegen ihren Hals drücken. So beladen, wie mit einem großen Kropf, fliegen sie zu einer anderen Blüte und stopfen dort den Pollen in das Grübchen der empfängnisreifen Narbe. Die auswachsenden Pollenschläuche befruchten die Samenanlage und bewirken den Samenansatz. Ein Botaniker, der Yuccasamen ziehen will, könnte nicht zweckmäßiger verfahren als die Motte. Sie scheint sogar zu wissen, daß bei Kreuzbefruchtung ein besserer Samenansatz erzielt wird, als wenn man den Pollen auf die Narbe der gleichen Blüte bringt. Hat denn die Samenbildung für sie irgendeine Bedeutung? Ja, sie ist sogar Lebensbedingung, nicht für die Mottenmutter selbst, aber für ihre Brut. Denn jene legt ihre Eier in die Blüte, deren Befruchtung sie so zielsicher in die Wege geleitet hat. Die ausschlüpfenden Räupchen leben von einem Teil der sich entwickelnden Samen und lassen doch noch genug übrig, daß die Yuccapflanzen nicht aussterben und auch noch kommenden Mottengenerationen ihr Brot geben. Die ausgewachsenen Raupen verpuppen sich in der Erde und schlüpfen erst, wenn die nächste Blütezeit der Pflanze kommt. In europäischen Gärten wird dieses Liliengewächs häufig als Zierpflanze gehalten. Doch hier fehlt die Motte; so kommt es niemals zum Samenansatz. Die Yucca ist darin völlig abhängig von ihrem kleinen Schmarotzer, der zugleich ihr bester Bundesgenosse ist. Die verwickelte Handlung der Motte ist in jeder Einzelheit zweckentsprechend auf das Ziel der Brutversorgung gerichtet. Trotzdem geht sie nicht aus Überlegung so vor. Denn sie hat ja, wenn sie an die Blumenrispen fliegt, noch keinerlei Erfahrung über die Befruchtung der Blüten machen können und erlebt auch niemals den Erfolg ihrer Tätigkeit. Sie handelt aus angeborenem Trieb.

Intelligenzprüfung nicht bestanden

Daß die Insekten bei ihren Instinkthandlungen keine Einsicht haben in das, was sie tun, wird dann am deutlichsten, wenn sie vor eine ungewohnte Aufgabe gestellt sind. Ein Beispiel mag das deutlich machen. Die Blattschneiderbiene ist eine nahe Verwandte der Honigbiene; im Gegensatz zu dieser lebt sie aber als Einsiedlerin. Das Weibchen baut in alten Baumstämmen oder Balken für jedes Ei ein fingerhutförmiges Nest aus Blattstücken. Diese schneidet die Biene mit ihren scharfen Kiefern aus Blättern heraus, und zwar nach zwei verschiedenen Schnittmustern: ovale Stücke für den Fingerhut und kreisrunde für seinen Deckel und für den Verschlußpfropf der ganzen Nestanlage. Für die üblichen runden Wohnröhren paßt der Verschluß mit kreisrunden Blattstücken. Als aber einmal der Nestzugang durch einen klaffenden Spalt gebildet wurde, änderte die Baumeisterin *nicht* ihr Schnittmuster; sie wußte sich nicht anders zu helfen, als daß sie die runden Blattscheiben aufrecht nebeneinander in den engen Spalt zerrte, wo für jeden Feind der Zutritt offen blieb. Die Instinkthandlung ist für den Regelfall recht, doch bei Abweichungen von der Norm kann sie zu Fehlverhalten führen.

Der Stichling als Hochzeiter

Auch bei Wirbeltieren sind angeborene Handlungsabläufe viel weiter verbreitet, als man gewöhnlich annimmt. Sehr eingehend hat man sie beim Stichling studiert. Das ist ein kleiner, in manchen Gewässern ungemein häufiger Fisch mit sonderbaren Sitten. Zur Zeit der Fortpflanzung baut das Männchen ein Nest aus Wasserpflanzen (s. S. 262) und strahlt in einem prächtigen Hochzeitsgewand: Bauch und Flanken heben sich leuchtendrot vom blaugrün schattierten Rücken ab. Aus einem angeborenen Trieb greift es wütend jeden Rivalen an, der es wagt, sich seinem Gebiet zu nähern. Woran aber erkennt es den männlichen Artgenossen, der seinen Heiratsplänen gefährlich werden könnte, und wie unterscheidet es ihn von den vielen anderen Wasserbewohnern, die da vorüberziehen? Das läßt sich prüfen, wenn man versucht, den brünstigen Stichling mit künstlichen Attrappen zu foppen. Es stellt sich heraus, daß eine ausgezeichnete Nachbildung des Stichlingsmännchens unbeachtet bleibt, wenn ihr der rote Bauch fehlt; aber das schlechteste Modell, kaum entfernt an eine Fischgestalt erinnernd, wird angegriffen, wenn es eine rote Unterseite hat. Das angeborene Bild des Rivalen ist schematisch vereinfacht und beschränkt sich auf ein besonders bezeichnetes Merkmal. Dieses Merkmal heißt in der Fachsprache der Ethologen »Schlüsselreiz«. Dieser Schlüsselreiz kann ein vollständiges koordiniertes Handlungsprogramm auslösen, den vielzitierten »Angeborenen Auslösemechanismus«. Der rote Bauch ist der Auslöser für die instinktive Kampfhandlung. Auch für das Erkennen des Weibchens sind die feinen Linien seiner Körperform unwesentlich; vielmehr dient sein von Eiern angeschwollener Bauch als Auslöser für den gebührenden Empfang seitens des Männchens. Dann läuft nach festgelegtem Ritus eine Kette wechselseitiger Tätigkeiten ab, die Zug um Zug durch bestimmte Auslöser gelenkt werden und mit der Ablage und Befruchtung der Eier enden. Es leuchtet ein, daß eine schematische Vereinfachung der Reize, die für angeborene Handlungen bestimmend sind, ihre Weitergabe im Erbgut erleichtert und wohl überhaupt erst ermöglicht. Hier zeigt sich die Natur wieder als Meisterin ihrer Erfindungskünste: Auch wenn diese Schlüsselreize möglichst einfach sein sollen, so müssen sie doch in gegebener Situation *eindeutig* und *unwahrscheinlich* sein. In der Tat: Eine rote Unterseite an einem fischähnlichen Gegenstand wird in jedem Gewässer äußerst unwahrscheinlich sein und damit eindeutig das kampfbereite balzende Stichlingsmännchen anzeigen.

Wie hartnäckig solche Auslöser im Erbgut festgehalten werden, mag folgende Geschichte zeigen: Im Gebiet des Cehali-Flusses im westlichen Nordamerika haben die Stichlingsmännchen ein pechschwarzes Prachtkleid. Ihr Balzverhalten ist etwas mühsamer und nicht so erfolgreich wie bei unseren Stichlingen; immerhin gelingt es ihnen über den Zickzacktanz – einem wesentlichen Element der Balz – das eine oder andere Weibchen anzulocken. In diesem Flußgebiet lebt auch ein Raubfisch *(Novumbra hubbsi),* der sich mit Vorliebe von Stichlingen ernährt. Die Stichlingspopulation dieses Flußbeckens war während der letzten Eiszeit isoliert, und in dieser Periode der Isolation haben die Stichlingsmännchen durch mehrfache Mutation ein pechschwarzes Prachtkleid erworben. Sie sind damit nicht so auffällig und daher gegen die Angriffe des Räubers geschützt. Interessant wird die Angelegenheit, wenn man heute nach 8000 Jahren das Verhalten der Stichlingsweibchen studiert. Man hat Weibchen der schwarzen Population in ein Aquarium gebracht und ihnen schwarzbauchige und rotbauchige Männchen zur Wahl vorgesetzt. Sie ziehen im Verhältnis 5:1 ein rotbauchiges Männchen vor. Obwohl diese Rasse seit 8000 Jahren keine rotbauchigen Männchen mehr zu Gesicht bekommen hat, ist ihr Traumbild bis zum heutigen Tag das rotbauchige Männchen geblieben.

Auch dem *Menschenleben* sind Instinkthandlungen nicht fremd. Wenn das neugeborene Kind die Mutterbrust sucht und findet und zu nützen weiß, so braucht es das nicht erst zu lernen. Selbst der Erwachsene tut vieles aus angeborenem Trieb, wenn auch Überlegung und Verstand mehr und mehr die Oberhand gewinnen. Man kann sich verwickelte Instinkthandlungen, aus dem Zusammenspiel von Reflexen entstanden, denken; aber es ist kaum möglich, von diesen Instinkten eine Brücke zu den verständigen Handlungen der höheren Wirbeltiere und des Menschen zu finden. Diese haben wohl ihre Wurzel in einem Ausbau der Reflexe nach einer anderen Richtung.

Handlungsbereitschaft durch Motivation

Wir müssen uns nach allem, was bisher von den angeborenen Auslösern gesagt wurde, von der Vorstellung freimachen, daß die Tiere auf jeden Fall und jederzeit auf einen solchen Auslöser mit dem entsprechenden Verhalten reagieren. Das würde in Kürze zu einem Verhaltenschaos führen. Nur in der richtigen Situation, das heißt in dem entsprechenden Funktionskreis, gibt es auf einen bestimmten Auslöser, etwa durch Nahrungssuche und Balz oder durch Flucht, eine sinnvolle Reaktion. Diese ist dadurch abgesichert, daß das Tier erst in der richtigen Stimmung sein muß, um mit Hilfe des Auslösers die richtige Handlungsbereitschaft zu zeigen. Man spricht von Motivation, Trieb oder Drang. Noch vor wenigen Jahrzehnten meinten die Psychologen, diese Frage sei für die Biologie tabu. Wir kennen heute jedoch viele und konkrete Faktoren, die eine Handlungsbereitschaft, eine Stimmung unterbauen. Da sind äußere Faktoren wie Temperatur, Wetter, Jahreszeit, Tageszeit zu nennen; Drohnen z. B. fliegen nur bei sonnigem, warmem Wetter zwischen 12 und 15 Uhr zum Hochzeitsflug aus; Hirsche haben ihre Brunftzeit im Oktober. Zu den äußeren Faktoren hat man auch innere Faktoren als triebbedingt ausfindig gemacht: Hormone wirken da in aller Stille. Man kann durch Injektion von Geschlechtshormonen ohne weiteres bei Vögeln und vielen anderen Tiergruppen das Balzverhalten auslösen. Fische werden durch ein bestimmtes Hormon, das Prolaktin, friedfertig, das heißt sie legen alle Aggressionen, die mit der Revierverteidigung zusammenhängen, ab.

Die Versuchung mag da und dort aufkommen, auch den Menschen durch solche hormonellen und medikamentösen Behandlungen in seinem Verhalten zu manipulieren. Möglichkeiten hierzu sind durchaus gegeben, aber hier müssen wir warnend den Finger heben: Die Ehrfurcht vor der Persönlichkeit, vor der Individualität, vor dem freien Willen unseres Mitmenschen sollte uns vor solchen Eingriffen bewahren.

Von der Nervenzelle zum Verhalten

Es war eine Pioniertat, als vor nunmehr 4 Jahrzehnten Walter Rudolf Hess in Zürich versuchte, dem Zwischenhirn der Katze ein Kommando zu geben, das nach der natürlichen Befehlsübertragung durch einen elektrischen Nervenimpuls simuliert war. So wie durch ein Aktionspotential jene Gruppen von Nervenzellen als Motoneurone den entsprechenden Befehl an die zuständigen Muskelfasern geben, so sollte durch elektrische Reizung bestimmter Neuronengruppen dieses Kommando ersetzt werden. Hess hat feine Elektroden schmerzfrei in verschiedene Zentren des Zwischenhirns eingeleitet und konnte tatsächlich durch elektrische Stromstöße koordinierte Handlungen auslösen: Schlafen, Angriff auf einen imaginären Gegner, aufmerksames Hinhören auf ein vermeintliches Schrecksignal usw. Diese Forschungen wurden später auch auf Vögel, Kröten, ja sogar Insekten ausgedehnt. Je nachdem, welche Zentren erregt wurden, gab es Flucht oder Angriff, Beutefang, Lockgesang. Hochorganisierte Verhaltensmuster wurden also ausgelöst, die, offenbar als festgefügtes Programm, als koordiniertes Verschaltungssystem zwischen den Nervenzellen, vorgebildet sind und bedingt durch die Information im genetischen Code oder durch eine erlernte Assoziation auf Abruf warten.

Unsere Neurobiologen haben ihre experimentellen Methoden derart verfeinert, daß sie heute sogar *einzelne* Nervenzellen elektrisch reizen und anschließend mit einem Farbstoff, dem berühmt gewordenen Luzifer-Gelb, imprägnieren können. Auf solche Weise wurden viele Neurone als Repräsentanten spezifischer Handlungen identifiziert. Allein von der Heuschrecke kennt man bis heute mehr als 300 Nervenzellen, die sich als »Persönlichkeiten« ausgewiesen haben, zuständig für ganz bestimmte Handlungen wie für den Sprung, für Nahrungsaufnahme, für einen Werbegesang des Männchens usw. Sogar verschiedene Stimmungen konnte man durch entsprechende Reizung verschiedener Hirngebiete auslösen. Bei Vögeln gelang es, zwei verschiedene Triebzentren gleichzeitig zu reizen, zum Beispiel Flucht und Aggression; die Folgen waren dann Verlegenheitshandlungen. Die Neuroethologie darf sich also heute rühmen, die verschlungenen Wege, die von einem komplexen Handlungsmuster bis zur einzelnen Nervenzelle im Gehirn führen, in einzelnen Stationen aufgeklärt zu haben. Zweifellos werden solche Erkenntnisse auch zum besseren Selbstverständnis des Menschen beitragen, und es ist zu hoffen, daß sie nur zu seinem Wohlergehen angewendet werden.

Bedingte Reflexe

Es ist eine gefährliche Nachlässigkeit mancher Frauen, Lauge in einem Wasserglas unbewacht stehenzulassen. Versehentlich getrunken, verursacht die ätzende Flüssigkeit eine Zerstörung der Speiseröhre, so daß das Schlucken unmöglich wird. Der Arzt muß eine künstliche Öffnung in den Magen machen und mit einem Fensterchen in der Haut verbinden, um auf diesem Wege, statt durch die verschlossene Speiseröhre, Nahrung und Trank zuzuführen. Man nennt eine solche künstliche Öffnung eine Magenfistel.

Der russische Physiologe Pawlow hat dieselbe Operation bei Hunden ausgeführt, um die Absonderung ihres Magensaftes zu studieren. Um den Magensaft rein und ohne beigemischtes Futter zu bekommen, hat er überdies die Speiseröhre, die ja hier nicht verätzt war, durchschnitten und die beiden Enden mit der Haut des Halses vernäht. Sobald die Wunden verheilt waren, fraßen die Hunde mit größtem Appetit, ohne sich dadurch stören zu lassen, daß ihnen alles am Halse wieder herausfiel. Und sobald sie fraßen, begann der Magen reichliche Mengen seines Verdauungssaftes abzusondern, obwohl das Futter gar nicht bis zu ihm gelangte. Diese Absonderung ist ein typischer Reflex. Die Erregung der Geruchs- und Geschmacksorgane durch die Mahlzeit führt über Hirnzentren zur Erregung von Nervenfasern, die zu den Drüsen der Magenschleimhaut ziehen und sie zu verstärkter Tätigkeit bringen. Natürlich wurde der Hund nach Beendigung des Versuches durch die Fistel gefüttert.

Daraus hätten wir nichts Neues gelernt außer der Tatsache, daß nicht nur die Muskeltätigkeit, sondern auch die Drüsentätigkeit durch die Nerven beeinflußt und geregelt wird. Pawlow machte eine sehr merkwürdige Entdeckung. Wenn man einen Klavierton anschlägt, so ist das natürlich kein Anlaß für die Absonderung von Magensaft; es besteht ja keinerlei Zusammenhang zwischen dem Ton und den Angelegenheiten des Magens. Aber hat man den Klavierton durch längere Zeit immer bei der Fütterung des Hundes angeschlagen, so beginnt der Magensaft schon auf den Ton allein zu fließen, auch wenn weit und breit kein Futter ist. Durch die wiederholte gleichzeitige Erregung der normalen Reflexbahn und der Gehörempfindung hat sich im Nervensystem zwischen beiden eine Verbindung hergestellt, ist die Tonwahrnehmung gleichsam an den Reflexbogen angeschlossen worden, so daß der Reflex nun auch durch den Ton ausgelöst wird.

Das Herstellen der Verbindung ist so zu verstehen, daß vorher versperrte Schaltstellen an den Synapsen geöffnet werden. Eine vorher hemmende Synapse wird zur erregenden. Das kann dadurch geschehen, daß ein hemmender Transmitter weggeschafft wird – die Gamma-Amino-Buttersäure ist als solcher Hemmblock gefunden worden –, auch die Erhöhung der Konzentration eines Transmitters kann den Block wegnehmen. Endergebnis ist also eine *Bahnung* für neue Verbindungen – hier zwischen Nervenzellen, die aus den Hörzentren kommen, mit Zentren, die der Nahrungsaufnahme dienen. In diesem Sinne ist der neu entstandene Reflex, die Absonderung des Magensaftes auf den Ton hin, kein angeborener, sondern ein erworbener Reflex. Pawlow hat ihn einen bedingten Reflex genannt, weil sein Auftreten von gewissen Bedingungen, in unserem Fall von der wiederholten gleichzeitigen Darbietung von Ton und Futter, abhängig wird. Werden diese Bedingungen durch längere Zeit nicht mehr verwirklicht, so erlischt der erworbene Reflex wieder.

An der Wurzel von Verstand und Einsicht

Auch wenn wir in absehbarer Zeit den Mechanismus der Informationsspeicherung als Gedächtnis und die vorausgehenden Stufen des Lernens verstehen werden, so wird eine letzte Frage für immer ungelöst bleiben: Wie entsteht ein Gedanke, eine neue schöpferische Idee, wie kommt es zu einer vernünftigen intelligenten Handlung? Vernunft und Intelligenz sieht man als Privileg des Menschen an, womit man meint, daß er allein Probleme lösen kann und zu logischen Operationen fähig ist. Aber Vorstufen hierzu finden wir auch im Tierreich.

Vielleicht kann man wirklich im bedingten Reflex eine Brücke sehen zwischen den angeborenen Reflexen und einfachen Verstandeshandlungen. Wenn in einem Hirn bedingte Reflexe sehr rasch zustande kommen, wenn dabei nicht nur gleichzeitige Sinneseindrücke, sondern auch Erinnerungen und gedächtnismäßige Vorstellungen verwertet werden, dann entsteht jenes leichte Spiel der Gedanken, das jede Erfahrung nützt, Zusammenhänge sucht und findet und als *einsichtiges Handeln* gilt. Bei den höchststehenden Wirbeltieren ist es in phantastischem Ausmaße gesteigert, aber ein Privilegium des Menschen ist es nicht.

Der Psychologe W. Köhler hat bei Untersuchungen an Schimpansen schon vor Jahrzehnten zahlreiche Fälle von einsichtigem Handeln beobachtet. Nur ein Beispiel: Der Affe sitzt hinter einem Gitter; vor diesem, außer Reichweite, liegt eine Banane. Er nimmt einen Stab und benützt ihn, die Frucht heranzuangeln. Ein andermal liegt die verlockende Frucht vor dem Gitter, und dem Affen stehen zwei hohle, feste Stäbe aus Schilfrohr

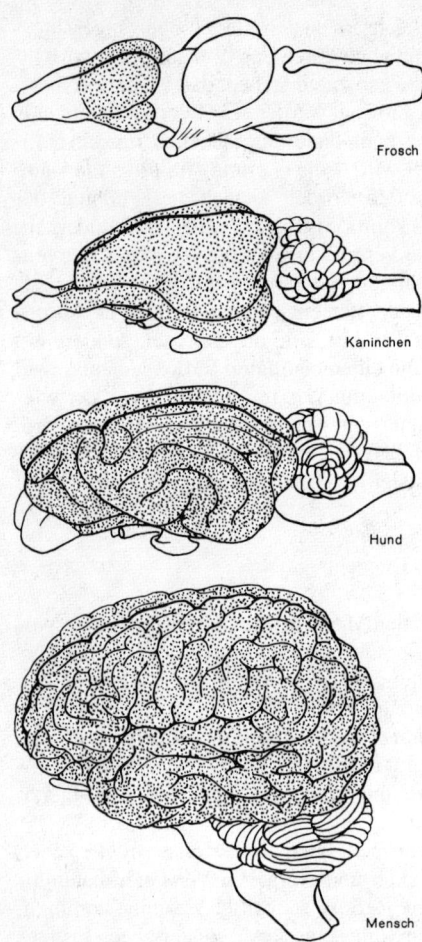

Abb. 40: Zunehmende Entwicklung des Großhirns (punktiert).

zur Verfügung; aber sie sind, jeder einzeln, zu kurz. Er kommt nicht darauf, sie ineinanderzustecken, und gibt das Ziel auf. Später hockt er im Käfig und spielt mit beiden Rohren. Spielerisch steckt er sie mit den Enden ineinander, so daß ein verlängerter Stab entsteht. Da kommt es ihm wie eine Erleuchtung: Er springt ans Gitter und angelt mit dem Doppelrohr erfolgreich nach der Banane. Von da an verfährt er in gleicher Lage stets ohne langes Besinnen und zielsicher auf dieselbe Weise; die Erfindung sitzt fest und wird sinngemäß angewendet.

Diese Versuche wurden seither von anderen wiederholt und weiter ausgebaut. So lernte zum Beispiel ein Schimpanse, vierzehn auf verschiedene Weise verschlossene, in einer Reihe aufgestellte Kisten, von denen die letzte als Belohnung eine Banane enthielt, zu öffnen. Er konnte die Frucht erst nach Öffnung der dreizehn anderen Kisten herausholen. Alle waren mit einem Schloß oder mit einem Draht versperrt, zugeschraubt oder vernagelt usw. In jeder befand sich das geeignete Instrument zum Öffnen der nächsten: Schlüssel, Drahtschere, Schraubenzieher, Stemmeisen usw. Bald konnten die Kisten auch durcheinander aufgestellt werden. Der Affe suchte sich zu dem jeweils herausgeholten Werkzeug sogleich die Kiste, deren Verschluß sich eben mit diesem Instrument öffnen ließ. Dabei konnte ein Schraubenzieher oder Schlüssel auch durch einen solchen mit ganz andersartigem Griff ersetzt werden. Das Tier hatte das wesentliche Kennzeichen erfaßt, es hatte den Begriff »Schlüssel« oder »Schraubenzieher« gebildet. Aber bevor es sich an die Arbeit machte, lief es fast immer zur Belohnungskiste und guckte durch den Plastikdeckel, ob wirklich eine Frucht darin lag. Das Zielbewußte seiner langen Handlungskette hätte es nicht deutlicher zum Ausdruck bringen können.

Die Steigerung der geistigen Leistungen bei den höheren Wirbeltieren findet ihren anatomischen Ausdruck in der gewaltigen Entfaltung des Großhirns (Abb. 40). Sein Studium offenbart eine verwirrende Fülle von Nervenzellen und Nervenfasern. Wir erkennen, daß der Fortschritt vom Reflex über den bedingten Reflex zu größerer Freiheit des Handelns daran gebunden ist. Aber von da zur Freiheit des menschlichen Willens und zum Inhalt eines reichen Bewußtseins ist ein weiter Weg, unbegreifbar für menschliche Erkenntnis.

Gedächtnis – die Tür in diese intimen Gemächer öffnet sich

Alles, was wir bisher über bedingte Reflexe, über einsichtiges Handeln geschildert haben, erfordert ein Gedächtnis, das heißt eine Speicherung wichtiger Informationen im Gehirn. Der Fachmann drückt sich da so aus: Im Zuge eines Lernprozesses werden vorher neutrale Zeichen oder Situationen mit einem bestimmten wichtigen Ereignis assoziiert; sie erhalten Signalwert und werden als solche im Gedächtnis gespeichert. Was freilich da im Gehirn vor sich geht, das schien noch bis vor wenigen Jahren für die Naturwissenschaftler unerforschbar. Nunmehr öffnet sich aber die Tür zu dieser Geheimkammer des Gedächtnisses – wir wollen einen Blick hineinwerfen, auch wenn dies zunächst nur durch einen engen Spalt möglich ist.

Findige Verhaltensforscher haben bei Mensch und Tier festgestellt, daß es ein Kurzzeitgedächtnis und ein Langzeitgedächtnis gibt. Das Kurzzeitgedächtnis, das beim Menschen nur 10–25 Sekunden dauert, wird uns eindrucksvoll nach einem Autounfall mit schwerer Gehirnerschütterung vor

Augen geführt: Das Unfallopfer kann sich an nichts mehr erinnern, was unmittelbar mit dem Hergang des Unfalles zusammenhängt; was früher und später passiert, bleibt aber klar in seiner Erinnerung. Bei Bienen konnte man durch rasche Unterkühlung auf 5°C und Narkotika das Kurzzeitgedächtnis ausschalten. Es dauert bei ihnen etwa 6 Minuten. Was eine Biene also 6 Minuten vor dem Kälteschock oder vor der Narkose gelernt hat, sich etwa einen blauen Karton als Futterzeichen einzuprägen, ist vergessen.

Der Psychiater versucht durch Elektroschock von ca. 500 mA und einer drittel Sekunde Dauer Wahnvorstellungen zu lindern. Da auf der einen Seite durch Narkose, Unterkühlung und Elektroschock die Erregungsleitung in abgegrenzten Nervengebieten gehemmt wird, auf der anderen Seite durch Ableitung mit Mikroelektroden geschlossene Stromkreise in solchen Zellgruppen des Nervensystems nachgewiesen wurden, ist die derzeitige Annahme führender Neurologen durchaus einleuchtend, das Kurzzeitgedächtnis sei als ein gebahnter Stromkreis zu verstehen, bei dem mehrere Neurone miteinander verschaltet sind.

Über das Langzeitgedächtnis wird zur Zeit noch heftig diskutiert: Zunächst stellt man fest, daß nur stark gefühlsbetonte Erlebnisse und Ereignisse, die sich ständig wiederholen, ferner Handlungen, die man sich durch Übung zum persönlichen Eigentum gemacht hat, vom Kurzzeitgedächtnis in einen Langzeitspeicher übergeführt werden. Für diesen Informationsspeicher bedarf es einer stofflichen Grundlage. Man hat von »Gedächtnismolekülen« gesprochen, wobei man an Eiweißmoleküle dachte, die in ihrer verschachtelten Tertiär- und Quartär-Struktur (s. Tafel 1) eine Menge von Information einnisten könnten. In Anlehnung an die Desoxyribonukleinsäure (s. S. 301), die das Artgedächtnis in Form von Erbinformation speichert, würden Eiweißmoleküle das individuelle Gedächtnis beherbergen. Eine Stütze erhält diese Hypothese durch die Tatsache, daß man in Tierversuchen eine Verschlechterung der Lernleistung feststellen mußte, wenn man vorher Antibiotika wie Puromycin oder auch Strychnin, die die Eiweißbiosynthese im Gehirn hemmen, verabreichte. Auch daß man im Alter vergeßlich wird, das heißt, daß man sich frische Ereignisse nur noch schlecht merken kann, während die Erinnerung an die Jugendjahre noch in allen Einzelheiten lebendig bleibt, soll darauf beruhen, daß in den späten Jahren die Durchblutung des Gehirns und damit die Eiweißversorgung immer schwächer wird. Schwierigkeit macht bei dieser Vorstellung aber die Forderung, die wir an unser Gedächtnis stellen, wenn wir die gespeicherte Information bei gegebener Situation schnellstens abrufen lassen, das heißt, wenn wir diese Information aus der Erinnerung hervorrufen. Ob jemals der Schleier jenes Geheimnisses, wie die Erinnerung aus dem Gedächtnis hervorgezaubert wird, gelüftet werden kann?

2.17. Hormone als Botenstoffe

Das richtige Zusammenspiel der Organe wird nicht nur durch Nervenbahnen geregelt, sondern auch durch chemische Stoffe, die meist von gewissen Drüsen an das Blut abgegeben und mit dem Blutstrom im Körper verbreitet werden, um an anderen Stellen des Organismus bestimmte Wirkungen auszulösen. Weil diese Stoffe im Zellenstaat des Körpers eine ähnliche Aufgabe haben wie ausgesandte Boten in einem Gemeinwesen, hat man sie *Botenstoffe* genannt oder auch *Hormone* (= Reizstoffe). Ihre Bildungsstätten, die »Drüsen mit innerer Sekretion«, unterscheiden sich von anderen Drüsen durch das Fehlen eines Ausführganges. Ihre Absonderung wird an das durchströmende Blut abgegeben (s. Abb. 41).

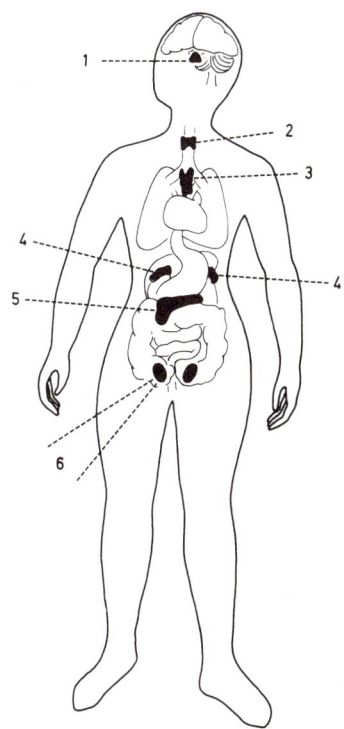

Die Säugetierweibchen ernähren ihre neugeborenen Jungen durch das Sekret ihrer Milchdrüsen. Diese Absonderung setzt sehr zweckmäßig dann ein, wenn sie gebraucht wird, nämlich sobald die Jungen geboren werden. Man könnte meinen, daß dieser Vorgang ebenso durch Nerveneinflüsse geregelt wird wie die Absonderung des Magensaftes. Aber auch wenn alle Brustnerven zerstört sind, erscheint die Milch rechtzeitig. Die Botenstoffe stammen in diesem Falle hauptsächlich aus einem Gebilde des Eierstockes, das zur Zeit der Geburt eine Veränderung erleidet; sie werden durch das Blut im Körper verteilt und erreichen natürlich auch die Milchdrüsen, die sie zur Tätigkeit anregen.

Von größter Bedeutung für die ärztliche Wissenschaft war die Erkenntnis, daß die *Zuckerkrankheit* durch den Mangel eines Hormons entsteht. Bei dieser Krankheit ge-

Abb. 41: Die wichtigsten Hormondrüsen des Menschen:
1. Hypophyse
2. Schilddrüse
3. Thymusdrüse
4. Nebenniere
5. Bauchspeicheldrüse
6. Eierstöcke bzw. Hoden.

langen die Vorräte an Kohlenhydraten, statt in der Leber gespeichert zu bleiben, in Form von Zucker in das Blut und in den Harn. Der dauernde Verlust dieses wertvollen Brennstoffes kann in Verbindung mit weiteren Stoffwechselstörungen zu schweren Schädigungen, schließlich zum Tode führen. Ein zufälliges Ergebnis einer Untersuchung mit ganz anderen Zielen brachte den ersten Schritt zur Aufklärung der Zusammenhänge. Minkowski und v. Mehring haben bei Hunden die Bauchspeicheldrüse entfernt, um ihre Bedeutung für die Verdauung kennenzulernen. Dem Wärter fiel auf, daß der Harn der operierten Hunde Schwärme von Fliegen anlockte. Er enthielt Zucker. Die Forscher hatten durch die Entfernung der Drüse zum erstenmal, und unabsichtlich, die Zuckerkrankheit künstlich erzeugt. Mit den Drüsenzellen, die den Bauchspeichel liefern, hat die Sache aber gar nichts zu tun. Zwischen ihnen liegen, *insel*artig eingestreut und lange übersehen, Gruppen von anderen Drüsenzellen, die nicht an die Ausführungsgänge zum Darm angeschlossen sind, sondern ihr Erzeugnis, das *Insulin,* an das Blut abgeben. In der richtigen Menge abgesondert, regelt es den Zuckerstoffwechsel gedeihlich für den ganzen Körper. Werden mit der Bauchspeicheldrüse auch die Inselzellen entfernt, oder verfallen sie einer krankhaften Verkümmerung, so fehlt dieser Regler, und der Körper wird zuckerkrank. Den kanadischen Forschern Banting und Best ist es 1921 gelungen, das Insulin in Auszügen aus tierischen Bauchspeicheldrüsen zu gewinnen und durch Einspritzen des Hormons zuckerkranken Menschen zu helfen. Man kann ihnen auf diese Weise ihre zerstörten Inselzellen nicht wiedergeben, aber man kann ihnen täglich das notwendige Insulin verabreichen und sie dadurch von ihrem Leiden befreien. In allerjüngster Zeit kann man unseren Zuckerkranken auch reines menschliches Insulin zur Verfügung stellen: Die Biotechnologie hat Mittel und Wege gefunden, seine Produktion bestimmten Bakterienstämmen in Auftrag zu geben. Es wird das entsprechende Gen in ein Bakterium eingeschleust; dieses wird in Kultur genommen und daraus – nach entsprechender massenhafter Vermehrung – das Insulin wieder extrahiert (Näheres hierzu s. S. 309).

Während sich die Inselzellen in der Bauchspeicheldrüse verbergen, sind andere Drüsen mit innerer Sekretion als deutliche Organe schon lange bekannt, zum Beispiel die den Nieren benachbarten Nebennieren. Im Nebennierenmark wird das Adrenalin gebildet, in der Nebennierenrinde das berüchtigte Cortison. Adrenalin, in die Blutbahn gebracht, erhöht den Blutdruck, verstärkt die Herztätigkeit, führt zu einer Erweiterung der Luftwege in den Lungen, schränkt die Tätigkeit der Verdauungsorgane ein – vielseitige Wirkungen, die alle auf das eine Ziel abgestellt sind, die Leistungsfähigkeit des Körpers bei vermehrter Arbeit zu steigern. Das Cortison, in letzter Zeit berühmt und berüchtigt geworden als Zaubermittel gegen vielerlei Beschwerden und gerade deswegen leicht zum Mißbrauch verführend, gibt die gespeicherte Glukose aus der Leber frei, erhöht also den Blutzuckerspiegel; auch Fettsäuren werden aus den Fettpolstern geholt – alles in allem: Es sorgt dafür, vor allem bei intensiver Muskel- und Nerventätigkeit, daß die nötige Energie rasch mobilisiert wird. Der ganze Körper wird fast augenblicklich zu erhöhter Leistung fähig. Adrenalin und Cortison sind chemisch genau bekannt, und man kann sie auch künstlich herstellen. Unglaublich geringe Mengen tun schon ihre Schuldigkeit: Wollte man ein Gramm Adrenalin so verdünnen, daß es bei einer Einspritzung in das Blut keine Wirkung mehr hervorruft, so brauchte man einen 2 km langen Zug von 300 Tankwagen, um das nötige Wasser herbeizuschaffen. Andere Hormone sind aber noch hundertfach wirksamer!

Nicht alle Hormone entfalten so rasch ihre Wirkung wie das Adrenalin. Manche fassen mit langsamen, aber nicht weniger festen Griffen das Getriebe des Stoffwechsels an und beeinflussen auf diesem Wege das Wachstum und die Entwicklung der Organe und des ganzen Körpers. Dahin gehört die einzige innersekretorische Drüse, die sich auch nach außen hin sehr auffällig bemerkbar machen kann, die Schilddrüse. Übermäßig entwickelt heißt sie *Kropf*. Die Neigung zur Kropfbildung besteht in manchen Gegenden in ganz besonderem Maße. Damit hat es wahrscheinlich folgende Bewandtnis: Das Schilddrüsenhormon *(Thyroxin)* enthält das Element Jod als einen wesentlichen Bestandteil. Jod kommt auf Erden allenthalben, aber nirgends in großen Mengen vor; es wird mit den Speisen und mit dem Trinkwasser auch dem Körper in Spuren zugeführt. Kropfgegenden sind auffallend arm an Jod. Sein Mangel verursacht die Bildung eines minderwertigen Schilddrüsengewebes und, als wollte der Körper die mindere Beschaffenheit der Ware durch eine größere Menge ausgleichen, eine Wucherung der Drüse. Wenn man schon Kindern dauernd kleinste Mengen Jod zuführt, kann man den naturgegebenen Jodmangel ausgleichen. So hat man durch den regelmäßigen Gebrauch von Kochsalz, dem Spuren von Jod zugesetzt sind, in Kropfgegenden gute Erfolge erzielt. Aber welchen Zweck hat die normale Schilddrüse? Das hat man zur Zeit des Aufblühens der ärztlichen Operationskunst in unliebsamer Weise erfahren, als man übermäßig entwickelte Kröpfe, die ja zu ernsten Atembeschwerden Anlaß geben können, allzu weitgehend herausgeschnitten hat. Besonders auffallend sind die Folgen bei Jugendlichen. Sie bleiben klein, werden teilnahmslos und bleiben auch in ihrer geistigen Entwicklung auffallend zurück. Diese Erscheinungen sind zweifellos auf das Fehlen des Schilddrüsenhormons zurückzuführen. Wenn man aber an irgendeiner Stelle ein Stück einer lebenden Schilddrüse in den Körper einpflanzt oder Schilddrüsensubstanz einspritzt oder einnehmen läßt, weicht die geistige und körperliche Minderwertigkeit einer normalen Entwicklung.

Das sind nur einige Beispiele, die uns mit Art und Wesen der Botenstoffe und ihren Bildungsstätten, den innersekretorischen Drüsen, bekannt machen sollten. So zahlreich sie sind, so vielfältig sind ihre Auswirkungen. Extreme Groß- oder Kleinwüchsigkeit hängt von der Über- oder Unterentwicklung einer kleinen Drüse, die unter dem Gehirn sitzt, ab. Geistige Minderwertigkeit, Teilnahmslosigkeit und flammende Liebe haben ihren Quell in Drüsen mit innerer Sekretion und können im Tierversuch durch Eingriffe an diesen gesteuert werden, so wie man einen Wagen hier- und dorthin lenken, antreiben und bremsen kann. Wenn Richter ihres Amtes walten und über die menschlichen Fehler und Schwächen urteilen, sollten sie stets daran denken, wie sehr alles Handeln beeinflußt ist durch körperliche Eigenschaften, die außerhalb jeder Verantwortung stehen.

Das harmonische Zusammenspiel der Hormone – eine Überlebensfrage

Man darf sich nicht vorstellen, jede Hormondrüse würde ihr privates Dasein führen und nach Gutdünken ihre Sekretionstätigkeit entfalten. Alle genannten Hormone sind in ihrer Wirkung voneinander abhängig, ihr Zusammenspiel läßt sich als idealer Regelkreis (s. S. 144) darstellen. Die zentrale Schaltstelle für die Koordinierung ist die Hypophyse, eine winzige Anhangdrüse unter dem Gehirn (s. Abb. 41). Ihre Tätigkeit wird überwacht durch eine oberste Kommandostelle im Zwischenhirn, dem Hypothalamus. Dieser Hypothalamus besitzt neben seinen regulären Nervenzellen, die für Stimmung, Trieb und Motivation verantwortlich gemacht werden, auch solche Zellen, die Sekretbläschen bilden, die mit Hormonen gefüllt sind. Diese werden also nicht über die Synapsen wie die normalen Transmittersubstanzen abgegeben, sondern an die Blutkapillaren ausgeschüttet. Als »neurosekretorische« Zellen sind sie demnach Nervenzellen und endokrine Zellen zugleich.

Als der deutsche Zoologe Ernst Scharrer in den zwanziger Jahren erstmals auf diese Sekretgranula in Nervenzellen bei Fischen aufmerksam machte, wollte ihm niemand glauben. Heute aber ist das Gebiet der Neurosekretion zu einer eigenen Disziplin geworden, die vor allem für die Medizin von größtem Interesse ist.

Bleiben wir bei der Hypophyse: Man unterteilt sie gemäß ihrer Funktion in einen Vorderlappen und einen Hinterlappen. Sieben verschiedene Kommandohormone, die vom Hypothalamus eingeschleust werden, veranlassen, daß entsprechend sieben Hormone im Vorderlappen gebildet werden, von denen zwei, nämlich das Wachstumshormon und das Milchdrüsenhormon, direkt in den Stoffwechsel eingreifen. Die übrigen sind Regulatorhormone: Das eine regt die Tätigkeit der Schilddrüse an, ein zweites zielt auf die Gonaden; es ist das Gelbkörper und Follikel stimulierende Hormon, um nur die wichtigsten in dieser Hierarchie zu nennen. Im Hinterlappen müssen wir noch zwei nicht weniger wichtige Hormone nennen, das Vasopressin und das Oxytocin. Vasopressin sorgt dafür, daß in der Niere das überschüssige Wasser aus dem Blut zurückresorbiert wird, was wir schon bei der Osmoregulation erwähnt haben. Das Oxytocin aktiviert die

Muskelkontraktion im Uterus beim Geburtsvorgang und regt gleichzeitig die Milchsekretion an. Was für ein Glück, daß wir uns Tag für Tag auf die harmonische Zusammenarbeit aller unserer Hormone verlassen können – ohne daß wir uns bewußt darum zu kümmern brauchen!

Hormone im Pflanzenreich

Es ist erst eine spätere Erkenntnis, daß auch im Leben der Pflanzen Hormone eine bedeutende Rolle spielen. So ist ein Botenstoff bekannt, der das Wachstum der Pflanzen regelt. Er bewirkt eine Längsstreckung der Zellen. Dieser *Wuchsstoff* (Auxin) konnte in chemisch reiner Form dargestellt werden. Besonders auffällig macht er sich bei den Krümmungsbewegungen geltend, die auf ungleichem Wachstum beruhen.

Wachsende Pflanzen wenden sich zum Licht. Wenn man zum Beispiel einen Getreidekeimling von rechts beleuchtet, so krümmt er sich binnen ein bis zwei Stunden nach rechts, indem der unterhalb der Spitze gelegene Teil an der Schattenseite stärker wächst als an der Lichtseite. Die Krümmung unterbleibt, wenn man die äußerste Spitze des Keimlings durch ein Stanniolkäppchen verdunkelt oder abschneidet. Der Lichtreiz wird also von der Spitze aufgenommen, und von hier erfolgt eine Erregungsleitung nach dem tieferen Teil, der die Krümmung ausführt. Die Leitung geschieht nicht durch Nerven, sondern durch einen Stoff, der herabwandert. Das ist durch sehr hübsche Versuche bewiesen. Schneidet man die Spitze der Pflanze ab und setzt sie wieder auf den Stumpf, so geht die Erregungsleitung über die Schnittstelle weg, sogar durch ein dazwischengelegtes Gelatineplättchen. Der Stoff, der bei der Leitung weitergegeben wird, ist eben der Wuchsstoff. Er wird dauernd in den Spitzenzellen der wachsenden Pflanze gebildet, wandert nach unten und regt die tiefer gelegenen Zellen zum Wachstum an. Einseitiger Lichteinfall bewirkt eine Verschiebung des Hormons nach der Schattenseite; daher deren stärkeres Wachstum. Der Wuchsstoff wandert in dem zuletzt erwähnten Versuch wirklich durch das Gelatineplättchen durch; man kann ihn darin einfangen. Setzt man dann ein solches Plättchen halbseitig auf einen gekappten, nicht belichteten Keimling, so kann der Wuchsstoff nur da, wo die Schnittfläche von der Gelatine berührt wird, aus dieser in die Pflanze eindringen und veranlaßt eine Krümmung nach der nicht berührten Seite. Neben dem Auxin hat man weitere Phytohormone gefunden, wie die Gibberelline und das Zytokinin. Sie beteiligen sich ebenfalls bei der Regulation von Wachstumsvorgängen, aber auch bei Samenkeimung und der Blütenbildung.

Durch solches Verhalten erweisen sich auch Pflanzen in gewissem Sinne als empfindsame Wesen. Sie können sich dem Licht zuwenden und sprechen auch auf andere Reize an. Die Wurzelspitzen richten sich nach der Schwerkraft und wachsen nach unten. Mimosen klappen bei Berührung die paarigen Fiederblättchen zusammen, und diese Bewegung ergreift fortschreitend auch die benachbarten Teile. Das Studium der Erregungsleitung in Pflanzenzellen hat neben hormonellen, von deren Bedeutung schon die Rede war, auch elektrische Vorgänge aufgedeckt, wie man sie von der Erregungsleitung in tierischen Nerven kennt. Wahrscheinlich ist es hier wie dort im Grunde dieselbe Sache, nur daß die Leitungsgeschwindigkeit im allgemeinen bei den Pflanzen viel geringer ist. Sie haben ja keine Nerven als Leitungsbahnen. Sie besitzen auch keine nervösen Zentren zur Verarbeitung und Verknüpfung der empfangenen Eindrücke. Gegenüber dem Menschen und den Tieren sind sie seelenlose Wesen bei aller Anmut ihrer äußeren Erscheinung.

3. Beziehungen zur Umwelt

3.1. Die Anpassung an den Lebensraum

Daidalos und Ikaros

Eine alte Griechensage erzählt, daß der kunstreiche Athener Daidalos wegen eines Mordes nach der Insel Kreta floh. Da ihn König Minos von dort nicht wieder fortlassen wollte, beschloß er, durch die Luft zu entweichen. Aus Federn und Wachs machte er für sich und seinen Sohn Ikaros zwei Flügelpaare, die er an den Armen befestigte. Ikaros kam der Sonne zu nahe; das Wachs schmolz, und er stürzte ins Meer. Daidalos gelang die Flucht durch die Luft – im Märchen.

In Wirklichkeit hat sich der alte Wunschtraum der Menschen, zu fliegen, nie erfüllt. Mit umständlichen Geräten, mit Flugzeug und Luftschiff, ja! Doch der Luftschiffer kann so wenig fliegen, wie der des Schwimmens Unkundige schwimmen kann, wenn er sich in ein Motorboot setzt.

Wirklich fliegen kann der Vogel. Ohne das Rüstzeug einer technischen Werkstätte, ohne körperfremden Treibstoff, ohne von Flughäfen und Flugleitung abhängig zu sein, schwingt er sich leicht und selbstverständlich in die Lüfte. Warum ist der Schwingenflug für den Menschen so hoffnungslos? Wenn es nur darauf ankäme, brauchbare Flügel zu schaffen, dann hätte es die Technik von heute längst so weit gebracht. Aber damit allein ist es eben nicht getan. Der Vogel hat nicht nur an Stelle unserer Arme Flügel, sondern es gibt auch sonst kaum ein Organ seines Körpers, das nicht im Zusammenhang mit der Flugfähigkeit anders beschaffen wäre als die entsprechenden Organe des menschlichen Körpers.

Die Flügel müssen beim Flug mit großer Kraft und Ausdauer auf und ab geschlagen werden. Dieser Aufgabe dienen die Brustmuskeln, die der Feinschmecker als »Gänsebrust« kennt und würdigt und die um vieles mächtiger gestaltet sind als die mit ihnen vergleichbaren Muskeln bei den nicht fliegenden Säugetieren. Niemand wird sich entsinnen, jemals eine »Hasenbrust« gegessen zu haben. Diese Muskeln sind am Brustbein angewachsen. Bei so mächtiger Entwicklung beanspruchen sie eine entsprechend große Ansatzfläche am Knochen. Darum hat das Brustbein der Vögel in der Mitte eine keilförmige Erhebung, den Brustbeinkamm, der beim Hasen oder an unserem eigenen Brustbein vollständig fehlt.

Wir kommen außer Atem, wenn wir ein paar Minuten gelaufen sind. Die Vögel erzielen eine viel größere Geschwindigkeit und können stundenlang, manche Zugvögel sogar tagelang dahinjagen ohne Rast und

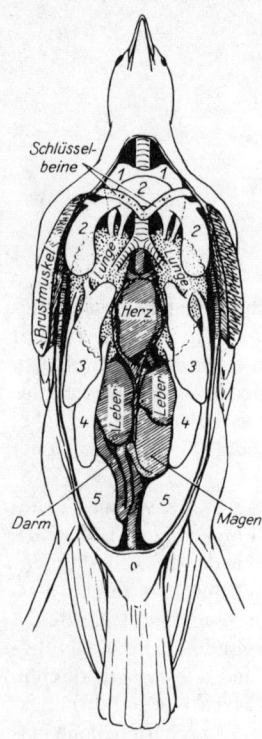

Abb. 42: Taube nach Entfernung der Bauch- und Brustwand; die numerierten Blasen sind die Luftsäcke der Lungen.

Ruhe und ohne den Atem zu verlieren. Solche Leistung hat nicht ihresgleichen bei den Säugetieren. Die Lungen der Vögel sind eben auch völlig anders gebaut. Sie haben in ihren »Luftsäcken« große Anhänge (Abb. 42), die wie gewaltige Blasebälge an den Lungen hängen und sie mit einer Ausgiebigkeit durchlüften, die bei Säugetieren nicht annähernd erreicht werden kann. Teile dieser Luftsäcke legen sich um das Herz und schieben sich zwischen die Flugmuskeln, um sie bei andauernden Kraftleistungen vor Überhitzung zu schützen wie der Kühler den Motor eines Kraftfahrzeuges.

Bei einem Flugzeug oder Luftschiff verwendet man für das Gerippe Leichtmetall. Auch das Gerippe des Vogels ist erstaunlich leicht gebaut. Die Gebeine enthalten nämlich an Stelle des fetten, schweren Marks Luft – darum sind Hunde wenig erbaut, wenn sie Vogelknochen fressen sollen. Die Füllung mit Luft kommt schon bei ganz jungen Vögeln dadurch zustande, daß Ausstülpungen der Luftsäcke in die Knochen hineinwachsen. Man kann sich durch einen Versuch davon überzeugen, daß wirklich der Lungenraum mit dem Inneren des Knochens in Zusammenhang steht: Wenn man bei einem toten Vogel ein Glasrohr in die durchschnittene Luftröhre einbindet, den Oberarmknochen durchbricht und eine brennende Wachskerze vor die Bruchstelle hält, kann man sie von der Luftröhre her ausblasen.

Sogar die Verdauungsorgane, die mit dem Flugvermögen scheinbar gar nichts zu tun haben, sind abgeändert. Ich hatte viele Jahre lang einen Sittich; wir waren sehr befreundet und beobachteten uns gegenseitig mit Aufmerksamkeit. Da war ich nun immer aufs neue erstaunt, wie rasch bei ihm nach einer Kirschenmahlzeit die Ausscheidungen am anderen Körperende eine rote Farbe annahmen. Es mochten kaum zwei Stunden vergangen sein. Viel später erst erfuhr ich, daß die Vögel durch einen auffallend kurzen Darm und durch eine ungewöhnlich schnelle und energische Verdauung allen unnötigen Ballast rasch ausscheiden und auch auf diese Weise ihr Gewicht erleichtern.

So könnte man noch eine Weile fortfahren zu erzählen. Der Vogelkörper ist durch und durch für sein Lebenselement gebaut. Wir sagen, er ist an das Leben in der Luft *angepaßt*. Wenn Ikaros wirklich geflogen wäre, auch mit den besten Flügeln wäre er abgestürzt, lange bevor er sich in sonnige Höhen aufgeschwungen hätte – wegen der Schwäche seiner Armmuskeln, der Schwere seiner Knochen, der Belastung seines Darmes durch Verdauungsrückstände, weil ihm der Atem ausgegangen wäre und noch aus vielen anderen Gründen. Der Mensch ist eben nicht angepaßt an ein Leben im freien Luftraum.

Wohin immer in der belebten Natur wir unsere Augen richten, wir treffen auf dieselbe Erscheinung, auf diese erstaunliche Anpassung der Lebewesen an ihren Lebensraum. Sie wären ohne diese Einrichtungen in der Umgebung, in die sie gestellt sind, nicht auf Dauer lebensfähig. In diesem Sinne, im Sinne der Lebenserhaltung und des Fortbestandes der Tier- und Pflanzenarten, sind die Anpassungen im höchsten Grade zweckmäßig. Wir werden uns später fragen, ob es dafür auch eine andere Erklärung geben kann als einen denkenden Schöpfer. Hier wollen wir uns nur mit der Tatsache durch einige weitere Beispiele bekannt machen. Haben wir erst den Vogelkörper auf verschiedene Merkmale hin angesehen, so greifen wir jetzt ein Merkmal heraus und betrachten es bei verschiedenen Tieren. Wir wollen uns ein wenig mit der tierischen Färbung beschäftigen.

Schutzfärbung bei Fischen

Wir stehen an einem See und betrachten einen Schwarm fingerlanger Fischchen – Elritzen –, die sich im seichten Uferbereich tummeln. Aus größerer Entfernung sind sie kaum noch zu sehen, so genau gleichen sie in Helligkeit und Farbton dem Seegrund. Setzen wir die Uferwanderung fort, so treffen wir vielleicht eine Strecke weiter statt hellen Kiesgrundes dunklen Schlammboden. Da sind die Elritzenschwärme dunkel gefärbt wie der Boden unter ihren Leibern. Es scheint eine recht zweckmäßige Einrichtung, um die wehrlosen und schmackhaften Gesellen vor den Blicken ihrer Verfolger, die im Wasser und in der Luft nach ihnen ausspähen, möglichst zu schützen. Oder ist es nur Zufall?

Wir fangen ein paar dunkle Elritzen und setzen sie in eine Glasschale auf hellen Grund. Da hellen sie sich zusehends auf, und nach wenigen Minuten haben sie sich der veränderten Umgebung angeglichen. – Bringen wir die Schale auf dunklen Untergrund, so nimmt ihr Körper in wenigen Minuten eine tiefdunkle Färbung an.

Gelegentlich kann man im See einen Fisch bemerken, der durch schwarze Färbung in heller Umgebung sehr auffallend heraussticht. Er macht uns erst recht deutlich, wie vortrefflich die anderen angepaßt sind. Gelingt es, ihn zu erwischen, so wird man finden, daß die Linsen seiner Augen getrübt sind oder daß er auf andere Weise erblindet ist.

Wir brauchen übrigens nicht zu warten, bis uns der Zufall ein solches Tier in die Hände spielt. Wenn man bei einer gefangenen Elritze die Augen mit einer undurchsichtigen Masse, z. B. einer Ruß-Vaseline-Mischung, vorübergehend verklebt, dann färbt sie sich dunkel und ist, solange sie die Kappe trägt, nicht mehr fähig, sich an den Untergrund anzugleichen. Die Anpassung wird also offenbar durch die Gesichtswahrnehmungen des Fisches vermittelt. Wie hat er nur solche Macht über sein Farbkleid, obwohl er doch den Rock nicht wechselt? Das Mikroskop klärt uns darüber auf. In seiner Haut liegen unzählige sehr kleine, mit einem feinkörnigen schwarzen Farbstoff erfüllte sternförmige Zellen. Durch Nervenfasern stehen diese Pigmentzellen mit dem Gehirn in Verbindung; von da aus wird auf nervösem Wege die Verteilung der Pigmentkörnchen in ihnen geregelt. Unter dem Einfluß nervöser Erregung ballt sich der schwarze Farbstoff im Zentrum der Zellen zusammen. Dann werden die winzigen schwarzen Pünktchen dem bloßen Auge unsichtbar; die Haut wird hell. Beim Nachlassen der nervösen Einflüsse breitet sich der Farbstoff in den Zellen flach aus, so daß er alle die verzweigten Fortsätze erfüllt. Dann erscheint die ganze Haut mit dem dunklen Pigment durchgossen: Der Fisch wird schwarz. Die zuständigen Nervenbahnen sind genau bekannt. Durch einen Nadelstich kann man an der Schwanzwurzel den Farbwechselnerv durchtrennen. Dann wird das Schwanzende sofort dunkel und kann sich nicht mehr an den Untergrund anpassen. Neben den schwarzen kommen auch bunte Farbstoffzellen vor, so daß durch Ausbreitung und Zusammenballung farbiger Pigmente oft auch eine Anpassung an die *Farbe* der Umgebung in hohem Grade gewährleistet ist.

Besondere Anpassungskünstler sind die Schollen des Meeres. Diese eigenartigen Fische haben zwar in jungen Lebenstagen, wo sie im freien Wasser herumschwimmen, ein rechtes und ein linkes Auge und zwei spiegelbildlich gleiche Körperseiten wie andere Wesen auch. Später aber wandert das Auge der einen Seite auf die andere hinüber. Gleichzeitig suchen sie den Boden auf und legen sich auf die eine Flanke, die nun zu ihrer Bauchseite wird und eine weiße Farbe annimmt wie der richtige Bauch bei frei schwimmenden Fischen. Die nach oben gerichtete Flanke dagegen färbt sich aus und kann nicht nur je nach Helligkeit und Farbe des Bodens dunkle und helle, rötliche, gelbliche, grünliche oder bläuliche Töne annehmen, sondern die Musterung des Bodens wird täuschend nachgeahmt. Auf gleichmäßigem Sandboden hat der ganze Fisch eine gleichmäßige Färbung, während auf Kiesboden mit seiner fleckenhaften Verteilung von Licht und Schatten auch die Scholle in ihrer Haut Flecken erzeugt, die in ihrer Größe und Gestalt überraschend genau mit der Größe und Gestalt der Flecken in ihrer Umgebung übereinstimmen.

Absichtlich habe ich mit dem Farbwechsel der Fische ein Beispiel vorangestellt, bei dem die Anpassung so vollkommen ist und für das offensichtliche Ziel, die Angleichung an die Umgebung, ein solcher Apparat von Farbzellen und nervösen Einrichtungen besteht, daß an Zufälligkeiten nicht zu denken und an dem biologischen Sinn nicht zu zweifeln ist. Die Bedeutung solcher Schutzfärbung für ihre Träger ist auch durch Versuche erwiesen; zum Beispiel hat man zahlenmäßig festgestellt, daß Fische, die an ihre Umgebung schlecht angepaßt sind, räuberischen Vögeln viel leichter zum Opfer fallen als gut angepaßte Fische derselben Art.

Farbenspiel aus Ärger und Liebe

Die Fähigkeit, sich durch Helligkeits- und Farbwechsel an die Umgebung anzugleichen, trifft man außer bei Fischen auch bei Lurchen, Reptilien und vielen niederen Tieren. Der Laubfrosch, der mit seinem grünen Rock im Laub so gut wie unsichtbar ist, auf Baumrinde aber eine braungraue Färbung annimmt, ist allbekannt. Ein Faltengecko kann sich der Farbe des Steines so anpassen, daß er auch für ein scharfes Auge kaum zu entdecken ist. Er hat dabei noch einen besonderen Trick; an seinen Flanken und am Schwanz sind Hautsäume entwickelt, die nach unten eingeschlagen werden, wenn das Tier in Bewegung ist. Sitzt es aber still, dann werden sie herausgeklappt und flach an die Unterlage angepreßt. Dadurch wird die Bildung eines verräterischen Schlagschattens verhindert, und der Körper ist noch unauffälliger.

Der Farbwechsel des Chamäleons ist sprichwörtlich (vgl. Tafel 5). Allerdings verdankt dieses seine Berühmtheit nicht so sehr der guten Anpassung an die Umgebung wie dem auffallenden Farbenspiel, das es zeigt, sobald man es ärgert. Ähnlich spiegelt sich auch bei den Kraken des Meeres jede Gemütserregung sehr drastisch in ihrer Haut wider, indem sie buchstäblich alle Farben spielen läßt. Auch bei Fischen kommt das vor. Ich habe an der schönen Zoologischen Station in Neapel einmal einen Knurrhahn gesehen (vgl. Abb. 24, S. 110), der an Bauch und Flanken augenblicklich erbleichte, wenn man ihm mit dem Finger drohte. Schon eine halbe Minute später war seine normale blutrote Farbe wiedergekehrt; die geringste Bewegung vor seinem Becken ließ ihn wieder blaß werden, ohne daß er sich dabei von der Stelle rührte. Ist in diesen Fällen der Farbwechsel nur ein Ausdruck der Gemütsbewegung wie das Erröten und Erbleichen eines menschlichen Angesichts, so kann solch erregtes Farbenspiel doch auch biologische Bedeutung gewinnen. So bei den Hochzeitsspielen mancher Fische, wo das Männchen vor den Augen des Weibchens seine ganze Farbenpracht entfaltet. Es scheint mit dem Farbwechsel gegangen zu sein, wie es uns selbst oft geht, wenn wir etwas Neues erworben haben, sei es eine Fähigkeit oder ein Gegenstand. Ursprünglich für einen bestimmten Zweck gedacht, können sie nachher auch für ganz anderes brauchbar und nützlich sein.

Allerhand Methoden, sich unsichtbar zu machen

Die größere Bedeutung der tierischen Farbkleider liegt gewiß auf dem Gebiete der Schutzfärbungen. Hier ganz besonders erscheint die Natur dem andächtigen Betrachter wie eine schaffende Künstlerin, die mit unermüdlicher Phantasie immer neue Möglichkeiten erdacht und verwirklicht hat. Bei den Insekten ist ein rascher Farbwechsel zur Anpassung an die jeweilige Umgebung nicht so verbreitet wie bei den niederen Wirbeltieren; um so besser aber sind viele von ihnen von vornherein ihrem natürlichen Aufenthaltsort angeglichen. Laubheuschrecken tragen das grüne Kleid der Pflanzen, auf denen sie leben. Verwandte Arten, die auf steinigem Grund vorkommen oder hier Zuflucht suchen, wenn sie aufgestört werden, sind dieser Umgebung täuschend angeglichen (vgl. Tafel 8 oben). Die Krabbenspinne *(Misumena)* auf der Pelargonienblüte lauert frei sitzend auf blütenbesuchende Insekten und ist durch ihre treffliche Maske auch vor den Blicken hungriger Vögel aufs beste geschützt. In anders gefärbten Blumen wechselt sie ihre Farbe entsprechend. Die Flechtenspinne ist durch ihre flechtenähnliche Färbung und Zeichnung auf den flechtenbewachsenen Baumstämmen vorzüglich getarnt. Hier hält sie sich tagsüber still, während sie in der Dämmerung, wenn die Farben nicht mehr zur Geltung kommen, jagend umherstreift.

Auch sonst erlangt das Schutzkleid meist erst durch den Instinkt, sich ruhig zu halten, seine volle Wirkung. Die Spannerraupe auf dem Tannenzweig gleicht in Farbe und Zeichnung den Tannennadeln und sitzt tagsüber bewegungslos. Würde sie fortkriechen, so würde sie sich bei dem raschen Wechsel zwischen Streckung und Katzenbuckel, wie er den Spannerraupen eigen ist, recht auffällig machen. Aber so verschieden diese Raupen bei den einzelnen Arten aussehen, immer halten sie sich in der Tarnstellung steif und fügen sich harmonisch in das Aussehen der Nährpflanzen (s. auch Tafel 8 unten).

Manche Krebse des Meeres sind nicht durch ihre Eigenfarbe geschützt. Aber sie machen es wie die Soldaten im Kriege, die ihre Geschütze mit Zweigen tarnen: Sie hängen sich ausgerissene Pflanzenteile an die Häkchen ihres Rückenpanzers, so daß ihr Körper unter diesem Mäntelchen verschwindet und von dem Pflanzenwuchs der Umgebung nicht zu unterscheiden ist. Bringt man sie in eine andere Umgebung, zu der ihre Tarnung nicht paßt, so reißen sie sich die Schutztracht vom Leibe und ersetzen sie schleunigst durch ein Gewand, das ihrem neuen Aufenthaltsort angemessen ist.

Durch einen Mantel anderer Art schützen sich die Tintenfische. Sie erzeugen in einer Drüse den als »Sepia« bekannten schwarzen Farbstoff und hüllen sich, wenn sie verfolgt werden, in eine Wolke dieser schwarzen Tinte. Ausnehmend geschickt versteht es ein kleiner Tintenfisch, die schwarze Kunst mit seinem lebhaften Farbwechsel zu kombinieren. Verfolgt, wird er tiefdunkel; dann stößt er plötzlich ein Wölkchen seines schwarzen Farbstoffs aus, das nicht auseinanderfließt wie bei den größeren Arten dieser Sippschaft, sondern zusammengeballt im Wasser schwebt, in Größe und Farbe dem Tintenfisch ähnlich. Dieser selbst wird im gleichen Augenblick schneeweiß. Der Verfolger, nicht gefaßt auf solche Verwandlung, stürzt sich auf die scheinbar ermattete Beute, das heißt auf das zurückbleibende Tintenwölkchen, während der erhoffte Bissen im veränderten Kleid schnell das Weite sucht. Einfacher machen es zahlreiche Bewohner des freien Wassers, indem sie sich durch völlige Durchsichtigkeit den Blicken entziehen.

Vögel und Säugetiere, deren Federn und Haare aus verhornten, abgestorbenen Hautzellen bestehen, können sich nicht durch Änderung der Hautfarbe anpassen. Schutzbedürftige Bewohner freier Bodenflächen haben trotzdem ein Schutzkleid, etwa die Feldlerche mit ihrer graubraunen Farbe mit Fleckenzeichnung oder der Kiebitz samt seiner Nestmulde. Auf dem winterlichen Schneefeld wären sie auffällig. Manche Säugetiere und Vögel, die dem Klimawechsel nicht ausweichen, haben eine besondere Methode des Farbwechsels entwickelt, indem sie mit der jahreszeitlichen Erneuerung der Haare oder Federn das braune Sommerkleid mit einem weißen Winterkleid vertauschen; so machen es die Schneehühner oder der Alpenhase. Eisbären, Polarfüchse und andere Bewohner des hohen Nordens behalten dagegen im ewigen Schnee das ganze Jahr ihr weißes Fell.

Besonders gefährdet, aber auch besonders gut getarnt, sind bei frei brütenden Arten die Jungvögel. Der Triel, ein Verwandter des Regenpfeifers, der als Beispiel dienen mag, lebt in trockenen Heide- und Wüstengebieten. Der Jungvogel ist dieser Umwelt vollkommen angepaßt. Man wird Mühe haben, ihn in Tafel 6, unten, zu erkennen. Mit der zunehmenden Kultivierung wird solches Gelände selten, und die Brutvögel müssen oft auf andere Gebiete ausweichen, zum Beispiel auf eine Hutweide. Da ist der Vogel, auch wenn er stillhält, viel auffälliger und kann leicht einem Räuber zum Opfer fallen.

Auch den Eiern wird lebhaft nachgestellt. Sie wären in offenen Brutmulden schnell entdeckt. Aber noch bevor sie ans Tageslicht treten, im Eileiter, gibt ihnen die Mutter zugleich mit der Kalkschale eine Tarnfarbe, die zum Brutgelände des Vogels paßt.

Bei Gefahr stillhalten, sich tot stellen, ist eine weit verbreitete Erscheinung. Jedoch nicht immer ist es die beste Einpassung in die Umgebung.

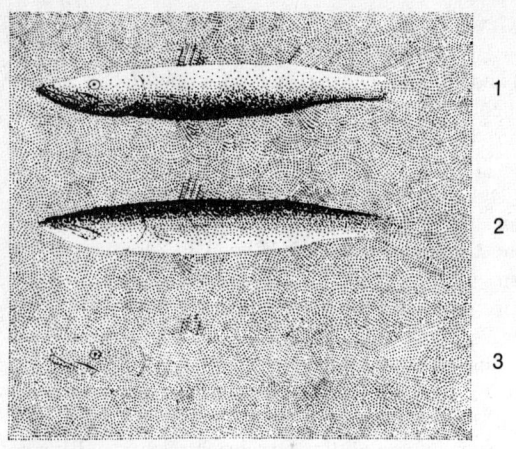

Abb. 43: Das Prinzip der Gegenschattierung wird an drei Fischmodellen gezeigt:
1. Das Modell ist einheitlich gefärbt, wird aber von oben beleuchtet; durch den Schlagschatten auf der Bauchseite erscheint es auffallend plastisch
2. Das Modell ist unten heller gefärbt als auf der Rückenseite, wird aber in diffusem Licht von allen Seiten gleichmäßig beleuchtet
3. Das Modell zeigt Gegenschattierung, d.h. ist auf der Bauchseite heller gefärbt. Es wird jetzt von oben belichtet; aufgrund seiner Gegenschattierung verliert es seine Plastizität, und die Tarnfärbung kommt jetzt erst voll zur Wirkung.

Die Rohrdommel steht bei Annäherung eines verdächtigen Wesens still mit hochgestrecktem Hals und Schnabel im Schilf, stets dem Feind die Bauchseite zukehrend, die allein die gelbliche Schutzfärbung mit dunklen Streifen trägt. Nur bei Windstille steht sie wirklich reglos. Bläst der Wind durch das Röhricht, dann macht sie alle Bewegungen der schwankenden Halme genau mit und wird so erst recht unauffällig.

Der Tarnfärbung liegen bei vielen Tiergruppen weiterhin zwei Gesetze zugrunde, die durch die Abb. 43 und 44 in ihrer Wirkung eindrucksvoll belegt werden.

Das erste Gesetz heißt »Gegenschattierung«: Wenn das Sonnenlicht auf ein äsendes Reh oder auf einen im Wasser schwimmenden Fisch trifft, wird es die Rückenseite heller erleuchten und auf die Bauchseite einen Schatten werfen. Dadurch müßte ein Tier, auch wenn es eine gute Tarnfärbung aufweist, wieder auffällig gefärbt werden; vor allem wird es in seiner Umgebung recht *plastisch* erscheinen. Durch Gegenschattierung, d.h. durch Aufhellen der Unterseite, wird die Färbung wieder »eintönig« und vor allem die plastische Form des Körpers verschwindet (s. Abb. 43).

Abb. 44: Eine Kupferschlange (1) wird auch mit bester Tarnfärbung im falschen Biotop ihre Schlangengestalt verraten. Die falsche Musterung einer Python (2) löst im richtigen Biotop, das heißt auf laubbedecktem Boden, die verräterischen Schlangenumrisse auf. Die auffällige dunkle Musterung wird noch durch weiße Umrandung in ihrer auflösenden Wirkung verstärkt.

1

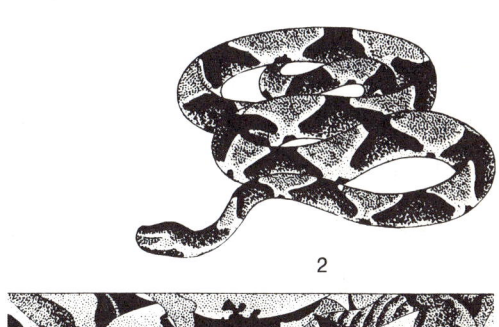

2

Das zweite Gesetz ist das der »falschen Musterung«: Die Riesenschlange (Python) in Abb. 44 ist außerhalb ihres Biotopes viel auffälliger als die einförmig gefärbte Kupferschlange. In ihrem eigentlichen Biotop, den sie sich selber aussucht, sind beide Tiere praktisch unsichtbar geworden. Vor allem die Python verliert durch die falsche Musterung, wobei die schwarzen Flecken noch durch einen hellen Rand besonders betont werden, ihre schlangenförmige Gestalt; die verräterischen Körperumrisse sind aufgelöst.

Besonders schwierig ist es freilich, das Auge mit seiner kreisrunden Form zum Verschwinden zu bringen. Manche Fische legen sich in der Schwanzflosse ein »falsches Auge« zu (s. Tafel 9 unten). Wenn der Räuber – in der Meinung er würde die empfindliche Kopfregion treffen – zubeißt, kann er nicht viel Schaden anrichten.

Warnfarben

Kein Wunder, daß die Begeisterung über solche Beobachtungen auch manche Übertreibung veranlaßt hat. Der schwarze Rabe im Schneefeld hat sowenig eine Schutzfarbe wie das rotbraune Reh in der grünen Wiese. Sie bedürfen der Maske nicht, weil sie durch Größe und Schnelligkeit hinreichend geschützt sind und auch nicht zu den Raubtieren gehören, die sich möglichst ungesehen ihrer Beute nähern wollen.

Doch begegnet man nicht selten auch einer auffälligen Färbung bei kleinen Tieren aus einem Verwandtschaftskreis, der sonst zu den schwer Verfolgten gehört. Wenn der Feuersalamander über den Boden stapft, zieht er durch seine leuchtende schwarz-gelbe Zeichnung von weitem die Aufmerksamkeit auf sich (Tafel 6 oben). Trotzdem scheint er es gar nicht eilig zu haben und sich ganz sicher zu fühlen. Er ist auch tatsächlich gegen das meiste Raubzeug gesichert, und zwar dadurch, daß er einen ätzenden Schleim absondert, der auf kleine Tiere giftig wirkt und sogar einem Hund so übel bekommen kann, daß er sich erbrechen muß. Absonderung giftiger Säfte und grelle, auffallende Farben findet man oft vereint, bei den Insekten nicht minder als bei den niederen Wirbeltieren. Wer sich einmal an einem solchen Geschöpf vergriffen hat, merkt sich sein schreiendes Kleid und wird es ein andermal in Ruhe lassen. In diesem Sinne haben auch solche *Warnfarben* die Bedeutung einer Schutzfarbe.

Nicht selten sind bei Nachtfaltern die Hinterflügel auffällig gefärbt. Es kann sein, daß sie beim Auffliegen durch ihre plötzliche Entfaltung eine Warn- oder Schreckwirkung ausüben. Aber sicher ist, daß sie feindliche Blicke auf sich lenken würden, wenn sie nicht tagsüber beim ruhenden Falter unter den dachförmigen, mit der Baumrinde harmonierenden Vorderflügeln verborgen wären. Die Tafel 7 zeigt nur ein Beispiel für solches Vorkommen, das sich aus dem Insektenreich hundertfältig belegen ließe.

Mimikry – Spionage als Lebensretter

In Zusammenhang mit diesen Warnfarben muß auch von einer Spionage im Tierreich berichtet werden – Spionage allerdings, die niemandem zum Schaden gereicht, dem Spion aber das Leben retten kann (siehe Tafel 9 oben). Jeder kennt unsere wehrhaften Wespen mit ihrem auffallend gelbschwarz gefärbten Hinterleib. Das ist eine Warnfarbe für alle Vögel, die, beim ersten Versuch, eine Wespe zu schnappen, böse Erfahrungen gemacht haben. Ein völlig wehrloser Falter, der Hornissenschwärmer, hat diese Warntracht ausgeliehen. Er verzichtet sogar auf das Schuppenkleid seiner Flügel und macht sie glasklar, wie das einer Wespe zukommt.

Im Amazonasgebiet gibt es in großer Zahl bunte Falter, die Heliconiden, die bitter schmecken und von den Vögeln gemieden werden. In ihrem Biotop haben sich auch wohlschmeckende Ritterfalter *(Papilioniden)* eingeschmuggelt, die in ihrer Färbung und Zeichnung und in ihrer ganzen Körpergestalt die bitterschmeckenden Heliconiden verblüffend nachahmen.

Es gibt sogar Spionageringe, nach ihrem Entdecker »Müller'sche Mimikry« genannt, wo verschiedene Arten durch bitteren Geschmack, durch Warnfärbung usw. eine Abwehrphalanx bilden, indem sie sich in ihrer Abwehrtaktik ergänzen. Wir könnten zu den Wespen und den Hornissenschwärmern auch viele Fliegenarten zählen, auch Käfer gehören dazu und Spinnen, die sich untereinander in ihrer Warntracht und ihrem bitteren Geschmack gegenseitig aushelfen. Andere freilich, wie die harmlosen Schlammfliegen, haben sich in diesen Müller'schen Spionagering eingeschmuggelt.

Einbruch in das Geheimnis der Tiefsee

Eine Anpassung an die Umgebungsfarbe hat nur einen Sinn, wo sie gesehen werden kann. Bei Höhlentieren, die in ewiger Finsternis leben, zum Beispiel dem Grottenolm aus den unterirdischen Flußläufen des Karstgebietes, findet man keine Anpassungsfarben. Ebensowenig in dem unermeßlichen, sagenumwobenen Gebiet der Tiefsee, wohin kein Sonnenlicht vordringt. Aber Anpassungen anderer Art treffen wir dort, so absonderlich wie wenige in der uns vertrauten, vom Licht durchfluteten Erdenwelt.

Die höchste Bergspitze der Erde, der Mount Everest, erhebt sich 8848 m über den Meeresspiegel. 11 022 m unter seinem Spiegel liegt der Boden des Meeres an seiner tiefsten Stelle. Im Durchschnitt ist der Ozean nahezu 4000 m tief. Die Sonnenstrahlen, die seine Oberfläche treffen, werden vom blauen Wasser auch da, wo es ganz klar ist, ziemlich rasch verschluckt; bei etwa 500 bis 600 m sind die letzten Reste der eingedrungenen Lichtstrahlen verschwunden. Da die assimilierenden Pflanzen auf das

Licht angewiesen sind (S. 56), sind die lichtlosen Tiefen des Weltmeeres an der Nährstoffproduktion der Erde völlig unbeteiligt. Was da unten sein Dasein fristen will, muß von den organischen Stoffen leben, die in den obersten, durchleuchteten Schichten von den schwebenden pflanzlichen Wesen aufgebaut werden und dann als abgestorbene Leiber von Pflanzen oder Tieren heruntersinken. Die größeren Tiefen haben daher für unbewohnt gegolten. Wer sollte auch daran Gefallen finden, sich in dieser Wasserwüste von ewiger Finsternis umherzutreiben? Doch man hat die Fülle des »organischen Regens«, der von der Oberfläche niedersinkt, ebenso unterschätzt wie den harten Kampf ums Dasein, der die Tiere zur Ausnützung der letzten Möglichkeiten treibt, und die Gestaltungskraft der Natur, die ihnen das nötige Rüstzeug verleiht, um scheinbar unbewohnbare Gebiete zu erobern.

Als vor etwa hundert Jahren (1872) ein Expeditionsschiff, das sich die Erforschung des Meeres zum Ziel setzte, seine Netze in große Tiefen senkte, da entdeckte man zur allgemeinen Überraschung eine mannigfaltige Lebewelt von Fischen, Tintenfischen, Krebsen und allerhand anderem Getier. Das größte Erstaunen rief jedoch die Tatsache hervor, daß sie keineswegs blind waren wie Höhlentiere, sondern meistens wohlentwickelte Augen hatten. Die Erklärung ließ nicht lange auf sich warten. Ihr Körper war oft besät mit Leuchtorganen, ähnlich jenen, die wir von unseren Leuchtkäferchen kennen; sie konnten ihre nächtliche Umwelt mit ihren eigenen Laternchen erhellen.

Als die deutsche »Valdivia«-Expedition unter C. Chun (1898/99) mit vervollkommneten Tiefenfangnetzen reiche Beute heimbrachte, erkannte man bei der Bearbeitung der Tiefseefische, daß diese Leuchtorgane für ihre Besitzer vorwiegend in dreierlei Richtung von Bedeutung sind:

Große Leuchtorgane sitzen oft neben den Augen und senden ihr Licht wie Scheinwerfer in die Richtung, nach der das Auge blickt. Wie hinter der Lichtquelle des Scheinwerfers ein Spiegel, so ist hier hinter dem leuchtenden Gewebe ein Reflektor aus mikroskopisch kleinen Kristallen angebracht, zur Erhöhung der Lichtstärke. Oft können diese lebenden Lampen auch abgeblendet werden, entweder indem das Leuchten an sich willkürlich erzeugt und unterdrückt wird, oder indem die Organe durch Muskeln herumgedreht und nach innen gekehrt werden.

Andere, meist kleinere Leuchtorgane sitzen in großer Zahl über den ganzen Körper verteilt. Ihre Anordnung ist bei jeder Art anders, aber bei ein und derselben Tierart immer gleich. Sie geben der Art ihr Gepräge und ersetzen die Kennzeichen, die an der lichten Oberwelt jedes Tier durch seine Form, Färbung und Zeichnung erhält, so daß die Artgenossen einander finden können.

Am eigenartigsten sind Leuchtorgane, die bei vielen Tiefseefischen wie Glühbirnen an der Spitze einer Angelrute hängen; diese ist nichts anderes als der verlängerte erste Flossenstrahl der Rückenflosse. Sie können diese

Organe gerade vor ihrem gefräßigen Maul baumeln lassen. Das Schicksal derer, die sich von dem leuchtenden Köder anlocken lassen, kann man sich leicht ausmalen.

Es ist eine andere Welt in diesen Tiefen. Wasser rechts und Wasser links, Wasser vorn und hinten, Wasser oben und unten in einer Ausdehnung, die für die hier schwebende Tierwelt keine Grenzen hat. Finstere Nacht, auch wenn die Sonne am höchsten steht. Und doch Licht in der Eintönigkeit dieser Wasserfluten, Licht eigenster Erzeugung, und wahre Orgien von Licht! Man hat auf Grund der Netzfänge die größeren Tiefen für spärlich bewohnt gehalten. Aber die Tiere weichen den Netzen aus; was diese zutage fördern, ist eine kümmerliche Auslese der Wirklichkeit.

Das wurde erst vor wenigen Jahrzehnten klar, als der amerikanische Naturforscher William Beebe in seiner Tiefseekugel sich selbst in die Tiefe hinuntersenken ließ und durch sein Quarzfenster Dinge schaute, die keines Menschen Auge vorher gesehen hatte. Groß und klein hatte da unten seine Lämpchen von vielfältiger Anordnung und Art. Kleine Fische und große von mehreren Metern Länge zogen an seinen Augen vorbei. Garnelen erschienen und stießen, wenn sie erschreckt wurden, eine Wolke eines hell leuchtenden Stoffes aus, hinter der sie ins Dunkle entschwanden; ein Gegenstück aus der Tiefsee zu den farbstoffspritzenden Tintenfischen der Oberfläche. Abenteuerliche Gestalten erschienen, die noch niemals durch ein Netz zutage gefördert worden sind. Aber interessanter als alle Einzelheiten ist die einfache Tatsache, daß er auf eine Fülle leuchtender Lebewesen traf, an genau denselben Stellen, die man auf Grund vorangegangener Netzfänge für ziemlich frei von Lebewesen gehalten hatte. Bis auf 923 m ist Beebe am 10. August 1934 unter die Meeresoberfläche vorgedrungen.

Seitdem gelang es A. Piccard, das Tauchfahrzeug für große Meerestiefen vom tragenden Kabel zu befreien. Er konstruierte das »Bathyscaph« (auf deutsch: Tiefenschiff), ein kleines Unterseeboot, das in einer kugeligen Kabine an seiner Unterseite zwei Personen aufnehmen kann. Ein großer zylindrischer Schwimmkörper enthält Leichtbenzin als tragende Flüssigkeit. Eisenschrot als Ballast ermöglicht das Tauchen und kann zum Aufstieg durch zwei Rohre an der Unterseite abgelassen werden. Ein derartiges Tauchboot erreichte am 23. Januar 1960 mit zwei Mann Besatzung in freiem Abstieg den Boden des Stillen Ozeans an einer der tiefsten Stellen, 10 900 m unter dem Wasserspiegel. Bis auf den Grund hinunter sahen die Beobachter lebende Tiere.

Es gehört Mut zu solchen Unternehmungen. Denn der Mensch ist für den gewaltigen Druck der Tiefsee so wenig gewappnet wie die dortigen Tiere für die Lebensbedingungen der Oberflächenschichten, wo sie alle rasch zugrunde gehen. Vielleicht zeigt keine andere Erscheinung die Anpassung an den Lebensraum so anschaulich wie das Lichtgeflimmer im finsteren Abgrund des Ozeans.

Am wenigsten scharf ist die Anpassung an einen Lebensraum beim Menschen selbst. Denn er hat durch seinen Intellekt viele der naturgegebenen Schranken durchbrochen. Er ist nicht flink genug, um das flüchtige Wild zu jagen, doch er erlegt es mit seinen Geschossen. Er ist nicht angepaßt an ein Leben in höheren Breiten, aber er macht sich warme Kleider und heizt seine Wohnungen. Er ist nicht angepaßt für den Flug, aber er baut sich Flugzeuge und Luftschiffe. Der Geist hat die Vorherrschaft gewonnen und ist Herr geworden über die körperlichen Anpassungen.

3.2. Tierwanderungen

Wenn die wärmende Frühjahrssonne aus Wald und Wiesen neues Insektenleben hervorzaubert und für so unzählige freßlustige Vögel einen reichen Tisch deckt, dann sind auch eines Tages die Schwalben wieder bei uns als gerngesehene Sommergäste. Sie bauen ihre Nester, ziehen ihre Jungen groß, sie benehmen sich ganz, als wenn sie zu Hause wären und immer dableiben wollten. Doch wenn im Herbst der Tag kurz, die Nacht kühl und die Nahrung knapp wird, sammeln sie sich in Scharen und ziehen davon in südliche Länder, wo sie Wärme und Futter finden, während bei uns der Winter sein weißes Tuch über die Natur breitet.

Es gibt Gebiete der Erde, wo zu jeder Jahreszeit die Lebensbedingungen dieselben bleiben; die Tiefsee ist ein solcher Raum. Doch in den meisten Gebieten besteht ein jahreszeitlicher Wechsel; in den Tropen zwischen Regen- und Trockenzeit, in unseren Breiten zwischen Sommer und Winter. Es gibt Tiere, die sich an die wechselnden Bedingungen angepaßt haben. Das sind unter den Vögeln die Standvögel, die uns auch im Winter durch ihre Anwesenheit erfreuen. Aber nicht allen hat die Natur das Rüstzeug gegeben, um in unfruchtbaren und nahrungsarmen Zeiten auszuharren. Das ist ein Hauptgrund für die Tierwanderungen, die im Vogelzug am großartigsten in Erscheinung treten.

Es ist ein wunderbares Schauspiel, wenn an bevorzugten Wanderstrekken, etwa an der Ostseeküste oder über die Felseninsel Helgoland hinweg, Hunderttausende von Vögeln in gerichtetem Flug ihren Winterquartieren zustreben. Wo liegt ihr Ziel, und welcher Leitstern führt sie dort hin?

Das Rätsel des Vogelzuges

Die Vogelkundigen haben etwas Feines ausgedacht, um das Ziel der Wandervögel und ihre Wege zu erforschen. Sie fangen sie auf dem Zuge oder nehmen Jungvögel aus dem Nest und legen ihnen einen leichten Aluminiumring um das Bein, in den der Ort der Forschungsstelle und eine Nummer eingestanzt sind. Dann lassen sie den Vogel wieder frei oder setzen ihn in das Nest zurück. Die leichte Last stört ihn in keiner Weise. Wird er später auf seinem Zuge oder im Winterquartier zufällig wieder gefangen oder geschossen – das kommt häufiger vor, als man denken sollte –, so wird man den auffälligen Ring an den eingestanzten Ort einsenden und dazu schreiben, wann und wo das Tier erlegt oder gefangen wurde. So erfährt man beispielsweise, daß ein Storch, der im Juli an der Ostsee beringt wurde, im Dezember desselben Jahres in Kapland gewesen ist. Werden solche Vögel während ihrer Wanderung zur Strecke gebracht, so erhält man Aufschluß über ihre Zugstraßen.

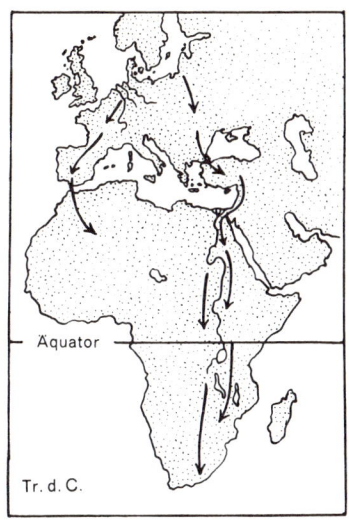

Abb. 45: Zugstraßen des Storches.

Zahlreiche in Deutschland beringte Störche sind im Laufe der Jahre teils auf ihrem Wanderweg, teils im afrikanischen Winterquartier erlegt oder gefangen worden. Es ergab sich, daß die im östlichen Deutschland brütenden Störche ihren Weg über Kleinasien und Palästina nach Afrika nehmen, während ihre Kameraden aus Westdeutschland nach Südwesten ziehen und das Mittelmeer bei Gibraltar überqueren (Abb. 45). Andere Zugvögel scheuen durchaus nicht den Flug über weite Strecken offenen Wassers. Der amerikanische Goldregenpfeifer überquert sogar in einem pausenlosen Flug von nahezu 48 Stunden den Atlantischen Ozean zwischen Neuschottland und Südamerika. Die meisten Vögel lassen sich mehr Zeit; sie verweilen da und dort, wo es ihr Weg erlaubt und wo es ihnen behagt, so daß sich der Wanderzug über Wochen und Monate erstrecken kann.

Die größte Wegstrecke legen wohl die Küstenseeschwalben zurück, die zu unserer Sommerzeit in den nördlichsten Teilen von Europa und Amerika brüten und, wenn es bei uns Winter wird, an die Gestade des südlichen Eismeeres bis an das antarktische Festland ziehen. Man hat berechnet, daß sie zweimal im Jahr mindestens einen Weg von 17000 Kilometern bewältigen.

Erstaunlicher als diese Entfernungsleistung ist der unerhörte Spürsinn einer Sturmvogelart, die sich zu unserer Sommerzeit an der Küste Englands herumtreibt, wenn es aber auf der südlichen Halbkugel Sommer wird, als Brutstätte ein kleines Eiland der Tristan-da-Cunha-Inselgruppe im südlichen Atlantischen Ozean aufsucht *(Tr. d. C.* in der Abb. 45). Was für eine wunderbare Orientierungsgabe leitet den Vogel zum Felsen mitten im Meer! Viele Zugvögel werden freilich durch Stürme verschlagen und finden den Tod in den Wellen; manche lassen sich ermattet auf Schiffen nieder oder gelangen als verirrte Wanderer auf Inseln, wo sie nicht hingehören. Aber der Großteil kommt doch ans richtige Ziel. Wie können sie es finden?

Die Vögel haben sehr gute Augen, viel bessere als wir. Sie überschauen auch bei ihrem Flug in luftiger Höhe weitere Gebiete der Landschaft als die erdgebundenen Wesen. Darum hat man gemeint, die Rätsel des Vogelzuges durch ihr gutes Auge erklären zu können. Für diese Ansicht spricht, daß sie auffallende Landmarken oft sehr deutlich ansteuern. Da bei den meisten Arten die Jungen mit den Alten wandern, könnte so der richtige Weg von einer Generation der anderen überliefert werden. Doch damit allein ist die Erscheinung nicht zu erklären.

Bei manchen Vögeln, so bei den Staren und bei der Nebelkrähe, ziehen die Jungen vor den Alten, bei manchen Möwen nach den Alten ab, also ohne Führer; und auf dem freien Ozean gibt es keine Landmarken.

Ein sinnreicher Versuch der Vogelwarte Rossitten gab einen Fingerzeig. Man hat in Ostpreußen Jungstörche aus den Nestern genommen und so lange zurückbehalten, bis alle alten Störche Deutschland verlassen und den Zug nach Afrika angetreten hatten. Dann wurden die beringten Jungstörche nach Westdeutschland gebracht und dort aufgelassen. Würden sie, ganz auf sich selbst gestellt und ohne jede Führung durch alte, erfahrene Vögel, überhaupt den Weg nach Afrika einschlagen? Würden sie über Gibraltar ziehen wie alle Störche aus der westdeutschen Gegend, in die sie sich versetzt fanden, oder würden sie den Weg über Kleinasien nehmen wie die Störche ihrer östlichen Heimat und wie ihre eigenen Eltern (vgl. Abb. 45)? Keines von beiden geschah! Sie zogen in südöstlicher Richtung ab, in jene Himmelsrichtung, die sie hätten einschlagen müssen, um von ihrer Geburtsstätte aus die bei ihnen überlieferte Zugstraße über Kleinasien zu finden. So gelangten sie aus dem ihnen fremden Gebiet an die Alpen, überquerten sie und wurden in Italien zuletzt gesehen.

Diese Erfahrung beweist, daß den Störchen die Kenntnis der Richtung, in der sie zu ziehen haben, angeboren ist. Woran sie diese Himmelsrichtung erkennen, darüber sagt der Storchenversuch nichts aus. Neue, sinnreiche Experimente an Staren und anderen Zugvögeln haben gelehrt, daß sie die Sonne als Kompaß benützen und ihren täglichen Gang einkalkulieren, wie wir es von den Bienen gehört haben (S. 136). Es gibt auch Vögel, die nur während der Nachtstunden ziehen, zum Beispiel unsere Grasmücken. Sie steuern wie die alten Seefahrer nach den Sternbildern. Im Planetarium von Bremen strebten sie zur Zeit ihres Herbstzuges auch unter dem künstlichen Sternenhimmel nach Süden. Wurde der künstliche Himmel allmählich so verändert, wie es dem Wanderweg der Grasmücken entspricht, dann hielt ihr Drang nach Süden an, bis ihnen die Sternbilder ihrer afrikanischen Winterheimat gezeigt wurden. Da kamen sie zur Ruhe, als glaubten sie sich am Ziel.

Alle Rätsel der Vogelorientierung sind freilich mit dieser Entdeckung nicht gelöst. Mit Staunen hat man festgestellt, daß ein Blaukehlchen, das zur Brutzeit bei Potsdam gefangen, beringt und in Niederbayern freigelassen wurde, nach wenigen Wochen wieder in Potsdam war. Schwalben und Stare wurden von ihren Niststätten viele hundert Kilometer wegtransportiert; niemand hat ihnen verraten, wohin die Reise ging. Kein ererbter Trieb konnte ihnen sagen, in welcher Himmelsrichtung sie ihr Nest zu suchen hatten. Und doch waren sie nach wenigen Tagen wieder daheim, als hätten sie – wie ein Kapitän auf hoher See – die geographische Lage des Ortes, an den man sie gebracht hatte, bestimmt und mit der Lage des Heimatortes verglichen. In letzter Zeit verstärkt sich der Verdacht, daß sie so etwas wirklich können. Es hat sich herausgestellt, daß Vögel, Bienen und manche anderen Tiere imstande sind, das erdmagnetische Feld zur Orientierung zu benützen. Dessen Feldlinien haben – nach Intensität und Inklination – an verschiedenen Orten einen verschiedenen, bezeichnenden Verlauf und können über die geographische Lage Aufschluß geben. Auf diesem Gebiet wird zur Zeit intensiv gearbeitet. Vieles ist noch dunkel, aber es sieht doch so aus, als wäre man einem alten und hartnäckigen Geheimnis auf der Spur.

Aus Pisa kommen neuerdings Meldungen, wonach auch der Geruchssinn das Heimfinden der Vögel, z.B. der Brieftauben, unterstütze. Jedes heimatliche Gefilde ist durch seine »Duftkarte«, eine Kombination vieler Geruchskomponenten, charakterisiert. Diese werden vom Wind in weite Ferne getragen. Wer sich zu Hause diese Duftkarte eingeprägt hat, weiß in der Fremde, »woher der Wind weht«.

Ausgedehnte Wanderungen kommen keineswegs nur bei den Vögeln vor. Auch bei anderen Tieren können sie durch periodischen Nahrungsmangel verursacht werden, so die jahreszeitlichen Wanderungen der Rentiere. Bisweilen treten sie unregelmäßig, ja einmalig auf als Folge einer Massenvermehrung oder eines örtlichen Nahrungsmangels wie die berüchtigten Flüge der Wanderheuschrecken und die grauenerregenden Züge der Wanderratten. Oder es werden weite Reisen angetreten, nur um die altgewohnten Brutstätten aufzusuchen, an denen eine Tierart oft zähe festhält, auch wenn sie sich für ihre übrige Lebenszeit ein neues, fernab gelegenes Wohngebiet zu eigen gemacht hat.

So ist es bei den Lachsen, die ihre Laichstätte in Flüssen haben, aber als Jungfische ins Meer abwandern, um sich dort heranzumästen und später in die Flüsse zurückzukehren; oder bei den Aalen, die gerade umgekehrt im

Meer ihre Brutheimat haben und als Jungfische in die Flüsse ziehen, wo sie ihr Leben verbringen, bis sie als erwachsene Tiere zur Fortpflanzung ins Meer entschwinden.

Die heimattreuen Lachse

Die Laichplätze der Lachse liegen in Flüssen und Bächen, oft viele hundert Kilometer vom Meer entfernt. Hier bleibt die junge Generation meist nur im ersten Lebensjahr. Die etwa fingerlangen Jungfische ziehen aus den Flüssen ins Meer hinab. Dort entwickeln sie eine unerhörte Freßlust, so daß sie nach etwa drei Jahren, wenn sie zum Laichen das erstemal in die Flüsse aufsteigen, schon zum bekannten stattlichen Handelsobjekt der Berufsfischer und zum begehrten Ziel unzähliger Angler geworden sind. In den deutschen Strömen kann man den Lachs nicht mit Ködern fangen, weil er während seiner langen Flußwanderung nichts frißt. Doch in den kürzeren Strömen der nordischen Länder und Schottlands verschlägt es ihm nicht so rasch den Appetit, und dort gilt der Lachsfang als die edelste Form des Angelsports.

Bei dieser Wanderung verfolgt der Lachs sein weitgestecktes Ziel mit Kraft und Ausdauer. Auch reißende Stromschnellen und brausende Wasserfälle hindern ihn nicht am Einhalten seines Weges. Mit gewaltigen Schwanzschlägen schnellt er sich über die Oberfläche und überwindet springend die Stellen, die er nicht durchschwimmen kann. So gelangt er in den Oberlauf der Ströme und in ihre Seitenflüsse, oft hoch im Gebirge, wo das Weibchen an kiesigen, flachen Stellen seine Laichgrube auswühlt. Nach der Zeit der Eiablage haben sie stromab die leichtere Fahrt; doch viele von den ermatteten Tieren gehen dabei zugrunde. Die das Meer erreichen, fressen sich rasch wieder feist, und wenn sie es erleben, wandern sie im nächsten und in den folgenden Jahren abermals zum Laichen in die Flüsse.

Im Rhein und in manchen anderen Strömen, die der Lachs früher in unübersehbaren Scharen besucht hat, ist er heute selten geworden. Die Ursache liegt in der Verunreinigung durch Fabrikabwässer und in der Anlage von unnatürlichen Wehren und Staudämmen, die er nicht überspringen kann. Die Mitteleuropäer müssen schon nach Skandinavien, Rußland oder Sibirien reisen, wenn sie das Schauspiel der wandernden Lachse in der alten Mächtigkeit sehen wollen. Dort treten sie in solchen Massen auf, daß sie ein Nahrungsmittel für breiteste Schichten der Bevölkerung sind.

Wie man die Zugvögel durch Fußringe kennzeichnen kann, so gelingt es auch, Fische durch numerierte Zelluloid- oder Silberplättchen, die an den Flossen befestigt werden, zu markieren. Auch hier hat diese Methode überraschende Aufschlüsse gebracht. Ein wandernder Lachs, den man im Meer gefangen und markiert hatte, wurde elf Tage später an einer 1100 km

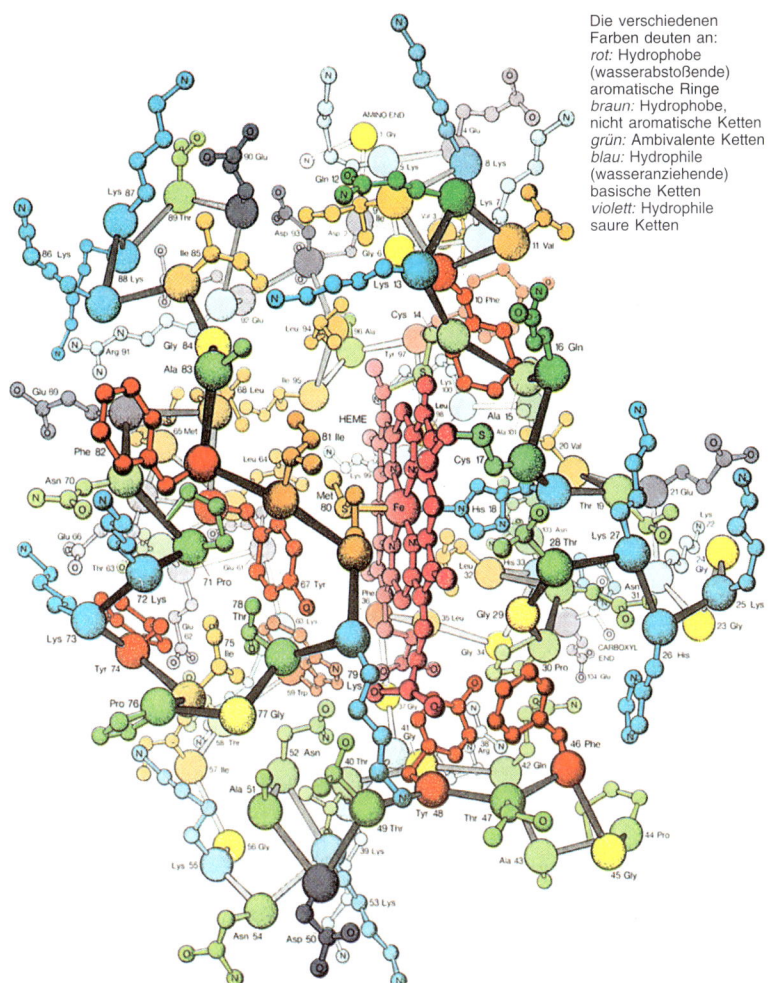

Die verschiedenen Farben deuten an:
rot: Hydrophobe (wasserabstoßende) aromatische Ringe
braun: Hydrophobe, nicht aromatische Ketten
grün: Ambivalente Ketten
blau: Hydrophile (wasseranziehende) basische Ketten
violett: Hydrophile saure Ketten

Dieses Enzym ist Glied der Atmungskette, wobei in mehreren Teilprozessen Nahrungsstoffe oxidiert und damit Energie freigesetzt wird. Zentrum ist die »Hämgruppe« (HEME) mit einem Eisenatom (FE) und einem ihn umgebenden N-Ring (Porphyrinring). Diese Hämgruppe ist auch im Hämoglobin unserer roten Blutkörperchen zu finden.
Die einzelnen Aminosäuren sind (abgekürzt) benannt; die Zahlen daneben geben ihre Position im Molekül an. Insgesamt sind mehr als 100 Aminosäuren(!) am Aufbau dieses Enzyms beteiligt. Es bedeuten:

Ala	Alanin	Leu	Leucin
Asn	Asparagin	Lys	Lysin
Asp	Asparaginsäure	Met	Methionin
Arg	Arginin	Phe	Phenylalanin
Cys	Cystin	Pro	Prolin
Gly	Glycin	Ser	Serin
Glu	Glutaminsäure	Thr	Threonin
Gln	Glutamin	Trp	Tryptophan
His	Histidin	Tyr	Tyrosin
Ile	Iseleucin	Val	Valin

Tafel 1: Struktur eines Enzym-Moleküls, des Cytochrom c, aus dem Pferdeherzen (siehe S. 65).

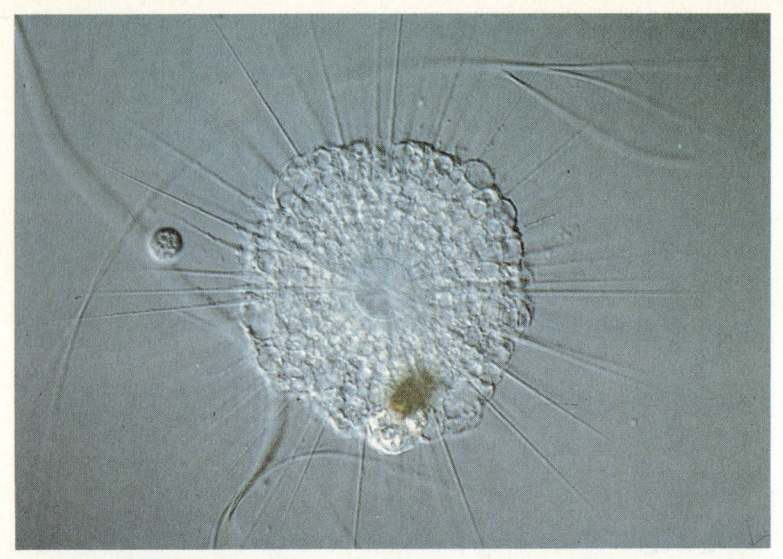

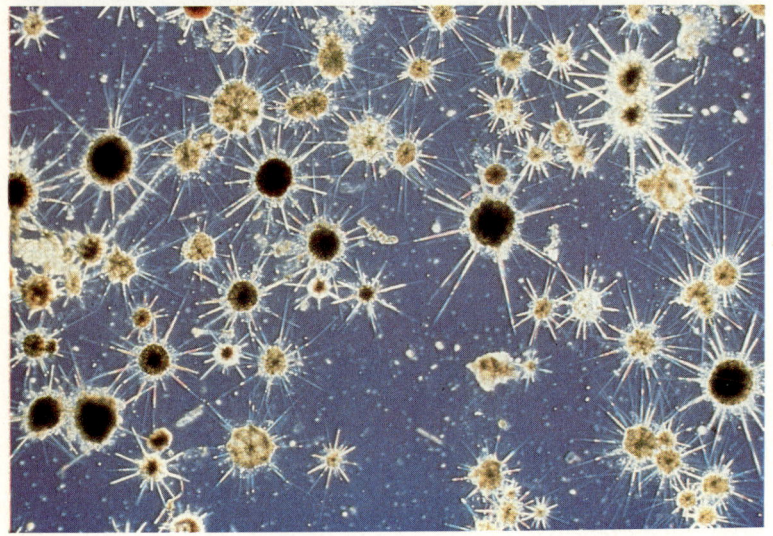

Tafel 2: Einzeller. Oben Sonnentierchen (siehe S. 32), unten lebende Radiolaria.

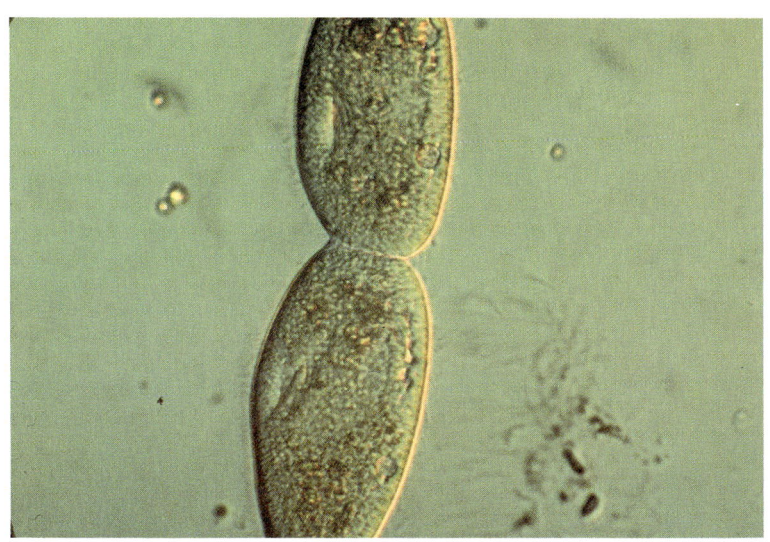
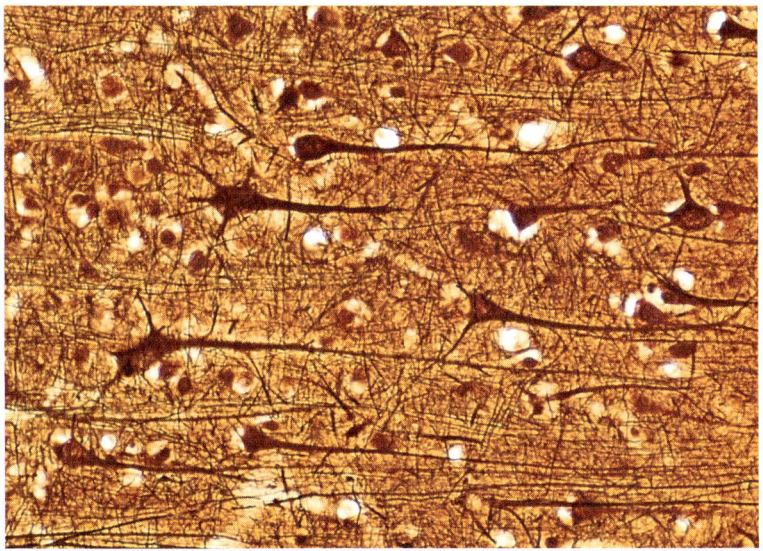

Tafel 3: Zellen. Oben Einzeller (Protozoa) bei der Zellteilung (siehe S. 224), unten Nervenzellen aus dem Großhirn (siehe S. 21 und 40).

Tafel 4: Oben: Die Sumpfdotterblume erscheint unseren Augen einheitlich gelb (links), die Fotografie in ultraviolettem Licht läßt ein Saftmahl hervortreten, das nur für UV-empfindliche Augen sichtbar ist (rechts, siehe S. 136). Unten: Facettenaugen einer Pferde- und Rinderbremse (siehe S. 134).

Tafel 5: Chamäleon. Dieser Verwandlungskünstler paßt sich ideal jedem Hintergrund an (siehe S. 171).

Tafel 6: Der Feuersalamander (oben) stapft trotz seiner Augenfälligkeit unbehelligt durch die Landschaft. Seine Warnfarbe prägt sich jedem Angreifer ein, der einmal die ätzende Absonderung seiner Hautdrüsen kennengelernt hat (siehe S. 176). Dagegen ist der wehrlose Triel (unten, Bildmitte) in seinem natürlichen Brutgelände, in steinigem Ödland, kaum zu entdecken (siehe S. 173).

Tafel 7: Beim Weidenkarmin sind die lebhaft gefärbten Hinterflügel in der Ruhestellung (oben) unter den dachförmig zusammengelegten Vorderflügeln verborgen; dies gibt ihm eine vorzügliche Tarnfarbe. Bei einer Störung läßt er die leuchtende Farbe der Hinterflügel plötzlich in Erscheinung treten (unten) und übt dadurch eine Schreckwirkung aus (siehe S. 176).

Tafel 8: Tarnung. Oben Ödland-Heuschrecke, unten Raupen zweier verschiedener Spannerarten in Tarnstellung (siehe S. 172).

Tafel 9: Oben: Mimikry. Links eine Wespe, rechts eine harmlose Schwebfliege (siehe S. 177). Unten: Hechtkärpfling. In der Schwanzflosse befindet sich ein »falsches Auge«; ein Räuber wird das Hinterende mit dem Kopf verwechseln (siehe S. 176).

Tafel 10: Oben Blauer Paradiesvogel (siehe S. 238), unten Winkerkrabbe (siehe S. 237).

Tafel 11: Balz. (siehe S. 236). Oben radschlagender Blauer Pfau, unten Kampfläufer.

Tafel 12: Entwicklungsstadien einer Bienenkönigin (siehe S. 257). Oben Larve und Puppe, unten schlüpfende Königin.

Tafel 13: Schlüpfende Schmetterlinge (siehe S. 256). Oben links schlüpfreife Puppe des Schwalbenschwanzes, oben rechts und unten links schlüpfendes Tagpfauenauge, unten rechts Landkärtchen, etwa eine viertel Stunde nach dem Schlüpfen.

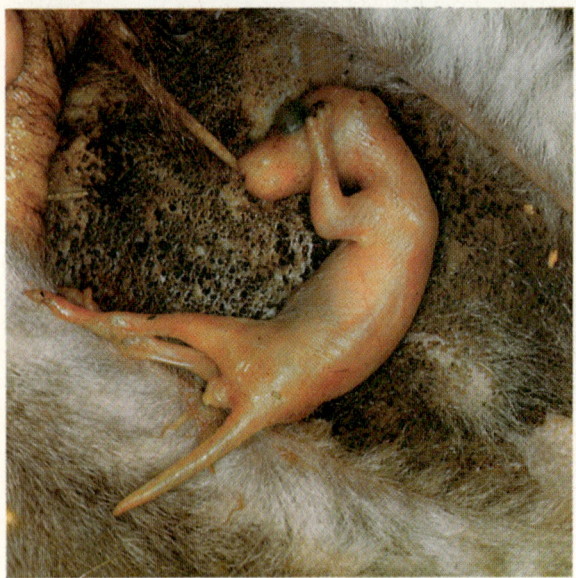

Tafel 14: Oben Ausschnitt aus einer Bienen-Brutwabe. Etwa in der Bildmitte ist eine größere Zelle für eine Königin-Larve im Bau (siehe S. 204). Unten säugendes Riesenkänguruh (siehe S. 264).

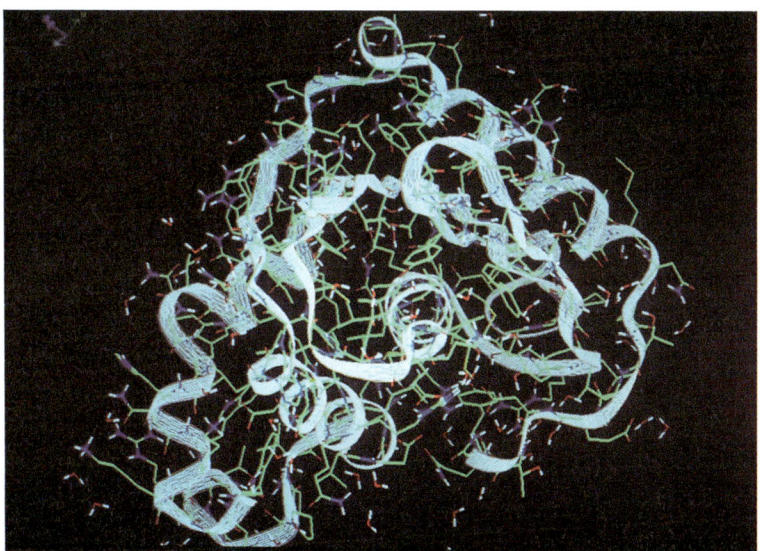

Tafel 15: Oben Blattschneiderameisen (siehe S. 211). Unten Computerbild eines DNS-Moleküls (siehe S. 301).

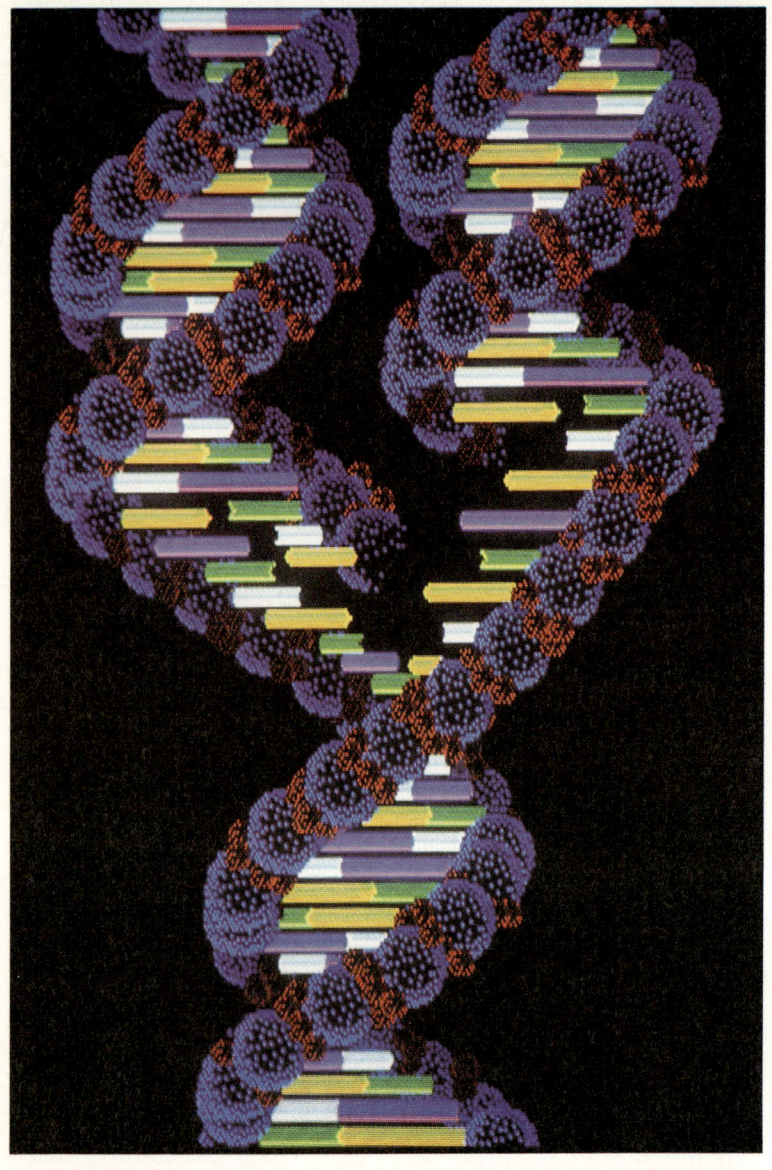

Tafel 16: Computergrafik der Doppel-Helix-Struktur eines DNS-Moleküls (siehe S. 301).

entfernten Stelle wieder gefangen. Er hatte durchschnittlich 100 km am Tag zurückgelegt. Alle Achtung vor diesem Schwimmer!

Noch merkwürdiger als das Vorkommen solcher Reisegeschwindigkeit ist die Orientierungsgabe dieser Fische. Wenn die Lachse als etwa fingerlange Tiere ihren Heimatfluß verlassen, wandern sie entlang der Küste oder in den freien Ozean hinaus nicht selten mehrere 1000 km von der Flußmündung weg. Trotzdem finden sie nach mehrjährigem Aufenthalt im Ozean genau in ihren Heimatfluß zurück. Das zeigte sich, als in zwei Flüssen Schwedens eine größere Anzahl Junglachse markiert wurden, die im Begriff waren, in die See auszuwandern. Von ihnen wurden 22 als erwachsene Fische wieder gefangen. In der Kartenskizze (Abb. 46) sind die Fundplätze eingetragen. Alle Fische, die ursprünglich im Indals-Elf *(I. E.)* gefangen und gekennzeichnet wurden, sind als schwarze Punkte, alle aus dem nördlich davon gelegenen Angerman-Elf *(A. E.)* als Kreuze

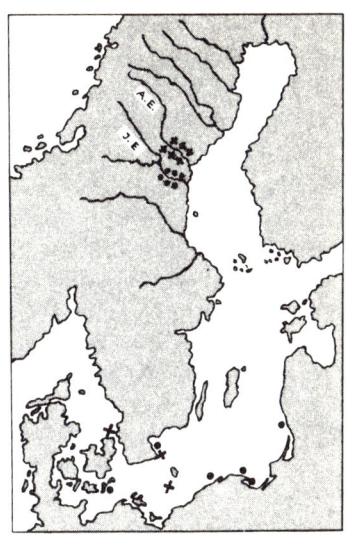

Abb. 46: In beiden schwedischen Flüssen Indals-Elf (I.E.) und Angerman-Elf (A.E.) wurden auswandernde Junglachse markiert. Von ihnen wurden 22 erwachsen teils in der Ostsee, teils nach der Rückwanderung in die Flüsse wieder gefangen. Die Punkte bezeichnen die Plätze, wo die aus dem Indals-Elf stammenden Lachse wieder gefangen wurden, die Kreuze die Fundplätze für die Fische aus dem Angerman-Elf.

eingetragen. Die in der See gefischten hatten sich alle bis in die südliche Ostsee begeben. Zwölf wurden erst nach ihrer Rückwanderung in den Fluß gefangen, zufällig sechs in dem einen und sechs in dem andern, und alle wurden in dem Fluß angetroffen, in dem sie aus dem Ei geschlüpft waren. Ein späteres, weit umfangreicheres Experiment brachte eine volle Bestätigung. Nahezu 500 000 Junglachse wurden in einem amerikanischen Fluß bei ihrer Abwanderung in den Ozean markiert, und 11 000 von ihnen konnten bei ihrer Rückkehr aus dem Meer in demselben Fluß wieder gefangen werden, während man in benachbarten Flußmündungen vergeblich nach ihnen fahndete. Während sie stromaufwärts ziehen, schwimmen sie an den Mündungen vieler Bäche und Nebenflüsse vorbei, um schließlich in den Seitenfluß einzuschwenken, aus dem sie einst die Reise zum Meer angetreten haben.

Welche Sinneswahrnehmungen können einen Fisch nach mehreren Jahren so zuverlässig in das Flüßchen zurückführen, das er als einjähriger Jungfisch verlassen hat? Das überraschende Ergebnis planmäßiger Versuche war, daß der Geruchssinn hierbei die Hauptrolle spielt. Uns scheint das ein sonderbarer Gedanke. Schwimmen wir wie ein Fisch unter Wasser, so haben wir keinerlei geruchliche Beziehung zu diesem Element, sei es ein klarer Bergsee oder ein schlammiger Teich. Unsere Nase ist ganz auf Luftatmung eingestellt. Das Geruchsorgan der Fische ist für das Wasserleben geschaffen und übertrifft in seinen Leistungen sogar die Hundenase. Jedes Gewässer, ja wahrscheinlich jede Uferstrecke und jede Bucht haben einen bezeichnenden Duft, wie ja entsprechend auf dem Trockenen für eine feine Nase jede Örtlichkeit geruchlich charakterisiert ist. Diese geruchlichen Kennzeichen prägen sich den Jungfischen so fest ins Gedächtnis, daß sie ihnen auf dem Rückweg zur sicheren Führung dienen. Das gilt freilich erst, wenn die aus freier See heimkehrenden Lachse die Küstenzone erreicht haben. Fern vom Ufer hilft ihnen die Nase nicht. Hier steuern sie vermutlich wie Zugvögel (S. 180) und Bienen (S. 136) nach dem Stand der Sonne. Für Lachse und Barsche ist diese Fähigkeit erwiesen.

Die Wanderung der Aale

Um das Leben der Aale ging lange ein großes Rätselraten, das bis heute nicht ganz verstummt ist. Die Jungtiere wandern als schlanke, kaum 7 cm lange Fischchen vom Aussehen kleiner dünner Würmer in ungeheuren Massen in die Flüsse der atlantischen Küste, des Mittelmeeres, der Ostsee ein. Sie ziehen flußaufwärts, oft bis in die kleinsten Rinnsale. Sie klettern mit erstaunlichem Geschick über glitschige Felsen und andere Hindernisse hinweg, um in die höheren Teile der Flüsse und Bäche zu gelangen. Endlich kommen sie zur Ruhe und bleiben nun sechs Jahre in den Binnengewässern, wo sie eine Länge von eineinhalb Metern und ein Gewicht von 5 kg erreichen können. Aber niemals hat ein Aal im Süßwasser seine Eier abgelegt.

Wenn sie erwachsen sind, packt sie von neuem der Wandertrieb, und diesmal geht es in umgekehrter Richtung zur See. Die Aale aus dem Mittelmeergebiet ziehen durch die Straße von Gibraltar hinaus, die Ostsee-Aale durch die Nordsee, und alle verlieren sie sich in der Weite des Ozeans, wo noch kein erwachsener Aal jemals wieder aufgefischt worden ist. Wohl aber hat man dort ihre Nachkommen erwischt. Daß kleine durchsichtige, lanzettförmige Fischchen die Larven der Aale sind, weiß man schon lange, weil man sie aufziehen und ihre Verwandlung unmittelbar beobachten konnte. Um ihre Herkunft zu erfahren, hat der dänische Biologe J. Schmidt jahrelang im Atlantik gefischt, wobei er planmäßig der Richtung nachging, in der die Aallarven kleiner, also jünger wurden. So fand er schließlich die Lage des Brutplatzes und konnte dort in der Tiefsee auch die Eier erbeuten. Die Stelle liegt nördlich von den Antillen in der Sargassosee, so daß die europäischen Aale gut zwei Drittel der Breite des Atlantiks zu durchmessen haben, bevor sie Hochzeit feiern können. Im gleichen Gebiet etwas weiter westlich finden sich die amerikanischen Vettern unserer Aale zum Laichgeschäft ein. Nach entgegengesetzten Richtungen wandern ihre Kinder von dannen. Ob sie dabei wirklich scharf getrennt bleiben, ist bezweifelt worden. Die amerikanischen und die europäischen Aale sind einander sehr ähnlich. Die geringen Unterschiede könnten durch die verschiedenen Umweltbedingungen in den weit auseinanderliegenden Wohngebieten bewirkt sein. Wenn also manche Forscher meinen, europäische Aale könnten auch von amerikanischen Eltern abstammen, läßt sich das Gegenteil nicht beweisen.

Nach Europa ziehen die Aale mit dem Golfstrom. Trotz dieser Hilfe brauchen sie drei Jahre, bis sie in die Nähe der Küste gelangen und sich dort aus der weidenblattförmigen Larve in drehrunde, durchsichtige »Glasaale« verwandeln. Zu den Flußmündungen werden sie anscheinend durch den Geruchssinn geleitet. Wie die Lachse haben sie eine feine Witterung für die geruchlichen Qualitäten verschiedener Gewässer. Mit der Nase erkennen sie auch im Bereich der Gezeitenzone, ob die Strömung von der Küste kommt oder vom freien Ozean. Bei eintretender Ebbe verbergen sie sich im Sand, so daß sie nicht zurückgeschwemmt werden; mit Beginn der Flut kommen sie wieder hervor, und so lassen sie sich ihrem Ziel entgegentragen. Haben sie die Flußmündung erreicht, so ist das Einhalten der Richtung weiterhin kein Problem mehr. Dicht am Ufer sieht man sie durch Tage hindurch in schmalem, geschlossenem Zug stromaufwärts schwimmen. Oft bilden sie ein kilometerlanges Band, so daß man kein Wasser aus dem Strom schöpfen kann, ohne daß man die Fischchen im Gefäß hat.

3.3. Es ist nicht gut, allein zu sein – vom Gemeinschaftsleben der Tiere

Bei der Bewältigung der vielfältigen Lebensaufgaben gilt für alle Organismen ein Prinzip, das auch der Mensch sich zunutze gemacht hat: »Gemeinsam lebt sich's leichter.« In der Tat, das Einsiedlerdasein ist im Tierreich eine seltene Ausnahme, und auch dann gilt es nur temporär. Ein Seeigel mag sehr wohl Monate lang einsam auf dem Meeresgrund sein Dasein fristen, aber wenn er geschlechtsreif geworden ist, dann gibt das Männchen seine Samenzellen und das Weibchen seine Eizellen ab, wobei es wichtig ist, daß das in räumlicher Nachbarschaft und vor allem zu gleicher Zeit erfolgt. Dafür sorgt ein chemisches Signal, das von beiden Partnern ins Wasser geschickt wird und gegenseitig zu gemeinsamem Ablaichen auffordert.

Eine Kreuzspinne, die stundenlang, ja tagelang einsam in ihrem Netz auf Beute lauert, erwartet gleichzeitig einen männlichen Freier, der ihr die Spermatophore, das heißt, eine mit Samenzellen gefüllte Kapsel überbringt. Für diesen Zweck hat sie einen eigenen Signalfaden gesponnen, an dem das Männchen sein Balzspiel einleitet.

Aber steckt da nicht ein Widerspruch im Zusammenleben der Organismen zu dem, was wir im Kapitel über die *Individualität* der Lebewesen gehört haben? Gibt man nicht, wenn man sich mit einem Partner zusammentut oder sich gar in eine größere Gemeinschaft einfügt, ganz oder teilweise seine Individualität preis und schränkt seine Handlungsfreiheit ein? Deckt der Vorteil gemeinsamen Handelns den Nachteil, daß man teilen muß? Wir wollen nüchtern dieser Frage nachgehen und zunächst das Zusammenleben zwischen Artgenossen unter die Lupe nehmen.

Bereits bei der einfachsten Bindung zwischen Männchen und Weibchen tauchen Berge von Problemen auf, die von dem Partner zu lösen sind; wir können sie hier nur andeuten: Jedem von uns scheint es als selbstverständlich, daß sich männliche und weibliche Keimzellen vereinigen müssen, um Nachkommen zu zeugen. Welchen Erfindungsgeist, welchen Aufwand an Energie und Zeit leisten sich die Organismen, um diese Vereinigung zu sichern! Das gilt für das oft recht komplexe Balzverhalten der Wirbeltiere und der Insekten, aber auch die Pflanzen, sogar die primitiven Einzeller, zeigen Erstaunliches; hier sei nochmals auf die Symbiose zwischen Blüte und Bienen als ihren Bestäubern hingewiesen.

Es darf aber in diesem Zusammenhang nicht verschwiegen werden, daß bei Tier und Pflanze auch eine Fortpflanzung ohne den sexuellen Partner möglich ist, zum Beispiel durch einfache Zellteilung, durch Knospung, durch Jungfernzeugung. Darüber wird ausführlich auf S. 222-226 berichtet. Läßt sich da überhaupt eine zweigeschlechtliche Fortpflanzung mit so hohem Aufwand und Risiko rechtfertigen? Oh ja! In einem späteren Kapitel werden wir erfahren, daß sich bei der Vereinigung von Samen- und Eizellen eine vielfältige *Neukombination* der Erbanlagen vollzieht, was bei den Nachkommen die Chance erhöht, sich den ständig wechselnden Umweltbedingungen noch besser anzupassen.

Die Vereinigung von Männchen und Weibchen ist im Tierreich aber keineswegs die alleinige soziale Bindung. Oft bleiben Männchen und Weibchen in einem Familienverband beisammen, ernähren gemeinsam ihre Jungen, verteidigen sie gegen Feinde, lehren sie, wie man sich im späteren Leben zurechtfindet. Dann gibt es Interessengemeinschaften, zum Beispiel unter den Zugvögeln, die sich in einem Schwarm das Orientierungsproblem erleichtern oder sich gegen einen angreifenden Raubvogel gemeinsam verteidigen.

Gemsen, die im Rudel leben oder Murmeltiere, die in enger Nachbarschaft ihre Bauten anlegen, haben Vorteil von diesem Zusammenleben. Wenn ein Feind sich nähert, sehen viele Augenpaare mehr als eines, und wo sich viele Nasen witternd in die Luft strecken, wird das Tier mit dem schärfsten Riechvermögen und mit der größten Aufmerksamkeit eine Gefahr zuerst erkennen und alle zu gemeinsamer Flucht veranlassen. Wölfe tun sich im Winter oft zu planmäßiger Jagd zusammen, indem ein Teil von ihnen die Beute verfolgt und der andere versucht, ihr den Weg abzuschneiden und sie einzuzingeln. Vom Wüstenwolf wird berichtet, daß nur die erwachsenen Männchen auf Jagd gehen, die Beute an Ort und Stelle zerfleischen und zum Teil auffressen, zu Hause aber unter den Weibchen und Kindern das Mitgebrachte verteilen und sogar das verzehrte Fleisch wieder erbrechen.

Es gibt einige Käfer- und Wanzenarten mit Verteidigungsdrüsen. Sie leben gerne in Gruppen beisammen, legen sich dazu eine Warnfarbe an und bilden so eine recht effektive Verteidigungsgemeinschaft (s. S. 176).

Die Säugetiere haben mannigfache soziale Strukturen entwickelt, was durch den Umstand, daß die Weibchen ihre Jungen eine Weile säugen, verständlich wird. Die Huftiere schließen sich oft zu großen Herden zusammen, wobei sie auf den offenen Weidegründen stets Wachposten am Rande aufstellen, die bei Gefahr die flinken Tiere rechtzeitig zur Flucht veranlassen.

Engere Bande sind es, welche die Affenherden zusammenhalten, denn sie gründen sich auf ein festes Familienleben. Häufig vereinen sich dann mehrere Affenfamilien; das kräftigste und erfahrenste Männchen wird zum Wächter der Herde und zum Führer bei ihren Streifzügen nach Nahrung. Bei den Menschenaffen mit ihrem gut entwickelten Hirn finden wir auch erste Ansätze zu einsichtigem, wenn nicht gar zu intelligentem Handeln (s. S. 157), was in jüngster Zeit die Soziobiologen in Bann geschlagen hat. Ihre Sippenverbände bilden nicht nur ein lockeres Bündnis, sondern eine dauerhafte Gemeinschaft, wobei dank einer strengen *Rollenverteilung* jedem Mitglied bestimmte Rechte und Pflichten zugeteilt werden. Diese Rollen werden gemäß einer Rangordnung nach Alter, Geschlecht und persönlicher Tüchtigkeit festgelegt. Das dominante Männchen übernimmt bei Wanderungen die Führung, stellt sich bei Gefahr vorne an die Front der Gruppe, macht den Führer bei ihren Streifzügen nach Nahrungsquellen, hat aber auch Anrecht auf das Weibchen seiner Wahl und darf sich den besten Ruheplatz aussuchen. Diese dominante Position muß aber in oft heftigen Kämpfen mit den Rivalen errungen werden, wobei freilich selten Blut fließt. Ein symbolischer Kampf mit Imponiergehabe zeigt die Überlegenheit des Tüchtigsten an, und er wird als solcher von der ganzen Gruppe anerkannt.

Einen entscheidenden Durchbruch in der sozialen Struktur der Menschenaffen darf man darin sehen, daß sie sogar erste Ansätze einer Tradition erkennen lassen. Tradition heißt ja Weitergabe persönlicher oder gemeinsamer Erkenntnis und Erfahrung an die nächste Generation. Bislang sah man Tradition als Privileg der menschlichen Gesellschaft an. Aber

1953 wurde von einem japanischen Forscher auf der kleinen Insel Koshima beobachtet, daß ein zweijähriges Weibchen der Rotgesichtsmakaken die Süßkartoffel, die man ihr als Leckerbissen regelmäßig auf den Strand geworfen hatte, durch Waschen von dem anhaftenden Sand befreite. In den folgenden Jahren übernahm dann die Gruppe dieses Verhalten und lernte sogar, daß das Waschen in Meerwasser die Kartoffel schmackhafter macht als das Waschen im Fluß. Es wurde zur Tradition, die angebissene Kartoffel im Salzwasser auch noch zu würzen.

Im Familienleben und in der Vereinigung von Familien zu gemeinsamen Unternehmungen und gemeinsamem Schutz liegt sicher auch der Ursprung menschlicher Staatenbildung. Doch weit älter als jede menschliche Gesellschaft sind die Insektenstaaten der Bienen und Wespen, der Ameisen und Termiten. Man kennt auch viele andere gesellig lebende Tiere, aber keine anderen Tierstaaten.

In seiner inneren Gliederung der Gemeinschaft, in seiner Arbeitsteilung und der Unterordnung der Einzelwesen unter die Bedürfnisse und das Wohl der Gesamtheit könnte der Bienenstaat als Vorbild dienen. Eigennützige Handlungen dieser kleinen Staatsbürger kommen überhaupt nicht vor; alles, was geschieht, dient dem Gemeinwohl. Unserer Hochachtung ist nur in dem Punkt eine Schranke gesetzt, daß dieser Staat nicht von einer bewußten Idee getragen wird, sondern vom dunklen Drang der ererbten und streng vorgeschriebenen Instinkte.

Ehe wir dieses ideale Zusammenleben im Bienenstaat näher studieren (s. S. 203), müssen wir noch einen Abstecher in eine andere Form von Lebensgemeinschaften machen, die auf den ersten Blick befremdend sein mag – es ist eine Lebensgemeinschaft unter *artfremden* Organismen, die sich als Symbionten, das heißt als gegenseitige Nutznießer, aber auch als Parasiten zusammenfinden und erstaunliche Eigenheiten ihrer Lebensweise verraten.

Artfremde Genossen finden sich in einer Lebensgemeinschaft:
Symbionten, Parasiten, Gäste

Der Einsiedlerkrebs und die Seerose

Wer Gelegenheit hat, an der jugoslawischen Küste zu baden und seine Aufmerksamkeit nicht nur den großen Linien des Meeres und den romantischen Küstenfelsen, sondern auch der reichen Lebewelt zwischen den Klippen der Uferzone zuwendet, der wird manchenorts Schneckenhäuser bemerken, die von einem ungebührlichen Temperament besessen scheinen. Bei genauerem Zusehen erkennt man, daß nicht Kopf und Fuß einer trägen Meeresschnecke, sondern die neugierigen Augen und beweglichen Beinchen eines Krebses aus einem solchen Schneckenhaus herausschauen. Es handelt sich um den auch in anderen Meeren weitverbreiteten Einsiedlerkrebs. Im Gegensatz zu unserem Flußkrebs und anderen Verwandten hat er einen weichen, gegen feindliche Angriffe mangelhaft gepanzerten Hinterleib. Da hilft er sich, indem er ihn in eine leere Schneckenschale hineinsteckt, die er als leicht bewegliches Wohnhaus dauernd mit sich herumträgt. Wenn er kein leeres Schneckenhaus findet, wird ein bewohntes beschlagnahmt. Mit der Schnecke, der rechtmäßigen Besitzerin, macht er kurzen Prozeß und verschafft sich in einem Zug neben der gewünschten Behausung noch obendrein eine fette Mahlzeit.

Solches ist Raub und Mord. Unter Menschen gilt diese Handlungsweise als Verbrechen, aber unter Tieren ist sie gang und gäbe. Das Recht des Stärkeren wird schonungslos angewendet. Um so freundlicher mutet es an, wenn manche von diesen tierischen Raubrittern mit anderen Wesen einen Bund fürs Leben schließen. Es sind zwar keine ethischen Beweggründe, die solchem Gemeinschaftsleben zugrunde liegen; aber die Sache ist darum nicht weniger bemerkenswert, und die Einsiedlerkrebse bieten uns ein hübsches Beispiel:

Bei gewissen Arten sitzen auf dem Schneckenhaus, das sie mit sich umhertragen, regelmäßig eine oder mehrere »Seerosen«. Das sind niedere Tiere von blumenhafter Farbenpracht, die man allenthalben auch auf den Steinen der Uferzone festgewachsen findet. Unter einer harmlosen Maske sind sie die grausamsten Räuber. Ihre zarten Fangarme tragen Tausende von mikroskopisch kleinen Giftkapseln, die bei leiser Berührung explodieren, ganz so wie bei ihren Verwandten, den frei schwimmenden Quallen, an deren giftigen Nesselkapseln sich schon mancher Badegast übel verbrannt hat. Doch nicht gegen badende Menschen sind diese Waffen von der Natur geschmiedet, sondern gegen Fische und anderes Getier, das bei Berührung der Fangarme durch das Gift getötet und dann in aller Muße verschlungen wird.

Man könnte denken, die Seerosen hätten sich, wie da und dort auf den Steinen, so zufällig auf dem Schneckenhaus des Einsiedlerkrebses niedergelassen. Geduldige Beobachtung belehrt uns aber eines anderen. Wenn der Krebs heranwächst, wird ihm sein Haus zu klein. Dann sucht er sich ein größeres und zieht um. Dabei nimmt er nun die Seerosen mit. So wüst er von seinen Scheren gegenüber der Schnecke oder sonstigen Beute Gebrauch macht, so sorgsam behandelt er seine Hausgäste. Behutsam löst er ihre Fußscheibe ab, mit der sie der Schneckenschale aufsitzen, und drückt sein neues Haus dagegen, bis sie sich da festgesetzt haben und so die Übersiedlung geglückt ist. Die Seerosen, die gegen andere Berührung recht empfindlich sind, lassen es willig geschehen.

Es ist also keine zufällige Vergesellschaftung, sondern ein gesuchtes Zusammenleben, deshalb gesucht, weil beide Teile davon ihren Vorteil haben: Der Einsiedlerkrebs genießt den Schutz der Seerosen mit ihren giftigen Nesselkapseln und ist durch sie besonders vor den Angriffen seiner

Todfeinde, der Kraken, in wirksamer Weise beschützt; die Seerosen werden, ohne auf eigenen Beinen zu gehen, vom Krebs bei seinen Jagdzügen mitgeführt, und wenn er temperamentvoll sein Opfer zerreißt, kommt mancher Abfall in den Bereich ihrer Fangarme.

Bei einer anderen Art der Einsiedlerkrebse ist die wechselseitige Beziehung noch deutlicher und inniger. Man trifft sie niemals ohne Seerose, und zwar ist es eine bestimmte Seerosenart, die man auch noch nie an einem anderen Ort gefunden hat als eben auf dem Gehäuse jenes Einsiedlerkrebses. Da sitzt sie so, daß sie das Schneckenhaus mit ihrem Fuß umfaßt und die Pforte der Krebswohnung mit ihrem nesselbewehrten Kranz von Fangarmen schützt, der wie ein Teller genau unter dem Mund und den Kauwerkzeugen des Krebses liegt, stets bereit, die Abfälle der Mahlzeit aufzufangen.

Ameisen und Blattläuse

Für das Zusammenleben zweier verschiedener Wesen zu beiderseitigem Vorteil hat die Wissenschaft den Ausdruck »Symbiose« geprägt. Das bedeutet aber nicht, daß die beiden Partner so miteinander verwachsen sein müssen wie der Einsiedlerkrebs mit der Seerose. Das Verhältnis kann lockerer sein. Dazu ein Beispiel.

An Rosen, Holunder und mancherlei anderen Pflanzen sieht man oft, nicht zur Freude des Gartenbesitzers, Blattläuse in dichten Kolonien sitzen. Sie leben von den Säften, die sie mit ihrem feinen Stechrüssel aus den Trieben saugen. Die flüssigen Ausscheidungen, die sie aus dem After von sich geben, sind sehr reich an Zucker. Wie kommen sie nur dazu, einen so wertvollen Nährstoff ungenutzt abzustoßen? Das ist so zu verstehen: Blattläuse sind ein seßhaftes Völkchen, das sich wenig bewegt. In ihrem Körperstoffwechsel ist daher der Bedarf an Betriebsstoff verhältnismäßig gering. Dagegen ist der Eiweißbedarf groß, weil sie schnell wachsen und sich rasch vermehren. Nun sind die Pflanzensäfte, die sie saugen, ziemlich arm an Eiweiß und reich an Kohlenhydraten. Die Läuse müssen sich also sehr viel von diesen Säften einverleiben, um ihren Eiweißbedarf zu decken, und nehmen hierbei natürlich viel mehr Kohlenhydrate auf, als sie brauchen. Diesen Überschuß an Kohlenhydraten geben sie als Zucker wieder von sich.

Zuckersaft ist eine klebrige Flüssigkeit. Um sich nicht damit zu besudeln, haben Blattläuse die Gewohnheit, die Tröpfchen kräftig von sich zu spritzen. Diese benetzen weithin das Blattwerk und werden als sogenannter Honigtau gern von den Bienen eingesammelt, die den Vorteil wahrnehmen, ohne sich weiter um die Zuckererzeuger zu kümmern. Doch die Ameisen, keine geringeren Schleckermäuler, holen sich den Zuckersaft an der Quelle, am After der Läuse. Durch Betrillern mit den Fühlern veranlassen sie die Blattlaus, vorsichtig ein Tröpfchen Zuckersaft austreten zu lassen, das die Ameisen gleich an der Quelle begierig aufschlürfen und in ihr Nest tragen. Aber auch die Läuse haben ihren Vorteil an der Sache. Die Ameisen, sonst die ärgsten Feinde anderer Insekten, die sie überfallen und in ihren Bau schleppen, wo sie nur können, verschonen sie ihres Zuckersaftes wegen und lassen ihnen darüber hinaus noch ihren Schutz angedeihen. Ja, manche Ameisenarten tragen sogar im Herbst die Eier der Blattläuse in ihren Bau, um nach sicherer Überwinterung die ausschlüpfenden Jungen im Frühjahr wieder auf ihre Futterplätze zu bringen wie der Bauer sein Vieh auf die Almweide.

Würden wir uns nun ernstlich in die Ergebnisse der Symbioseforschung vertiefen, so wäre das ein langes Studium. Die Natur gleicht einem begnadeten Meister der Töne, der mit unerschöpflicher Phantasie zu jedem schönen Thema eine Fülle von Variationen findet. Wir wollen nur zwei Richtungen, in denen sich diese Variationen bewegen, etwas näher ins Auge fassen.

Tiere und Pflanzen als Lebenskameraden

In den Fällen, von denen wir bei unserer Betrachtung ausgegangen sind, hatten sich verschiedene Tierarten zu beiderseitigem Nutzen zusammengeschlossen. Die Erscheinung ist aber keineswegs auf das Tierreich beschränkt. So sind die Flechten, die uns allenthalben als Bewuchs der Bäume oder Felsen begegnen, eine innige Vergesellschaftung zweier pflanzlicher Organismen: von Pilzfäden und Algenzellen, die sich in ihren Lebensbedürfnissen und Leistungen gegenseitig ergänzen. So sind ferner die eigenartigen Knöllchen an den Wurzeln der Erbsen und anderer Hülsenfrüchte nichts anderes als Wohnstätten für gewisse Spaltpilze, niedere pflanzliche Lebewesen, die ganz regelmäßig in den Wurzelknöllchen angetroffen werden und die seltene Fähigkeit haben, sich den Stickstoff der Luft, die ja auch in die oberen Bodenschichten eindringt, unmittelbar anzueignen (s. S. 18). Die Erbsenpflanze bietet ihnen in den Wurzelverdickungen eine sichere Behausung und erhält ihrerseits die Überschüsse des von den Spaltpilzen gewonnenen Stickstoffs. Sie kann daher mit Hilfe ihrer »Symbionten« auch auf stickstoffarmem, ungedüngtem Boden prächtig gedeihen; ja, dieser ist nachher reicher an Stickstoff als zuvor. Den Bauern ist diese Tatsache schon lange bekannt, und sie machen sie sich zunutze, wenn sie denselben Acker im Wechselbau mit Getreide und Hülsenfrüchten bestellen, Stickstoffzehrer die einen, Stickstoffmehrer die anderen. – Es können also bei einer Symbiose die beiden Teilhaber Tiere sein, sie können beide Pflanzen sein; es können aber auch Tiere mit Pflanzen eine Gemeinschaft eingehen. Eine solche Symbiose größten Stiles sind die Beziehungen zwischen Blumen und Insekten.

Die Blumen sondern einen süßen Zuckersaft ab, den Nektar, und bieten ihn den Insekten als Nahrung; sie hängen ihre bunten Blütenblätter als weithin leuchtende Schilder vor diese Gaststätten und hüllen sich in eine Wolke von Duft, wodurch sie den Blütengästen das Auffinden der Nahrungsquelle erleichtern. Sie nützen aber mit all diesem Aufwand nicht nur ihren Besuchern, sondern auch sich selbst, da die Insekten bei ihren Nahrungsflügen auf kurzem und sicherem Wege den Blütenstaub übertragen und den Samenansatz bewirken.

Das ist freilich kaum als ein Gemeinschaftsleben zu bezeichnen; denn die Pflanzen und die Insekten führen ihr Dasein jedes auf seine Weise, und nur flüchtig, wenn auch sehr bedeutungsvoll, berühren sich ihre Lebenspfade. Damit kommen wir nun auf einen zweiten Punkt, wo die größte Mannigfaltigkeit herrscht und sich von einem Extrem bis zum anderen alle Möglichkeiten verwirklicht finden: die Innigkeit der Gemeinschaft. Einige weitere Beispiele mögen zeigen, wie eng sich die Beziehungen gestalten können.

Vertiefte Innigkeit

In den südlichen Ländern Europas und besonders zahlreich in den Tropen leben die Termiten oder »weißen Ameisen«. Mit den Ameisen verbindet sie zwar keine nähere Verwandtschaft, aber eine äußere Ähnlichkeit und eine ähnliche Lebensweise, indem sie beide zu den staatenbildenden Insekten gehören. Wenn sich schon die Ameisen bisweilen in menschlichen Wohnungen unliebsam bemerkbar machen, so sind sie doch die Harmlosigkeit selbst gegenüber der Termitenplage. Verheerend kann diese werden, wenn Termiten die Tragbalken der Häuser innen ausfressen, bis diese eines Tages, ohne warnende Vorzeichen, in sich zusammenkrachen.

Man hat sich schon immer darüber gewundert, daß manche Arten dieser Tiere an trockenem Holz Geschmack finden und davon leben können. Denn die Holzsubstanz, die Zellulose, widersteht den tierischen Verdauungssäften, und auch die Termiten bilden in dieser Hinsicht keine Ausnahme. Des Rätsels Lösung liegt darin, daß holzfressende Termiten in ihrem Darm einzellige Geißeltierchen beherbergen, welche mit Hilfe von Bakterien die Zellulose in Zucker aufspalten können. Sie finden im Termitendarm eine sichere Unterkunft sowie reichlich Nahrung, und über den eigenen Bedarf hinaus wird von ihnen so viel Zucker bereitet, daß auch die Termiten selbst davon leben können.

Einem amerikanischen Naturforscher, Dr. Cleveland, ist es auf sehr einfache Weise gelungen, diesen Zusammenhang aufzuklären. Die Geißeltierchen sind gegen hohe Temperaturen empfindlicher als die Termiten. Setzt man diese in einen geheizten Brutschrank, so bleiben sie noch am Leben, wenn ihre Darmbewohner schon abgestorben sind. Dann verhungern die

Termiten auch bei reichster Holznahrung, weil sie diese eben selbst nicht verdauen können. Nur wenn man ihnen rechtzeitig Gelegenheit gibt, neue Geißeltierchen zu verschlucken, kommt ihre Verdauung wieder in Gang, und sie bleiben am Leben. Das gleiche Problem ergibt sich für die jungen Larven, wenn sie aus der Eihülle schlüpfen: Ihr Darm ist noch völlig steril, und er muß schleunigst mit den genannten Geißeltierchen »infiziert« werden. Das geschieht so, daß die jungen Larven als erste Instinkthandlung ihres Lebens sich sofort an ihre erwachsenen Nestgenossen machen und den austretenden Kot ablecken – eine nicht gerade appetitliche Geschichte für das menschliche Empfinden, aber in dem Fall ist sie zum Überleben absolut notwendig. Ein ähnliches Verhältnis besteht zwischen den Wiederkäuern und den Spaltpilzen in ihrem Magen, welche die Zellulose zersetzen (vgl. S. 68).

Die erwähnten Geißeltierchen und Bakterien bewohnen das Innere des Verdauungskanals. Noch enger werden die Beziehungen, wo sich die Symbionten nicht in einem Körperhohlraum, sondern in den Zellen selbst einmieten. Der schon früher erwähnte Süßwasserpolyp ist ein entfernter Verwandter der Seerosen, die uns zu Beginn dieses Abschnittes beschäftigt haben. Selbst nur wenige Millimeter lang, streckt der gefräßige Räuber seine Fangarme, übersät mit giftigen Nesselkapseln, nach Wasserflöhen und ähnlicher Beute aus, die oft größer ist als er. Die meisten Süßwasserpolypen haben eine bräunliche Farbe; aber es kommt auch eine lebhaft grüne Art vor. Man war erstaunt, daß ihr Grün alle Kennzeichen des grünen Blattfarbstoffs zeigt, der nur der Pflanzenwelt eigen ist – bis man entdeckte, daß dieses Tier seine Farbe einzelligen Algen verdankt, also pflanzlichen Lebewesen, die sich zu Tausenden in den Darmzellen des Polypen angesiedelt haben und im Inneren der tierischen Zellen gedeihen und sich vermehren. Auch dieses ist ein Gemeinschaftsleben zu beiderseitigem Vorteil. Die Algen haben in dem nesselbewehrten Polypen einen sicheren Wohnsitz und erhalten aus erster Hand die Endprodukte des tierischen Stoffwechsels, einfache Stickstoffverbindungen und Kohlensäure, woraus ja die grünen Pflanzen die organischen Verbindungen aufbauen. Andererseits steht der Sauerstoff, den sie bei der Zerlegung des Kohlendioxids abspalten, und der Überschuß der von ihnen erzeugten organischen Verbindungen dem Polypen zur Verfügung – im kleinen ein Abbild jenes Kreislaufs, der sich im großen zwischen der Gesamtheit der grünen Pflanzen und der Tiere abspielt. Tatsächlich können diese Formen sauerstoffarmes Wasser und Nahrungsmangel viel besser aushalten als ihre nicht grünen Kameraden. Wenn sie sich durch Eizellen vermehren, wandern aus dem mütterlichen Körper Algen in die Eier ein, so daß jedem Tier seine Symbionten nicht erst in die Wiege, sondern schon ins Ei gelegt werden, als Begleiter auf seinem Lebensweg.

Doch auch das ist noch nicht der Höhepunkt inniger Verbrüderung. Einen solchen finden wir bei vielen Insekten. Sie haben im Inneren ihres Kör-

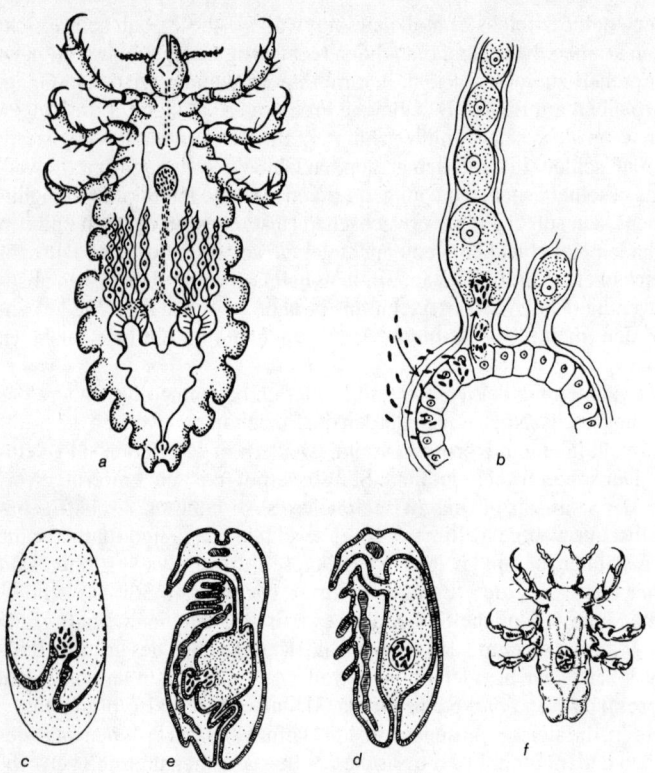

Abb. 47: Die Spaltpilze der Kleiderlaus.
a) Kleiderlaus. Die Spaltpilze wandern aus der Magenscheibe in den Eileiter – b) die Pilze wandern in eine Eizelle (stark vergrößert) – c bis f) Entwicklung der Eizelle zur Laus; die Spaltpilze gelangen in die neue Magenscheibe.

pers ein lange Zeit mißdeutetes Organ, das keine andere Aufgabe hat als die, den einzelligen Symbionten als Wohnstätte zu dienen. Wieder greifen wir aus der Fülle von Beispielen, die – seit etwa 1910 – besonders durch die schönen Untersuchungen von Professor Paul Buchner und seinen Schülern bekannt geworden sind, nur einen Fall heraus.

Kleiderläuse sind gewiß eine unappetitliche Gesellschaft; aber kein Tier ist so gering, daß es nicht auch interessante Seiten hätte. Das Interessanteste an der Kleiderlaus ist ihre Magenscheibe. Das ist eine der vielen Verlegenheitsbezeichnungen, an denen die Wissenschaft so reich ist. Ein scheibenförmiges Organ am Magen der Laus, auf das man sich keinen

Vers machen konnte, bis man entdeckte, daß alle Zellen dieses Organs dicht mit winzigen Spaltpilzen angefüllt sind. Es ist ihr Wohnhaus, und es steht bei keiner Kleiderlaus leer. Das hat die Natur mit eben der Sorgfalt zu sichern gewußt wie bei der Algensymbiose der Polypen, nur daß hier die Sache nicht so einfach ist; denn die Eizellen der weiblichen Kleiderlaus entstehen nicht neben der Magenscheibe, sondern an einer anderen Körperstelle. Die Spaltpilze benehmen sich so, als wenn sie das wüßten. Sobald die Eier der Laus heranreifen, wandern jene in Scharen aus der Magenscheibe aus und begeben sich in die Wandzellen des Eileiters, wo die Eier vorbeikommen müssen (*a* in Abb. 47). Wie Wegelagerer warten sie da und schlüpfen in die herankommenden Eizellen hinein (*b*) – nur wenige in jedes Ei, wo sie, zu einem Häufchen vereinigt, die Keimesentwicklung mitmachen und schließlich durch unbekannte Kräfte zu jenen Zellen geleitet werden, die in der jungen Laus wieder die Magenscheibe aufbauen (*c-f*).

Der Nutzen für die Spaltpilze liegt auf der Hand, da sie, solcherart gehegt und gehütet, ein sicheres Dasein haben. Aber welchen Vorteil hat die Laus, daß sie ihre Einmieter so sorgsam von Generation zu Generation weitergibt? Versuche haben gelehrt, daß sie von ihren Symbionten Vitamine bezieht, die für ihr Leben und Wachstum unentbehrlich sind. In ihrer natürlichen Nahrung, im Blut, ist diese lebenswichtige Beikost nicht enthalten. Der Mensch kann sich durch Genuß frischer Gemüse leicht die nötigen Vitamine verschaffen. Das Verfahren der Läuse ist anders, aber nicht schlechter, wenn sie sich ein lebendiges Gemüsegärtchen mit Spaltpilzen in ihrer Magenscheibe angelegt haben. Und die Methode muß sich bewährt haben, denn man kennt solche Einrichtungen in vielen hübschen Varianten bei Blutsaugern und anderen Insekten mit einseitiger, vitaminarmer Kost in weitester Verbreitung.

Nutzen und Ausnutzen

Es ist bei Tieren wie bei den Menschen ein schönes und erfreuliches Verhältnis, wenn zwei Partner einander in die Hände arbeiten und des einen Vorteil auch des anderen Nutzen ist. Doch es ist allezeit ein heikles Verhältnis, das wohl gehütet werden muß, damit nicht aus dem gegenseitigen Nutzen ein einseitiges Ausnutzen wird. Dieser Wandel mag sich oft genug vollzogen haben, und da und dort glaubt man seine Spuren zu erkennen.

Da gibt es im Meer Krabben, deren breiter Rücken mit Seerosen bewachsen ist wie die Schneckenschale eines Einsiedlerkrebses. Da gibt es aber auch Krabben, welche die Seerosen in ihre kräftigen Scheren nehmen und sie dem Angreifer entgegenstrecken. Wenn den Seerosen diese Behandlung nicht gut bekommt, so holen sie sich neue, denn es gibt genug zu pflücken im reichen Blumengarten des Meeresgrundes. Das ist keine Symbiose mehr, sondern das ist rohe Gewalt und Ausnutzung des Schwächeren durch den Stärkeren.

Selbst das so friedliche und anmutige Verhältnis zwischen den Blumen und ihren Blütengästen kann seine Schattenseiten haben. Manche Blüten, so die des Salbei, sind auf den Besuch durch langrüsselige Hummeln eingerichtet; ihr Nektar ist tief im Grunde der Blütenröhre geborgen. Wenn die Insekten sich mit ausgestrecktem Rüssel in die Blüte hineinzwängen, streifen sie die Staubfäden und Narbe und vollziehen die Bestäubung. Aber da kommen andere, kurzrüsselige Hummeln, beißen die Blüten seitlich an und stehlen den Nektar, ohne den Gegendienst zu leisten, für den sie den Zuckersaft empfangen sollten. Das sind keine Symbionten, sondern Schmarotzer.

Und gar, wo sich die einen im Körper der anderen niedergelassen haben, müssen die gegenseitigen Beziehungen sorgfältig ausgeglichen sein. Sonst kommt es leicht dazu, daß der Wirt den Einmieter unterdrückt oder daß sich der Einmieter unbotmäßig benimmt, zu wuchern anfängt und aus dem Gast ein Krankheitserreger, aus dem Symbionten ein Parasit wird. Es ist nicht immer leicht, das wechselseitige Verhältnis solcher Lebensgemeinschaften richtig einzuschätzen.

Man kann solches Ausnutzen mit Hinterlist betreiben. Gerade auf diesem Gebiet hat die Natur alle ihre Erfindungskünste aufgewendet. Schon seit langem war bekannt, daß in einer Ameisenkolonie fremde Artgenossen, vor allem bestimmte Käfer, als Gäste geduldet werden. Nun muß man wissen, daß Käfer genauso wie die anderen Insekten bei den Ameisen eine begehrte Beute darstellen. Vor allem auf die fetten, weichhäutigen Larven haben sie es als willkommene Fleischnahrung abgesehen. Solches Begehren weiß der Käfer *Atemeles* in geradezu raffinierter Weise zu umgehen: Er nähert sich einem Ameisenhaufen und sucht die Begegnung mit einer Ameise, die da um das Nest herumsucht. Wie gewohnt wird dieser fette Käfer sofort angegriffen, aber es kommt nur zu einem Scheinkampf: Der Käfer hat ein Duftfläschchen parat; aus einer Hinterleibsdrüse, der sogenannten »Besänftigungsdrüse«, läßt er ein Parfüm frei, das den Angreifer augenblicklich besänftigt – »Aphrodisiaka« nennt man diese Zaubermittel. Damit nicht genug: Der Fremdling läßt sich anschließend sogar als Nestgenosse adoptieren; dazu verhilft ihm eine »Adoptionsdrüse«, die mit ihrem Sekret offenbar den Pflegeinstinkt der Ameise auslöst. Das geht so weit, daß sich der Käfer anschließend im Huckepack ins Ameisennest tragen läßt.

Was jetzt beginnt, kann man nicht anders als Spionage bezeichnen: Das Atemeles-Weibchen legt in den warmen Nischen des Nestes seine Eier ab und läßt die schlüpfenden Larven von den Wirtsameisen pflegen und füttern. Man stelle sich die Situation aus der Ameisenperspektive vor: Da liegen die nackten wehrlosen Käferlarven; für eine Ameise läge nichts näher, als zuzubeißen. Aber nichts von alledem geschieht; ganz im Gegenteil:

Die hungrigen Larven betteln ihre Wirte um Futter an, und man staune – es wird ihnen reichlich gewährt. Diese Larven haben nämlich aufs genaueste ausspioniert, wie man es im Ameisenstaat anstellt, um zu Futter zu kommen. Man muß mit einem bestimmten Ritus und mit ausgeklügeltem Rhythmus die Mundgegend einer Amme betrillern. Die Käferlarven sind in dieser Bettelsprache so versiert, daß sie sie besser, das heißt intensiver betreiben, als die Ameisenlarven selber; der unbefangene Leser wird es kaum für möglich halten: Sie erhalten auch von der Amme mehr Futter, als sie dies ihren eigenen Geschwistern verabreicht. Schon von vornherein haben sich die Käferlarven lieb Kind bei den Wirtsameisen gemacht, indem sie mit einem Sekret aus eigenen Drüsen am Rücken ein Adoptionsparfüm, das nicht nur jede Aggression abblockt, sondern auch Ammenpflege auslöst, angeboten haben. Hölldobler von der Harvard-Universität hat die Sekretporen dieser Rückendrüsen mit Schellack verklebt – sofort wurden die Larven angegriffen, zerstückelt, gefressen oder zum Abfallhaufen getragen.

Die Kriminalgeschichte ist aber noch nicht zu Ende: Die Waldameise *Formica* setzt im Winter das Brutgeschäft aus, die Tiere verkriechen sich in die tiefen wärmeren Bodenschichten. Atemeles verläßt im Herbst dieses unwirtliche Quartier und nistet sich bei einem anderen Wirt, einer Knotenameise *Myrmica*, ein. Myrmica unterhält nämlich auch im Winter Brut, und der Käfergast schmuggelt sich mit einem neuen Zeremoniell als Doppelgänger, besser gesagt als Spion mit neuer Maske und neuem Auftreten ein.

Vieles gäbe es noch zu berichten von derart ausspionierten Kommunikationssystemen, die ursprünglich nur für Artgenossen gedacht waren.

Von besonderer Raffinesse ist dabei das Zusammenleben zwischen Parasit und Wirt gekennzeichnet. Verständlicherweise bringt man diesem Volk nur Abscheu entgegen; bei genauerem Studium dieses Zusammenlebens werden wir aber doch unsere Bewunderung nicht unterdrücken können, wie der Schmarotzer es versteht, sich mit allerlei Tricks in einem Wirt einzunisten, ihn aber nur so weit zu schröpfen, daß er durchaus noch lebensfähig bleibt, um auch für die nächsten Generationen zur Verfügung zu stehen.

Schmarotzer

Wer ein rechter Schmarotzer ist, kann seinen Beruf nicht verleugnen und hat sein eigenes Gesicht. Es ist erstaunlich, wie diese Lebensweise das ganze Gepräge verändern kann. Das sieht man am besten, wenn man zwei Tierarten vergleicht, die nahe miteinander verwandt sind, und von denen sich die eine selbständig durchs Leben schlägt, während die andere ein Schmarotzerdasein führt. In unseren Tümpeln und Seen und auch im Meer leben ungeheure Mengen kleiner Krebschen, von deren Vorhandensein

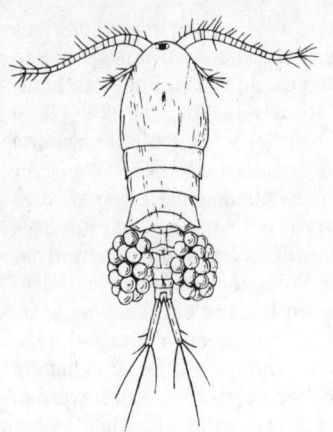

Abb. 48: Krebschen mit zwei Eiersäkken, 50fach vergrößert.

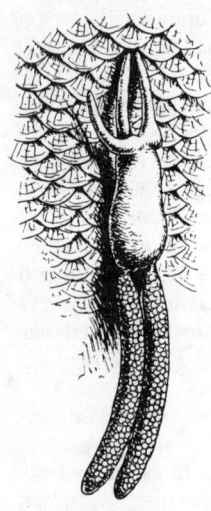

Abb. 49: Schmarotzerkrebschen, nahe verwandt mit dem in der vorhergehenden Abb. dargestellten, frei lebenden Krebs, mit zwei Eiersäcken ($5^1/_2$fach vergrößert).

die wenigsten Menschen etwas wissen. Sieht doch zum Beispiel das klare Wasser eines Gebirgssees auch für den aufmerksamen Betrachter auf weite Strecken hin ganz unbevölkert aus. Erst wenn man ein sehr feinmaschiges Netz durchs Wasser zieht und den Inhalt hernach in einem Glas ausspült, erkennt man, daß sich überall, auch mitten im See, eine Kleinlebewelt von ungeahnter Reichhaltigkeit herumtummelt.

Da hüpft und springt es in unserem Wasserglas, als wenn man einen Sack Flöhe ausgelassen hätte. Ein großer Teil dieser Tiere, deren Körperausmaße 1 mm kaum überschreiten, besteht aus Krebschen einer Gattung, die Abb. 48 zeigt. Mit Hilfe ihrer kleinen, lebhaften Beine bewegen sie sich ruckweise fort. Mit feinen Filterapparaten aus winzigen Borsten fischen sie sich aus dem Wasser mikroskopisch kleine Nahrungsteilchen heraus. Lang ausgestreckte Fühler sind mit Tast- und Geruchsorganen besetzt; ein winziges Äuglein vermittelt ihnen die Lichtempfindung. Die Weibchen tragen die abgelegten Eierpäckchen mit sich umher, bis die Jungen ausschlüpfen – wenn es dazu kommt; denn Millionen dieser Krebse finden ihr Ende im Magen der Fische, von denen es kaum eine Art gibt, die nicht auf irgendeiner Lebensstufe in ihnen mittelbar oder unmittelbar ihr Futter fänden.

Manche Arten dieser Krebse haben aber den Spieß umgedreht und ernähren sich von Fischen, auf deren Kiemen oder Haut sie sich als

Schmarotzer niederlassen (Abb. 49). Nur ein genaues Studium ihres Körperbaues und ihrer Entwicklungsgeschichte verrät dem Fachmann, daß es sich um Krebse handelt, die mit den eben besprochenen aufs nächste verwandt sind; der nicht Eingeweihte würde sie eher für Würmer halten. Die Gliederung des Körpers und die beweglichen Beine sind verschwunden; sie brauchen ja nicht mehr umherzuschwimmen, sondern lassen sich von ihrem unfreiwilligen Wirt spazierentragen. Ihre Kiefer sind zu einem Saugrüssel umgebildet, mit dem sie die Körpersäfte des Fisches nach Bedarf einschlürfen. Ihre Sinnesorgane, auch das Auge, sind zurückgebildet; sie benötigen sie nicht, da sie ihr Leben lang an ihrem nahrhaften Platz sitzen bleiben. Sie werden viel größer als ihre frei lebenden Verwandten, denn sie haben Nahrung im Überfluß. Nur eine Schattenseite hat die Angelegenheit für sie: Würden sie sich an Ort und Stelle vermehren, würde sich also die Brut neben den Alten ansiedeln, dann wäre es bald um den Fisch geschehen, und mit dem Tod ihres Opfers wäre ihnen selbst die weitere Lebensmöglichkeit abgeschnitten. Doch hat es die Natur so eingerichtet, daß die Jungen zunächst in die Welt hinausziehen und sich selbst eine neue Existenz schaffen müssen, indem sie andere Fische aufsuchen und sich an ihnen festsetzen. Das ist für die Knirpse gar nicht so leicht, obwohl sie in diesem Jugendstadium noch Sinnesorgane und Schwimmbeine haben. Unzählige suchen vergeblich und gehen vorzeitig zugrunde. Trotzdem kann sich die Art erhalten. Denn der Schmarotzer lebt in solchem Nahrungsüberfluß, daß er ungeheure Mengen von Eiern erzeugen kann, weit mehr als seine frei lebenden Verwandten, und dem einen oder anderen unter den Tausenden von Jungen gelingt es dann doch, den schwierigen Weg zu neuem Wohlstand im Fett einer anderen Fischhaut zu finden.

Noch weitergehend pflegen die Veränderungen im Körperbau der Parasiten dann zu sein, wenn sie nicht als Außenschmarotzer, sondern im Inneren ihrer Wirtstiere leben.

Das ist zum Beispiel die häßliche Gesellschaft der Eingeweidewürmer, von denen Vögel und Säugetiere oft in hohem Maße geplagt sind und die trotz neuzeitlicher Hygiene auch den Menschen nicht selten befallen. Unter ihnen tragen die Bandwürmer in ihrem Körperbau am ausgeprägtesten den Stempel der parasitischen Lebensweise. Sie sind, solange sie nicht übermäßig zahlreich werden, keine lebensgefährlichen Schmarotzer.

Eine von den Arten, die auch als Parasiten des Menschen vorkommen, erreicht die ansehnliche Länge von zehn Meter. Der Kopf ist winzig klein. Sinnesorgane und Nervensystem stehen auf sehr niederer Stufe; ein Gehirn ist kaum angedeutet. Der Wurm hat ja auch in seiner einförmigen Umgebung, im ewig finsteren Innenraum des Darmes, keinen Anlaß zu tiefsinnigen Betrachtungen. Der Kopf trägt Saugnäpfe, mit deren Hilfe er sich an der Darmwand anheftet, um nicht mit dem Inhalt des Darmes hinausbefördert zu werden. Er saugt keine Stoffe aus der Darmwand, sondern er lebt vom Darminhalt seines Wirtes. Da dieser ihm die Arbeit der Verdauung abnimmt, hat er selbst weder Mund noch Darm; er zehrt mit seiner Körperoberfläche, so viel er braucht, von der aufbereiteten Nahrung in sich, die eigentlich durch die Darmwand des Wirtes in dessen Körpersäfte strömen sollte.

In seinem gegliederten Körper entwickeln sich im Laufe seines Lebens ungezählte Millionen von Eiern, und das ist nötig, wenn sich die Art erhalten soll. Denn für einen solchen Innenschmarotzer ist der Weg, den die Brut einschlagen muß, um wieder in den richtigen Wirt zu kommen, derart verschlungen, daß die wenigsten das Ziel erreichen. Bei unserem Bandwurm müssen die Eier zunächst durch einen Zufall ins Wasser gelangen. Dann schlüpfen aus ihnen bewimperte Larven, die eines jener kleinen Wasserkrebschen aufsuchen, von denen vorhin die Rede war. Diese dienen ihnen als »Zwischenwirt« zu vorübergehendem Aufenthalt. Voraussetzung für ihre weitere Entwicklung ist, daß sie samt dem Krebschen von einem Fisch gefressen werden. In diesem zweiten Zwischenwirt siedeln sie sich im Muskelfleisch an; sie heißen nun Finnen. Werden sie mit dem Fischfleisch in ungenügend gekochtem Zustand, also noch lebend, von einem Menschen verzehrt, dann erst sind sie in dessen Darm am Ziel und können sich zur vollen Reife entwickeln. Man wird mit Recht fragen, wieso im Magen und Darm des Menschen wohl das Fischfleisch durch die Verdauungssäfte zerstört wird, der Bandwurm aber nicht. Daß er durch chemische Abwehrmittel seiner Gewebe davor bewahrt bleibt, ist nur eine der mannigfachen Anpassungen, die ihm das Leben an seiner finsteren Stätte möglich machen. Eine sympathische Gesellschaft sind sie nicht, diese bleichen Gesellen. Durch die Nahrung, die sie für sich beanspruchen, und mehr noch durch ihre giftigen Abscheidungen können sie auch recht unangenehme Erscheinungen bewirken. Aber sie sind trotz ihrer Größe doch harmlose Schmarotzer im Vergleich mit anderen Parasiten. Man kennt mikroskopisch kleine Würmer, man kennt Spaltpilze, die auch für die stärksten Vergrößerungen an der Grenze der Sichtbarkeit stehen und doch lebensgefährliche Krankheitserreger sind. Ganz zu schweigen von den Viren, den kleinsten Lebewesen, die man bis heute kennt, die in eine Wirtszelle eindringen, sich auf deren Kosten mit rasanter Schnelligkeit vermehren und schlimme Erkrankungen hervorrufen. Darüber wird später (S. 319) Näheres berichtet werden. Der Grad der Schädigung hängt weniger davon ab, wie groß die Schmarotzer sind, als von der Natur ihrer giftigen Stoffwechselprodukte.

Freilich, wenn sie so groß sind, daß sie das Wirtstier aufzehren, dann sind sie auf andere Weise lebensgefährlich. Hier liegt der Übergang vom Parasiten zum Räuber. Ein Blutegel, der an einem Pferd Blut saugt, ist ein Schmarotzer; wenn er aber eine kleine Wasserschnecke aussaugt und tötet, ist er ein Raubtier. Eine scharfe Grenze besteht nach dieser Richtung so wenig wie nach der freundlicheren Nachbarschaft der Symbiose.

3.4. Staatenbildung

Der Bienenstaat

Ein Bienenstaat ist nicht eine Vereinigung von Familien, sondern eine einzige große Familie. Man muß sie zur Gilde der Kinderreichen rechnen, denn man zählt bis an die 80000 Köpfe. In alten Zeiten pflegte ein solches Bienenvolk sein Heim in einem hohlen Baumstamm aufzuschlagen. Diese waren damals noch nicht so selten wie im modernen Kulturwald. Heute gäbe es bei den Bienen schwere Wohnungsnot, wenn sie nicht der Mensch um des Honigs willen in seine Pflege genommen hätte. So stellt er ihnen Holzkästen oder Strohkörbe als Wohnungen zur Verfügung.

In jeder Behausung lebt eine Familienmutter, die *Bienenkönigin* (der »Weisel«), mit 40000 bis 80000 Kindern. Die Gesamtzahl ihrer Nachkommen ist sogar noch um ein Vielfaches größer. Denn die meisten sterben nach wenigen Wochen oder Monaten, während die Königin vier bis fünf Jahre lebt und fortpflanzungsfähig bleiben kann. Von Regierungssorgen ist sie nicht bedrückt. Das Eierlegen ist fast ihre einzige Pflicht. Trotzdem ist sie voll beschäftigt; denn eine tüchtige Königin erzeugt täglich etwa 1500 Eier, legt also durchschnittlich Tag und Nacht in jeder Minute ein Ei. Die anderen Bienen tun da nicht mit. Die sogenannten *Arbeiterinnen* (Abb. 50) sind zwar auch Weibchen, aber ihre Eierstöcke sind verkümmert, so daß sie unter normalen Umständen niemals Nachkommen haben. Dagegen sind die weiblichen Instinkte der Brutpflege, der häuslichen Ordnung und Sauberkeit und der Sorge für das tägliche Brot bei ihnen aufs beste entwickelt, so daß sie diese Dinge der Königin völlig abnehmen. Im Frühjahr treten im Bienenvolk auch noch die plumpen, dickköpfigen *Drohnen* auf. Es sind die Bienenmännchen. Im Sommer, wenn sie zu nichts mehr nütze sind, werden sie von den Arbeiterinnen als Mitesser im Stock nicht länger geduldet und in der »Drohnenschlacht« durch Bisse und giftige Stiche hinausgejagt. Dann finden sie vor den Pforten der Bienenwohnungen ein unrühmliches Ende. Sie können sich gegen die weiblichen Tätlichkeiten nicht wehren, denn die Bienenmännchen haben weder einen Giftstachel noch ritterlichen Geist. Nicht fähig, sich selbst ihr Futter zu suchen, müssen sie draußen elend verhungern.

Sowohl die Königin wie die Arbeiterinnen sind also weibliche Wesen, die von vornherein durch ungleiche körperliche Ausbildung für verschiedene Aufgaben bestimmt sind. Darüber hinaus herrscht auch unter den gleichartigen Geschwistern eine wohlorganisierte Arbeitsteilung. Anders als die Menschen wechseln sie ihren Beruf gesetzmäßig mit dem Alter. In ihren ersten Lebenstagen haben sie als Putzerinnen die Zellen zu säubern. Dann widmen sie sich der Brutpflege. Aus den Eiern der Königin schlüpfen ja weißliche, hilflose Geschöpfe, die ähnlich aussehen wie die unappetitlichen Fliegenmaden und sich erst nach zwei bis drei Wochen in geflügelte Bienen verwandeln (vgl. Tafel 12). Solange sie Larven sind, werden sie von ihren Pflegemüttern, den Arbeiterinnen, mit einer Art Muttermilch gefüttert, nämlich mit der nahrhaften Absonderung ihrer mächtig entwikkelten Speicheldrüsen (Futtersaft), später, sobald sie eine kräftigere Kost vertragen, auch mit Blütenstaub und Honig. Nach dieser Ammentätigkeit wenden sich die Arbeiterinnen anderen Beschäftigungen zu. Sie machen die ersten Ausflüge aus dem Stock und schaffen die Abfälle hinaus; sie schwitzen Wachs aus und bauen nach Bedarf neue Zellen, oder sie sitzen als Wächter des Heims am Flugloch usw. Nach drei Wochen etwa wird die Arbeitsbiene zur Sammlerin. Sie fliegt an die Blumen, um Honig und Blütenstaub als Nahrung für das Volk einzuheimsen. Diese Tätigkeit übt sie aus bis an ihr Lebensende, das nicht lange auf sich warten läßt. Im Frühjahr und Sommer, zur Zeit des eifrigsten Sammelns, wird sie selten älter als vier bis fünf Wochen.

Die Aufzucht der Brut führt im Frühjahr zu einer raschen Vermehrung der Bienen innerhalb des Stockes, aber nicht unmittelbar zu einer Vermehrung der Völker selbst. Zu einer solchen kommt es durch das »Schwärmen«. Für ein neues Volk ist eine neue Königin nötig. Daß sie beizeiten da ist, dafür sorgen die Arbeiterinnen. Denn ob sich aus einem Ei eine Arbeitsbiene oder eine Königin entwickelt, liegt ganz in der Hand der Pflegemütter. Wenn sie eine Larve in einer geräumigen Wachszelle (»Weiselzelle«, s. Abb. 50; vgl. auch Tafel 14 oben) aufziehen und mit einem besonderen Futtersaft versehen, dann entsteht ein voll entwickeltes Weibchen, eine Königin. Da eine solche ein Alter von mehreren Jahren erreichen kann, während Arbeiterinnen in der Regel nach wenigen Wochen sterben, hat man dem Königin-Futtersaft (in Frankreich Gelée Royale genannt) eine gesundheitsfördernde und lebensverlängernde Wirkung zugeschrieben.

Es entwickelte sich ein schwunghafter Handel mit diesem Nebenprodukt der Bienenzucht. Ob schon ein Mensch durch seinen Genuß älter geworden ist, als ihm sonst bestimmt gewesen wäre, wird bezweifelt. Aber wer gibt nicht gern sein Geld für eine große Hoffnung!

Beim Schwärmen der Bienen verläßt die alte Königin mit der Hälfte des Volkes den Stock, und die junge Nachfolgerin tritt in ihre Rechte. Der ausgezogene Schwarm sammelt sich als Bienentraube um seine Königin, meist an

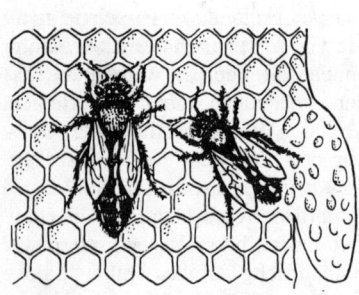

Abb. 50: Links: Königin, rechts: Arbeitsbiene; neben der Arbeitsbiene eine Weiselzelle.

einem Ast unweit vom Bienenstand. Hier kann ihn der Imker einfangen, aber er muß sich sputen. Denn nach wenigen Stunden löst sich die Schwarmtraube auf und fliegt nach den Weisungen ihrer Quartiermacher, der »Spurbienen«, geradenwegs oft weit über Land, um ein Heim zu beziehen, das jene erkundet hatten.

Schon diese skizzenhafte Schilderung vom Leben des Bienenstaates läßt wohl erkennen, daß die vielen tausend Volksgenossen in sehr geordneter Weise zusammenwirken. Das schönste Beispiel für die hohe Organisation ihrer Instinkthandlungen ist ihre »Sprache«.

Wie Bienen miteinander reden

Daß sie eine Art von Verständigung haben müssen, wird jedem aufmerksamen Bienenfreund bald klar sein. Er wird zum Beispiel bemerken, daß ein Honigtopf oft tagelang unbeachtet im Freien stehen kann. Wenn ihn aber nur *eine* Biene entdeckt hat, dann sind nach kürzester Zeit Hunderte von ihren Stockgenossen zur Stelle, um den Vorrat auszubeuten. Sie müssen daheimerzählt haben! Wie sie das machen, darüber ist an einem gewöhnlichen Bienenkasten nichts zu erfahren. Es läßt sich aber ein Beobachtungsstock bauen, in dem man durch Glasfenster jede heimkehrende Biene verfolgen kann. Nur muß man sie durch Farbtupfen kenntlich machen, um sie in dem Gewühl auf den Waben nicht aus den Augen zu verlieren.

Nun stellen wir in der Nähe des Beobachtungsstockes ein Glasschälchen mit Honig auf und warten, bis es von einer Biene gefunden wird. Die Entdeckerin der Futterquelle bezeichnen wir mit einem Farbklecks und beobachten sie nach der Heimkehr in den Stock. Da läuft sie die Waben hinauf, sitzt ein Weilchen still, gibt die süße Beute an die Kameraden ab, und dann beginnt ein Schauspiel, so reizvoll anzusehen, daß man es in dürren Worten kaum schildern kann. Sie vollführt einen Rundtanz auf der Wabe, indem sie mit raschen, trippelnden Schritten im Kreis herumläuft, einmal rechts herum, einmal links herum in raschem Wechsel. Dann wiederholt sie den Tanz oft noch an mehreren anderen Stellen der Wabe und stürzt schließlich hastig zum Flugloch, um an den Futterplatz zurückzufliegen. Der Tanz versetzt die benachbarten Bienen in größte Aufregung.

Sie trippeln hinterdrein, die Fühler an den Hinterleib der Tänzerin haltend (Abb. 51); dann eilen sie zum Flugloch und verlassen den Stock. Bald darauf erscheinen die ersten Neulinge am Honigschälchen. Es ist klar, daß sie durch den Tanz alarmiert wurden. Aber wie finden sie den Futterplatz?

Glasschälchen sind für die Bienen unnatürliche Gefäße. Wenn wir sie in unserem Versuch durch die naturgegebenen Trinkbecher der Bienen, durch Blumen, ersetzen, erleben wir eine Überraschung.

Wir füttern einige gezeichnete Bienen an einem kleinen Strauß von Alpenveilchen. Damit sie dauernd reichlich Nahrung finden, tropfen wir

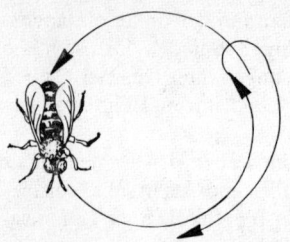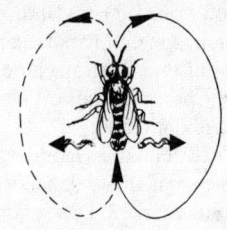

Abb. 51: Rundtanz (links) und Schwänzeltanz (rechts) der Biene.

nach Bedarf Zuckerwasser in die Blüten. Irgendwo in der Umgebung setzen wir einen Strauß von Alpenveilchen und einen Strauß mit anderen Blumen, zum Beispiel Phlox, ins Gras. Die suchenden Neulinge, die dort in die Nähe kommen, befliegen die Alpenveilchen und durchstöbern die Blüten mit großer Hartnäckigkeit, während sie sich um den Phlox überhaupt nicht kümmern. Ersetzen wir an der Futterstelle die Alpenveilchen durch Phlox, der in gleicher Weise mit Zuckerwasser versehen ist, so sammeln dieselben Bienen weiter und tanzen im Stock wie bisher. Doch an unserem Beobachtungsplatz in der Wiese ändert sich das Bild schon nach wenigen Minuten. Das Interesse an den Alpenveilchen läßt nach. Die neu herankommenden Bienen befliegen nur mehr den Phloxstrauß; ja überall in den benachbarten Gärten sehen wir sie emsig an den Phloxblüten herumsuchen – ein eigenartiger Anblick für den Blütenbiologen, der weiß, daß sie sonst nie an den Phlox gehen, weil der Nektar in dessen tiefen Kronröhren nur den langrüsseligen Schmetterlingen zugänglich ist.

Aus dem Versuch geht hervor, daß die Tänzerinnen im Stock nicht nur das Vorhandensein des Futters verkünden, sondern auch die Blumensorte, von der es zu holen ist. Sie brauchen dazu nicht ein einziges Wort zu sagen. Wenn sie den Zuckersaft aus den Blüten saugen, bleibt etwas vom Blütenduft in ihrem Haarkleid hängen, und wenn dann die Stockgenossen auf der Wabe hinter ihnen hertrippeln und ihre Fühler, die Träger ihrer Geruchswerkzeuge, an ihren Hinterleib halten, merken sie den Duft und wissen, wonach sie zu suchen haben, um an die gleiche Quelle zu gelangen. Das ist keine Vermutung, sondern läßt sich überzeugend nachweisen. Man braucht nur den Bienen an der Futterstelle Zuckerwasser in künstlichen Papierblumen zu bieten, die man mit irgendeinem Duftstoff parfümiert, zum Beispiel mit dem ätherischen Öl aus Pomeranzenschalen. Alle Stockgenossen, die auf die Suche gehen, haben plötzlich nichts anderes im Sinn, als diesem Duft nachzuspüren, der ihnen noch nie im früheren Leben begegnet ist.

Soweit bedient sich die Tänzerin einfachster Mittel, um ihre Kameraden auf der Wabe vom Bestehen einer Futterquelle und von der Blumensorte, die sie spendet, in Kenntnis zu setzen. Sie erteilt ihnen aber darüber hinaus noch andere Informationen. Sie sagt ihnen, wie weit sie fliegen müssen und – bei entfernteren Weideplätzen – welche Richtung sie einzuschlagen haben, um dahin zu gelangen, wo sie selbst erfolgreich gesammelt hat. Sie sagt es ihnen durch ihre Tanzweise: Liegt die Futterquelle in unmittelbarer Nähe des Bienenstockes, so ist der *Rundtanz* zu beobachten, wie er auf S. 205 beschrieben und in Abb. 51 abgebildet wurde. Er bedeutet, daß die Futterstelle nicht weiter als 50 bis 100 m vom Stock abliegt. Das ist für diese beschwingten Wesen keine große Strecke, und rasch ist das Gebiet rund um den Stock von den alarmierten Genossen abgesucht und der richtige Ort entdeckt. Liegt die Futterquelle 100 m oder weiter vom Heimatstock ab, so tritt an die Stelle des Rundtanzes der *Schwänzeltanz*. Die Biene läuft einen Halbkreis, dann geradlinig zurück, einen Halbkreis nach der anderen Seite, wieder geradlinig zurück und so fort. Während des Geradelaufes schwänzelt sie lebhaft mit dem Hinterleib (Abb. 51) und erzeugt gleichzeitig einen Summton, dessen Vibrationen die feinfühligen Nachläuferinnen wahrnehmen. Dem Tanz ist ein bestimmter Rhythmus eigen, er ändert sich bei zunehmender Entfernung der Futterstelle vom Heimatstock in bezeichnender Weise. Je länger die Flugstrecke ist, desto länger währt jeder

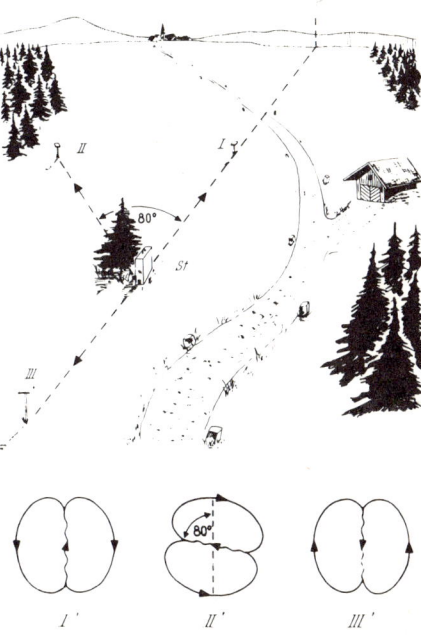

Abb. 52: Drei Beispiele für die Richtungsweisung. Die Sonne steht südwestlich vom Stock (St). Situation I: Futterplatz in Richtung zur Sonne – Schwänzellauf auf der senkrechten Wabe nach oben (I'). Situation II: Futterplatz 80° links vom Sonnenstand – Schwänzellauf 80° links zur Lotrechten(II'). Situation III: Futterplatz entgegengesetzt zur Sonne – Schwänzellauf zeigt nach unten (III').

Schwänzellauf mit seinem Summton und desto geringer wird die Zahl der Wendungen in der Minute – so gesetzmäßig, daß man mit der Uhr in der Hand recht genau angeben kann, aus welchem Abstand die Sammlerin ihre Bürde eingetragen hat. Die Stockgenossen verstehen diese Nachricht, denn sie suchen tatsächlich in entsprechender Entfernung. Da sich der Flugbereich eines sammelnden Bienenvolkes auf einen Umkreis von mehreren Kilometern erstrecken kann, bleibt den neu anfliegenden Kameraden viel nutzloses Suchen erspart.

Noch wunderbarer ist die Verständigung über die Richtung. Sie wird durch die Richtung des geradlinigen Schwänzellaufes mit Bezug auf den Sonnenstand gewiesen. Da die Wabe senkrecht hängt, die Flugstrecke aber in einer horizontalen Ebene liegt, kann das nur auf einem merkwürdigen Umweg geschehen: Liegt der Futterplatz genau in der Richtung des Sonnenstandes, so läuft die Tänzerin beim Schwänzeltanz die geradlinige Strecke *nach oben* (Abb. 52 links). Liegt er genau in der entgegengesetzten Richtung, so tanzt sie den Geradelauf senkrecht *nach unten* (Abb. 52 rechts). Eine Laufspur des Schwänzeltanzes, in welcher der Geradelauf um 80° nach links von der Richtung nach oben abweicht, bedeutet, daß der Futterplatz um 80° nach links von der Richtung zur Sonne gelegen ist (Abb. 52 Mitte), usw. Der Winkel zur Sonne wird also durch den Winkel zum Lot ausgedrückt. Auch diese Weisungen werden von den Kameraden verstanden und beim Suchen nach der verkündeten Nahrung mit bemerkenswerter Präzision eingehalten. Man wird fragen: Was geschieht bei bedecktem Himmel? Es ist überraschend, daß die Bienen die Sonne auch durch eine Wolkenschicht sehen können, die sie für uns unsichtbar macht. Ihre Augen leisten darin mehr als die unseren. Allerdings darf die Wolke vor der Sonne nicht zu dicht sein. Es genügt aber auch bei völlig verdeckter Sonne, wenn irgendwo ein blauer Himmelsfleck frei bleibt; sein Polarisationsmuster zeigt, der jeweiligen Tageszeit entsprechend, den Sonnenstand an. Jetzt erhält das auf S. 136 bereits beschriebene Sehen polarisierten Lichtes durch das Bienenauge seine volle biologische Bedeutung.

Nun kommt noch ein weiterer Umstand hinzu, der von Wichtigkeit ist. Nur wenn die Bienen Futter im Überfluß finden, wie an einem gefüllten Schälchen oder in Blüten mit reichlichen Nektarmengen, tanzen sie auf den Waben. Wenn der Zuckersaft spärlich wird, sammeln sie zwar weiter, solange sie überhaupt noch etwas finden; aber sie tanzen nicht und erhalten daher auch keinen weiteren Zuzug.

Der Sinn dieser Gepflogenheit wird klar, sobald wir die natürlichen Verhältnisse beachten. Wenn eine Pflanzenart zu blühen beginnt, sammelt sich in den Blumen reichlich Nektar an, solange sie noch nicht besucht werden. Findet eine Bienenkundschafterin den neu gedeckten Tisch, dann füllt sie mühelos ihren Magen, und nun sagt ihr der angeborene Trieb: Unter solchen Umständen muß getanzt werden. Ihre Kameraden im Stock verstehen, was das bedeutet: hinaus aus dem Stock und auf die Suche nach dem Duft, der an der Tänzerin bemerkbar war! Hinaus und auf die Suche rundherum um den Stock, wenn Rundtänze dazu auffordern! Oder hinaus in größere Ferne und in bestimmte Richtung, wenn Schwänzeltänze entsprechende Weisungen geben.

Sind später die Sammlerinnen so zahlreich geworden, daß der von diesen Blumen abgesonderte Nektar im ganzen Flugbereich des Volkes leicht eingeheimst werden kann, dann steht er nicht mehr im Überfluß in den Kelchen. Die Tänze hören auf, und die Sammlerschar, genügend an Zahl für ihre Aufgabe, erhält keine weitere Verstärkung. Stehen verschiedene Pflanzenarten gleichzeitig in Blüte, wie es ja fast immer der Fall sein wird, dann löst die Sorte, die den reichsten Nektar bietet, die lebhaftesten Tänze aus und zieht die meisten Sammlerinnen an sich heran. So regelt sich der Verkehr zum Nutzen des Volkes durch eine Zeichensprache, die nicht einfacher und wirksamer gedacht werden könnte.

Der Ameisenhaufen

Nicht alle Insektenstaaten haben eine so straffe Organisation wie die Bienen. Ein Ameisenhaufen aus lose aufgeschichteten Tannennadeln sieht viel unordentlicher aus als der kunstvolle Wabenbau des Bienenvolkes, und wer das Gewimmel seiner kleinen Bewohner betrachtet, bekommt leicht den Eindruck, daß sie alle nicht recht wissen, was sie eigentlich wollen. Doch liegt das mehr an Äußerlichkeiten ihres Gehabens; im Grunde hat ihr Gemeinschaftsleben viel Ähnlichkeit mit dem der Bienen.

Vor allem gibt es auch hier die dreierlei Wesen: die Königinnen als voll entwickelte Weibchen, die Arbeiterinnen als Weibchen mit verkümmerten Eierstöcken, die sich der Brutpflege, der Nahrungsbeschaffung und der Verteidigung des Nestes widmen, und zu gewissen Zeiten die Männchen. Diese und die jungfräulichen Königinnen sind geflügelt. In hellen Scharen entsteigen sie an warmen Sommertagen den finsteren Nestern und schwingen sich zum Hochzeitsflug der Sonne entgegen. Die Männchen gehen dann bald zugrunde; die begatteten Königinnen werfen die Flügel ab und suchen ein neues Nest zu gründen oder in einem vorhandenen unterzukommen. Denn hier sind die Majestäten nicht so unverträglich wie bei den Bienen; man kann viele Dutzende in einem Staate friedlich vereinigt finden, alle beschäftigt mit ihrer einzigen Aufgabe, dem Eierlegen. Die Arbeiterinnen sind von vornherein ungeflügelt. So sind die Ameisen mehr Kinder der Erde und haben schon dadurch eine andere Lebensart vorgezeichnet bekommen als die Bienen, die Kinder der Lüfte. Was die Beschäftigung mit ihnen besonders reizvoll macht, ist die Mannigfaltigkeit ihrer Bauten und Gewohnheiten. Ameisen sind in vielen Gattungen und Arten über die Erde verbreitet, und jede hat ihren eigenen Lebensstil.

Wer kennt nicht die großen Waldameisen, die Erbauer unserer mächtig-

Abb. 53: Nesthaufen der schwarzen Wegameise (Lasius niger) im Schnitt.

sten Ameisenhaufen? Andere Arten führen bescheidenere Hügel auf, denen wir allenthalben in Feld und Wiese begegnen (Abb. 53). Der ganze Ameisenhaufen ist von ihren Wohnkammern durchsetzt, und sie erstrecken sich noch tief in das darunterliegende Erdreich. Da ziehen sie ihre Brut groß; da wachsen aus den Eiern die madenartigen Larven heran, die sich, sobald sie ausgewachsen sind, in einem selbstgesponnenen Kokon zur fertigen Ameise verwandeln. Diese Puppen sind es, die dem Vogelliebhaber als »Ameiseneier« bekannt sind. Von den wirklichen Ameiseneiern würden seine Vögel nicht so bald satt werden.

Weber, Gärtner und Tyrannen unter den Ameisen

Andere Arten legen unscheinbare Nester völlig unterirdisch oder unter Steinen an. Viele tropische Formen bevorzugen Baumstämme und Äste als Nistplätze. Auf Sri Lanka hat man im Laubwerk der Bäume Ameisennester aus zusammengesponnenen Blättern gefunden. Das war ein großes

Rätsel, da doch die Ameisen keine Spinndrüsen haben. Nur ihre Larven besitzen solche, um sich die Puppenhülle zu spinnen; aber sie liegen ja als hilflose Würmchen in ihren Wiegenräumen und können nicht als Baumeister in den Blättern umhersteigen. Des Rätsels Lösung klingt wie eine Fabel, doch stammt die Beobachtung von gewissenhaften Naturforschern. Wenn diese an einem Nest einen Riß machten, so kam bald eine Reihe von Ameisen anmarschiert, die sich an der störenden Spalte aufstellten und die Ränder wieder aneinanderzogen. Dann kletterten aus der Tiefe des Nestes andere herauf, die erwachsene Larven in ihren Beißzangen hielten und sie offenbar durch den Druck ihrer Kiefer zur Abgabe des Spinnfadens veranlaßten. Dabei preßten sie ihren Kopf bald diesseits, bald jenseits der Spalte an das Blatt und spannten so ein seidenes Gewebe, indem sie die Larven als lebende Spinnrocken und als Weberschiffchen zugleich benützten.

Während die Bienen nur von Honig und Blütenstaub leben, haben die Ameisen einen reichhaltigen Speisezettel. Sie sind keine Verächter von Süßigkeiten. Aber sie streifen auch mordend durch ihr Wohngebiet und schleppen derartige Mengen von Raupen und anderen Schädlingen als Futter in ihre Bauten, daß sie der Forstwirtschaft dadurch sehr nützlich werden. Wenigstens gilt das für unsere Waldameisen. Die südamerikanischen Pflanzer denken anders über ihre »Blattschneiderameisen« (s. Tafel 15 oben). Diese leben in ausgedehnten unterirdischen Bauten. Aus denen kommen sie nur heraus, um auf die Bäume zu steigen und mit ihren scharfen Kiefern Blattstücke abzuschneiden, mit welchen sie wie mit kleinen Sonnenschirmchen wieder hinunterlaufen und in ihren Höhlen verschwinden. Dabei haben sie es leider besonders auf die Kulturpflanzen abgesehen, und da sie überaus zahlreich sind und erstaunliche Blättermassen eintragen, sind durch ihre Tätigkeit schon blühende Siedlungen zerstört worden. Weite, fruchtbare Landstrecken Brasiliens konnten nur deshalb nicht in Kultur genommen werden, weil man sich diesen Plünderern gegenüber nicht zu helfen wußte. Jetzt hat man im Methylbromid ein wirksames Bekämpfungsmittel gefunden. Die Blattschneiderameisen sind übrigens die einzigen reinen Vegetarier unter den Ameisen. Doch verzehren sie nicht etwa die eingeschleppten Blätter. Sie zerstückeln diese nur in kleinste Fetzchen und bauen daraus in ihren Wohnkammern schwammartige Kuchen als Nährboden für einen bestimmten Pilz, den sie züchten, von allem Unkraut sauberhalten und sorgsam bearbeiten. Die auswachsenden Pilzfäden beißen sie ständig ab und bewirken durch diese Verstümmelung ein Austreiben von knopfartigen Anschwellungen, die sehr reich an Protoplasma sind und ihre einzige Nahrung darstellen.

Die geschäftige »Emsigkeit« der Ameisen hat sie zum Sinnbild des Fleißes werden lassen. Doch sind nicht alle vom gleichen Schlage. Manche auch bei uns heimische Arten sind »Sklavenjäger«, die andere Ameisensiedlungen überfallen, ihre Puppen rauben und in die eigenen Nester tragen, wo die ausgeschlüpften Arbeiterinnen für das fremde Volk Dienste leisten. Das kann so weit gehen, daß die Sklavenhalter selbständig überhaupt nichts anderes mehr tun können, als Puppen zu stehlen, in allem übrigen von ihren »Sklaven« abhängig sind und verhungern müßten, wenn sie nicht von ihnen gefüttert würden.

Was gäbe es noch alles zu berichten von den Staaten der Bienen und Ameisen, der Wespen und der Termiten! Aber die Natur ist ein *großer* Wundergarten, und wenn wir ihn durchwandern wollen, dürfen wir bei den einzelnen Beeten nicht zu lange verweilen.

3.5. Übervölkerung – wie im Tierreich diese Katastrophe abgewendet wird

Das Zusammenleben von Artgenossen in ihrem Biotop, ihrem Lebensraum, kann nur Bestand haben, wenn die Bevölkerungsdichte in Grenzen gehalten wird. Jede ökologische Nische bietet nicht unbegrenzt Futter und Nistmöglichkeit. Auf der anderen Seite übersteigt die Nachkommenzahl eines Elternpaares bei allen Tierarten ein Vielfaches dessen, was für eine Besiedlungsdichte noch tragbar wäre.

Wo die menschliche Gesellschaft fast ratlos vor der drohenden Übervölkerungswelle steht (s. S. 346), ist es sicher angebracht, die Methoden im Tierreich kennenzulernen, mit denen seit vielen Millionen Jahren das gleiche Problem selbsttätig gelöst wurde. Es wird hier nach denkbar einfachen Gesetzmäßigkeiten verfahren, die eine automatische Begrenzung der Siedlungsdichte garantieren, und zwar lange, bevor das Futter zu knapp und die Wohnmöglichkeiten zu eng werden. In neuerer Zeit hat man bei vielen sozial lebenden Säugetiergruppen gefunden, daß zwei Hormonsysteme frühzeitig eingreifen, wenn die Gefahr einer Übervölkerung droht. Das eine System hemmt oder unterbindet die Fortpflanzung; es sind die gonadotropen Hormone, also die Östrogene, die Androgene und das Progesteron. Diese Hormone mindern drastisch ihre Aktivität, was zu einem Geburtenrückgang führt; wo noch Nachkommen erzeugt werden, können die Jungen nicht mehr ordnungsgemäß aufgezogen werden. Bei den Weibchen wird die Milchabgabe unzureichend; in der Brutpflege treten Verhaltensstörungen auf, die so weit gehen, daß die Jungen sogar aufgefressen werden. Das andere System hat seine Grundlage in dem Nebennierenrindenhormon, bekannt als Cortison. Ganz im Gegensatz zu den gonadotropen Hormonen steigert das Cortison seine Aktivität bis in den unphysiologischen Bereich. Das führt zu erhöhter Sterblichkeit, die Anfälligkeit gegenInfektionen und gegen Parasitenbefall nimmt zu, die Antikörperproduktion wird herabgesetzt; in vielen Fällen führt diese übersteigerte Cortisonproduktion zu Nierenerkrankungen, nämlich zu einer echten Glomerlusnephritis. Das Wachstum ist gehemmt, das Körpergewicht nimmt ab, auch wenn Nahrung noch in Fülle vorhanden ist.

Der Auslöser für diese frühzeitigen Maßnahmen ist der »soziale Streß«, das heißt eine gehäufte Begegnung der Artgenossen untereinander in ihrem Territorium. Bewundernswert bei dieser Regelung der Populationsdynamik ist, daß hier nicht nur eine quantitative Begrenzung der Bevölkerungsdichte erfolgt, sondern gleichzeitig eine qualitative Auslese: Der Tüchtigste überlebt. Das wird dadurch garantiert, daß der soziale Streß stets den Rangtieferen zuerst trifft. Allgemein hat sich gezeigt, daß bei drohender Übervölkerung nur noch ein oder wenige dominante Weibchen Nachkommen erzeugen – auch wenn Futter, Wasser, Nistgelegenheiten im Überfluß vorhanden sind.

Es stellt sich unweigerlich die Frage, ob auch der Mensch solchen biologischen Regelungen unterworfen ist. In der Tat liegen viele Untersuchungen vor, die zeigen, daß auch der Mensch grundsätzlich auf Belastungen sozialer Art in der Weise wie alle übrigen Säugetiere reagiert. Soldaten in Kriegssituationen oder in Gefangenschaft leiden nicht nur psychisch, sondern auch physisch unter solcher Belastung, die sich ähnlich auswirkt, wie dies vorher erwähnt wurde.

Auf der anderen Seite muß man bedenken, daß die soziale und physische Umwelt des Menschen als Folge der Industrialisierung und der Urbanisierung einem drastischen Wandel unterworfen wurde. Während bis zum Anfang des letzten Jahrhunderts Europa noch ein reines Agrarland war – nur 2% der Bevölkerung lebte in Städten mit mehr als 100 000 Einwohnern –, waren es 1900 bereits 40%, und heute leben etwa 70% der Bevölkerung in Städten und Vorstädten. Das bedeutet natürlich eine Veränderung unserer Umwelt allergrößten Ausmaßes, die auch eine Veränderung der sozialen und physischen Umwelt gebracht hat.

Da offensichtlich in dieser neuen Umwelt und unter kulturellen Einflüssen die elementaren biologischen Regelprozesse unterbunden werden, sollten wir mit unserer Vernunft und der Fähigkeit, Entwicklungen der Zukunft vorauszusehen, überlegen, welche Maßnahmen zu treffen sind, die unsere nächsten Generationen vor einer Katastrophe bewahren.

3.6. Biologische Schädlingsbekämpfung

Um das Jahr 1886 stand in Kalifornien der Orangen- und Zitronenbaum in hoher Blüte. Da wurde beim Bezug von Pflanzen aus Australien ein kleiner, unscheinbarer Schädling eingeschleppt, die Wollschildlaus, ein Insekt aus dem Verwandtschaftskreis der Blattläuse. Der neue Aufenthalt in Kalifornien schien ihr ausgezeichnet zu bekommen. Sie vermehrte sich so ungeheuerlich, daß die Orangen- und Zitronenbäume unter dem massenhaften Befall der Schildläuse krank wurden, verkümmerten und keinen Ertrag mehr brachten. Alle Abwehrmaßnahmen blieben vergeblich. Die Pflanzer waren verzweifelt und begannen, ihre Bäume zu fällen. Wo eben noch Wohlstand geherrscht hatte, breitete sich die Not aus.

Da sandte man einen deutschen Insektenkenner, Koebele, nach Australien, um nachzuforschen, warum diese Schildlaus dort in ihrer Heimat keinen nennenswerten Schaden macht. Er fand, daß sie in einer bestimmten Art von Marienkäferchen einen natürlichen Feind hat, der sie in Schranken hält und der nach Kalifornien nicht mit eingeschleppt worden war.

Die Sippschaft der Marienkäfer hat offenbar auf der ganzen Welt einen verwandten Geschmack. Denn auch unseren einheimischen, allbeliebten Siebenpunkt kann man leicht auf seinen Jagdwanderungen beobachten, wie er einer Blattlaus nach der anderen den Garaus macht und sie aussaugt. Zur Bekämpfung jener australischen Schildläuse war aber das australische Marienkäferchen nötig. Koebele brachte bei seiner Rückkehr hundert Stück lebend mit, die unter einem Gazezelt auf einem Orangenbaum ausgelassen wurden und sofort über die Schildläuse herfielen. Bei der reichen Kost vermehrten sie sich schon in einem Jahr auf zehntausend Stück, die an die Farmer verteilt und in ihren Pflanzungen ausgesetzt wurden. Es dauerte keine zwei Jahre, da hatten die Marienkäferchen überall unter den Schildläusen derart aufgeräumt, daß die schon für unheilbar krank gehaltenen Bäume neues Leben zeigten und reiche Früchte ansetzten.

Seitdem erlangte der Schädling in Kalifornien nie mehr größere Bedeutung. Natürlich konnten sich auch die Marienkäferchen später nicht mehr im gleichen Maße vermehren wie in den ersten Jahren, denn sie sind ja von ihrem Nahrungstier, der Schildlaus, abhängig. Es ist beinahe eine kaufmännische Angelegenheit, dieses Verhältnis zwischen Verfolger und Verfolgtem, die sich nach dem alten Grundsatz von Angebot und Nachfrage regelt und zu einem biologischen Gleichgewicht führt. Wenn dieses gestört wird wie in Kalifornien durch die Trennung der Schildlaus von ihrem Verfolger, dann greift die Störung unfehlbar von dem zuerst betroffenen Verhältnis auch auf andere Beziehungen über. In unserem durchsichtigen Beispiel hätte das Überhandnehmen der Schildläuse ohne die Einfuhr der Käfer in kurzer Zeit die Orangen- und Zitronenbestände so weit vernichtet, daß auch für die Schädlinge die Zeiten üppigen Gedeihens vorbei gewesen wären. Zwischen ihnen und ihren Futterpflanzen hätte sich ein neues Gleichgewicht hergestellt, freilich von solcher Art, daß die Pflanzer gar nichts Besseres hätten tun können, als die Reste ihrer Haine samt den Läusen zu verbrennen. Durch die »biologische Schädlingsbekämpfung« wurden die Plantagen gerettet.

Viel weiter verbreitet ist das chemische Bekämpfungsverfahren, wobei Obstkulturen, Forste und Felder mit Giftmitteln besprüht oder bestäubt werden. Dadurch vernichtet man nicht nur die Übeltäter, sondern stiftet darüber hinaus tiefgreifende Schäden (vgl. S. 219). Demgegenüber wenden sich die Mittel der biologischen Schädlingsbekämpfung spezifisch nur gegen den Schädling. Meistens geht man ähnlich vor wie in dem klassischen Beispiel von den Orangenbäumen und der Wollschildlaus: Man sucht nach den natürlichen Feinden der Schadinsekten und schickt sie ihnen in Menge auf den Hals. Zu einem starken Bundesgenossen des Menschen können Schlupfwespen werden. Eine solche, die es auf Holzwürmer abgesehen hat, mit ungewöhnlich langem Legebohrer, ist uns schon in Abb. 22 begegnet. Es gibt noch andere in enormer Artenzahl und Formenmannigfaltigkeit. Viele von ihnen sind auf die Raupen bestimmter Schmetterlingsarten oder Blattwespenlarven spezialisiert, die sie mit ihren Eiern belegen, oder auf andere Insektenlarven. Die heranwachsenden Schmarotzerlarven zehren allmählich das Innere ihrer Opfer bei lebendigem Leibe auf, bis fast nur noch die Haut übrig ist. Dann bohren sich die Maden heraus und verpuppen sich an dem sterbenden Wirt; andere Arten verpuppen sich noch im Inneren ihrer Wirtsraupe, die sich noch zur Schmetterlingspuppe verwandeln kann; dann kommen später statt des Schmetterlings die Schlupfwespen aus der Puppenhülle. Schon manche Raupenplage konnte dadurch behoben werden, daß man Schlupfwespen, deren Larven in jenen Raupen schmarotzen, in Massenzuchten heranzog und in die bedrohten Gebiete brachte. Auch Viren oder Bakterien, die als spezifische Krankheitserreger schädlicher Insektenlarven bekannt wurden, konnte man erfolgreich einsetzen und so durch einen »Bakterienkrieg« die Pflanzungen retten. Gegen eine äußerst schädliche Kiefernblattwespe (die Buschhornblattwespe *Neodiprion sertifer*) werden Massenzuchten eines Virus hergestellt und, in einer Flüssigkeit aufgeschwemmt, vom Flugzeug aus über dem Baumbestand versprüht. Sie tun niemandem etwas zuleide außer jenen Schädlingslarven, die meist nach ein bis zwei Wochen zugrunde gehen, sobald sie beim Fraß der Kiefernnadeln Keime in sich aufgenommen haben. In den USA sind solche Präparate schon käuflich zu haben.

Es gibt aber nicht nur tierische Schädlinge. Jeder Gartenbesitzer weiß, wie schnell ohne fürsorgliche Pflege das Unkraut überhandnimmt. So wurde in der Landwirtschaft mit dem zunehmenden Mangel an Arbeitskräften die Säuberung der Getreidefelder ein schwieriges Problem, bis man einen originellen Ausweg fand. Durch Behandlung des Bodens mit bestimmten Wirkstoffen läßt sich das Wachstum der Pflanzen anregen. Getreide und andere den Gräsern verwandte Nutzpflanzen sprechen auf diese Wuchsstoffe nur wenig an, während die meisten Unkräuter in unnatürlichem Maße gefördert werden und sich auf diese Weise rasch zu Tode wachsen. Dann stehen die jungen Kulturen auf sauberem Boden, ohne daß jätende Hände schwere Arbeit leisten mußten.

Ein besonders elegantes Verfahren zur Bekämpfung *tierischer* Schädlinge wurde neuerdings in den Vereinigten Staaten angewandt. In Texas verursachte eine Fliegenart (*Cochliomyia hominivorax,* eine Verwandte unserer bekannten Schmeißfliege) schweren Schaden. Ihre Larve, der Schraubenwurm, parasitiert in der Haut von Rindern, die an solchem Befall zugrunde gehen können. Man errichtete nun eine große Fliegenfabrik, in welcher diese Schädlinge auf faulem Fleisch in Massen gezüchtet wurden, und machte die männlichen Puppen durch radioaktive Bestrahlung steril. In der freien Natur schlüpfen im Frühjahr die Männchen etwas später als die Weibchen. Man brachte frühzeitig die sterilen Männchen in die Befallsgebiete. Flugzeuge wurden eingesetzt, jedes mit tausend Kartons beladen, in jedem Karton waren mehrere hundert sterile Fliegenmännchen, und diese eigenartige Last wurde über die Landschaft verstreut. Die importierten Männchen begatteten die Weibchen noch vor dem Erscheinen ihrer ortsansässigen Konkurrenten, und diese hatten das Nachsehen. Die Hochzeit mit den sterilisierten Männchen ergab natürlich keinen Nachwuchs, und die Fliegen verschwanden.

Alle Freunde der Tier- und Pflanzenwelt wären glücklich, wenn man sämtliche Übeltäter durch solche Verfahren treffen könnte, ohne anderweitig Verderben anzurichten. Man kann nur hoffen, daß die biologische Schädlingsbekämpfung immer mehr Verbreitung findet. Denn jeder gröbere Eingriff in das verwickelte Netzwerk wechselseitiger Beziehungen kann zu ungeahnten Störungen führen.

Die Lebensgemeinschaft des Waldes

Die Tiere und Pflanzen eines Lebensraumes sind weitgehend voneinander abhängig. Sie bilden unter natürlichen Umständen eine ausgeglichene *Lebensgemeinschaft.* Für sie bestimmend sind nicht nur die Wechselbeziehungen ihrer belebten Glieder, sondern auch die örtlichen Einflüsse der unbelebten Natur, von Licht, Luft und Boden, die ihrerseits wiederum mehr, als man denken möchte, durch die Lebewelt des Ortes beeinflußt werden. Als die Römer an den Küsten der Adria die jahrtausendealten Baumbestände abschlugen, um das Holz zum Bau ihrer Schiffe zu verwenden, und als dann die Venezianer holten, was noch übriggeblieben war, da schwemmten Regengüsse das Erdreich von dem jetzt ungeschützten Boden weg, und die Sonnenglut dörrte ihn aus. Wo im Schatten und in der feuchten Luft des Waldes sein junger Nachwuchs zusagende Bedingungen gefunden hatte, konnte kein Baum mehr gedeihen. So entstand die unfruchtbare Karstlandschaft. Erst in unseren Zeiten gelingt es durch mühselige und kostspielige Maßnahmen, allmählich neue Wälder aufzuziehen. Dieser Zusammenhang war so einfach und klar, daß man ihn erkennen mußte und seine Lehren daraus zog. Dagegen ist man in einen anderen Fehler verfallen, weil man in die Lebensgemeinschaft des Waldes nicht richtig hineingesehen hat.

Der natürliche Wald ist der Mischwald, in dem verschiedene Baumarten bunt durcheinander stehen. Das abgefallene Laub wird von Bakterien zersetzt. Eine Unterwelt von Würmern, Insektenlarven, Tausendfüßern, Milben und anderen Kleinlebewesen, die unvorstellbar zahlreich die oberen Schichten des Bodens bevölkern, nähren sich vom Moder, bauen ihn weiter ab, und ihre Exkremente bilden den krümeligen Humus, neuen Nährstoff für den Wald. In den Baumkronen finden allerhand Raupen und andere Schmarotzer ihre Lebensbedürfnisse, wobei sie doch durch die Vögel und durch ein Heer von Schlupfwespen und anderen Feinden in Schach gehalten werden. Je bunter der Baumbestand ist, desto mannigfacher sind die Lebensbedingungen für die Bewohner, desto mehr verschiedenartige Insekten und andere Kleintiere hausen unter diesen Kronen, und desto mehr Vogelarten finden die ihnen zusagenden Niststätten und sonstigen Lebensbedingungen. Fast wie bei einer Versicherungsgesellschaft ist alles ineinander verankert; wenn an einer Stelle eine Störung auftritt, hat sie für die ganze Lebensgemeinschaft wenig zu bedeuten, weil trotz Kampf und Raub im einzelnen alles sich gegenseitig stützt. Nun kam der Mensch als Störenfried und stellte fest, daß manche Bäume besser wachsen als die anderen oder sonst aus irgendwelchen Gründen einen größeren Gewinn abwerfen. So ging er daran, die Mischwälder abzuschlagen und an ihrer Stelle einheitliche Baumbestände aufzuforsten. Eine Zeitlang schien alles gut und der neue Brauch lohnend. Doch die übereinstimmenden Bedürfnisse der gepflanzten Bäume führten zu einer einseitigen Ausnützung und hiermit zu einer Verschlechterung des Bodens. Ein großer Teil der natürlichen Bevölkerung des Mischwaldes, Vögel und Insekten, denen die Kiefern oder Fichtenbestände nicht nach ihrem Geschmack waren, wanderte aus oder ging zugrunde. Die Schädlinge und ihre natürlichen Feinde wurden auf wenige Arten eingeschränkt, doch um so größer wurde die Zahl der Individuen. Und wenn nun, wie das leicht einmal vorkommt, die äußeren Bedingungen einige Jahre hindurch einem Schädling günstig waren, konnte er sich in dem einförmigen Waldbestand schrankenlos vermehren, und ein katastrophaler Kahlfraß war die Folge. Heute haben die Forstmänner die Vorzüge des Mischwaldes eingesehen, und so werden wohl die Reinkulturen der Fichten- und Kiefernwälder allmählich wieder verschwinden, nicht zum Leidwesen des Naturfreundes, dem unter solchem Dach nie ganz wohl ums Herz war. Urwälder freilich mit ihrer ganzen Schönheit werden wir in unserer Heimat nimmermehr erleben. Doch bliebe im Rahmen der fortschreitenden Kultur Raum genug für einen vernünftigen Naturschutz. Das drohende Waldsterben unserer Tage hat die Verantwortung für den Naturschutz wachgerüttelt. Noch ist nicht alles verloren, wenn Wissenschaftler, Politiker und alle Naturfreunde zusammenhalten, die Ursache zu finden und zu bekämpfen.

Naturschutz

In unserem Jahrhundert hat sich die Zahl der Menschen in einem erschrekkenden Tempo vermehrt (vgl. S. 346). Zur Befriedigung ihrer Ernährung, ihrer sonstigen Bedürfnisse und ihrer Vergnügungen haben sie rücksichtslos und leider auch gedankenlos die Güter der Erde für sich in Anspruch genommen. Infolgedessen hat die Natur überall da, wo die Menschen sich breitgemacht haben, ihre ursprüngliche Schönheit eingebüßt, und ihr Pflanzen- und Tierleben ist in trauriger Weise verarmt. Erinnern wir uns an die weißen Siedler, die in Nordamerika im vorigen Jahrhundert die Herden des Bisons vernichtet haben. Seinem Vetter, dem Wisent, ist es in Mitteleuropa nicht besser ergangen. Als nur die Möglichkeit gegeben war, mit Pulver und Blei erfolgreicher als früher zu jagen, ging es in unserer Heimat der Wildkatze und dem Wolf, dem Fischotter, dem Bartgeier und Steinadler, dem Uhu und vielen anderen an den Kragen. Raubtiere wurden ausgerottet, ohne Bedacht darauf, daß sie die natürliche Schutzpolizei eines gesunden Wildbestandes darstellen. Jagdlust und Gewinnsucht bedrohen die einst unübersehbaren Wildtierherden Afrikas und nicht minder die Wale im Ozean, das Walroß und die Robben.

Zur direkten Verfolgung gesellten sich die Verheerungen, die der Mensch bei der Besiedelung neuer Gebiete auf indirekte Weise an den eingesessenen Tierbeständen anrichtete. Nach Australien brachte er Kaninchen, die durch rasante Vermehrung bald großen Schaden stifteten. Zu ihrer Bekämpfung setzte man Füchse und verwilderte Katzen aus, die aber nicht die flinken Kaninchen ausrotteten, sondern unter der ursprünglich heimischen Fauna, besonders unter den Beuteltieren, gründlich aufräumten. Ähnliche Mißgriffe haben sich anderwärts in vielen Varianten wiederholt.

Auf andere Weise führte das Bestreben nach einseitiger und extremer Nutzung des Bodens zur Verarmung oder Vernichtung der heimischen Lebewelt. Es war schon davon die Rede, wie in den Mittelmeerländern nach Abholzung des Waldes der Humus fortgespült wurde und die unfruchtbare Karstlandschaft entstand. Das hindert die Menschen nicht, auch heute noch auf anderen Kontinenten den ursprünglichen Wald brutal dem augenblicklichen Gewinn zu opfern und auf längere Sicht erneut die schlimmen Folgen in Kauf zu nehmen. Es macht sich aber doch mehr und mehr ein Gesinnungswandel bemerkbar: Im Amazonas-Becken beispielsweise hatte man bereits die Kultivierung begonnen; weltweiter Protest gibt uns Hoffnung, daß dieses einmalige, weite Urwaldgebiet noch gerettet werden kann.

Wie in den Wäldern, so hat auf den Feldern die Monokultur, das heißt die Besiedlung weiter Flächen mit einer einzigen Pflanzenart, zu Katastrophen geführt, weil ein Schädling unter günstigen Bedingungen in den einheitlichen Beständen die Möglichkeit zu hemmungsloser Vermehrung fand. Eine zielgerichtete biologische Bekämpfung ist oftmals schwierig und nicht rasch genug zu verwirklichen. So wurden in den letzten Jahrzehnten in zunehmendem Maße die befallenen Pflanzen mit Insektengiften (»Insektiziden«) besprüht und bestäubt. Am bekanntesten ist das DDT (*Dichlor-Diphenyl-Trichloräthan*). Seine insektentötende Wirkung wurde 1939 durch den Schweizer Paul Müller gefunden. Es war eine weittragende Entdeckung, für die er den Nobelpreis erhielt. In den Kriegsjahren 1940 bis 1945 konnten Millionen von Menschen nur dadurch vor den um sich greifenden Seuchen des Fleckfiebers und der Malaria bewahrt werden, daß sich die Überträger dieser Krankheiten, Läuse und Stechmücken, durch DDT leicht bekämpfen und vernichten ließen. In den folgenden Jahrzehnten blieb es aber nicht bei lokal begrenzter Anwendung. Zur Schädlingsbekämpfung wurde das DDT in immer weiterem Anwendungsbereich versprüht und verstäubt. Besonders in Amerika überschüttete man von Flugzeugen aus Wälder in einer Ausdehnung von vielen tausend Quadratkilometern mit dem Giftstaub. Eine Folge dieser Methode war, daß mit den schädlichen auch die nützlichen und die harmlosen Insekten vernichtet wurden. Manche Schädlinge erwarben bei andauernder Bekämpfung eine Resistenz gegenüber dem Gift, wie die Fiebermücke *Anopheles,* dem Zwischenwirt des Malariaerregers, und es kam vor, daß diese weniger betroffen wurden als die harmlosen oder nützlichen Arten. Und nicht nur das. Es erwies sich als unrichtig, daß Wirbeltiere für diese Giftstoffe ganz unempfindlich sind. Insektenfressende Vögel vergifteten sich selbst durch die vergiftete Nahrung, Drosseln nahmen mit den Regenwürmern das Gift auf, das in den Boden gespült, von den Würmern mit der Erde gefressen und in ihnen angereichert worden war. In großen Gebieten ist der Gesang der Vögel verstummt. Heute versucht man das DDT durch andere, weniger giftige und nicht so lange haltbare Stoffe zu ersetzen. Aber einen allgemeinen Verzicht auf die chemische Schädlingsbekämpfung hält man nicht für möglich, weil ohne sie die Ernährung der Menschheit zusammenbrechen würde. Ein hoffnungsvoller Ausweg scheint sich durch eine Kombination von chemischer und biologischer Bekämpfung anzubahnen. Den sogenannten Sexualpheromonen wird dabei zunehmende Aufmerksamkeit gewidmet: Wie schon auf S. 108 erwähnt, sind Sexualpheromone hormonartige Locksubstanzen, die von den Weibchen in eigenen Drüsen des Hinterleibes in den freien Luftraum abgegeben werden. Sie locken dadurch die Männchen der gleichen Art aus großer Entfernung an. Diese Lockstoffe wirken in unglaublich starker Verdünnung; wir haben schon erwähnt, daß ein einziges Molekül dieses Lockstoffes genügt, um eine Riechzelle des Männchens zu erregen! Da dieser Lockstoff aber nur auf den arteigenen Geschlechtspartner wirkt, kann man ihn selektiv in den Feldern, Wäldern und Gärten ausbringen. Diese Lockstoffe sind zudem chemisch sehr einfach aufgebaut; es sind meist aliphatische Alkohole, Aldehyde oder Ester und zum großen Teil leicht künstlich herzustellen. Erste

Erfolge dieser echten biologischen Schädlingsbekämpfung stellen sich bereits ein: Man legt den Lockstoff in Fallen aus und vernichtet die gefangenen Männchen in großen Massen – zu Tausenden und Millionen – und verhindert dadurch die Kopulation mit den Weibchen und damit die Fortpflanzung.

Mit der Verwirrungsmethode verteilt man den Lockstoff gleichmäßig im Biotop, so daß eine gezielte Duftorientierung der Männchen zu den Weibchen nicht mehr möglich ist. Für den Apfelwickler, den Pfirsichwickler, die Mittelmeerfruchtfliege, die Olivenfliege und auch für den Kornkäfer sind bereits schlechte Zeiten angebrochen. Im Schwarzwald setzt man mit Erfolg gegen den Borkenkäfer solche Pheromone ein, die hier als »Aggregationspheromon« die schädlichen Käfer in Massen einfangen.

Noch einmal sei betont: Alle diese Sexuallockstoffe sind schon bei niedrigster Konzentration wirksam; da sie zudem flüchtig sind, ist keine Gefahr einer Anreicherung in den Pflanzen oder im Boden zu befürchten, wie das bei den Insektiziden der Fall ist. Noch wichtiger aber ist ihre hohe Spezifität – anders als die Insektizide vernichten sie nicht eine ganze Lebensgemeinschaft in einem Biotop, sondern nur jene Schädlingsart, auf die das Pheromon gemünzt ist.

Auch vor den Gewässern macht das Unheil nicht halt, das der Mensch anrichtet. Bäche, Flüsse und Seen und selbst das Meer werden verpestet, wo durch Nachlässigkeit oder Unfälle Öl seinen Weg in die Freiheit nimmt, wo die Abwässer dichter Siedlungen ungereinigt abgeleitet werden oder durch den Abschaum von Fabriken das klare Wasser von Bächen und Flüssen vergiftet und verschmutzt wird. Der Massentod von Fischen und anderen Wasserbewohnern ist an der Tagesordnung. Ohne jedes Gefühl für Verantwortlichkeit wird allenthalben das Leben von Tieren und Pflanzen vernichtet. Bestehende Vorschriften und Gesetze werden mißachtet. Von den Hütern der Ordnung wird ja auch gegen die Schuldigen noch lange nicht streng genug vorgegangen.

Das Übel sitzt tief. Viele Menschen sind heute blind gegenüber der zunehmenden Zerstörung der Natur, an der sie sich gedankenlos beteiligen. Sie sehen es gar nicht, wieviel schöner ein sauberer See ist als einer, in dem die umherschwimmenden Konservendosen nur ein Symptom für seine Verschmutzungen sind. Wenn es nicht gelingt, die Menschen dahin zu erziehen, daß sie ihren Lebensraum reinhalten, werden sie sich nicht nur um die wirksamen Stätten ihrer Erholung bringen, sondern auf etwas weitere Sicht um ihre Existenz.

Diesen Lauf der Dinge aufzuhalten, soweit überhaupt noch möglich, ist die vordringlichste Aufgabe des Naturschutzes. In allen Kulturländern ist er heute durch Behörden vertreten, die den besten Willen, aber leider nicht immer die Macht haben, um regelnd einzugreifen. Was sie anstreben, widerspricht eben meistens irgendwelchen persönlichen Interessen.

Der Naturschutz ist nicht nur eine Angelegenheit des Herzens, sondern auch eine solche des rechnenden Verstandes. Aus sehr sachlichen Gründen kehrt man in der Forstwirtschaft wieder zum Mischwald zurück, der mit seinem abwechslungsreichen Baumbestand auch einer mannigfaltigen Tierwelt ihre Lebensbedingungen bietet; man kommt davon ab, die Raubtiere auszumerzen und hat ihre Rolle im Haushalt der Natur eingesehen; man strebt nach biologischer Schädlingsbekämpfung statt eines wahllosen Vernichtungsfeldzuges, aus dem zuweilen schon der Schädling als der am wenigsten Geschädigte hervorgegangen ist; man sucht die Gewässer vor Verschmutzung zu schützen und sieht ein, daß man auch die Luft vor übermäßiger Verpestung bewahren muß. Die Abgase der Autos haben stellenweise die Grenze des Erträglichen überschritten, und jene des Luftverkehrs drohen auf längere Sicht sogar das Klima der Erde zu verschlechtern.

Am leichtesten ist der Naturschutz lokal zu verwirklichen, indem man ein großes Gebiet als Naturschutzpark den willkürlichen Eingriffen der Menschheit entzieht. In diesem Sinne wurde schon 1872 in den Vereinigten Staaten der Yellowstone-Nationalpark gegründet. Heute gibt es Naturschutzparks in allen Teilen der Welt; aus naheliegenden Gründen bevorzugt im Hochgebirge oder in anderen wenig fruchtbaren Regionen. Trotzdem ist der Naturschutz nicht minder dringend geblieben. Heute noch, mehr als schon vor wenigen Jahrzehnten, zieht es den Städter hinaus in die Landschaft, wo er für sein naturentfremdetes Dasein neue Kraft schöpfen und genußreiche Erholung finden kann. Noch ließe sich etwas tun, damit unsere Enkel auf solchen Pfaden nicht eine verödete Welt finden.

4. Fortpflanzung

In meiner Bubenzeit war mein Zimmer wie ein kleiner zoologischer Garten, von den Eltern verständnisvoll geduldet und gefördert. Von Seeanemonen und allerhand Gewürm bis zum Papagei und Mungo waren alle Stämme des Tierreiches vertreten und gaben Gelegenheit zu vielerlei Beobachtungen. Da fällt mir nun ein kleines Erlebnis ein. Ich bekam eines Tages ein Pärchen Kanarienvögel geschenkt. Bald gab es Eier, die ich voll Erwartung bewunderte; aber es kam nie etwas heraus. In einem dunklen Drange trennte ich die zwei Vögel. Bald fand ich in beiden Käfigen Eier. Ganz klar war mir die Sache damals nicht. Doch meine Umgebung belustigte sich sehr über den Fall, und ich erfuhr, daß ein Vogelei sich nicht entwickeln könne, wenn kein Männchen zugegen gewesen sei.

Es ist ja nun tatsächlich eine sehr allgemeine Erscheinung bei Vögeln, Säugern und vielen anderen Tieren, daß eine Fortpflanzung nur möglich ist, wenn Männchen und Weibchen zusammenkommen. Aber es ist doch kein Naturgesetz. Bei niederen Tieren ist eine Vermehrung ohne die Vereinigung von Männchen und Weibchen sogar weit verbreitet. Solche »ungeschlechtliche Fortpflanzung« ist am leichtesten verständlich; mit ihr wollen wir deshalb beginnen.

4.1. Ungeschlechtliche Fortpflanzung

Im ersten Abschnitt dieses Buches war von Amöben und anderen mikroskopisch kleinen Lebewesen die Rede, die kein Alterssiechtum und keinen natürlichen Tod kennen. Würden sie im Frieden des Paradieses leben, so brauchten sie sich nicht zu vermehren. So aber werden viele von diesen Einzellern gefressen oder durch die Ungunst äußerer Verhältnisse vernichtet. Wenn sie nicht durch ständige Vermehrung die Lücken ausfüllen würden, dann wären die Arten bald ausgestorben. Ihre Vermehrung geht in der Regel als einfache Zellteilung vor sich. Das heißt – gar so einfach ist die Sache nicht, wenn wir genauer zusehen.

Kern- und Zellteilung

Die sich teilende Zelle soll den beiden neu entstehenden Zellen – nennen wir sie Tochterzellen – alles vermachen, was sie an Stoffvorräten und an Fähigkeiten besitzt. Ihr gesamter Besitz besteht aus dem Protoplasma und dem Zellkern. Das Protoplasma einer Zelle läßt sich gerecht in zwei Teile teilen. Der Zell*kern* jedoch enthält viele winzige Teilchen, die untereinander ungleichartig sind und von denen jedes einzelne in seiner Feinstruktur für die Gestaltung und die Lebensäußerungen der Zelle wichtig ist. Diese Teilchen sind farblos und darum schlecht sichtbar. Bei Anwendung gewisser Farblösungen nehmen sie aber den Farbstoff auf und werden deutlich als fadenförmige Gebilde erkennbar. Man nennt diese Substanz das Chromatin (vom griechischen Wort »Chroma« = Farbe). Bei der Teilung des Zellkerns muß jeder Chromatinfaden verdoppelt und je einer an die beiden Tochterkerne weitergegeben werden. Nur so können beide Kerne das gleiche Gut an Erbanlagen erhalten, das im Feinbau dieser Fäden begründet liegt und in Art und Wesen der Tochterzellen wieder zur Geltung kommt.

Wenn eine Erbschaft angetreten werden soll, so ist das erste, daß man den Besitzstand ordnet. Das geschieht auch im Zellkern. Die zerstreuten Chromatinfäden ordnen sich in der Mitte des Kerns zu den kompakten Chromosomen (Chroma = Farbe, Soma = Körper). Jedes besteht aus einer Reihe aneinandergerückter Chromatinteilchen, den sogenannten »Chromomeren«. Soll eine Hinterlassenschaft auf zwei Erben gleichmäßig verteilt werden, so wird man Tische und Stühle, Bücher und Bilder und was

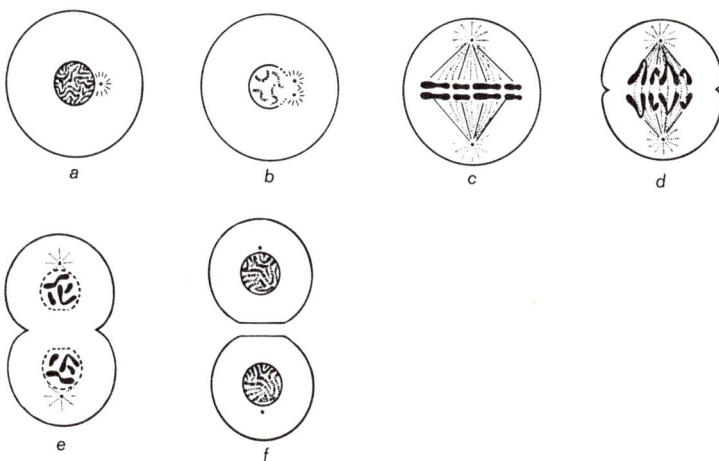

Abb. 54: Kern- und Zellteilung.

es sonst sei, auszählen, abschätzen und aufteilen. Um ganz gerecht zu teilen, müßte man jedes Stück in zwei gleiche Hälften trennen. Dann aber würde in unserem Fall alles entwertet. Für die Kernteilung hat die Natur eine andere – ideale – Lösung gefunden: Ehe man das Erbe verteilt, wird die Erbschaft verdoppelt, indem ganz einfach von dem vorhandenen Erbgut eine Kopie angefertigt wird; dies geschieht so, daß jedes Chromosom der Länge nach in identische Hälften gespalten wird. Die Längsspaltung wird bereits im Lichtmikroskop sichtbar, so daß jedes Chromosom als Doppelfaden erscheint (Näheres hierzu s. S. 303).

Die genau gleichen Spalthälften rücken auseinander und werden den beiden Tochterkernen zugeteilt. Das ist der Sinn der merkwürdigen Veränderungen, die man am Chromatin des Kerns bei seiner Teilung beobachtet. Die Einzelheiten dieser identischen »Reduplikation«, wie der Fachausdruck heißt, werden uns noch beschäftigen. Hier sei nur folgendes bemerkt: Der Anstoß zur Teilung geht in der Regel vom »Zentralkörperchen« (Zentrosoma) aus, einem sehr kleinen Körnchen, das neben dem Zellkern im Protoplasma liegt (Abb. 54). Es teilt sich als erstes, und seine beiden Hälften rücken auseinander. Gleichzeitig löst sich die Kernmembran auf (*b*). Die Chromosomen ordnen sich in der Mitte zwischen beiden Zentralkörperchen in einer Ebene an (*c*). Das Auseinanderweichen ihrer Spalthälften wird durch eine Verkürzung der zarten Fasern bewirkt, die von den Zentralkörperchen ausgehen und an den Chromosomen ansetzen (*d*). Dann lockern sich die Chromosomen wieder zu den regellos verstreuten Chromatinfäden auf, umgeben sich mit einer neuen Kernhülle, die Faserstrahlung um die Zentralkörperchen verschwindet, und es folgt nun auf die vollzogene Kernteilung die Durchschnürung des Protoplasmas (*e, f*; s. auch Tafel 3 oben).

Zentralkörperchen findet man nicht immer. Sie fehlen in den Zellen der höheren Pflanzen und bei manchen Einzellern. Die Zahl der Chromosomen, die bei der Teilung gebildet werden, ist bei derselben Art immer gleich, bei verschiedenen Tieren und Pflanzen sehr wechselnd. In seinen wesentlichen Zügen aber, besonders in der Ausbildung und Verdoppelung der Chromosomen, ist der Ablauf der Teilung bei pflanzlichen und tierischen Zellen, bei niedersten und höchsten Lebewesen, derselbe.

Bei den einzelligen Pflanzen und Tieren führt die Kernteilung mit darauffolgender Zellteilung zur Vermehrung und Fortpflanzung der Individuen. Bei den vielzelligen Pflanzen und Tieren bleiben die entstehenden Zellen miteinander vereint; der Teilungsvorgang aber ist der gleiche. Ob man die Zellen von einer Pflanzenwurzel, von einem Wurm oder vom Menschen studiert, überall sieht man bei der Teilung, wie durch Neubildung identischer Tochterchromatiden Doppelfäden gebildet werden, die ihr Gut gleichmäßig auf die Kerne der beiden Tochterzellen weitergeben.

Regeneration

Bei vielzelligen Wesen bedeutet die Kern- und Zellteilung zunächst nicht eine Vermehrung, sondern ein Wachstum des Individuums. Trotzdem gibt es auch bei vielzelligen niederen Tieren eine Fortpflanzung durch Teilung. Das hängt damit zusammen, daß sie oft die Fähigkeit haben, nicht nur Zellen und Zellteile, sondern sogar verlorene Körperteile zu ersetzen.

Manche leisten darin Unglaubliches. In unseren Tümpeln und Bächen leben kleine Würmer, die kaum länger werden als 1 cm, von der Wissenschaft Strudelwürmer oder Planarien genannt. Am Kopf haben sie zwei schwarze Augen; ihr Mündchen, das sich zu einem gefräßigen Maul erweitern kann, sitzt mitten am Bauch und führt in einen gewaltigen Schlund. Schneidet man einen solchen Wurm in drei Teile, so ist er keineswegs tot. In wenigen Wochen bildet der abgetrennte Kopf ein neues Hinterteil mit Mund und Schlund, der Schwanz ein neues Vorderteil mit Mund und Kopf, das Mittelstück einen neuen Kopf und Schwanz. Dieser Ersatz verlorener Körperteile (Regeneration) ist bei niederen Tieren deshalb möglich, weil sich nicht alle Zellen auf bestimmte Aufgaben eingestellt haben. Neben den Muskel-, Nerven-, Sinnes-, Drüsenzellen usw. bleiben auch viele nicht spezialisierte Zellen erhalten, die ihre ursprünglichen Fähigkeiten bewahrt haben. Sie wandern an die Wundstellen und bilden neu, was verlorengegangen ist. Hier führt also die gewaltsame Durchtrennung des Körpers zu einer Vermehrung der Individuen.

Vermehrung durch Teilung und Knospung

Diese Tiere brauchen nicht immer auf äußere Gewalt zu warten, um zu zeigen, was sie können. Manche brechen von selbst entzwei und ersetzen die fehlenden Teile. In der Regel wird der neue Kopf und Schwanz schon vor der Durchtrennung angelegt und vorbereitet, so daß dann die Hälften rasch wieder zu ganzen Tieren auswachsen können.

Immerhin bringt eine solche Halbierung doch eine erhebliche Störung ins tägliche Leben. Das ist wohl der Grund, warum sich der Vorgang bei vielen Arten in etwas abgeänderter und fortschrittlicher Weise als *Knospung* vollzieht. So ist es zum Beispiel beim Süßwasserpolypen, von dem wir schon bei anderer Gelegenheit gesprochen haben. Er *kann* sich auch mitten durchschnüren und aus nicht spezialisierten Zellen die fehlenden Teile ersetzen. In der Regel sammeln sich diese Zellen aber an einer Stelle seitlich am Körper und bauen da einen neuen Polypen auf, der wie eine Knospe herauswächst und sich schließlich ablöst, ohne daß das Muttertier das gewohnte Leben und die Nahrungsaufnahme unterbrechen muß. Im Pflanzenreich sind solche Arten der Vermehrung noch viel weiter verbreitet als bei den Tieren. Einzellige Pflanzen teilen sich wie einzellige

Tiere. Vielzellige Pflanzen können oft, gewaltsam zerschnitten, aus ihren Teilen wieder ganze Individuen hervorgehen lassen, was sich der Gärtner bei der Vermehrung durch Stecklinge zunutze macht. Auch natürliche Teilung vielzelliger Gewächse kommt vor, viel häufiger aber, auch bei höher organisierten Pflanzen, die Bildung von Brutknospen, die von der Mutterpflanze abfallen und selbständig auswachsen. Oder die Pflanzen verbreiten sich durch Ausläufer wie die Ableger der Erdbeeren, oder es entstehen an unterirdischen Trieben knospentragende Knollen wie bei der Kartoffelpflanze und dergleichen mehr. Bei den höheren Tieren – so auch beim Menschen – beschränkt sich der Ersatz verlorener Teile auf die kümmerlichen Leistungen der Wundheilung. Nicht einmal eine abgeschnittene Fingerspitze vermögen wir zu regenerieren. Bei uns sind eben alle Körperzellen auf bestimmte Aufgaben eingestellt; es fehlen die nicht spezialisierten omnipotenten Zellen. Hiermit fehlt nicht nur die Quelle, aus der die Regeneration schöpft, sondern zugleich die Quelle für die ungeschlechtliche Fortpflanzung durch Teilung oder Knospung. Darum kommt diese Art der Vermehrung bei den hochentwickelten Gliedertieren und Wirbeltieren nicht vor.

4.2. Geschlechtliche Fortpflanzung

Ei- und Samenzellen

Die bekannteste, verbreitetste und bei den höheren Tieren einzige Art der Vermehrung ist die Fortpflanzung durch Eier.

Die meisten Tiere treten in zwei Formen auf, als Weibchen und Männchen. Sie können, aber sie müssen nicht äußerlich verschieden sein. Innerlich sind sie in einem Punkt stets verschieden: Die Eier werden nur im weiblichen Körper gebildet. Man nennt sie auch *weibliche Keimzellen,* denn jedes Ei ist eine Zelle und der Keim für ein neues Individuum. Bei manchen niederen Tieren können sie an verschiedenen Körperstellen auftreten; in der Regel aber findet man sie nur in einem drüsenartigen Organ, in der weiblichen Keimdrüse (Eierstock). Ihr entsprechen im Körper des Menschen die männlichen Keimdrüsen (Hoden); sie sind die Bildungsstätte der *männlichen Keimzellen* (Samenzellen).

Bei manchen Tieren können sich die Eizellen für sich allein entwickeln; dann spricht man von *eingeschlechtlicher Fortpflanzung* oder Jungfernzeugung. Meistens aber ist das Ei nur entwicklungsfähig, wenn sich eine Samenzelle von einem Männchen derselben Tierart mit ihm vereinigt hat. Unter der *Befruchtung* des Eies versteht man diesen Vorgang der Verschmelzung einer weiblichen mit einer männlichen Keimzelle. Man spricht dann von *zweigeschlechtlicher Fortpflanzung.*

Die Eier und ihre Bedeutung für die Fortpflanzung kennt man schon lange. Denn sie sind oft sehr groß, und bei Vögeln oder etwa bei Fischen können sie gar nicht unbemerkt bleiben. Was bei der Befruchtung eigentlich geschieht, hat man erst 1875 erkannt. Die Samenzellen sind ja so klein, daß sie nur im Mikroskop sichtbar sind. Von ihrer Entdeckung war noch ein langer Weg bis zu ihrer richtigen Deutung. Wie so oft in der Geschichte der Wissenschaft haben Studien an niederen Tieren, wo die Verhältnisse besonders klar und übersichtlich liegen, die entscheidenden Erkenntnisse gebracht, ohne die man die Vorgänge bei den höchsten Lebewesen und auch beim Menschen niemals verstanden hätte.

Die Befruchtung des Seeigeleies

Wer das Glück hat, die schönen Felsengestade des Mittelmeeres kennenzulernen, dem werden in der seichten Ufergegend häufig die dunklen, stacheligen Gestalten der Seeigel auffallen. An diesen Tieren haben die Brüder Oscar und Richard Hertwig in den siebziger Jahren des vorigen Jahrhunderts ihre klassischen Beobachtungen gemacht, und heute noch sehen die Jünger der Medizin und Biologie in unseren Instituten, auch im Binnenland, alljährlich an lebenden Seeigeleiern unter dem Mikroskop das Wunder der Befruchtung und ersten Entwicklung.

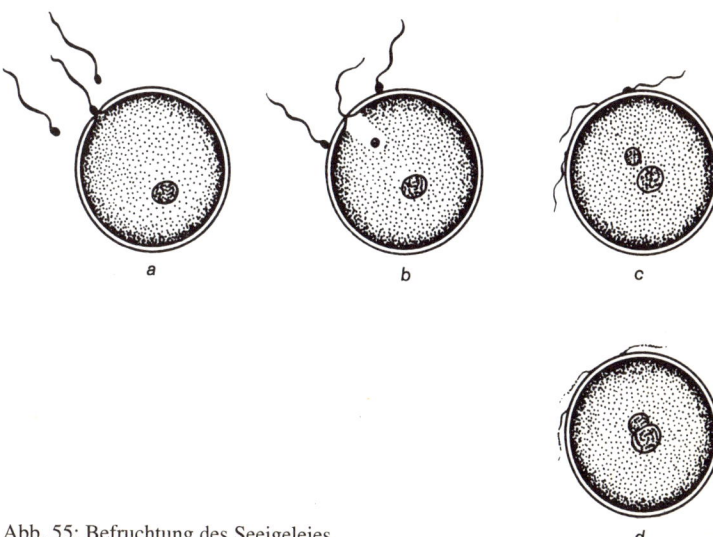

Abb. 55: Befruchtung des Seeigeleies.

Zur Fortpflanzungszeit sitzen die männlichen und weiblichen Seeigel in dichten Scharen beisammen und entleeren ihre Keimzellen ins Wasser. Ei- und Samenzellen sind sehr verschieden an Größe und Gestalt. Die Eizellen enthalten in ihrem Protoplasma viel Nährmaterial in Form von Dotterkörnchen eingelagert. Es dient dem sich entwickelnden Keim als Nahrung bis zu dem Zeitpunkt, da er selbständig fressen kann. Die Eizelle wird durch diesen Ballast verhältnismäßig groß und unbeweglich. Die notwendige Vereinigung mit den Samenzellen kann daher nur durch die letzteren vollzogen werden. Die männliche Keimzelle ist an die Aufgabe, eine Eizelle aufzusuchen, besonders angepaßt. Der Zellkern (im »Kopf« der Samenzelle) ist nur von einer äußerst zarten Hülle überkleidet, er ist also fast gar nicht durch Protoplasma beschwert; er hat aus seinem Inneren alles unnötige Wasser abgegeben, ist daher sehr klein und kompakt und durch einen Geißelfaden (den »Schwanz« der Samenzelle) lebhaft beweglich.

Die Eier sondern einen Stoff ins Wasser ab, der Samenzellen, die zufällig in die Nähe kommen, anlockt. Wenn eine solche auf ein Ei trifft (*a* in der Abb. 55), dringt ihr Kopf in das Protoplasma ein. Der Schwanz wird abgeworfen und geht zugrunde; er hat seine Aufgabe erfüllt (*b*). Der eingedrungene Kopf, also der Kern der Samenzelle, quillt durch Wasseraufnahme an und gewinnt so wieder das Aussehen eines normalen Zellkerns; er wandert auf den Kern der Eizelle zu (*c*) und verschmilzt mit ihm (*d*). Es werden also die Chromosomen der beiden Kerne vereinigt. Wir haben schon erwähnt, daß diese Chromosomen als Träger der erblichen Anlagen für Art und Wesen des Individuums bestimmend sind.

Die Verschmelzung der Zellkerne von Ei- und Samenzelle bedeutet die Vereinigung der mütterlichen und väterlichen Erbanlagen und ist das wichtigste am Vorgang der Befruchtung. Wir verstehen, warum väterliche und mütterliche Merkmale an den Nachkommen durchschnittlich in gleichem Grade in Erscheinung treten, obwohl die Samenzellen viel kleiner sind als die Eizellen. Das gilt für Seeigel genauso wie für den Menschen (Abb. 56).

Unmittelbar nach dem Eindringen einer Samenzelle scheidet die Eioberfläche ein Häutchen ab, das weiteren Samenzellen den Eintritt verwehrt (*b* in Abb. 55). Das ist deshalb wichtig, weil bei den meisten Tieren das Eindringen mehrerer Samenzellen zu Mißbildungen führt. Sobald das Ei befruchtet ist, fängt die *Entwicklung* des Keimes an, die im nächsten Abschnitt geschildert werden soll. Nach außen hin ist dieser Beginn der Keimes-

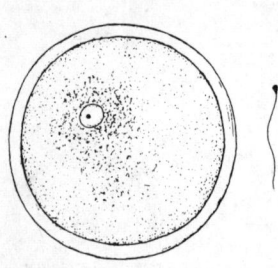

Abb. 56: Ei- und Samenzelle des Menschen, hundertfach vergrößert.

entwicklung das augenfälligste Ergebnis der Befruchtung. Unbefruchtete Eier gehen nach kurzer Zeit zugrunde.

Die am Seeigel gewonnenen Erkenntnisse sind von allgemeiner Bedeutung. Der Vorgang vollzieht sich keineswegs nur bei niederen Tieren, sondern auch bei vielen Wirbeltieren nahezu genauso. In den wesentlichen Zügen der geschlechtlichen Fortpflanzung herrscht sogar im gesamten Tier- und Pflanzenreich Übereinstimmung. Die Verschiedenheiten liegen in nebensächlichen Dingen, und es ist nicht schwierig, sie zu verstehen.

Äußere und innere Befruchtung

Die meisten Fische machen es wie die Seeigel. Zur Laichzeit sammeln sie sich in Schwärmen und entleeren die Keimzellen ins Wasser. Bei der Kleinheit der Samenzellen wird sich niemand darüber wundern, daß sehr viele ihr Ziel nicht erreichen und manche Eier unbefruchtet bleiben. In Fischzuchtanstalten zieht man daher die »künstliche Befruchtung« vor. Das heißt, man fängt die laichreifen Weibchen aus dem Wasser heraus und drückt ihnen die Eier aus dem Leibe in eine untergehaltene Schüssel, wodurch weder die Fische noch die Keimzellen Schaden nehmen. Dann verfährt man mit einem reifen Männchen ebenso, mischt Ei- und Samenzellen gut durcheinander und erreicht so einen viel höheren Prozentsatz an befruchteten Eiern. Einen ähnlichen Weg zur Sicherung der Befruchtung hat die Natur selbst bei den Fröschen eingeschlagen. Da die Entwicklung ihrer Eier und Jugendformen ans Wasser gebunden ist, gehen sie zur Zeit der Fortpflanzung in Tümpel und andere Wasseransammlungen, von wo ihr Liebeskonzert allen vernehmlich in die Ohren schallt. Oft schon mehrere Tage vor der Eiablage sucht das Froschmännchen ein Weibchen auf und umfaßt es mit seinen Vorderbeinen. Für die tagelange Umklammerung ist es dadurch ausgerüstet, daß ihm zu dieser Zeit an den Daumen dicke Schwielen wachsen, die es dem Weibchen in die Haut preßt. Wenn endlich, durch den Druck der Umklammerung unterstützt, die Eier abgelegt werden, ergießt das Männchen sofort die Samenzellen darüber und erzielt so, ähnlich wie der Fischmeister, eine sehr vollkommene Befruchtung.

In allen solchen Fällen ist die Befruchtung eine äußere. In noch höherem Grade gesichert ist die Vereinigung der Keimzellen bei der inneren Befruchtung (Begattung). Darunter versteht man die Übertragung der Samenzellen in die Ausführwege, durch welche die Eizellen den weiblichen Körper verlassen, also ihre Übertragung ins Innere des Weibchens. Das kommt schon bei manchen Wasserbewohnern vor. Bei Landtieren wird es zur Notwendigkeit, denn die Samenzellen können mit ihren beweglichen Schwänzchen zwar durch das Wasser schwimmen, aber nicht durch die Luft fliegen.

Für diese Übertragung der Samenzellen finden sich bisweilen die eigen-

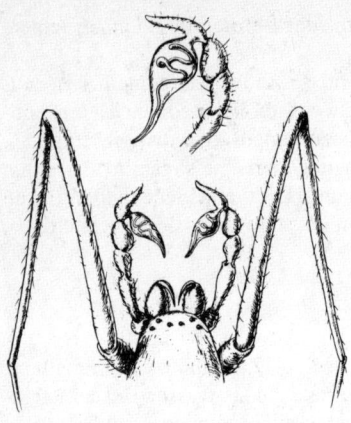

Abb. 57: Vorderkörper einer männlichen Spinne; darüber ein Taster mit dem Samenfläschchen, stärker vergrößert.

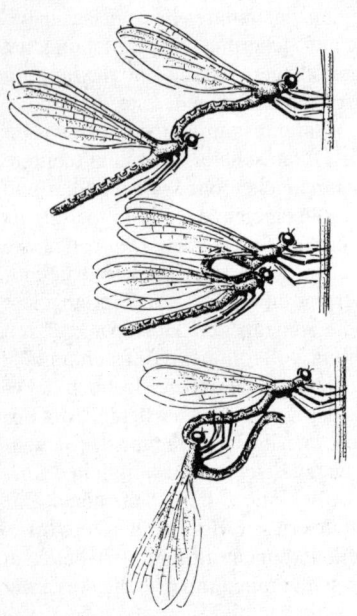

Abb. 58: Wasserjungfern.

artigsten Vorkehrungen und Instinkte. So haben die Spinnenmännchen am Endglied ihre Kiefertaster, das sind fühlerartige Kopfanhänge, einen hohlen, flaschenförmigen Anhang (Abb. 57), dessen feine Spitze, der Flaschenmündung entsprechend, eine Öffnung trägt. Zur Fortpflanzungszeit weben sie aus ihren Spinnfäden einen kleinen Teppich, auf den sie einen Tropfen ihrer Samenflüssigkeit absetzen, also eine Flüssigkeitsabscheidung, in der die Samenzellen umherschwimmen. Diesen Tropfen saugen sie mit ihrem Tasterfläschchen auf, bringen dann dessen Flaschenhals in die weibliche Geschlechtsöffnung und spritzen den Inhalt hinein. Nicht minder merkwürdig und leichter zu beobachten ist die Begattung der Libellen (Wasserjungfern). Das Männchen ergreift das auserkorene Weibchen hinterm Kopf, wozu ihm eine Zange am Ende seines Hinterleibes dienlich ist (oben in Abb. 58). Dann krümmt es seinen Leib so ein, daß seine eigene Geschlechtsöffnung, die sich nahe dem Hinterende befindet, auf eine sonderbare Bauchtasche gedrückt wird, und füllt diese Tasche mit Samenflüssigkeit (Abb. 58 Mitte). Nun streckt es sich wieder, immer das Weibchen in seiner Zange haltend. Später biegt dieses seinen Hinterleib nach vorn und übernimmt die Samenflüssigkeit aus der Tasche des Männchens in den eigenen Geschlechtsweg (Abb. 58 unten). Oft kann man im Sommer die Wasserjungfern zu zweit aneinandergehängt oder, während des zuletzt erwähnten Vorganges, zum Rad eingekrümmt in tollem Flug durch die Luft sausen sehen.

Aber solche Übertragungsweisen sind doch Ausnahmen. In der Regel wird der einfachere Weg eingeschlagen, daß die männliche Geschlechtsöffnung unmittelbar an die weibliche angelegt oder in sie eingeführt wird. So kann man es bei den meisten Insekten beobachten, und so ist es auch bei den landbewohnenden Wirbeltieren. Um die Samenübertragung so zuverlässig wie möglich zu vollziehen, finden sich bei den Männchen oft besondere Anhangsorgane (Kopulationsorgane). Denn von der Sicherheit der Übertragung hängt ja die Nachkommenschaft und somit die Erhaltung der Art ab. Die körperlichen Vorkehrungen wären aber umsonst ohne den mächtigen Trieb, der die Geschlechter zueinanderführt. Es sind die gewaltigsten Instinkte, welche die Natur in die tierischen Triebe hineingelegt hat. Nur der Mensch ist imstande, sie zu meistern, und er soll sich dessen bewußt sein. Er kann durch die Kraft seines Willens den Trieben Schranken auferlegen.

4.3. Von Jungfernzeugung und Zwittertum, von der Verbreitung der zweigeschlechtlichen Fortpflanzung und ihrem tieferen Sinn

Jungfern unter sich – sind die Männer entbehrlich?

Es wurde schon erwähnt, daß bei manchen Tieren auch eingeschlechtliche Fortpflanzung vorkommt, die Parthenogenese, was auf griechisch dasselbe bedeutet wie unser deutsches Wort *Jungfernzeugung*. Die Blattlauskolonien, die sich auf den jungen Trieben der Rosen und anderer Gewächse so unliebsam bemerkbar machen, sind meistens reine Weibergesellschaften. Die Eier bedürfen nicht der Befruchtung; sie entwickeln sich aus eigenem Antrieb, und es können viele Generationen aufeinanderfolgen, ohne daß ein einziges Männchen auftritt. So ist es auch bei den »Wasserflöhen« unserer Tümpel und Seen. Sie sind nicht dem Ungeziefer zuzurechnen wie ihre Namensvettern vom Lande, sondern es sind harmlose kleine Krebschen, die den verdächtigen Namen nur dem Umstande verdanken, daß sie sich mit Hilfe ihrer langen Ruderantennen hüpfend durchs Wasser fortbewegen. Trotz ihres massenhaften Vorkommens kann man monatelang vergeblich nach einem Männchen fahnden. Die Eizellen gelangen aus dem Eierstock in eine Art Rucksack, in einen Brutraum am Rücken des Tieres, wo sie sich unbefruchtet zu neuen Weibchen heranbilden, die sich ihrerseits in gleicher Weise jungfräulich fortpflanzen können. Ähnliches kennt man von manchen Asseln, Schmetterlingen, Würmern und anderen Tieren.

Nun wird man fragen: Wozu sind dann überhaupt die Männer da, wenn es auch ohne sie geht? Solange die Blattläuse und Wasserflöhe nur als Weibchen auftreten, können *alle* Individuen Eier erzeugen; ihre Vermehrung ist dementsprechend ganz ungeheuerlich. Ist das nicht für die Erhaltung und Ausbreitung der Art viel vorteilhafter, als wenn die Hälfte der Nachkommen Männchen sind, die selbst keine Eier erzeugen, sondern nur die Eier befruchten können? Darauf wird man vielleicht sagen: Es sind wohl eben nicht bei allen Tieren die Eier imstande, sich unbefruchtet zu entwickeln. Aber diese Antwort befriedigt nicht recht, aus zwei Gründen.

Erstens ist es den Biologen geglückt, die Eier mancher Tiere, die sich im Freileben nur entwickeln, wenn sie befruchtet worden sind, durch künstliche Mittel zu jungfräulicher Entwicklung zu bringen (»künstliche Parthenogenese«). Die Eizellen der Seeigel, an denen wir auf S. 228 den Vorgang der Befruchtung kennenlernten, lassen sich durch Zusatz gewisser Chemikalien auch ohne Samenzellen zur Entwicklung anregen und bis zu ausgewachsenen Tieren heranzüchten. Sogar Froscheier konnte man durch Anstechen mit einer sehr feinen Nadel zur Entwicklung bringen und ohne Befruchtung nicht nur Kaulquappen, sondern geschlechtsreife Frösche heranziehen. Was den Menschen durch verhältnismäßig grobe Eingriffe gelingt, das sollte die Natur, die große Meisterin, bei diesen Geschöpfen nicht fertiggebracht haben?

Zweitens hat man beobachtet, daß bei den meisten Tieren, die sich von Natur aus durch Jungfernzeugung vermehren können, doch von Zeit zu Zeit Weibchen mit befruchtungsbedürftigen Eiern auftreten und gleichzeitig auch Männchen, welche die Befruchtung vollziehen. So pflanzen sich die Blattläuse zwar während der Frühlings- und Sommermonate jungferlich, im Herbst aber meist zweigeschlechtlich fort; und wenn man unter den vorhin erwähnten Wasserflöhen durch Wochen und Monate vergeblich nach Männern fahndet, so sind sie doch nicht ausgestorben, es kommt die Zeit ihres Erscheinens. Das spricht dafür, daß die zweigeschlechtliche Fortpflanzung eine tiefere Bedeutung hat. Bevor wir nach ihrem Sinn fragen, müssen wir uns noch etwas besser umsehen.

Zwittertum und Kreuzbefruchtung

In den Buden der Jahrmärkte, wo mancherlei Naturwunder zu sehen sind, wird manchmal auch ein menschlicher *Zwitter* zur Schau gestellt. Tatsächlich gibt es – wenn auch sehr selten – Menschen, die Mann und Frau zugleich sind, indem sie sowohl männliche wie weibliche Keimdrüsen besitzen. Sie sind aber Mißgeburten und nicht fähig, Nachkommen zu erzeugen.

Dagegen ist bei niederen Tieren das Zwittertum eine sehr verbreitete Erscheinung. Jeder Regenwurm, auf den wir beim Umgraben der Erde stoßen, jede Weinbergschnecke, die uns über den Weg kriecht, ist Männchen und Weibchen zugleich, und viele andere Beispiele ließen sich noch anführen. Unter den Wirbeltieren freilich sind nur einige Fische regelmäßige Zwitter.

Man sollte nun denken, daß bei diesen Zwittern die Befruchtung der Eizellen am allerbesten gesichert sei. Es brauchte ja nur dafür gesorgt zu werden, daß die Samenzellen aus der männlichen Keimdrüse rechtzeitig zu den Eizellen desselben Tieres gelangen. Dieser Weg wird aber merkwürdigerweise nur sehr selten eingeschlagen. Vielmehr kann man zum Beispiel an den Weinbergschnecken im Frühjahr beobachten, daß sie sich zärtlich liebkosen, als wenn sie Pärchen wären – und sie sind es auch, nur daß sich dabei jedes Tier zugleich als Männchen und Weibchen benimmt. Die äußeren Zärtlichkeiten finden ihren Höhepunkt darin, daß jeder Partner dem anderen einen scharfen, spitzen Kalkpfeil, der in einer Drüsentasche schon lange vorher gebildet wurde, mit aller Wucht ins Fleisch jagt – eine so nachdrückliche Liebesbezeigung scheint bei den kaltblütigen Schnecken nun einmal nötig zu sein; dann entleert jede ihre Samenzellen in den Geschlechtsgang der anderen, mit dem Ergebnis, daß eine »Kreuzbefruchtung« der Eier und nicht eine »Selbstbefruchtung« durch die Samenzellen desselben Individuums erzielt wird. Bei anderen Zwittern wird ein gleiches Ergebnis in der zuverlässigsten Weise dadurch erreicht, daß die männlichen und weiblichen Keimzellen eines Individuums nicht zur selben Zeit reifen. Es ist erst Männchen und zu einem späteren Zeitpunkt Weibchen oder umgekehrt, so daß Selbstbefruchtung gar nicht möglich ist. Das Äußerliche der Vorgänge wechselt in hundertfältiger Weise; aber das gemeinsame Ziel ist die Sicherung der *Kreuz*befruchtung.

Wie bei der ein- und zweigeschlechtlichen Fortpflanzung taucht wieder die Frage auf, warum die Natur den schwierigeren und nicht den einfacheren Weg wählt. Es scheint nicht nur die Befruchtung an sich, also die Vereinigung einer weiblichen mit einer männlichen Keimzelle, sondern gerade die Kreuzbefruchtung, also die Vereinigung der Keimzellen verschiedener Individuen, von Wichtigkeit zu sein.

Verbreitung und Sinn der Befruchtung

Für die große Bedeutung der Kreuzbefruchtung spricht auch die Tatsache, daß es sich nicht um Sondergepflogenheiten von diesen oder jenen Tieren handelt, sondern um Gesetzmäßigkeiten, die sich durch das ganze Tier- und Pflanzenreich ziehen. Wir können das nicht im einzelnen verfolgen, sondern nur durch Beispiele andeuten.

Haben wir vorher gehört, daß bei Tieren, die zu eingeschlechtlicher Fortpflanzung fähig sind, doch zwischendurch mit großer Regelmäßigkeit auch zweigeschlechtliche Fortpflanzung durch befruchtete Eizellen eingeschaltet wird, so gilt Entsprechendes für die Formen mit der ursprünglicheren, ungeschlechtlichen Vermehrung. Der Süßwasserpolyp, der seine Individuenzahl durch Knospen in kurzer Zeit auf ein Vielfaches vermehren kann, begnügt sich damit nicht, sondern bildet gelegentlich auch Eizellen und Samenzellen. Aus den befruchteten Eizellen werden neue Polypen, die sich wieder durch viele Generationen ungeschlechtlich vermehren.

Bei verwandten Formen, die im Meere leben, bleiben die Knospen untereinander vereinigt und bilden weitverzweigte Stöckchen. An ihnen entstehen zeitweise, gleichfalls durch Knospung, anders gestaltete Tiere, die man zunächst gar nicht für Artgenossen halten möchte, die Medusen (Quallen). Sie treten als Männchen und Weibchen auf, lösen sich vom Polypenstöckchen ab, schwimmen davon und pflanzen sich zweigeschlechtlich fort. Aus ihren befruchteten Eizellen gehen neue Polypen und aus diesen neue Polypenstöckchen hervor. Hier ist der Wechsel der Fortpflanzungsweise mit einem Wechsel der Körpergestalt verbunden (sogenannter *Generationswechsel*). Auch bei den Pflanzen, wo ungeschlechtliche Vermehrung noch häufiger als im Tierreich vorkommt, gibt es die zweigeschlechtliche Fortpflanzung in weitester Verbreitung. Bei den Blütenpflanzen sind die weiblichen Keimzellen in den Samenanlagen (nicht zu verwechseln mit Samenzellen = männlichen Keimzellen), die männlichen Keimzellen in den Pollenkörnern eingeschlossen. Wird die Blüte bestäubt, indem Pollenkörner derselben Pflanzenart auf die Narbe kommen, so gelangen die männlichen Keimzellen mit den auswachsenden Pollenschläuchen durch die Griffel zu den Eizellen und befruchten sie. Bei den Zwitterblüten, die gleichzeitig Fruchtknoten und Staubgefäße, also weibliche und männliche Keimzellen, hervorbringen, finden sich so oft und hartnäckig wie im Tierreich die raffiniertesten Einrichtungen, um die Selbstbestäubung zu verhindern und die Kreuzbefruchtung zu sichern. Auch bei niederorganisierten Pflanzen, wie Pilzen, Farnen oder Moosen, treffen wir auf die Fortpflanzung durch befruchtungsbedürftige Eizellen. Sogar wo man es am wenigsten vermuten möchte, bei den einzelligen Pflanzen und Tieren, gibt es wesensgleiche Vorgänge. Wir kennen bereits ihre ungeschlechtliche Vermehrung durch Zellteilung. Viele Generationen können so aufeinanderfolgen. Aber dann kommt es vor, daß Zellen entstehen, die nicht mehr ohne weiteres teilungsfähig sind – geschlechtlich verschiedene Zellen, den Eiern und Samenzellen der Vielzelligen entsprechend. Sie können ihnen auch äußerlich gleichen, indem die einen, die weiblichen Zellen, größer, plump und unbeweglich, die anderen, die männlichen Zellen, klein und lebhaft sind. In anderen Fällen stimmen sie in Gestalt und Größe miteinander überein, nur in ihrem inneren Streben sind sie stets von zweierlei Natur, wobei sich je eine männlich und eine weiblich veranlagte Zelle zu vereinen suchen. Dann verschmelzen ihre Leiber und ihre Zellkerne wie bei der Befruchtung der Eier durch die Samenzellen bei höheren Lebewesen. Nach diesem Vorgang beginnt neuerlich die Vermehrung durch Zellteilung. Es ist eine wahrhaft erstaunliche

Einsicht, daß die Befruchtung von den Einzellern bis zu den höchsten Pflanzen und Tieren, den Menschen eingeschlossen, ein wesensgleicher Vorgang ist. Den Grad der Übereinstimmung werden wir erst ganz würdigen können, wenn wir im Abschnitt über die Vererbung die Feinheiten des Verlaufs kennenlernen.

Und welchen Sinn hat die Befruchtung? Da es bei höheren Tieren ohne Befruchtung keine Vermehrung gibt, aber unmittelbar nach dem Eindringen der Samenzellen die Entwicklung beginnt, hat man früher die hauptsächliche Bedeutung der Befruchtung in der Entwicklungsanregung vermutet. Das kann jedoch nicht ihr alleiniger Sinn sein. Warum würde dann die bewährte Jungfernzeugung, die auf eine Entwicklungsanregung durch Samenzellen verzichtet, immer wieder durch zweigeschlechtliche Fortpflanzung unterbrochen? Und was man an Einzelligen beobachtet, steht sogar mit jener Auffassung in direktem Widerspruch. Wenn nach reger Vermehrung durch Zellteilung eine Befruchtung zustande kommt, dann tritt oft ein lange dauernder Entwicklungsstillstand ein – also das Gegenteil einer Entwicklungsanregung –, bis nach dieser Pause neue Teilungen einsetzen; und statt der Vermehrung bringt ja die Befruchtung bei Einzellern eine Verminderung der Individuen mit sich, indem je zwei zu einem verschmelzen.

Einen Fingerzeig gibt uns die Tatsache, daß sehr allgemein bei Tieren und Pflanzen die Kreuzbefruchtung angestrebt wird. Worauf die Natur abzielt, ist offenbar nicht nur eine Vereinigung der Keimzellen an sich, sondern die Vereinigung der Keimzellen von verschiedenen Individuen. Solche werden in ihren Erbanlagen niemals völlig übereinstimmen, sondern je nach ihrer Vorgeschichte in ihren erblichen Eigenschaften mancherlei kleine Unterschiede aufweisen. Bei der Kreuzbefruchtung werden diese gegebenen Verschiedenheiten in der mannigfachsten Weise miteinander kombiniert, wodurch die Veränderlichkeit der Tiere und Pflanzen gesteigert wird. Das ist nun sehr nützlich und wichtig. Denn die äußeren Lebensbedingungen erfahren im Laufe langer Zeiträume manchen Wechsel, und die Veränderlichkeit der Eigenschaften ist, wie wir noch hören werden, eine wesentliche Voraussetzung für die Anpassung der Lebewesen an veränderte Verhältnisse. So wird also die große Verbreitung der Kreuzbefruchtung und ihre Bedeutung verständlich (siehe hierzu auch S. 278).

4.4. Werbung, Verlobung und Ehe im Tierreich

Liebeswerben

Wenn es zu einer Vereinigung der Keimzellen kommen soll, müssen erst die Elterntiere zueinanderfinden. Daran können beide Partner in gleichem Maße beteiligt sein, wie es besonders bei Zwittern der Fall ist. Wo die Geschlechter getrennt sind, pflegen sich die Tiere im großen ähnlich zu verhalten wie ihre Keimzellen im kleinen: Die Männchen sind die Lebhaften und ergreifen die Initiative, während die Weibchen mehr passiv bleiben. Diese zu suchen, zu umwerben und zu gewinnen, ist das Anliegen der Männchen. Alle Sinne werden in den Dienst dieser Aufgabe gestellt, besonders häufig aber der Geruchs-, Gehör-, Vibrations- und Gesichtssinn. Äußere Unterschiede zwischen den Geschlechtern, die sekundären Geschlechtsmerkmale, stehen damit in engem Zusammenhang.

Auf zwei Dinge kommt es vor allem an. Zunächst müssen die Männchen und Weibchen einander finden. Und wenn sie sich gefunden haben, dürfen sie sich nicht gleichgültig gegenüberstehen, sondern sie sollen in einen Zustand der Erregung geraten, der schließlich zur Vereinigung ihrer Keimzellen führt und so die Erhaltung der Art sichert. Aus der Fülle von Beispielen, welche die Natur bietet, wollen wir einige herausgreifen.

Es war schon auf S. 107 von den weiblichen Nachtfaltern die Rede, die durch eine Duftabsonderung die Männchen von weit her anlocken. Sie haben mit diesem einfachen Mittel bisweilen Erfolge, die auch die bezauberndste Frau mit Neid erfüllen könnten. Ein einziges Weibchen eines seltenen Nachtfalters hat durch seinen Duft in sieben Stunden 127 Männchen an sich gelockt – die freilich alle nicht auf ihre Rechnung kamen, sondern in die Sammelkästen des Schmetterlingsfängers wanderten, der so schlau war, das Weibchen unter einer Drahtglocke als Köder in ein geöffnetes Fenster zu setzen.

Bei vielen Falterarten haben auch die Männchen Duftdrüsen, deren flüchtige Absonderung an der Oberfläche buschiger Duftpinsel (Abb. 59) zur Verdunstung kommt. Dieser Duft der Männchen dient nicht dem Finden, sondern der anderen obenerwähnten Aufgabe, das aufgefundene Weibchen zu erregen und willfährig zu machen.

Abb. 59: Männlicher Schmetterling mit Duftpinsel.

Auch bei den Säugetieren spielen Riechstoffe eine große Rolle. Aber ihre doppelsinnige Bedeutung ist selten so klar gesondert wie bei den Schmetterlingen. Eine vorwiegend erregende Wirkung schreibt man der Absonderung des Moschusbeutels beim männlichen Moschustier zu; ähnliche Drüsen kommen bei Säugetieren an den verschiedensten Körperstellen vor. Selbst bei Wasserbewohnern können Duftdrüsen beim Liebesspiel in Tätigkeit treten. Bei unseren Wassersalamandern kann man im Frühjahr beobachten, wie ein Männchen stundenlang am Boden eines Tümpels ein Weibchen immer wieder verfolgt, es mit lebhaften Schritten überholt, sich mit einem Sprung vor ihm hinsetzt und ihm durch wedelnde Bewegungen des Schwanzes Wasser zufächelt, das im Vorbeistreichen an seinem Körper mit dessen Duft beladen wird – bis es sich endlich gewogen zeigt.

Am bekanntesten sind die Geschlechtsmerkmale, die für das Auge bestimmt sind. Besondere Farben und Muster, oft auch auffallende Körperanhänge und anderer Zierat zeichnen das Männchen, seltener das Weibchen aus. Sie sind für Tiere mit guten Augen so eindeutige Erkennungszeichen wie der arteigene Duft für Tiere mit wohlentwickeltem Geruchssinn. Ihre Bedeutung für das Weibchen geht oft genug schon aus der Art und Weise hervor, wie sie vor dem anderen Geschlecht zur Geltung gebracht werden.

Bei den Winkerkrabben ist im männlichen Geschlecht eine der beiden Scheren stark vergrößert und meist lebhaft gefärbt. Wenn zur Paarungszeit ein Männchen, das vor seiner Wohnhöhle sitzt, ein Weibchen erblickt, richtet es sich hoch auf, schwingt die mächtige Schere im Takt hin und her wie ein Geiger den Bogen und winkt mit diesem Signal die Gefährtin heran (vgl. Tafel 10 unten). Ähnliche Schaustellungen kann man an den Springspinnen beobachten. Das Männchen versucht durch seine heftig bewegten, erhobenen Vorderbeine und überdies durch die dunklen Haarschöpfe, die sich auf seinem dem Weibchen zugekehrten Rücken erheben, dessen Aufmerksamkeit auf sich zu lenken. Der männliche Molch, der dem Weibchen seinen Duft zufächelt, zeigt zugleich die prächtigsten Farben und einen stattlichen Rückenkamm. Auch bei Fischen ist ein buntes »Hochzeitskleid«, das nur zur Laichzeit auftritt und vor dem Weibchen in auffälliger Weise zur Schau getragen wird, überaus häufig (s. S. 153). Alle Stufen der Werbung, vom einfachen Sichvorstellen in schlichtem Kleide bis zu höchster Prachtentfaltung, verbunden mit turnerischen Meisterstücken, heißen Kämpfen und Werbetänzen in kunstvoll ausgeführter Liebeslaube findet man im Reich der gefiederten Welt.

Die Pinguine, diese drolligen Geschöpfe der südlichen Polarwelt, sind Phlegmatiker der Liebe. Bei manchen Arten scharrt das Weibchen eine Nestmulde aus und wartet dann geduldig, bis ein Männchen kommt. Wenn sich ein solches vorstellt, so ist hiermit der Ehebund geschlossen. Das Männchen beginnt Steine heranzuschleppen, die das Weibchen zu einem Wall um die Nestmulde auftürmt.

Bei anderen Vögeln aber geht der Gattenwahl ein langes Werben und

Balzen voraus, allbekannt vom Radschlagen des Pfauen (s. Tafel 11 oben), dessen Schaustellung von anderen jedoch noch übertroffen wird. So vom Argusfasan, der vor dem Weibchen seine prächtigen Flügel entfaltet und dabei nicht verfehlt, durch eine Lücke des Gefieders zu beobachten, welchen Eindruck er macht. Oder vom Paradiesvogel mit seinen weltbekannten Schmuckfedern (s. Tafel 10 oben). Beim Männchen von *Paradisea rudolphi* strahlen sie in leuchtendem Blau, und es bereitet der umworbenen Gefährtin noch die besondere Überraschung, sich plötzlich vor ihr Kopf unten an einen Zweig zu hängen und so seinen Schmuck in ungewohnter Stellung vor ihren Augen auszubreiten.

Bei einer verwandten Gruppe, den Laubenvögeln, baut das Männchen auf einer Waldblöße ein Balznest, einen Laubengang aus Zweigen, den es mit bunten Schneckenhäuschen, Steinen, Federn und Knochen und sogar mit frischen Blumen ausschmückt. Wenn der Bau vollendet ist, findet sich das Weibchen vor der Laube ein, während das Männchen in heller Aufregung versucht, es hineinzulocken. Dabei ergreift es dann und wann mit dem Schnabel eine Feder oder Blume oder eine bunte Frucht, als wollte es das Weibchen auf seine Schätze aufmerksam machen, und bringt die wunderlichsten Laute hervor. Im ganzen also ein Balzen, vergleichbar dem unseres Auerhahns, aber mit einem formvollendeten Aufwand und mit einer ästhetischen Note, die an menschliche Gebräuche anklingt.

Einen Höhepunkt erreicht die Gestaltung der Laube beim Gärtnerlaubenvogel (*Amblyornis subalaris*), der in schwer zugänglichen, finsteren Bergwäldern Neu-Guineas anzutreffen ist. Mit viel List und großer Geduld ist es Heinz Sielmann gelungen, auch diesen scheuen Vogel am Werk zu sehen und Filmdokumente von seinem Schaffen heimzubringen. Das etwa amselgroße Männchen errichtet an einem kleinen Baumstamm, der seinem Buschwerk als Stütze dient, eine aus Zweigen geflochtene Hütte mit wasserdichtem Dach und mit zwei Pforten, die innen durch einen Rundgang verbunden sind. Vor den Pforten liegt der mit Blüten bestreute »Garten«, der Tanzplatz bei der Balz. Ein »Zaun« grenzt ihn von der Umgebung ab und wird mit roten und gelben Beeren oder mit Blüten geschmückt. Das Stämmchen aber, die Säule zwischen den Pforten, bekleidet der Baumeister mit dunkelgrünem Moos. Auf diesem Hintergrund befestigt er seine besonderen Kostbarkeiten, so wie ein Juwelier den Schmuck seinem Kunden auf dunklem Samt präsentiert. Links sieht man eine Sammlung blau schillernder Käfer, rechts die Trümmer zerbrochener Schneckenschalen, während der Streifen dazwischen mit gelben Blüten geschmückt wird. Der Vogel verwendet viel Zeit darauf, seine Schaustellung instand zu halten. Hat ein Platzregen Schaden angerichtet, so wird er behoben. Welkende Blüten werden entfernt und frische hineingesteckt – aber nicht wahllos irgendwo! Wie ein Künstler vor dem entstehenden Gemälde betrachtet auch unser Baukünstler aus einiger Entfernung aufmerksam, was er gemacht hat, und oft zieht er die eben angebrachte Blüte wieder heraus und versucht es mit ihr an anderer Stelle, bis er schließlich befriedigt scheint. Stellt sich ein Weibchen ein, so lockt es der Freier mit schnarrenden Tönen und beginnt einen Tanz, der sich zu einem Karussellauf entwickelt. Mit entfalteter roter Kopfhaube kommt er bei einem Tor des Rundgangs heraus und saust beim anderen wieder hinein, bis schließlich das Weibchen ihm folgt und die beiden sich in der Laube paaren. Diese Bauten dienen *nur* als Liebeslauben. Das Brutnest wird erst nach der Hochzeit gebaut, und zwar nur vom Weibchen, an einer ganz anderen Stelle, in einer Baumkrone. Das Männchen kümmert sich weder um Brutgeschäft noch Kinderpflege, es beschäftigt sich weiter mit seiner Laube und sieht, ob es nicht noch ein anderes Weibchen gewinnen kann.

Andere Vögel sind weniger poesievoll veranlagt; bei ihnen geht die Liebe offensichtlich durch den Magen. Bei der Zwergseeschwalbe fängt das Männchen zunächst einen Fisch und vermählt sich mit dem Weibchen, das ihm die Beute aus dem Schnabel nimmt. Bei einem tropischen Sporenkuckuck gewinnt das Männchen häufig die Gunst des Weibchens dadurch, daß es sich ihm mit einer Heuschrecke im Schnabel nähert, die es aber erst hergibt, wenn das Weibchen gefügig war. Das ist immerhin ein freundlicheres Liebesmahl als bei manchen Heuschrecken und Spinnen, wo es die Gepflogenheit des Weibchens ist, nach vollzogener Vereinigung das Männchen aufzufressen.

Auch ein Suchen und Werben durch Töne und Geräusche ist weit verbreitet. Wie sich Grillen und Heuschrecken durch ihr Zirpen locken und finden, davon haben wir schon bei früherer Gelegenheit gesprochen (S. 114). Daß Frösche durch ein schallendes Konzert den Weibchen ihre Anwesenheit und Bereitschaft bekunden, kann man im Frühjahr in der Nähe von Tümpeln überzeugend vernehmen. Weniger bekannt ist, daß auch zahlreiche Fischarten zur Paarungszeit mit grunzenden und knarrenden Lauten ein Konzert geben. Oft sind nur die Männchen stimmbegabt und werben auf solche Weise um die Weibchen oder drohen ihren Rivalen. Wie sehr solche Sitten bei Meeresfischen verbreitet sind, erfuhr man erst, als man sich während des zweiten Weltkrieges für Unterwassergeräusche interessierte und Apparate zu ihrer Beobachtung schuf (vgl. S. 120).

Wir nähern uns der Ausdrucksweise menschlichen Gefühlslebens, wenn wir an den Gesang der Vögel denken. Hier besonders liegt es für uns nahe, etwa die Melodie einer Amsel als Liebeslied aufzufassen. Gewiß dient es der Werbung. Aber es richtet sich zugleich gegen die männlichen Rivalen, es verkündet ihnen laut und deutlich: Hier ist mein Revier, und kein anderer Amselmann hat da etwas zu suchen. Zu Beginn der Paarungszeit wählen die Vögel einen Platz für ihr Vorhaben. Er muß sich für die Anlage eines Nestes eignen, wie es den Bedürfnissen der betreffenden Vogelart entspricht; er muß aber auch rundum ein Revier bieten, das für die Lebensbedürfnisse der Familie ausreicht. Sich dieses Territorium zu erkämpfen und gegen Rivalen zu verteidigen, ist das erste Anliegen bei der

Nestgründung. Wenn ein fremdes Männchen in das Revier eindringt, wird es vertrieben. Der Erfolg ist ziemlich gewiß. Denn die Vögel messen in diesem Kampf nicht nur ihre Muskelkraft, es spielen auch psychologische Momente mit. Der rechtmäßige Besitz entfacht die Wut des Verteidigers und führt ihn zum Sieg. Das gleiche Männchen wird in einem fremden Revier in der Regel unterliegen. Bei manchen Heißspornen unter den Vögeln kann es dabei blutig zugehen. Aber meistens genügt das Drohen, um den Angreifer zu vertreiben, und solches Drohen braucht gar nicht handgreiflich zu werden, es gibt sich auch schon im Gesang der Vögel kund und tut seine Wirkung. Das Lied hat für das Ohr des Weibchens einen anderen Klang als für das Ohr des Rivalen. Wie weise war die Natur, solche Waffen zu schmieden!

Nicht nur bei Vögeln, auch bei Säugetieren, bei niederen Wirbeltieren und manchen Gliederfüßern (zum Beispiel Libellen) spielt zur Fortpflanzungszeit der Erwerb eines Territoriums und seine Verteidigung eine große Rolle. Die Art der Markierung – wo eine solche stattfindet – richtet sich nach den bestentwickelten Sinnen. Säugetiere pflegen *Duft*marken zu setzen. Bei manchen Arten hat das Männchen zu diesem Zweck besondere Duftdrüsen, deren Sekret an markanten Punkten hingerieben wird. Andere benützen ihren Harn, wie das von Hunden allgemein bekannt ist.

Nicht immer ist das Zentrum des Territoriums durch ein Nest oder eine Wohnhöhle gegeben. Der Hirsch kämpft um sein Rudel, durch dieses ist das verteidigte Gebiet bestimmt.

Dauerehen

Kämpfe spielen naturgemäß besonders da eine Rolle, wo Vielweiberei herrscht und ein Männchen seinen Harem gegen eine Mehrzahl von Rivalen verteidigen muß. Das ist aber verhältnismäßig selten. Wo es überhaupt zu fester ehelicher Bindung kommt, ist die Einehe die Regel. Bei den wirbellosen Tieren gibt es einen Zusammenschluß der Geschlechter für längere Zeit, also eine »Ehe«, nicht oft. Eine bemerkenswerte Ausnahme bilden zum Beispiel manche Mistkäfer, bei denen das Weibchen unter mehreren Bewerbern seinen Lebensgefährten wählt, worauf das Paar während des Sommers beisammenbleibt. Eine mehrjährige Treue ist bei den Insekten schon dadurch verhindert, daß sie im vollentwickelten Zustand nur selten länger als einige Wochen oder Monate leben.

Musterehen gibt es bei den Vögeln. Bei manchen, so bei unseren Wildenten, finden sich die Pärchen schon im Herbst zusammen, obwohl sie erst im Frühjahr zur Fortpflanzung schreiten. Es kommt also schon lange vorher zu einer »Verlobung«. Andere gehen im Winter getrennte Wege, finden aber zur Brutzeit wieder zueinander. Wildgänse, Kolkraben und wahrscheinlich auch manche Eulen schließen eine richtige Dauerehe auf Le-

Abb. 60: Weibchen eines Tiefseefisches mit drei ausgewachsenen Männchen.

benszeit und halten Sommer und Winter zusammen. Es gibt aber auch unter den Vögeln eine andere Einstellung. So sind beim Buntspecht, nach den Erfahrungen des bekannten Vogelkundigen O. Heinroth, Mann und Frau dauernd miteinander auf dem Kriegsfuß und benehmen sich so, als wäre es jedem von den beiden Vögeln gräßlich, daß zum Brutgeschäft und zum Auffüttern der Jungen noch ein Zweiter gehört. Unter den Säugetieren scheinen Dauerehen, außer bei den hochstehenden Affen, nur selten vorzukommen.

Haben wir in diesem Abschnitt manches Beispiel für strahlende Schönheit und Kraft des männlichen Geschlechts kennengelernt, so sei zum Schluß verraten, daß sich auch das Gegenteil verwirklicht findet. Es ist wohl die merkwürdigste Art von Dauerehen, die es gibt, wenn bei gewissen Tiefseefischen die jungen Männchen sich am Körper des Weibchens festsetzen und mit ihm verwachsen (Abb. 60). Sie leben von da ab als schmarotzender Anhang ihrer Frau. Die Sinneswerkzeuge verkümmern, ihr Maul wird zahnlos, da sie weder selbständig einer Beute nachstellen noch überhaupt etwas verzehren. Ihre Adern verschmelzen mit denen des Weibchens, und dies ernährt sie mit seinem Blute. Sie bleiben zwerghaft, und das muß wohl schon deshalb so sein, weil sie sonst dem Weibchen zuviel Säfte und Kräfte entziehen würden. Einzig ihre Keimdrüsen werden mächtig entwickelt. Es muß nicht leicht sein für ein Männchen, in den unermeßlichen Weiten der Tiefsee sein Weibchen zu finden. Es ist keine schlechte Lösung, an dem gefundenen Weibchen festzuwachsen, so daß man es nimmermehr verlieren kann. Wie sich die anderen Bewohner dieses finsteren Lebensraumes ihr Stelldichein geben, das müssen künftige Tiefseeforscher erst noch herausbekommen.

5. Entwicklung

5.1. Wie aus dem Ei ein Hühnchen wird

Es hat schon manches Ei auf unserem Frühstückstisch gestanden. Wer hat schon darüber nachgedacht, wie wunderbar es ist, daß sich daraus binnen drei Wochen ein Vogel gestaltet, wenn die Ereignisse ihren natürlichen Lauf nehmen? Wie wäre es, wenn wir uns einmal nicht überlegen wollten, ob wir das Ei weich oder hart genießen sollen, sondern wie es als tierische Zelle und als Keim neuen Lebens zu verstehen ist?

Zuinnerst in einem Hühnerei liegt das Eigelb (der »Dotter«, Abb. 61). Dieser Teil allein ist die eigentliche Eizelle, die aus dem Eierstock des Vogels stammt und von dort zunächst in den Ausführungsgang der weiblichen Keimzellen, den Eileiter, aufgenommen wird. In dessen oberstem Teil erfolgt die Befruchtung, also das Eindringen einer Samenzelle. Während das Ei langsam weitergleitet, wird von Drüsenzellen des Ausführungsganges um das Eigelb das Eiklar als nahrhafte Hülle herumgelegt, die später, während der Entwicklung des Keimlings, von diesem verbraucht wird; darauf werden noch das Schalenhäutchen und die Kalkschale als äußere Schutzhülle gebildet. Etwa 24 Stunden nach seinem Eintritt in den Eileiter ist das Ei legefertig am Ausgang angelangt.

Der Dotter erscheint bei flüchtiger Betrachtung als eine einheitliche Masse. Erst bei genauer Untersuchung findet man an einer bestimmten Stelle der Dotteroberfläche den Zellkern, umgeben von einem kleinen Hof von Protoplasma. Das ist die »Keimscheibe«. Hier schlummern die gestaltenden Kräfte. Alles andere sind Zugaben: zahllose Dotterkügelchen aus Eiweißstoffen, Fetten und Öltröpfchen bestehend, die als Nährstoffe in die Zelle eingelagert sind und deren Größe bedingen. Diese Zugaben sind es natürlich auch, die das Hühnerei zum geschätzten Nahrungsmittel machen, doch für das Verständnis der Entwicklung sind sie nicht günstig. Denn die Einlagerung so großer Dottermengen in die Zelle bedeutet einen Ballast, der die Gestaltungsvorgänge in mannigfacher Weise beeinflußt und verschleiert. Darum wollen wir das Hühnerei doch lieber der

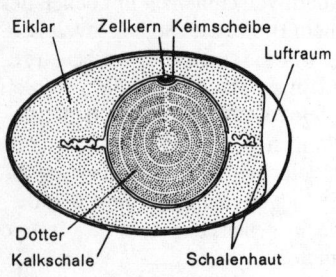

Abb. 61: Hühnerei.

Köchin überlassen und das Entwicklungsgeschehen zuerst an kleinen, nicht so mit Dotter belasteten Eiern betrachten.

Hiermit verzichten wir keineswegs darauf, die Entwicklung des Hühnchens zu verstehen. Denn trotz aller Verschiedenheit der schließlichen Gestalt geht ein großer einheitlicher Zug durch die ganze tierische Entwicklung, so daß wir, gerade so wie bei der Befruchtung, aus dem Studium der niederen Tiere die entsprechenden Vorgänge bei den höchsten Lebewesen erst begreifen lernen.

Ein einfaches Beispiel tierischer Entwicklung

Im Meer kommt das Lanzettfischchen vor. Es wird nur wenige Zentimeter lang. Trotz seiner Kleinheit ist es berühmt geworden, denn durch seinen einfachen Bau hat es zum Verständnis des Wirbeltierkörpers viel beigetragen. Eigentlich ist es gar kein Fisch. Sein Bau zeigt manche Anklänge an einen Wurm; zum Beispiel hat es wohl ein Vorderende, aber keinen Kopf. Doch in seinen Bauplan brauchen wir uns nicht zu vertiefen. Wir wollen nur an diesem Beispiel sehen, wie sich überhaupt aus einer Eizelle ein Tierkörper mit seinen Organen gestalten kann, wobei wir nebensächliche Einzelheiten außer acht lassen.

Die Eier werden in das Wasser entleert und da befruchtet. Wir wissen schon, daß bei der Befruchtung der Zellkern der eindringenden Samenzelle mit dem Eikern verschmilzt. Darauf beginnt die Entwicklung. Von der späteren Fischgestalt ist zunächst noch gar nichts zu erkennen. Das erste Geschehen ist eine einfache Zellvermehrung. Es teilt sich der Zellkern, und darauf teilt sich das Protoplasma. Indem sich dieser Vorgang oftmals wiederholt, entstehen aus der einen Eizelle viele Zellen, die alle untereinander in Verbindung bleiben und mit jedem weiteren Teilungsschritt kleiner werden, da ja der Keim auf dieser Stufe noch keine Nahrung aufnehmen, also an Masse nicht zunehmen kann. Es wird nur das Material des Eies auf viele Zellen aufgeteilt. Äußerlich erscheint dies als *Furchung* der ursprünglich glatten Eizelle (*a-d* der Abb. 62). Die Furchungszellen liegen in einer einzigen Schicht, so daß innen ein Hohlraum entsteht, der mit einer wässerigen Flüssigkeit angefüllt ist (*e*). Diese Entwicklungsstufe nennt man die Keimblase (Blastula).

Nun kommt der erste Gestaltungsvorgang. Von einer bestimmten Stelle aus stülpt sich die Wand der Hohlkugel nach innen. So vollzieht sich eine ähnliche Formveränderung, wie wenn man einen Gummiball von einer Seite eindrückt (*f, g*). Der einschichtige Keim verwandelt sich in einen zweischichtigen, in die Becherlarve (Gastrula, *g, h*). Auf dieser Altersstufe besteht das Tierchen gleichsam nur aus einem von Haut überzogenen Darm. Wir können auch sagen, es besteht aus zwei Keimblättern. Die eingestülpte Zellschicht, das innere Keimblatt, ist die erste Anlage des späte-

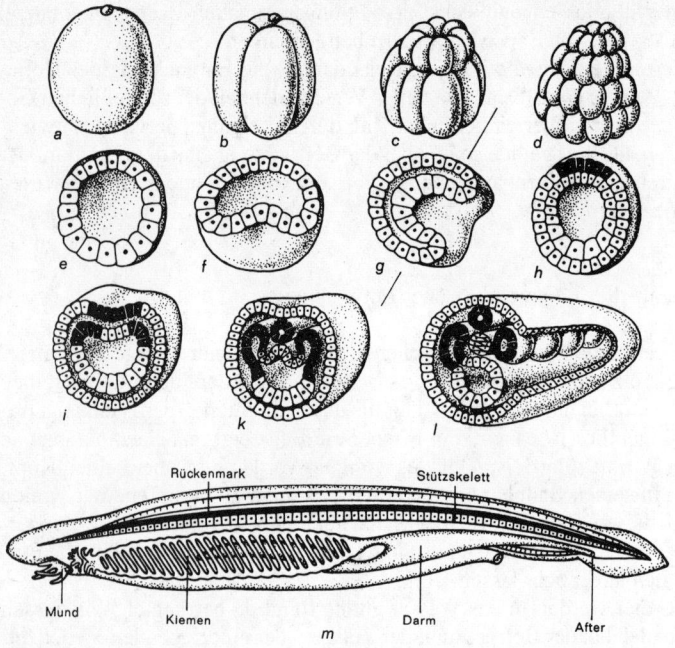

Abb. 62: Das Lanzettfischchen und (stärker vergrößert) die wichtigsten Stufen seiner Entwicklung aus dem Ei.

ren Darms und heißt darum auch der Urdarm. Aus dem äußeren Keimblatt entwickelt sich später die Haut. Die Stelle, wo beide ineinander übergehen, heißt der »Urmund«. Er entspricht dem After des Tieres, während die Mundöffnung erst später durchbricht. Aus dem äußeren Keimblatt wird aber nicht *nur* die Haut, sondern es entstehen aus ihm auch andere Körperteile, vor allem das Gehirn und das Rückenmark.

Diese Organe scheinen allerdings beim erwachsenen Tier nicht die geringste Beziehung zur Haut zu haben, weder nach ihrer Lage noch nach ihrer Leistung. Aber es ist zu bedenken, daß es ja eine sehr frühe Entwicklungsstufe ist, auf der sie sich von der späteren Körperhaut sondern und ihren eigenen Weg nehmen. Das geschieht so: Der junge Keim streckt sich in die Länge, und auf seiner Rückenseite bilden sich zwei Längswülste, die eine Rinne einfassen. Diese senkt sich in die Tiefe und schließt sich zu einem Rohr, während darüber das äußere Keimblatt wieder zusammenwächst (*i, k*). Das versenkte Rohr wird weiterhin zum Gehirn und Rückenmark, die äußere Zellschicht zur Körperhaut.

Um dieselbe Zeit entstehen vom Urdarm aus rechts und links Ausstülpungen, die sich gleichfalls abschnüren und sich als mittleres Keimblatt zwischen das äußere und innere Keimblatt legen. Sie bilden aber jederseits kein durchgehendes Rohr, sondern eine Reihe hintereinander liegender Säckchen (*k, l*). Auch an der Rückseite des Urdarms, genau unter dem Nervenrohr, entsteht eine Abfaltung und wird zu einem längs verlaufenden Zellstrang.

So ordnen sich die Zellen des Keimes zu bestimmten Strängen und Schläuchen und Säckchen, ohne daß man ihnen schon ansehen kann, was aus ihnen werden soll. Dann erst beginnen die Zellen die Gestalt anzunehmen, die ihrer späteren Aufgabe entspricht; gleichzeitig nähern sich die in großen Zügen angelegten Organe ihrer endgültigen Form.

Man erkennt nun, daß der Zellstrang zwischen Darm und Nervenrohr zu dem elastischen Stützskelett wird, das beim Lanzettfischchen die Stelle unserer Wirbelsäule einnimmt, daß aus den Säckchen des mittleren Keimblattes die Körpermuskeln, Bindegewebe und Blutgefäße hervorgehen, während das Rohr, das vom Urdarm übriggeblieben ist, als Darmrohr erhalten bleibt. Wie diese Ausgestaltung vor sich geht, braucht uns im einzelnen nicht zu beschäftigen.

Der Dotter stört das Verständnis

Wir können also bei der Entwicklung des Lanzettfischchens drei hauptsächliche Abschnitte unterscheiden, die sich freilich nicht ganz scharf voneinander trennen lassen. Im ersten wird durch die Furchung des Eies die Zahl der Zellen vermehrt, im zweiten werden sie durch die Bildung der Keimblätter geordnet, und im dritten gestalten sich aus den Keimblättern die Zellen und Organe entsprechend ihren künftigen Aufgaben. So ist es nicht nur beim Lanzettfischchen, sondern ganz allgemein bei der tierischen Entwicklung, die besonders in ihren ersten Abschnitten überall dieselben Grundzüge erkennen läßt. Die bestehenden Unterschiede sind hauptsächlich durch den ungleichen Dottergehalt der Eizellen bedingt.

In einem Molchei sind viel mehr Dotterkügelchen eingelagert als in der Eizelle des Lanzettfischchens. Da sie nicht gleichmäßig verteilt, sondern vorwiegend an einem Eipol angesammelt sind, entstehen Furchungszellen von ungleicher Größe, am einen Pol kleine, dotterarme, am anderen Pol große, dotterreiche Zellen. Letztere sind ein gewisses Hindernis für die Bildung des Urdarmes, der in seiner Form und Lage durch sie beeinflußt wird. Auch das mittlere Keimblatt entsteht in dem beengten Raum auf etwas andere Weise. Aber es treten doch, wenn auch in abgeänderter Form, dieselben Keimblätter auf, und sie lassen ganz ähnlich wie beim Lanzettfischchen die Organe aus sich hervorgehen.

Beim Hühnerei ist die Menge des Dotters so außerordentlich vermehrt, daß das dotterfreie Protoplasma mit dem Zellkern wie ein Tröpfchen auf

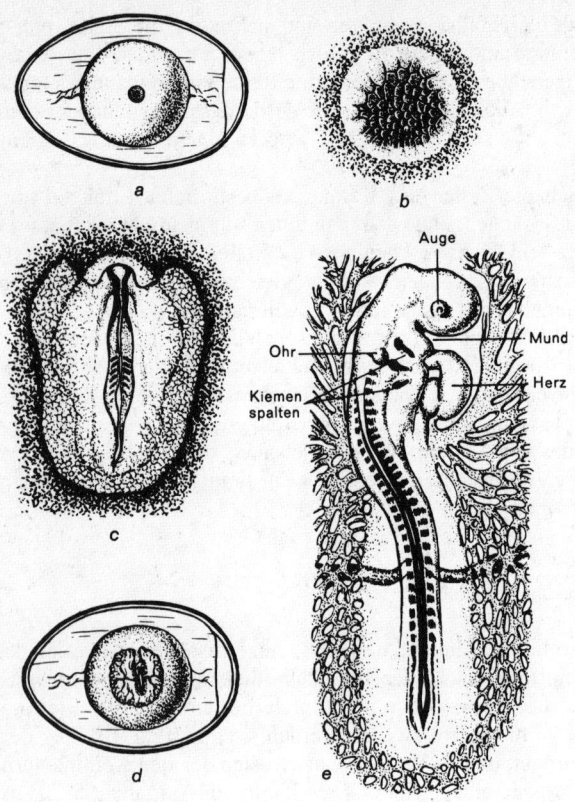

Abb. 63: Entwicklung des Hühnchens, in a und d ist das ganze Ei, in b, c und e nur die Keimscheibe (vergrößert) dargestellt.

ihm schwimmt (vgl. Abb. 63; in *a* ist das Ei so gedreht, daß man von oben auf die Keimscheibe sieht). Kein Wunder, daß diese kleine Protoplasmamasse bei der Zellteilung die große Dottermenge nicht bewältigen und nicht zerteilen kann. So beschränkt sich hier die Furchung auf die »Keimscheibe«; von ihrem Randbezirk stülpt sich der Urdarm ein. Schließlich liegen alle drei Keimblätter flach ausgebreitet auf dem Dotter. Ihre Beziehungen zueinander hätte man ohne Kenntnis der einfacheren Verhältnisse beim Lanzettfischchen kaum je verstanden. Der Rand der Keimscheibe wächst dann allmählich über den Dotter weg, der so dem Inneren des Keims einverleibt und aufgebraucht wird.

Zeugnisse der Vergangenheit

Auch bei den Säugetieren – und auch beim Menschen – sind die Eier dotterarm wie die des Lanzettfischchens. Nur hat das hier einen anderen Grund. Dem Lanzettfischchen werden keine großen Vorräte auf seinen Lebensweg mitgegeben, weil es sich schon auf einer frühen Stufe der Keimesentwicklung selbständig ernährt, dem Säugetierei aber, weil es seine Entwicklung im mütterlichen Körper durchmacht und von diesem ernährt wird.

Die Furchung und Keimblätterbildung vollzieht sich beim Säugetierei trotz seiner Dotterarmut keineswegs so einfach wie beim Lanzettfischchen, sondern ähnlich wie beim Hühnchen – als ob bedeutende Dottermengen vorhanden wären. Man erklärt sich dies durch die Annahme, daß unsere Vorfahren einstmals große, dotterreiche Eier gehabt haben. Tatsächlich bringen die ursprünglichsten jetzt lebenden Säugetiere, das eigenartige Schnabeltier und der Ameisenigel Australiens, keine lebenden Jungen zur Welt, sondern sie legen dotterreiche Eier ab.

Wie in diesem Falle, so geben uns auch sonst oft die Einzelheiten der Keimentwicklung einen Fingerzeig für die Vorgeschichte der Arten. So werden zum Beispiel beim menschlichen Keimling (Abb. 64) auf einer frühen Entwicklungsstufe noch Kiementaschen angelegt, die als solche niemals in Tätigkeit treten und nur als Erinnerung an kiemenatmende Urahnen verständlich sind, in voller Übereinstimmung mit der Überzeugung der Gelehrten, daß alle Wirbeltiere aus fischähnlichen Vorfahren hervorgegangen sind – wenn dies auch undenklich weit zurückliegt.

Im ausgebildeten Zustand muß jedes Lebewesen an die Umweltbedingungen angepaßt sein, die es derzeit vorfindet, sonst wäre es ja nicht lebensfähig. Aber in der Entwicklung werden Merkmale aus längst vergangenenZeiten mit erstaunlicher Zähigkeit beibehalten und durch die Generationen mitgeschleppt. So wie in den großen Abschnitten der Stam-

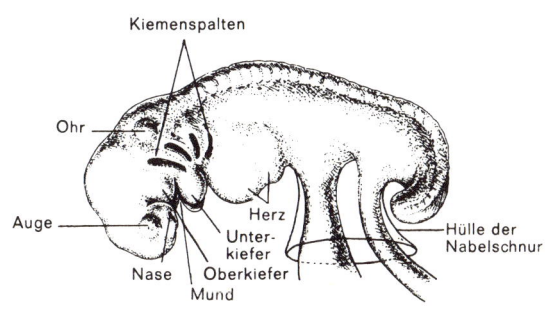

Abb. 64: Menschlicher Keimling.

mesentwicklung, so bilden sie immer wieder in der Entwicklung des Individuums die Stufenleiter, über welche die Gestaltung zur endgültigen Form fortschreitet. Denn es ist in der Entwicklungsgeschichte nicht anders als allenthalben sonst: Begangene Wege wieder zu gehen, ist leichter, als völlig neue einzuschlagen.

5.2. Die gestaltenden Kräfte bei der Entwicklung

Wenn die geschickten Hände eines Meisters aus einem Klumpen Lehm die Gestalt eines Vogels formen, so erkennen wir Ursache und Wirkung, und alles geht mit rechten Dingen zu. Aber wie kann sich aus einer Eizelle ganz von selbst ein Vogel gestalten? Viele Naturforscher der älteren Zeit haben schon im Erschauen dieses Vorgangs und im Erkennen der einheitlichen Grundzüge in der Entwicklungsgeschichte aller Tiere eine tiefe Befriedigung gefunden. Doch ist das alles so wunderbar, daß sehr bald die Frage auftauchte, wo hier die Hand des formenden Meisters ist.

Entfaltung oder Gestaltung

Manche haben sich die Antwort leichtgemacht und angenommen, daß in der Eizelle schon die lebende Gestalt des künftigen Wesens schlummere und durch das Wachstum nur zur Entfaltung komme. Als nach der Erfindung des Mikroskops die Samenzellen entdeckt wurden, da glaubten andere wieder, das Ei sei eine formlose Masse, die nur den Mutterboden für die Entwicklung biete, und die eindringende Samenzelle sei das formgebende Element.

So weit ging hier ihre Phantasie, daß sie im verdickten Vorderteil einer menschlichen Samenzelle, der den Zellkern enthält, ein zusammengekauertes Menschlein zu erkennen glaubten. Dabei haben sie wohl nicht bedacht, wie viele, noch kleinere Menschenkinder in das eine, das sie zu sehen glaubten, hineingeschachtelt sein müßten, damit alle kommenden Geschlechter bis zum Untergang der Welt erklärt werden könnten. Wenn aber die späteren Generationen noch nicht vorgebildet sind, dann taucht ja dieselbe Schwierigkeit, nur an einer anderen Stelle, von neuem auf. Die Vorstellung, daß in der Keimzelle ein fertiges Geschöpf in verkleinertem Maßstabe enthalten sei und bei der Entwicklung im wahren Sinne des Wortes »entwickelt« werde und nur herauszuwachsen brauche, ist denn auch gänzlich aufgegeben worden, sobald man mit verbesserten Mikroskopen den Feinbau dieser Zellen genauer kennenlernte. Auch zeigen uns ja die ersten Entwicklungsstufen, wie wir sie im vorigen Abschnitt besprochen haben, daß die Körpergestalt und die einzelnen Organe von jedem Individuum neu geformt und allmählich aufgebaut werden.

Wir müssen die Frage heute anders stellen: Ist schon in der Eizelle durch den Feinbau ihrer Teile festgelegt, was aus ihnen wird, oder sind während der Keimentwicklung gestaltende Kräfte am Werk, die erst entscheiden, was aus den einzelnen Teilen werden soll? Man kann das durchaus nicht mit reinem Nachdenken herausbringen, sondern nur durch Versuche. Und da hat man merkwürdigerweise beide Möglichkeiten verwirklicht gefunden.

Künstliche Zwillinge

Bei den Seescheiden (Abb. 65) des Meeres – pflanzenähnlichen Tieren, denen man trotz ihres unübertrefflichen Stumpfsinnes eine entfernte Blutsverwandtschaft mit dem Menschengeschlecht zuspricht – beginnt die Entwicklung des Eies, wie überall, mit einer Teilung in zwei Zellen. Diese sehen einander ganz gleich. Es ist möglich, sie zu trennen, ohne daß sie zugrunde gehen. Sie setzen ihre Entwicklung fort, aber jede gibt dann nur ein halbes Tier. Aus der einen Zelle wird eine linke, aus der anderen eine rechte Hälfte einer Seescheide. Offenbar war also schon bei der ersten Teilung der Eizelle das künftige Schicksal der beiden Hälften festgelegt. Macht man denselben Versuch mit dem Ei eines Molches, so ist das Ergebnis völlig anders. Aus jeder Zelle entwickelt sich ein ganzes, in keiner Weise miß gestaltetes Tier; nur ist ein jedes halb so groß wie ein normaler Molch zur Zeit des Ausschlüpfens aus dem Ei, da sich ja die Zwillinge den gegebenen Stoff zum Aufbau des Körpers teilen mußten. Bei normaler Entwicklung hätte jede der beiden Zellen je eine Hälfte des fertigen Tieres geliefert; nach ihrer Trennung hat jede ein ganzes Individuum aus sich hervorgehen lassen. Hier war also auf dem Zweizellen-Stadium das Schicksal der Keimesteile noch wandelbar, und auf wahrhaft wunderbare Weise hat jede Hälfte des Keimes ein Ganzes geliefert.

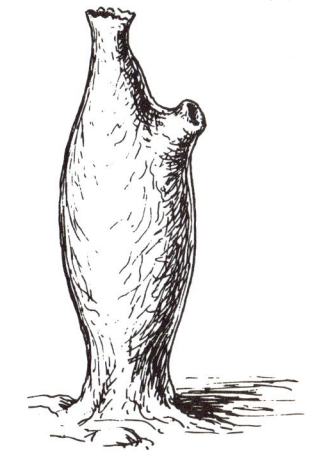

Abb. 65: Seescheide.

In diesem Experiment sind »eineiige Zwillinge« künstlich erzeugt worden, wie sie auch beim Menschen vorkommen.

Wahrscheinlich entstehen sie auch da infolge einer Durchtrennung des Keimes auf einer frühen Entwicklungsstufe, und jede der beiden Teilhälften bildet sich dann zu einem normal gestalteten, vom anderen unabhängigen Menschen aus. Miteinander verwachsene Zwillinge lassen sich künstlich herstellen, wenn man bei einem Molchei nach der ersten Teilung die beiden Zellen nicht vollständig trennt, sondern nur das Ei längs der Furchungslinie einschnürt (Abb. 66). Das gelingt durch vorsichtiges Anziehen einer Schlinge aus einem Kinderhaar. Ganz entsprechende unvollständige Doppelbildungen sind beim Menschen und bei Tieren wiederholt beobachtet worden. Berühmt wurden die siamesischen Zwillinge Chang und Eng Bunkes (1811 bis 1874), die nur durch einen armdicken Bindegewebsstrang oberhalb des Nabels miteinander verbunden waren. Sie lebten in Doppelehe mit zwei Schwestern und bekamen je neun Kinder. Meistens sind aber die Doppelbildungen nicht lebensfähig. Sie können von mannigfacher Art sein. Viele Typen konnten auch experimentell am Molchkeim erzeugt werden. Aus derartigen Versuchen lassen sich Anhaltspunkte für die Art der Entstehung bekannter, bisher unverständlicher Mißgeburten gewinnen.

Wie aber ist es zu verstehen, daß ein und derselbe Eingriff, nämlich die Teilung des Keimes auf dem Zweizellen-Stadium, beim Ei der Seescheide und bei dem des Molches zu so verschiedenen Ergebnissen führt? Dort entstehen zwei Halbtiere, hier zwei vollständige, normale Geschöpfe!

Zerschnürt man den Molchkeim in einem wesentlich späteren Stadium seiner Entwicklung, so entstehen nicht mehr Zwillinge, sondern gleichfalls Halbbildungen. In der dazwischenliegenden Entwicklungszeit muß endgültig entschieden worden sein, was aus den einzelnen Keimesteilen hervorgehen soll. Es ist also der Gegensatz zwischen dem Ei der Seescheide und dem Ei des Molches gar nicht so groß, wie er zunächst erscheint; nur der Zeitpunkt, an dem das künftige Geschick des Keimes festgelegt wird, ist verschieden. Wenn beim Molchei verhältnismäßig spät entschie-

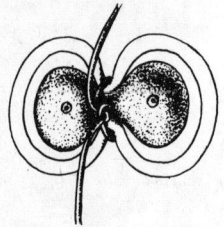 

Abb. 66: Verwachsene Molchzwillinge, künstlich erzeugt durch unvollständige Trennung des Keimes auf dem Zweizellen-Stadium.

den wird, was aus den Teilen werden soll, dann läßt sich vielleicht über das *Wann* und *Wie* dieser Entscheidung durch Versuche an jungen Keimen etwas erfahren.

Das ist freilich sehr schwierig. Ein Molchei hat ja nur die Größe eines Stecknadelkopfes.

Operationen unter dem Mikroskop

Unter dem Mikroskop kann man beobachten, wie aus der Eizelle durch eine Folge von Zellteilungen die Keimblase wird, wie aus dieser durch Einstülpung der Becherkeim entsteht und wie sich weiter das mittlere Keimblatt und die Anlagen der Organe bilden. Aber welche Teile der einschichtigen Keimblase späterhin zum Gehirn, welche zur Haut werden usw., das kann man nicht ohne weiteres sehen, weil ja die Entwicklung des Keimes viele Tage beansprucht. Die Verlagerung der Teile und die Gestaltung der Organe laufen so langsam ab, daß man sie mit dem Auge so wenig verfolgen kann wie den Gang des kleinen Uhrzeigers.

Da hat nun der Anatom Walter Vogt ein sehr hübsches Mittel ersonnen, um dem Auge zu Hilfe zu kommen. Er brachte am lebenden Molchkeim auf dem Stadium der Keimblase mit Farben, die in die Zellen eindringen, ohne sie zu schädigen, blaue und rote Tupfen an und konnte dann in aller Muße zusehen, wohin die gefärbten Zellen bei der weiteren Entwicklung gelangen. So läßt sich mit voller Bestimmtheit angeben, daß aus dem einen Teil der Keimblase späterhin die Bauchhaut, aus einem anderen Teil späterhin das Gehirn hervorgeht usw. Wie lange das Schicksal dieser Teile noch wandelbar ist und wann es endgültig bestimmt wird, darüber kann man auf solche Weise natürlich nichts erfahren. Jedoch auf andere Art: durch ein geniales Experiment, das der Zoologe Hans Spemann ausgedacht hat.

Er nahm zwei Molchkeime im Zustand des Blasenkeimes und stanzte ihnen an zwei verschiedenen Stellen ein kleines Stückchen heraus, dem einen aus dem Bereich, der bei normaler Entwicklung später zur Bauchhaut wird, dem andern aus dem Bereich, der später zum Gehirn wird. Die künftige Bauchhaut des einen setzte er dem anderen in das eingestanzte Loch seines Gehirnfeldes ein und das von hier entnommene Stückchen eines künftigen Gehirns dem andern in den Bereich der werdenden Bauchhaut. Das ist leicht gesagt, aber bei der geringen Größe und der Zartheit des Keimes kann man solche Operationen nur mit sehr geschickten Fingern und mit besonders feinen Instrumenten ausführen. Keine Instrumentenhandlung liefert die nötigen Werkzeuge; Spemann stellte sie aus feinsten Glasfäden und Glasröhrchen selbst her.

Der Versuch ist gelungen, und die verpflanzten Teile fügen sich so schnell ein, daß der Neid jedes Wundarztes erregt werden muß: schon nach zehn Minuten sind die Wunden verheilt, und die Entwicklung nimmt ihren Fortgang. Nur zu gut ist die Einheilung vor sich gegangen! Man erkennt nicht mehr die Grenzen des eigenen und des verpflanzten Gewebes, und so kann man das Schicksal des letzteren nicht weiterverfolgen. Nun könnte man ja den verpflanzten Teil färben. Spemann ist auf einen noch einfacheren und für seine Zwecke sehr brauchbaren Ausweg gekommen. Es gibt Molche mit dunklen und solche mit hellen Eiern. Wenn man von einer dunklen Keimblase ein Stückchen künftigen Gehirns in die Gegend der künftigen Bauchhaut einer weißen Keimblase verpflanzt, dann bleibt der übertragene Teil dauernd an seiner dunklen Farbe kenntlich. Und nun zeigt sich, daß das Gewebestück, das an seinem früheren Ort bei der normalen Entwicklung ganz bestimmt zu Gehirn geworden wäre, am neuen Ort sich ortsgemäß entwickelt, also das aus sich hervorgehen läßt, was an diese Stelle hingehört, in unserem Falle: einen Teil der Bauchhaut. Und umgekehrt wird das Gewebestückchen, das aus der Gegend der künftigen Bauchhaut entnommen ist, an der neuen Stelle, die dem künftigen Gehirn entspricht, selbst zu einem Stückchen Gehirn und fügt sich so bei der weiteren Entwicklung harmonisch in seine Umgebung ein.

Führt man aber denselben Versuch an etwas älteren Eiern durch, die bereits das Stadium des Becherkeimes erreicht haben, dann geschieht etwas ganz anderes: Die verpflanzten Teile entwickeln sich »herkunftsmäßig«. Ein Stückchen aus künftiger Hirngegend entwickelt sich, unbekümmert um seine Umgebung, auch mitten am Bauch des werdenden Molches zu einem Bruchstück eines Gehirns, und ein Stückchen künftiger Bauchhaut liefert auch im Gehirn ein Hautstück. Daraus geht hervor, daß während der Einstülpung des einschichtigen Blasenkeimes zum zweischichtigen Becherkeim die kommende Entwicklung der Teile endgültig bestimmt wird. Die Frage nach dem *Wann* war gelöst; aber die Frage nach dem *Wie* ist die weitaus schwierigere.

Der »Organisator«

Spemann machte eine merkwürdige Entdeckung. Er und seine Schüler haben den Verpflanzungsversuch, den wir eben an einem Beispiel geschildert haben, an den verschiedensten Körperstellen durchgeführt. Dabei stellte sich heraus, daß ein bestimmter Keimesbezirk vor den anderen ausgezeichnet ist. Das ist der Teil des Blasenkeimes, der bei der Einstülpung zum Becherkeim den oberen Rand des Urmundes bildet, die »obere Urmund-Lippe«. Das Schicksal dieser Zellen, die bei der weiteren Entwicklung die Anlage der Wirbelsäule und der Muskulatur liefern, ist schon sehr frühzeitig festgelegt. Sie lassen sich bei Verpflanzung in eine andere Gegend unter keinen Umständen aus ihrer Laufbahn werfen.

Aber nicht nur, daß sie selbst ihren Weg gehen; sie zwingen auch ihre

Umgebung unter ihren Einfluß. Läßt man den Blasenkeim sich in Frieden weiterentwickeln, so schiebt sich die obere Urmund-Lippe bei der Einstülpung zum Becherkeim unter die Stelle des äußeren Keimblattes, aus der später die Anlage von Gehirn und Rückenmark hervorgeht. Verpflanzt man die obere Urmund-Lippe an irgendeine Stelle, zum Beispiel an die Unterseite eines Blasenkeimes, dann gestaltet sie dort ihre Umgebung so, wie die normale Umgebung der Urmund-Lippe aussehen soll, und veranlaßt also am neuen Ort die Bildung von Organen, die dort gar nicht hingehören: Im Anschluß an die verpflanzten Teile, die selbst zu Wirbelsäule und Muskulatur werden, entstehen Gehirn und Rückenmark, Augen, Ohren und Nase, kurz, es bildet sich ein vollständiger zweiter Keimling. Das ist natürlich im Enderfolg eine Mißbildung. Aber sie lehrt uns, daß bei der Ausbildung der Körperform von einem bestimmten, scharf umschriebenen Teil des Keimlings gestaltende Kräfte ausgehen. Spemann hat einen solchen Keimesbezirk einen *Organisator* genannt. Seine Lage im Keim kann man bis zur Eizelle zurückverfolgen. Bei der normalen Entwicklung wandert diese Stelle durch den Urmund, sie wird nach innen eingeschlagen und bildet hier das Dach des Urdarmes. Der darüber liegende Teil des äußeren Keimblattes wird durch die Unterlagerung zur Bildung von Gehirn und Rückenmark bestimmt. Außerhalb dieses Einflußbereiches entwickelt sich das Ektoderm zur äußeren Körperhaut. So wird das Schicksal dieser Teile während der Einstülpung des Urdarmes (der Gastrulation) festgelegt. Wir verstehen jetzt, warum sich bei den Operationen am jungen Keim gerade von diesem Zeitpunkt an die verpflanzten Teile nicht mehr an die neue Umgebung anpassen, sondern sich so weiterentwickeln, wie es ihrer Herkunft entspricht. Sie sind erst jetzt auf ihre weitere Entwicklung unwandelbar eingestellt.

Gar zu gerne möchten wir wissen, welche Besonderheiten jene umschriebene Stelle des Keimes zum Organisator machen. Liegt diese Fähigkeit in der Struktur des lebenden Protoplasmas begründet, oder sind es Einflüsse chemischer Natur, die von hier aus auf die Umgebung bestimmend wirken?

Es scheint das letztere der Fall zu sein. Dafür spricht schon der überraschende Ausfall eines Versuches, den Spemann und seine Schüler ausgeführt haben: Schneidet man von einem Blasenkeim ein Stückchen seiner künftigen Haut heraus und steckt es in einen anderen Keim so hinein, daß es an seinen Organisator zu liegen kommt, so nimmt es selbst die Fähigkeiten eines Organisators an. Wenn man es nach einer Weile wieder herausholt und einem anderen Keim einpflanzt, so läßt es aus seiner Umgebung einen überzähligen Keimling hervorgehen. Das ist am ehesten durch die Annahme chemisch wirksamer Stoffe zu verstehen, die das Teilchen aus dem benachbarten Organisator aufgenommen hat und nun an die neue Umgebung wieder abgibt.

Auch andere Experimente weisen in die gleiche Richtung. Kaum etwas anderes ist durch wißbegierige Untersucher so gequält worden wie die obere Urmund-Lippe der Molchkeime. Man hat sie gesotten und einfrieren lassen. Man hat sie in Alkohol und Äther, in Säuren und in alle erdenklichen anderen Flüssigkeiten eingelegt. Man hat sie mit ungeheurer Sorgfalt zerrieben, bis nichts mehr von der Struktur der Zellen übrig war. Dann hat man die so mißhandelten Urmund-Lippen lebenden Keimen eingepflanzt, um zu sehen, ob man ihre organisatorischen Eigenschaften vernichten konnte. Sie haben sich als äußerst widerstandsfähig erwiesen. Auch ein Brei des zerriebenen Organisators tut noch seine Wirkung. Alles spricht für chemische Vorgänge.

Der Organisator wirkt nicht spezifisch nur auf »seine« Tierart. Man kann mit dem Organisator-Material eines Molches auch in der Keimscheibe eines Hühnchens einen zusätzlichen Embryo erzielen. Das erinnert an die Erfahrungen mit Hormonen. Mit Insulin von Fischen kann man auch zuckerkranken Menschen helfen (S. 162). Eine bestimmte Hormondrüse erzeugt bei allen Wirbeltieren dieselben Stoffe. Es ist wahrscheinlich, daß auch der Organisator Hormone absondert.

Weitere Versuche brachten einigen Aufschluß, in welcher Art er seine Umgebung gestaltet. Es ist geglückt, einem jungen *Molch*keim auf frühem Entwicklungsstadium an der Stelle, die sich später zu seinem *Mund* entwickelt, ein Stückchen eines *Frosch*keimes einzupflanzen, das zu Frosch*hirn* geworden wäre – wenn man es in Ruhe gelassen hätte. Es entwickelte sich unter dem bestimmenden Einfluß der neuen Umgebung nicht zu Gehirn, wie es seiner Herkunft entsprochen hätte, sondern zu *Mund*. Aber es wurde kein Molchmund mit den für ihn typischen Zähnchen, sondern ein Mund einer *Frosch*larve (Kaulquappe) mit den für diese bezeichnenden Hornkiefern. Das heißt: Der Organisator bestimmt, *was* aus den Teilen werden soll, und sorgt so für die Gestaltung eines harmonischen Ganzen. Aber wie sich die Teile im einzelnen ausgestalten, das liegt in ihnen selbst begründet und ist durch ihre Herkunft bestimmt.

Spemann hat für seine Entdeckung des »Organisator-Effektes« den Nobelpreis erhalten, die größte internationale wissenschaftliche Auszeichnung, die es gibt. Denn er hat durch seine zielbewußte Arbeit vom Geheimnis der Gestaltungsvorgänge bei der tierischen Entwicklung den ersten Schleier gelüftet. Doch bis der letzte Schleier fällt, ist es noch ein Weg ohne Ende.

In Zusammenarbeit mit Nachbargebieten, wie der Genetik, der molekularen Biologie, der Zellbiologie, der Immunbiologie, der chemischen Embryologie, hat die Entwicklungsbiologie in den letzten Jahren neuen Aufschwung genommen. Wenigstens ein Markstein dieser Forschung sei in Kürze angefügt.

Der Zoologe Hadorn in Zürich hat bei der Taufliege Zellgruppen als Keimanlagen, die hier als sogenannte Imaginalscheiben vorliegen und in denen bereits das Programm für künftige Organbildung festgelegt ist – so gibt es Imaginalscheiben für Flügel, für Darm, für Auge, für Beine usw. –, herauspräpariert und in die Leibeshöhle einer erwachsenen Fliege implantiert. Durch hormonale Einwirkung von seiten des Wirtes werden die Zellen angeregt, sich wiederholt zu teilen, d.h. die Imaginalscheibe vergrößert sich, ohne sich aber weiter zu differenzieren. Von dieser Imaginalscheibe werden dann Zellgruppen herausgenommen und einem anderen Wirtstier implantiert usw. Nach mehreren Umsetzungen werden diese Keimscheiben schließlich wieder in eine Larve, wohin sie eigentlich gehören, zurückgesetzt; jetzt differenzieren sie sich zu dem vorher festgelegten Programm, also z.B. zu Geschlechtsorganen. Dies ist ein überzeugender Beweis, daß bei Insekten bereits im frühen Larvenstadium diese Zellgruppen der Imaginalscheiben für die spätere Organdifferenzierung fest fixiert sind.

Aufregend war aber ein weiterer Befund: Wenn man die genannten Transplantationen über sehr viele Generationen weiterführt, dann gibt es schließlich ein Chaos; werden jetzt die Keimscheiben wieder in eine Larve zurückversetzt, haben sie scheinbar »vergessen«, was ihnen eigentlich als Schicksal zugedacht war, sie entwickeln sich beliebig entweder zu Beinen oder zu Augen, zu Flügeln usw. »Transdetermination« hat man diesen experimentellen Eingriff genannt, der zeigt, daß bei der Organdifferenzierung nicht nur die Zellvermehrung, sondern auch ein zweiter regulierender Faktor den eingeschlagenen Weg bewachen muß. Darüber gibt es bei den Fachgelehrten noch großes Rätselraten: erfolgt da nach wiederholter Transplantation eine »Umprogrammierung«, also eine neue Weichenstellung im Entwicklungsablauf? Oder wird, da der eingeschlagene Weg immer wieder blockiert ist, eine »Rückmutation« ausgelöst, wodurch das gesamte Determinationsprogramm um einen Schritt zurückgenommen wird?

5.3. Verwandlungskünstler

Vom Sinn des Larvenlebens

Wenn wir als Kinder staunend gesehen haben, wie die wurmähnliche Raupe zur Puppe wird und wie aus der Puppe der geflügelte, glänzende Schmetterling hervorgeht, so hatten wir eine naive Freude an dem lebendigen Geschehen, ganz ähnlich dem Vergnügen, das uns ein Zauberkünstler mit seinen Überraschungen bereitet. Als nachdenkliche Biologen aber wollen wir fragen, welchen Sinn diese Verwandlung hat. Warum schlüpft aus dem Hühnerei ein kleines Hühnchen, das nur zu wachsen braucht, um seine Entwicklung zu vollenden, aus dem Ei des Kohlweißlings aber eine Raupe, die ganz anders aussieht als der erwachsene Schmetterling?

In diesem Falle ist das leicht zu verstehen. Wir wissen bereits, daß die Insekten, wie die Krebse und alle Gliedertiere, einen festen Hautpanzer aus Chitin haben, der das Wachstum des Körpers behindert, und daß sie sich darum von Zeit zu Zeit häuten, wobei sie den Panzer abstreifen und die Beine aus ihren Chitinröhrchen herausholen. Auch die Flügel sind mit Chitin bekleidet. Bei ihrer Gestalt und Größe wäre es ein Ding der Unmöglichkeit, ihre saftdurchströmten, lebenden Innenteile aus der Chitinhülle hervorzuziehen. Darum haben alle Insekten, solange sie wachsen, keine Flügel oder nur kurze und dicke Flügelstummel, die bei der Häutung keine Schwierigkeiten machen. Das mangelnde Flugvermögen bedingt oft eine andere Lebensweise und ist so der Anlaß zu noch weitergehenden Unterschieden zwischen der Gestalt des erwachsenen, beschwingten Insekts und seiner Jugendform.

Ein fortschrittlicher Kaufmann, der seinen Geschäftsladen umbauen will, muß sich entscheiden, ob er den Betrieb während der Umgestaltung fortführen oder unterbrechen soll. Hat er eine tiefgreifende Umgestaltung vor, so wird er den Laden für einige Zeit schließen müssen. Ähnlich ist es bei den Insekten. Junge Heuschrecken sehen nicht viel anders aus als die erwachsenen, nur sind die Flügel noch unentwickelt; sie führen auch keine sehr abweichende Lebensweise. Hier kann die Verwandlung ohne Unterbrechung des Betriebes vor sich gehen. Bei der letzten Häutung wachsen die Flügel zur vollen Länge aus, und die endgültige Gestalt ist erreicht. So ist es auch bei den Blattläusen, Wanzen und manchen anderen. Aber die Raupe ist von einem Schmetterling so verschieden, daß für die Zeit der Verwandlung der Betrieb geschlossen werden muß. Zwischen Raupe und Schmetterling ist die Puppe eingeschaltet. In den letzten Tagen ihres Larvenlebens hält sich die Raupe still und frißt nicht mehr. Unter ihrer Haut, von außen nicht erkennbar, formt sie sich zu einer merkwürdig veränderten Gestalt. Dann platzt die Raupenhaut am Rücken, die zunächst noch weichhäutige Puppe kommt zum Vorschein und schiebt durch Streckbewegungen in der Längsrichtung die Raupenhaut nach rückwärts. Auf Tafel 13 oben sieht man den Vorgang bei einem Tagpfauenauge. Zuletzt hat die Raupenhaut wie ein zusammengeschobener Lampion das Hinterende der Puppe erreicht. Nun macht diese einige heftige Zappelbewegungen in der Querrichtung und schleudert dadurch die Raupenhaut meist in weitem Bogen fort. Jetzt herrscht für einige Zeit äußerlich ein Zustand der Ruhe, während innen reges Leben besteht und unter weitgehender Zerstörung der Raupenorgane die Gestalt des Schmetterlings geformt wird. Schließlich liegt dieser fertig, aber noch mit zu kleinen Flügeln, unter der Puppenhaut. In diesem Zustand sieht man z. B. beim Schwalbenschwanz die schöne Flügelzeichnung in voller Ausfärbung durch die Puppenhülle durchschimmern (Tafel 13 oben links).

Beim Tagpfauenauge dauert die Puppenruhe, je nach der Temperatur, nur ein bis drei Wochen. Dann springt bei einer letzten Häutung der Chitinpanzer der Puppe auf, und der Falter kommt heraus. Die Flügel sind zunächst für den Gebrauch zu klein, zu dick und zu weich. Doch pumpt sie der geschlüpfte Falter schon binnen einer Viertelstunde zur vollen Größe auf. Es dauert dann noch eine halbe Stunde, bis das Chitin erhärtet ist und der Schmetterling davongaukeln kann. Nicht ohne tieferen Sinn verlaufen diese Vorgänge so überraschend schnell. Frisch geschlüpft und noch nicht frei beweglich fällt ein solches Geschöpf auch unbegabten Insektenjägern leicht zur Beute.

Ähnlich ist die Verwandlung bei Käfern, Fliegen, Bienen und vielen anderen Insekten. Im einzelnen gibt es Varianten. Die Larven der Bienen haben keine Füße wie Raupen; sie sind fußlose Maden, sie brauchen ja auch nicht umherzulaufen, weil sie in ihren Zellen von den Arbeiterinnen gefüttert und betreut werden. Ihr Puppenstadium läßt die Gliedmaßen besser erkennen als eine Schmetterlingspuppe, bei der sie fest mit dem Körper verklebt sind. Aber ein grundsätzlicher Unterschied zwischen ihnen besteht nicht. Auf Tafel 14 oben kann man bei einer Brutwabe der Bienen in manchen Zellen die langgestreckten Eier erkennen, junge und ältere Maden mit ihrem Futtervorrat und verschlossene Larvenzellen, unter deren Deckel die Larve zur Puppe wird. Auf Tafel 12 oben ist die Gestalt der Larve und Puppe (hier einer Königin) genauer zu erkennen, und unten rechts, wie sich nach vollendeter Verwandlung eine Königin eben anschickt, ihre Wiege zu verlassen.

Man bezeichnet allgemein Jugendformen, die in ihrer Gestalt vom erwachsenen Tier wesentlich abweichen, als *Larven*. Die Raupe ist die Larve des Schmetterlings, die Kaulquappe die Larve des Frosches. Ein Frosch hat weder Flügel noch ein Chitinskelett. Hier muß es also mit der Verwandlung eine andere Bewandtnis haben als bei den Insekten.

Der Ursprung allen Lebens liegt im Wasser. Der Aufenthalt auf dem Lande erfordert besondere Anpassungen. Die Frösche sind, wie alle Lurche, noch nicht sehr vollkommen an das Landleben angepaßt; sie haben eine dünne Haut und daher ein erhebliches Bedürfnis nach Feuchtigkeit. Gar ihre zarten und kleinen Jungen würden auf dem Lande schnell vertrocknen. Darum leben sie im Wasser wie ihre fischartigen Vorfahren und haben wie diese Flossen und Kiemen. Erst wenn sie größer und widerstandsfähiger geworden sind, bilden sich die Kiemen zurück, und indem ihnen Beine wachsen und der Schwanz verschwindet, verwandeln sie sich zur Gestalt des fertigen Frosches und beziehen das Land als erweiterten Lebensbereich.

Dem Schmetterling wachsen Flügel, dem Frosch wachsen Beine; doch nicht immer ist die Verwandlung mit einem Fortschritt der Organisation verknüpft. Wir haben schon früher von jenen Krebsen gehört, die im erwachsenen Zustand als unförmige Schläuche auf Fischen ein Schmarotzer-

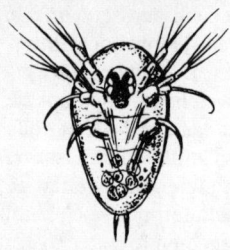

Abb. 67: Schmarotzerkrebslarve; das vollentwickelte Tier ist in Abb. 49 dargestellt.

leben führen. Die Larven, die aus ihren Eiern schlüpfen, sind einwandfreie, possierliche Krebslein mit Beinen und Augen, die freizügig im Wasser umherschwimmen (Abb. 67). Erst wenn sie sich an einen Fisch festsaugen, verwandeln sie sich zu dem unförmlichen Parasiten, der Beine und Sinnesorgane verliert und aus allem Nahrungsüberfluß, den er seinem Wirt aus dem Leibe zieht, nur eine große Menge von Eiern schafft.

In den drei Beispielen, die wir da kennengelernt haben, scheint die Verwandlung von recht verschiedener Natur und Bedeutung zu sein. Die Insekten haben sich durch den Erwerb der Flügel die Luft als neuen Lebensraum erobert, die Lurche durch die Errungenschaft der Beine und andere Anpassungen das feste Land; die Schmarotzerkrebse haben es verstanden, sich ein bequemes Dasein zu sichern. Doch in einem stimmen sie überein. Sie alle sind im voll entwickelten Zustand spezialisiert, während die Larven eine für die Sippschaft ursprünglichere Lebensweise führen.

Larven als Jugendformen sind aber auch sonst eine weitverbreitete Erscheinung. Wir sind gewohnt zu sehen, daß aus dem Vogelei ein Vogel entsteht und daß die Hundemutter fertige Hündchen zur Welt bringt. Wenig bekannt sind dagegen alle die Schwämme und Quallen, die Würmer und Schnecken, Seesterne und Seeigel, aus deren Eiern Larven schlüpfen. Ihre Bedeutung kann in mannigfacher Richtung liegen.

Die Seeigel erzeugen sehr viele, aber kleine und dotterarme Eier. Schon

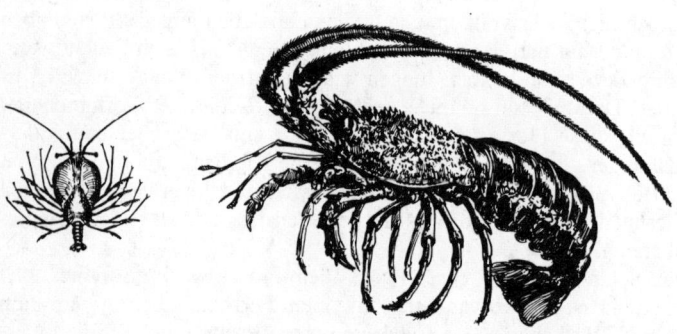

Abb. 68: Die Languste und ihre Larve (links).

auf einem frühen Entwicklungsstadium müssen sie – als Larven – umherschwimmen und Futter suchen, um die Nährstoffvorräte zum weiteren Aufbau ihres Körpers zu bekommen. Die Schwämme des Meeres sind am Boden festgewachsen. Bald würde einer den anderen überwuchern, wenn sie an Ort und Stelle ihre Eier ausstreuen würden. Aber sie verbreiten sich in der Umgebung, da sie als bewimperte Larven frei beweglich sind. Oft mag die Hauptbedeutung der Larvenform nur darin liegen, daß für das Tier der Lebensraum erweitert wird. Die von den Feinschmeckern so sehr geschätzte Languste (Abb. 68) ist ein Bewohner des Meeresbodens; ihre Larven aber leben im freien Ozean. Niemand vermutet wohl in ihrem breiten, blattartigen Körper, der ihnen das Schweben im freien Wasser erleichtert, eine jugendliche Languste.

Mit einem öfteren Wechsel der Lebensweise kann sich auch die Gestalt mehrfach verändern. Dafür gibt es kaum ein schöneres Beispiel als den »Maiwurm«. Das ist kein Wurm, sondern ein Käfer. Und so kehren wir noch einmal zu den Insekten zurück, mit denen wir diesen Abschnitt begonnen haben.

Der spitzfindige Maiwurm

Aus den Eiern des Maiwurms oder Ölkäfers (*e* in Abb. 69) schlüpfen im Frühjahr kleine Larven mit kräftigen Beinen und scharfen Krallen an den Füßen *(b)*. Sie klettern an Pflanzen empor, setzen sich in die Blüten *(a)* und lauern auf eine honigsammelnde Einsiedlerbiene. Kommt eine solche angeflogen, so klammern sie sich flink an ihrem Haarkleid fest – dazu die scharfen Krallen – und lassen sich von dem lebenden Flugzeug davontragen. Die Biene läßt sich durch das Reiterlein nicht stören, trägt weiter Honig ein und legt in die vollendete Zelle ihr Ei. Auf diesen Augenblick hat

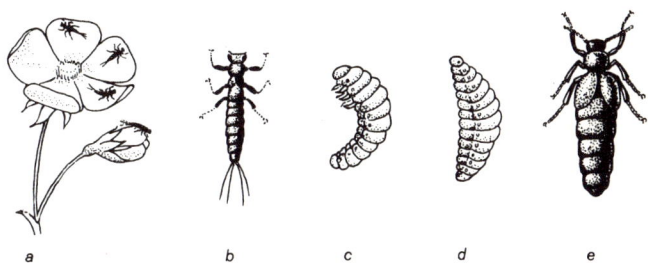

Abb. 69: Ölkäfer oder Maiwurm a) frisch geschlüpfte Larven in einer Blüte lauernd – b) etwa sechsfach vergrößerte Larve – c, d) ältere Larvenstadien – e) entwickelter Käfer (Weibchen).

die Maiwurm-Larve gewartet. Sie springt blitzschnell auf das Ei, das sie auffrißt, während die nichtsahnende Mutter die Brutzelle von außen zumauert. Dann häutet sich die Larve und erscheint in ganz anderer Gestalt, ohne Augen, die sie im finsteren Nest nicht mehr braucht, ohne die langen, krallenbewehrten Beine, die nun ganz überflüssig wären, ohne die geschmeidige Körpergestalt, die zu ihrer neuen Lebensweise nicht mehr paßt *(c)*. Denn nun macht sie sich gemächlich über den Honigvorrat her, den die sorgliche Biene mit anderer Zweckbestimmung in vielen fleißigen Sammelflügen herbeischaffte. Hat sie sich so herangemästet, dann entsteht im Sommer bei einer neuerlichen Häutung eine beinlose Larve, die ein Ruhestadium, aber noch nicht die Puppe darstellt *(d)*. In dieser Form wird der Winter überdauert. Erst im nächsten Frühjahr entsteht daraus eine vierte, der zweiten *(c)* ähnliche Larve, die sich später verpuppt und dann zum Käfer wird.

Das erscheint alles äußerst zweckmäßig, wenigstens vom Standpunkt des Maiwurms. Die Kehrseite ist nur die, daß die kleinen Larven, die in den Blüten sitzen, keine Zoologen sind und die Einsiedlerbienen von Hummeln und anderen Insekten nicht auseinanderkennen. Wenn sie aber dem falschen Blumengast in den Pelz kriechen, dann klappt es nicht mit der weiteren Entwicklung; sie müssen elendiglich verhungern. So kommt es, daß der Maiwurm, der aus seinem dicken Hinterleib zahllose Eier ablegt, doch ein ziemlich seltener Käfer bleibt. Allzu spitzfindige Wege führen leicht am Ziel vorbei.

5.4. Brutpflege

Mütterliche Vorsorge

Die einfachste Art der Brutpflege ist das Aufsuchen eines geeigneten Ortes für die Ablage der Eier, wo die ausschlüpfenden Jungen ihnen zusagende Lebensbedingungen finden. So verschafft der Kohlweißling, der seine Eier an die richtige Futterpflanze setzt, den ausschlüpfenden Raupen die Möglichkeit zu weiterer Entwicklung. Hunger ist nicht die einzige Gefahr, die dem jungen Leben droht. Eier und frisch geschlüpfte Tiere sind begehrte Leckerbissen. Darum suchen schon viele niedere Tiere in unbewußtem Drang die Eier an möglichst verborgenen Stellen unterzubringen, soweit das mit dem Nahrungsbedürfnis der Brut vereinbar ist. In weitaus den meisten Fällen kümmert sich die Mutter nach der Eiablage nicht weiter um die Jungen. Aber die Vorsorge für ihr Futter und für einen hinreichenden Schutz wird oft erstaunlich weit getrieben und kann besonders bei Insekten zu verwickelten Instinkthandlungen führen.

Wir kennen schon die Art und Weise, wie die Yuccamotten (S. 151) und wie manche Schlupfwespen (S. 107) für ihre Nachkommenschaft sorgen. Wir haben auch gehört, daß die Blattschneiderbiene (S. 152) für jedes Ei ein Nest aus kunstvoll ausgeschnittenen Blattstückchen baut. Noch merkwürdiger handelt eine Mauerbiene, die für jedes ihrer Eier ein leeres Schneckenhaus sucht. Da hinein bringt sie zunächst einen Vorrat von Blütenstaub und Nektar und setzt ihr Ei auf diesen Honigkuchen. Für Futter ist so gesorgt. Aber die Bienenmutter hat keine Ruhe, ehe sie nicht die Kinderstube im Schneckenhaus mit allen Mitteln, die ihr zu Gebote stehen, gegen Eindringlinge verwahrt hat, die sich am süßen Honig oder an der fetten und wehrlosen Larve vergreifen könnten. Da errichtet sie zuerst aus einem erhärtenden Brei von Speichel und gekauten Blättern innen eine Querwand, verrammelt den ganzen Rest des Schneckenganges mit Steinchen, die sie einzeln herbeiträgt und durch eine weitere Wand von Blättermus vor dem Herausrollen sichert. Dann holt sie im Fluge Halm für Halm heran und baut aus ihnen ein zeltförmiges Schutzdach, unter dem das Schneckenhaus schließlich völlig verschwindet. Wohlverwahrt wie eine ägyptische Mumie kann sich die Larve entwickeln und verpuppen. Ist sie dann selbst zur geflügelten Biene geworden, so sucht sie den etwas umständlichen Weg aus ihrem Verlies ins Sonnenlicht und verbringt ihr Dasein mit der Sorge für das kommende Geschlecht.

Fürsorgliche Eltern und sorgloser Kindersegen

Da die Mauerbiene, wenn sie die Puppenhülle verlassen hat, nur mehr wenige Wochen lebt, ist die Zahl ihrer Nachkommen gering. Denn woher sollte sie die Zeit nehmen, eine große Menge Nester so mühevoll anzulegen. Der Kohlweißling, dessen Jugendfürsorge sich darauf beschränkt, die Eier an den Kohl zu legen, kann leicht fruchtbarer sein. Er hat es aber auch nötig, denn seine Raupen werden in ganz anderem Maße verfolgt und vernichtet als die wohlgeborgenen Bienenlarven. So gleicht sich das Schicksal aus, nicht für das Einzelwesen, aber für den großen Durchschnitt und für die Erhaltung der Art. Es gilt ganz allgemein, daß bei wenig entwickelter Brutpflege die Zahl der Eier um so größer ist – sonst könnte ja die Art nicht bestehen bleiben. Der Zusammenhang ist um so klarer zu beobachten, als in den verschiedensten Tiergruppen fürsorgliche und sorglose Mütter nebeneinander bestehen und überall dieselbe Regel herrscht.

Die meisten Fische sind als Eltern gänzlich sorglos und haben ihre Schuldigkeit getan, wenn sie die Keimzellen ins Wasser entleert haben. Ihre Menge muß ersetzen, was die Obhut zu wünschen übrigläßt, und in dieser Hinsicht kann man ihnen nichts vorwerfen. Ein einziger Stör erzeugt auf einmal drei bis sechs Millionen Eier, dem Feinschmecker als Kaviar bekannt; der Karpfen bringt es immerhin auf eine halbe Million, unser Stichling aber kaum auf hundert Stück. Denn er gehört zu den rühmlichen Ausnahmen unter seinesgleichen und baut ein Nest. Bisher war nur von besorgten Müttern die Rede. Beim Stichling ist der Vater der Schützer der Brut und der Erbauer des Nestes, das er an einer seichten, sandigen Stelle aus Stengeln, Wurzelstücken und Blättern kunstvoll zusammenflicht und mit einer klebrigen Absonderung befestigt. Nebenbuhler, die sich nähern, werden heftig angegriffen (siehe S. 153). Ist er mit seinen Vorbereitungen fertig, so sucht er ein Weibchen heranzuholen und durch eine Folge eigenartiger, einladender Schwimmbewegungen ins Nest zu leiten. Ist das Weibchen hineingeschlüpft, so legt es im Nest seine Eier ab, die gleich darauf vom Männchen befruchtet werden. Von da an verteidigt das Männchen die Eier sowohl gegen die Mutter, was sehr notwendig ist, wie gegen jedes andere Wesen, das es wagt, an das Nest heranzukommen, mit Wut und Ausdauer. Auch die ausgeschlüpften Jungfische werden noch vom Vater behütet und, wenn sie sich entfernen, aufgeschnappt und ins Nest zurückgespuckt, bis sie sich nach einigen Tagen unaufhaltsam zerstreuen und ihre eigenen Wege gehen.

 Auch bei anderen Nester bauenden Fischen ist das Aufschnappen und Zurückspeien von zu früh entweichenden Jungen eine weitverbreitete Sitte. Daraus mag sich die seltsame Gewohnheit mancher Fischarten entwickelt haben, die frisch abgelegten Eier ins Maul zu nehmen und so bis zum Ausschlüpfen, ja bisweilen noch länger, herumzutragen. Die Zurückhaltung der Eltern, die keines der Kleinen verschlucken, ist um so bemerkenswerter, als die Wochen der Brutpflege eine Hungerzeit bedeuten, denn den Alten ist ja durch die Jugend das Maul verstopft. Man hat beobachtet, daß sich auch die ausgeschwärmten Jungfische zunächst noch um ihren Beschützer scharen und sich bei der geringsten Gefahr sowie des Abends in den väterlichen Rachen begeben. Der gleiche Zusammenhang zwischen Eizahl und Brutpflege tritt uns bei den Fröschen und Kröten entgegen. Die meisten Kröten setzen ihre zahlreichen, etwa 10 000 Eier einfach ins Wasser ab und überlassen sie ihrem Schicksal. Die amerikanische Wabenkröte legt nur etwa sechzig Eier. Aber sie bringt sie unter Mithilfe des Männchens auf den eigenen Rücken, wo sich Hauteinsenkungen bilden, so daß jedes Ei gleichsam in einer Wabenzelle der mütterlichen Rückenhaut ruht. In dieser macht es nicht nur die Keimesentwicklung, sondern auch das Kaulquappenstadium durch, bis die fertige kleine Kröte dies sonderbare Quartier verläßt (Abb. 70).

 Die letzten Beispiele haben uns mit Fällen von echter Brutpflege bekannt gemacht, wo nicht nur für die Jungen *vorgesorgt* wird, sondern wo sie auch nach dem Verlassen des Eies noch behütet werden. Bei den niederen Lebewesen sind das Ausnahmen. Aber bei den Vögeln und Säugetieren ist solche Brutpflege die allgemeine Regel. Zwischen diesen beiden be-

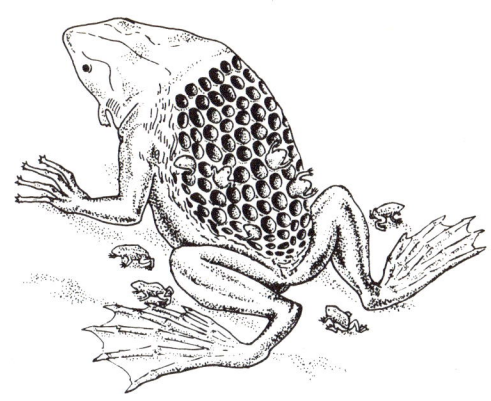

Abb. 70: Wabenkröte mit auskriechenden Jungen.

steht ein durchgreifender Gegensatz darin, daß sich die Eier bei den Vögeln außerhalb, bei den Säugetieren im mütterlichen Körper entwickeln.

Die Vogeleier sind sehr reich mit Nährstoffen versehen und deshalb groß; sie werden im Nest bebrütet und die ausgeschlüpften Jungen noch mehr oder weniger lange von den Eltern gepflegt und geatzt.

Die Säugetiere haben die vollkommenste Brutpflege. Denn ihre kleinen, dotterarmen Eier machen ihre ganze Keimesentwicklung im Mutterleib durch, wo ihnen die nötigen Nährstoffe dauernd zugeführt werden. Nach der Geburt erhalten sie mit der Muttermilch noch durch Wochen oder Monate eine leicht verdauliche und leicht erreichbare Nahrung. Es ist zwar weder das Lebendgebären noch die Muttermilch *nur* von den Säugetieren erfunden worden. Wir kennen z.B. manche Würmer, die lebende Junge zur Welt bringen. Die Fleischfliegen setzen voll entwickelte, fertige Larven ab; auch bei gewissen Fischen, Schlangen und manchen anderen Tieren vollzieht sich die ganze Keimesentwicklung im Mutterleib. Ferner war schon früher davon die Rede, daß die Bienenlarven in ihren ersten Lebenstagen mit einer Drüsenabsonderung ernährt werden, die nach Art und Herkunft der Milch der Säugetiere vergleichbar ist. Aber durch die Verbindung dieser beiden Einrichtungen, ihre allgemeine Verbreitung und ihre Vollkommenheit stehen die Säugetiere doch einzig da.

Die Brutpflege der Säugetiere

Nur wenige Säugetiere, die auch in manch anderer Hinsicht sehr ursprünglich anmuten, bilden eine Ausnahme unter ihresgleichen. In Australien leben das Schnabeltier und der Ameisenigel, die einzigen Säuger, die

Abb. 71: Neugeborenes Riesenkänguruh Zum Größenvergleich ein Streichholz.

Eier legen. Diese ähneln mehr den Schlangeneiern als jenen der Vögel, da sie keine Kalkschale, sondern eine pergamentartige Haut haben. Das Schnabeltier brütet seine Eier in einer Erdhöhle und ernährt die ausgeschlüpften Jungen mit der Absonderung seiner Milchdrüsen. Der Ameisenigel legt nur ein einziges Ei und bringt es in eine Hauttasche an seinem Bauch, wo das schlüpfende Junge für die erste Lebenszeit ein behagliches Stübchen findet und von der Muttermilch lebt.

Ähnliche Brutbeutel haben auch die Beuteltiere, deren bekanntester Vertreter das Känguruh ist. Bei ihnen entwickelt sich das Ei schon im weiblichen Körper; aber die Einrichtung, durch die bei den anderen Säugetieren der Keimling im Mutterleib ernährt wird, ist noch unvollkommen. Die Jungen werden darum schon nach einer sehr kurzen Tragezeit von etwa 30 Tagen geboren. Beim grauen Riesenkänguruh, das nahezu Menschengröße erreicht, ist das Kind bei der Geburt kleiner als eine Erdnuß (Abb. 71). Nackt, blind und winzig klein, macht es einen durchaus embryonenhaften Eindruck. Über die Frage, wie es von der Geburtsöffnung in den Beutel gelangt, gab es ein jahrzehntelanges Rätselraten. Meist wurde angenommen, daß die Mutter dabei in irgendeiner Weise Hilfe leistet. Das ist aber nicht der Fall. Man weiß das, seit G. B. Sharman und seine Mitarbeiter den Vorgang genau beobachteten und 1969 durch Filmaufnahmen in allen Einzelheiten belegen konnten. Das Junge begibt sich völlig selbständig auf die Wanderschaft. Während seine Hinterbeine, die späteren mächtigen Sprungbeine, noch kleine Stummel sind, erscheinen die Vorderbeine zu dieser Zeit bereits als kräftige, mit Krallen bewehrte Werkzeuge. Mit diesen arbeitet sich das Kleine durch den mütterlichen Haarwald, indem es abwechselnd rechts und links nach einem Haarbüschel greift, und strebt geradewegs zum Beutel. Es findet die Richtung ebenso gut, wenn die Mutter narkotisiert ist, also gewiß keine aktive Hilfe leisten kann. Es ist allein auf sich selbst und seinen angeborenen Instinkt angewiesen. Ob dieser sich nach Geruchsspuren oder anderen Reizen richtet, ist unbekannt. Im Beutel angekommen, findet es eine Zitze und ergreift sie mit seinem winzigen Mund. Soweit hatte es eine große Leistung zu vollbringen. Aber nun wird durch einen sehr merkwürdigen Vorgang dafür gesorgt, daß ihm das erreichte Ziel nicht wieder verlorengeht: Die Zitzenspitze schwillt in der Mundhöhle des Säuglings an, und dieser wird so an seiner Milchquelle wie durch einen Druckknopf, nur noch schwerer lösbar, befestigt. Wohl behütet macht er hier seine weitere Entwicklung durch, wobei sich die Zitze zu einem langen Faden auszieht (Tafel 14 unten).

Etwa neun Monate nach der Geburt verläßt das Jungtier erstmals den

Beutel. Aber noch viel später, wenn es schon selbständig weit herumspringt, schlüpft es bei drohender Gefahr rasch in die mütterliche Bauchtasche und betrachtet die Welt aus seinem vertrauten, molligen Behälter.

Bei allen Säugetieren macht der Keimling im mütterlichen Körper seine volle Entwicklung durch. Meistens nur einmal im Jahr, zur Brunstzeit, lösen sich aus der weiblichen Keimdrüse, dem Eierstock, einige Eizellen ab und gelangen in den Eileiter. Beim Menschen ist dieser Vorgang nicht an eine bestimmte Jahreszeit gebunden, sondern es tritt regelmäßig alle vier Wochen ein Ei in den Eileiter über. Die Stelle des Eierstockes, aus der sich das Ei ausgelöst hat, macht eine merkwürdige Veränderung durch. Sie wird zum Gelbkörper, einer kleinen Wucherung, die als Bildungsstätte eines Hormons für die weiteren Vorgänge bedeutsam ist. Der hier erzeugte Botenstoff wird mit dem Blutstrom im Körper verteilt und gelangt auch in den Fruchtbehälter (Uterus), dessen Schleimhaut er zu lebhaftem Wachstum anregt. Sie wird reicher als sonst durchblutet und macht eine Umgestaltung durch, um sich zur Aufnahme des nahenden Eies vorzubereiten. Dessen Reise durch den Eileiter beansprucht nämlich eine Reihe von Tagen, aber die Botenstoffe haben wie Quartiermacher sein Nahen verkündet, und so werden alle Vorbereitungen zu seinem Empfang getroffen.

Der Eileiter ist der Ort, wo das Ei befruchtet werden kann. Ist dies nicht geschehen, so geht es zugrunde. Da auch der Gelbkörper zerfällt, bekommt der Fruchtbehälter weder die erwartete Einquartierung noch eine weitere Nachricht und Anregung durch die Botenstoffe des Eierstockes. So macht er seine Vorbereitungen rückgängig; das heißt, die obere Schicht der gewucherten Schleimhaut wird unter Blutungen abgestoßen. Das ist die »Regel« (Menstruation). Ist aber das Ei befruchtet worden, so wird es von der gewucherten, blutreichen Schleimhaut des Fruchtbehälters aufgenommen, nistet sich in ihr ein und macht hier seine Keimentwicklung durch.

Der wachsende Keimling bildet eine äußere Hülle, die sich mit wurzelartigen Fortsätzen in der mütterlichen Schleimhaut verankert (Abb. 72). Es kommt zu einer innigen Verfilzung zwischen dem müt-

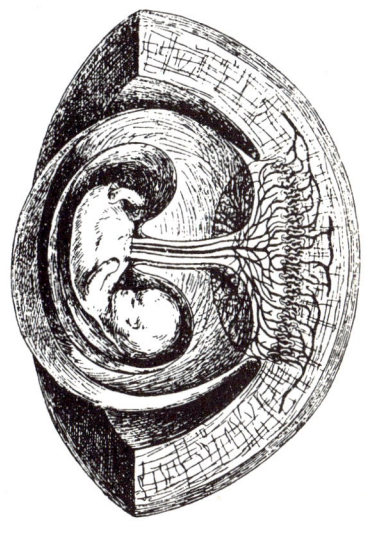

Abb. 72: Menschlicher Keimling im Fruchtbehälter; rechts: der Mutterkuchen. Blutgefäße schwarz dargestellt.

terlichen Gewebe und den Wurzelfortsätzen des Keimlings; es bildet sich der Mutterkuchen (die Placenta). Beim Menschen hat er die Form einer Scheibe, bei anderen Säugetieren kann er abweichend gestaltet sein. Ein wirklicher Blutaustausch zwischen Mutter und Frucht findet nicht statt. Doch sind die Blutgefäße der mütterlichen Schleimhaut von den Gefäßen in den Wurzelfortsätzen des Keimes nur durch dünne Gewebshäutchen getrennt, so daß ein lebhafter Stoffaustausch stattfinden kann. So sorgt der Mutterkuchen für die Ernährung und, durch sein frisches Blut, auch für die Sauerstoffzufuhr, also für die Atmung des Keimlings, bis dieser bei der Geburt ausgestoßen und mit der Nabelschnur die letzte Verbindung zwischen Frucht und Mutterkuchen durchtrennt wird. Daß es dann wieder Botenstoffe sind, welche die Milchabsonderung rechtzeitig in Gang bringen, davon war schon bei früherer Gelegenheit die Rede.

Die Zahl der Jungen, die gleichzeitig zur Entwicklung gelangen können, ist bei verschiedenen Säugern sehr ungleich, wie auch in den Tragzeiten große Unterschiede bestehen. Die Maus z. B. bringt ihre Jungen schon nach drei Wochen zur Welt, das Kaninchen nach vier Wochen; bei den Rindern ist die Tragzeit so lang wie beim Menschen, also neun Monate, beim Pferd elf, beim Elefanten 22 Monate. Im allgemeinen wird sie mit zunehmender Körpergröße länger, doch besteht in dieser Hinsicht keine strenge Beziehung. Stets bedürfen die neugeborenen Säuger zunächst noch der mütterlichen Nahrung und Pflege.

Beim Menschen geht die Betreuung der Kinder weit über das Körperliche hinaus. Das sind Sorgen, die auch den höchststehenden Tieren zumeist fremd sind. Immerhin pflegen Elefanten-, Bären- und Affenmütter mit Püffen und Ohrfeigen nicht zu sparen, wenn sich die Kleinen ungebührlich benehmen. Bei den Schimpansen besteht durch viele Jahre ein so enges Verhältnis zwischen der Mutter und ihren Kindern, daß man von einer Familientradition sprechen kann. So haben doch auch die erzieherischen Bestrebungen der Eltern ihre Wurzeln im Tierreich.

6. Vererbung

6.1. Eine »selbstverständliche« Sache, die einer nachdenklichen Betrachtung wert ist

Das gäbe keine geringe Aufregung in der ganzen Nachbarschaft, wenn einmal aus einem Hühnerei ein Storch herauskäme. In der ganzen Welt würden die Gelehrten die Köpfe zusammenstecken über ein solches Ereignis. Nur haben wir bisher vergeblich darauf gewartet. Aus dem Hühnerei schlüpft immer wieder ein junges Huhn und aus dem Storchenei ein junger Storch. So selbstverständlich das erscheint, so wollen wir uns doch klarmachen, was es bedeutet.

Das Storchenei

Das Storchenei ist eine Zelle der Storchmutter. Daß aus dieser Zelle nach vollzogener Befruchtung ein Vogel wird, dem Federn wachsen, schwarze und weiße Federn, die eine bestimmte Gefiederzeichnung ergeben, ein Vogel mit hohen Stelzbeinen und einem langen roten Schnabel, dem der Sinn nach Fröschen steht, ein Vogel, der im August von der Wanderlust gepackt wird und dann die Richtung nach Afrika einschlägt: Kurz, daß aus dieser Zelle wieder ein Storch hervorgeht mit allen körperlichen Eigenschaften und inneren Trieben, die für einen solchen kennzeichnend sind, das muß irgendwie schon in der Beschaffenheit der befruchteten Eizelle begründet sein. Denn alle diese Merkmale kommen auch heraus, wenn man das Ei künstlich erbrütet und der junge Storch seine Mutter nie gesehen hat. Dann bleiben die beiden Keimzellen, die Eizelle und die Samenzelle, als einzige Bindeglieder, die für die Ähnlichkeit verantwortlich gemacht werden können.

Nun ist ja ein Storchenei recht groß, und innerhalb seiner Schale wäre Raum genug, um allerhand Anlagen und Fähigkeiten hineinzupacken. Aber wir wissen schon, daß das Eiklar nur eine Wegzehrung ist, die der Eizelle äußerlich beigegeben wird, und daß auch die Eizelle selbst bei einem Vogel nur deshalb so groß ist, weil sie massenhaft Nährstoffe (Dotterkügelchen) enthält. Die gestaltenden Fähigkeiten schlummern in dem kleinen Protoplasmatröpfchen, das den Zellkern umgibt. Wer das nicht glaubhaft findet, braucht bloß zu überlegen, daß auch aus dem Ei eines Menschen oder aus dem Ei eines Lanzettfischchens immer nur seinesgleichen hervorgeht, obwohl sie arm an Dotter und von nahezu mikroskopischen Ausmaßen sind.

Der Anteil von Vater und Mutter

Die Sache wird noch interessanter, wenn wir etwas weiter nachdenken. Vater Storch und Mutter Storch sehen sich zum Verwechseln ähnlich. Menschlicher Scharfblick wird bei den Storchenkindern kaum spezifisch väterliche oder mütterliche Züge herausfinden, obwohl in den Augen seiner Artgenossen auch ein Vogel so gut sein persönliches Gesicht hat wie ein menschliches Antlitz für uns. Aber daß ein Auerhahn (*a* in Abb. 73) anders aussieht als ein Birkhahn *(b)*, das muß auch jedes Menschenauge erkennen. Wo die Auerhähne selten geworden sind, kommt es vor, daß sich die Auerhennen mit Birkhähnen einlassen. Das Ergebnis einer solchen Kreuzung ist das Rackelhuhn *(c)*, ein Bastard zwischen Auer- und Birkhuhn. Es steht in seiner Größe zwischen den beiden Eltern und zeigt auch in seinen anderen Eigenschaften eine Mischung der väterlichen und mütterlichen Merkmale. So ist zum Beispiel der Schwanz (der »Stoß«) beim Auerhahn abgerundet, beim Birkhahn tief ausgeschnitten, beim Rackelhahn nur seicht eingebuchtet.

Entsprechendes gilt für den Menschen selbst, wo wir keineswegs Neger und Weiße heranholen müssen, um persönliche Verschiedenheiten der Individuen herauszufinden. An jeder Wiege beginnt schon die Meinungsäußerung der Anverwandten, ob Nase und Mund, ob Augen und Ohren, ob Temperament und Intelligenz mehr nach dem Vater oder mehr nach der Mutter geraten sind, und wenn auch einmal jener und einmal diese stärker

Abb. 73: a) Auerhahn – b) Birkhahn – c) Rackelhahn (Bastard zwischen Auerhahn und Birkhuhn).

durchzuschlagen scheinen, so machen sich doch im allgemeinen väterliche und mütterliche Eigenschaften in den Kindern gleichermaßen geltend.

Die Verquickung von Merkmalen beider Elternteile ist insofern verständlich, als ja bei der Befruchtung eine weibliche und eine männliche Keimzelle miteinander verschmelzen. Daß die Nachkommen aber durchschnittlich beiden Elternteilen in gleichem Grade ähnlich sind, ist deshalb sehr bemerkenswert, weil die Eizelle um vieles größer ist als die Samenzelle. Selbst beim Menschen, dessen Eier verhältnismäßig klein sind und im ausgewachsenen Zustand nur einen Durchmesser von einem fünftel Millimeter haben, könnte man aus einer einzigen Eizelle 200000 Samenzellen machen. Der Größenunterschied beschränkt sich allerdings auf das Protoplasma. Der Zellkern einer Samenzelle ist, bei gleichem Quellungszustand, ebenso groß wie der Zellkern der Eizelle und birgt in sich die gleiche Menge Chromosomen (vgl. S. 276). Das macht von vornherein wahrscheinlich, daß in erster Linie der Zellkern der Keimzellen dafür verantwortlich ist, wenn die Eigenschaften der Eltern in den Kindern wieder zutage kommen – eine Annahme, die durch die Wissenschaft bis in ungeahnte Einzelheiten bestätigt worden ist.

Unter *Vererbung* versteht man die Tatsache, daß die Nachkommen dieselben Merkmale und Eigenschaften entwickeln, wie sie ihre Eltern hatten. Man wird bei einer Eheschließung mit Sicherheit voraussagen können, daß die Kinder so wie ihre Eltern von menschlicher Gestalt sein werden. Aber wieweit sich etwa in der Nasenform des Sprößlings die väterlichen oder die mütterlichen Eigentümlichkeiten oder die Nasenformen der Ahnen und Urahnen geltend machen werden, das kann man nur abwarten; das scheint sich jeder Gesetzmäßigkeit zu entziehen. Es ist wohl wissenswert, ob nicht trotzdem die Vererbung der einzelnen Merkmale ihre Gesetze hat.

6.2. Der Klostergarten von Brünn, und warum der Name Mendel in aller Leute Mund kam

Der Vorzug von Pflanzen- und Tierversuchen

Wenn Angehörige zweier Menschenrassen eine Ehe eingehen, so wird es schwer sein, herauszubringen, ob die Vererbung der verwirrend vielen Merkmale, in denen sie sich mehr oder weniger voneinander unterscheiden, nach bestimmten Gesetzmäßigkeiten vor sich geht. Es war darum ein guter Gedanke, zwei Sippen der gleichen Pflanzen- oder Tierart miteinander zu kreuzen, die nur in *einem* Merkmal, in diesem aber sehr auffallend, voneinander erblich verschieden sind. Wenn man auf dieses auffällige Merkmal achtete, mußten etwa bestehende Gesetzmäßigkeiten der Vererbung in der Nachkommenschaft deutlich erkennbar sein.

Die Verwendung von geschickt gewählten Pflanzen oder Tieren hat den weiteren Vorteil, daß man nach Belieben kreuzen und die für den Versuch erwünschten Verbindungen stiften kann, was beim Menschen natürlich nicht möglich ist, und daß sich in kurzer Zeit viele Generationen mit einer zahlreichen Nachkommenschaft erzielen lassen. Bei Naturvölkern sind die Mädchen oft schon mit vierzehn Jahren verheiratet. Doch was ist das gegen die kleine Taufliege, das meistuntersuchte Tier der modernen Vererbungslehre, bei dem die Generationen in Abständen von vierzehn *Tagen* aufeinanderfolgen!

Nun wird man einwenden, daß die Vererbung bei Fliegen oder irgendwelchen Pflanzen für den Menschen von untergeordnetem Interesse ist. Es hat sich aber herausgestellt, daß die Vererbung auf gewissen Grunderscheinungen des Zellenlebens beruht, die allen Pflanzen, Tieren und auch dem Menschen gemeinsam sind. So wurden Pflanzen- und Tierversuche der Ausgangspunkt für unser gesamtes heutiges Wissen um die Vererbung beim Menschen.

Eine unverstandene Abhandlung

Bastardierungen zwischen Pflanzensippen mit der bewußten Absicht, den Vererbungsgesetzen nachzuspüren, sind zuerst um die Mitte des vorigen Jahrhunderts von dem Augustinermönch Gregor Mendel ausgeführt worden. Im Garten des Königsklosters in Brünn wuchsen Erbsenpflanzen mit rotvioletter und solche mit weißer Blütenfarbe. Mendel wußte es so einzurichten, daß die Insekten als Bestäuber abgehalten waren und ihm bei seinen Versuchen nicht ins Handwerk pfuschen konnten. Dann bestäubte er selbst rötliche Blüten mit dem Pollen von weißblühenden Pflanzen, und umgekehrt, und achtete auf die Blütenfarbe der nächsten und der folgenden Generationen. Die Ergebnisse dieser und ähnlicher, jahrelang fortgesetzter Beobachtungen an den Erbsenbeeten im stillen Klostergarten veröffentlichte er 1865 in einer Abhandlung, die damals niemand verstand und für die sich daher auch niemand interessierte.

Erst ein Vierteljahrhundert später kamen andere wieder auf den Gedanken, derartige Versuche auszuführen. Sie waren nicht wenig erstaunt, als sie ihre vermeintlich neuen Befunde zufällig in der verstaubten Schrift des Paters entdeckten, der nicht nur auf das sorgsamste beobachtet, sondern die Dinge auch mit überraschendem Scharfblick richtig gedeutet hatte. Ihm zu Ehren, der längst unter der Erde ruhte, hat man seine Befunde die »Mendelschen Gesetze« genannt. Sie bilden die Grundlage der modernen

Vererbungsforschung, die sich nun in jähem Aufstieg entwickelte und rasch zu einer eigenen Wissenschaft auswuchs.

Man wird nun wissen wollen, wie denn die Mendelschen Gesetze lauten. Wir besprechen sie nicht in der historischen Reihenfolge ihrer Entdeckung, sondern greifen die Beispiele aus alten und neueren Versuchen heraus, wie es für das Verständnis am günstigsten ist.

Dieselben Gesetzmäßigkeiten bei Wunderblumen und Meerschweinchen

Die Wunderblume, von den Gelehrten *Mirabilis jalapa* genannt, kommt in einer rotblühenden und in einer weißblühenden Sippe vor. Wenn man sie miteinander kreuzt und die Samen aussät, so wachsen aus diesen aus-

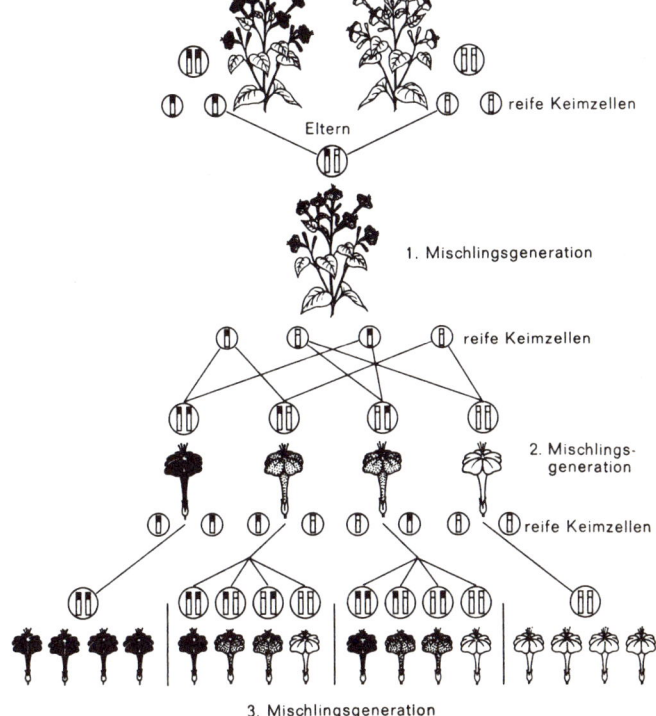

Abb. 74: Kreuzungsversuch mit rot- und weißblühenden Wunderblumen. Auf die Symbole bei den Blüten wird im Text erst auf S. 278 Bezug genommen.

schließlich Pflanzen mit rosafarbigen Blüten. Sie sind in bezug auf das Merkmal der Blütenfarbe, in dem sich ihre Eltern so auffallend unterschieden haben, untereinander alle gleich. Dieses »Uniformitätsgesetz« ist das erste Mendelsche Gesetz. Die rosa Blüten nehmen eine Mittelstellung zwischen den roten und den weißen Blüten der Ausgangssorten ein (Abb. 74, 1. Mischlingsgeneration). Dabei ist es gleichgültig, ob die weiblichen oder die männlichen Keimzellen von der rotblühenden Rasse geliefert werden. Daraus geht hervor, daß die weiblichen und männlichen Keimzellen trotz ihrer verschiedenen Größe für die Vererbung gleichwertig sind. Darauf wurde schon auf S. 268 kurz hingewiesen, und es erscheint unter dieser Voraussetzung die rosa Blütenfarbe ganz einleuchtend. Aber wenn man nun die Blüten dieser ersten Mischlings- oder Bastardgeneration vor Fremdbestäubung schützt und ausschließlich untereinander kreuzt, so erscheinen in der zweiten Mischlingsgeneration neben rosablühenden Pflanzen wieder solche mit rein roter und solche mit rein weißer Blütenfarbe. Die Eigenschaften der Großeltern kommen also teilweise wieder rein heraus. Hat man sehr *viele* Samen ausgesät, so kann man feststellen, daß das Aufspalten in die verschiedenen Farbsorten nach einem bestimmten Zahlengesetz erfolgt: Durchschnittlich zeigt in der zweiten Bastardgeneration die Hälfte der Pflanzen rosa Blüten, ein Viertel rein rote, ein Viertel rein weiße (2. Mischlingsgeneration; der Raumersparnis wegen sind die Sorten hier nur durch einzelne Blüten angedeutet). Das ist das zweite Mendelsche Gesetz (Spaltungsgesetz).

Fährt man auch jetzt fort, die Pflanzen nur mit dem Pollen von gleichfarbigen Blüten zu bestäuben, so geben die weißblühenden Pflanzen in allen folgenden Generationen nur immer wieder weiße Blüten, die rotblühenden nur immer wieder rotblühende Pflanzen – sie »züchten rein« weiter –, während die rosablühenden Wunderblumen, unter sich gekreuzt, in der nächsten Generation nach demselben Zahlengesetz aufspalten, das wir eben kennengelernt haben (Abb. 74 unten). Ein entsprechendes Beispiel aus dem Tierreich ist das folgende: Kreuzt man eine rothaarige mit einer weißhaarigen Meerschweinchensorte, so sind die Tiere der ersten Bastardgeneration alle untereinander gleich gefärbt. Sie nehmen mit einem blaßrötlichen Fell eine Mittelstellung zwischen den Eltern ein, ganz gleichgültig, ob der Vater rot und die Mutter weiß war oder umgekehrt. In der zweiten Bastardgeneration spalten sie auf nach demselben Zahlengesetz wie die Wunderblumen.

Führt man die Kreuzung zwischen zwei blaßrötlichen Bastardindividuen nur einmal durch, so wird man unter den wenigen Tieren eines Wurfes wahrscheinlich ein Aufspalten, aber kaum eine zahlenmäßige Gesetzmäßigkeit verwirklicht sehen. Macht man den Versuch aber hundert- oder tausendmal, so wird das Zahlengesetz mit immer größerer Genauigkeit hervortreten. Entsprechendes ist uns von »zufälligen« Ereignissen geläufig. Steckt man tausend schwarze und tausend weiße Kugeln in einen Sack und schüttelt gut durcheinander, so wird man beim Herausholen einer Kugel, wenn man nicht schaut, ebensogut eine schwarze wie eine weiße erwischen können. Holt man zwei heraus, so können es zwei weiße oder zwei schwarze oder eine weiße und eine schwarze sein; das Ergebnis der Wahl ist zufällig. Holt man aber hundert heraus, so wird man annähernd fünfzig schwarze und fünfzig weiße haben. Je größer die Zahl der Einzelwahlen ist, desto genauer wird im Durchschnitt dieses Zahlenverhältnis verwirklicht sein. Gäbe es nicht diese Gesetze des Zufalls, dann gäbe es auch kein Lotteriespiel und keine Versicherungsgesellschaft, die auf die Wahrscheinlichkeitsgesetze des Zufalles bei genügend großen Zahlen so sicher bauen kann wie auf ein Naturgesetz.

Wir entnehmen vorläufig dieser Betrachtung, daß offenbar irgendwie der Zufall seine Finger im Spiel hat, wenn nach einer Kreuzung die Sippen in einem bestimmten Zahlenverhältnis herausspalten, das um so genauer verwirklicht ist, je öfter man den Versuch macht.

Mendels Erbsenversuch

Die Kreuzung zwischen rotviolett- und weißblühenden Erbsensippen, die Mendel selbst ausgeführt hat, brachte ein etwas anderes Ergebnis als die Fälle, die wir bisher besprochen haben. Die erste Mischlingsgeneration bestand durchwegs aus rotviolettblühenden Erbsenpflanzen (Abb. 75). Die rötliche Blütenfarbe hat sich hier bei der Kreuzung der beiden Sorten als das ausschlaggebende, in der Sprache der Vererbungsforscher: als das *dominante* Merkmal erwiesen. Das Merkmal der weißen Blütenfarbe wurde unterdrückt; es verhielt sich *rezessiv*. Daß aber die weiße Blütenfarbe der einen Ausgangssorte doch im verborgenen weiterwirkt, wird offenkundig, wenn man die erste Mischlingsgeneration unter sich kreuzt. Dann ist die zweite Mischlingsgeneration zwar auch überwiegend rötlichblühend, ein Viertel der Nachkommenschaft ergibt jedoch rein weißblühende Erbsenpflanzen, deren Nachkommenschaft, wenn man Fremdbestäubung verhindert, rein weißblühend bleibt. Von den rotviolettblühenden züchtet ein Teil rein weiter, während der übrige Teil, die Hälfte der gesamten Nachkommenschaft, wieder in derselben Weise aufspaltet. Ganz gleichartige Beispiele ließen sich aus dem Tierreich anführen. Wir sehen daraus die wichtige Tatsache, daß ein Merkmal im Erbgut enthalten sein kann, ohne äußerlich in Erscheinung zu treten.

Trotz der Verschiedenheiten, die sich im einzelnen zwischen dem Erbsenversuch und dem Experiment mit der Wunderblume ergeben haben, sind das erste und zweite Mendelsche Gesetz in beiden Fällen verwirklicht: die Gleichartigkeit der ersten Mischlingsgeneration und das Aufspalten in der zweiten Mischlingsgeneration nach einem bestimmten Wahrscheinlichkeitsgesetz.

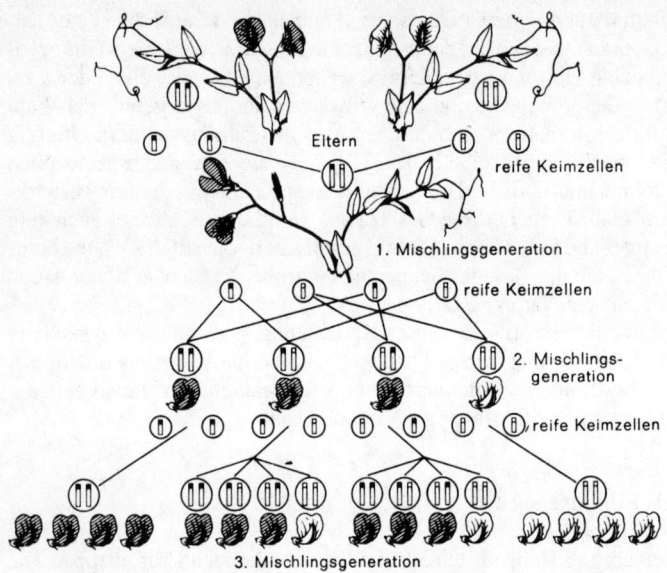

Abb. 75: Kreuzungsversuch mit rotviolett- und weißblühenden Erbsenpflanzen. Auf die Symbole bei den Blüten wird im Text erst auf S. 278 Bezug genommen.

Schon Mendel hat diese Befunde richtig gedeutet. Er sah die Ursache für das Auftreten einer bestimmten Blütenfarbe in einer bestimmten Erbanlage (Erbfaktor). Diese Anlage muß in den Keimzellen enthalten sein, denn sie allein bilden ja die stoffliche Verbindung von Generation zu Generation. Um das eigenartige Aufspalten der Merkmale zu erklären, das nach Durchführung einer Kreuzung bei der zweiten Mischlingsgeneration zu beobachten ist, machte Mendel gewisse Voraussetzungen über das Verhalten der Erbanlagen in den Keimzellen und in den Körperzellen, die von seinem erstaunlichen Scharfblick zeugen und durch die spätere Forschung glänzend bestätigt wurden. Wir werden bald näher hören, wie das zugeht.

Wer überlegt, was die Vererbung von guten und schlechten Eigenschaften, von hoher Begabung oder unheilbarer Krankheit für die Familie und für sein Volk bedeutet, der muß in der erstmaligen Erkenntnis von Gesetzmäßigkeiten des Vererbungsgeschehens eine Entdeckung von größter Tragweite sehen. Darum hat man Mendel in Brünn ein Denkmal gesetzt. Mehr als dieses Denkmal würde ihn, wenn er noch einmal auf Erden wandeln könnte, die hohe Achtung vor seiner bescheidenen Forschertätigkeit freuen, die allenthalben lebendig ist und bleiben wird.

Hier wollen wir nun die Betrachtung von Kreuzungsexperimenten vorerst abbrechen und versuchen, zu ihrem Verständnis zu gelangen.

6.3. Zwei Forschungsrichtungen finden sich

Man kann auf sehr verschiedene Weise Biologie treiben. Den einen zieht es hinaus in den Urwald mit seinen tausend Geheimnissen; den anderen lockt das besinnliche Experiment. Der eine beobachtet gern Elefanten, der andere lieber die kleinsten Lebewesen, die er ohne Mikroskop gar nicht sehen kann. Wieder andere haben sich, seit man das Mikroskop erfunden hat, lebhaft dafür interessiert, wie die Keimzelle – dieses größte aller Rätsel der Natur – im Innersten beschaffen ist.

Leider schaut eine junge Keimzelle ganz so aus wie irgendeine andere Zelle. Die Wunder, die sie birgt, liegen nicht zutage; man sieht ein Klümpchen Protoplasma mit einem Zellkern. Dieser ist für die Vererbung offenbar von besonderer Bedeutung. Wir haben schon davon gesprochen, daß Ei- und Samenzelle, die bei der Befruchtung miteinander verschmelzen, gleich große Kerne haben, während die Menge ihres Protoplasmas ganz verschieden ist. Wenn sich mütterliche und väterliche Eigenschaften in gleichem Maße vererben, wird das also den beiden gleich großen Zellkernen zuzuschreiben sein. An diesen wird sich unsere Aufmerksamkeit weniger der klaren Flüssigkeit zuwenden müssen, dem Kernsaft, der als Lückenbüßer die Maschenräume ausfüllt, als den Chromatinfäden, die sich bei jeder Kernteilung zu den Chromosomen ordnen und dann so sorgfältig verteilt werden (vgl. S. 223). Schon dadurch machen sie sich einer besonderen Wichtigkeit verdächtig, so daß wir uns näher mit ihnen befassen müssen.

Wenn sie im »Ruhekern« als Chromatinfäden unordentlich zerstreut herumliegen, läßt sich nicht viel mit ihnen anfangen. Doch wenn sie sich zu den kompakten Chromosomen ordnen, was ja bei jeder Kernteilung geschieht, kann man allerhand Bemerkenswertes sehen – ein gutes Mikroskop vorausgesetzt! Denn wir dürfen nicht vergessen, daß der ganze Zellkern – und erst recht die kleinen Einschlüsse in seinem Inneren – für das bloße Auge weit jenseits der Sichtbarkeitsgrenze liegen. Wenn wir ein Mohnkorn im gleichen Maßstabe vergrößern würden wie die Chromosomen der Abb. 76, dann wäre es eine Kugel von eineinviertel Meter Durchmesser.

Die Chromosomen als Persönlichkeiten

Zunächst fällt auf, daß die Zahl der Chromosomen bei verschiedenen Tier- und Pflanzenarten sehr ungleich sein kann. Bei der Taufliege findet man in jedem sich teilenden Kern acht (Abb. 76 links), bei der Maus 40, beim Menschen (Abb. 76 rechts) stets 46, bei gewissen Schmetterlingen 62 Chromosomen, bei einem Spulwurm nur vier. Die Zahl der Chromosomen ist aber bei einer bestimmten Art immer dieselbe, ob man nun die Kernteilung einer Haut- oder Drüsenzelle oder einer jungen Keimzelle untersucht. So klein sie sind, so scheinen die Chromosomen doch Persönlichkeiten zu sein, jede von besonderer Eigenheit, jede von bestimmter Gestalt und Größe. Nicht nur ihre Zahl, auch ihr individuelles Aussehen und ihre Gestalt erweisen sich als beständig gleich. Am auffallendsten ist folgendes: Wenn man alle Chromosomen aus einem Kern sorgfältig abzeichnet und die Bilder nach ihrem Aussehen ordnet (Abb. 76), gibt es immer je zwei, die von gleicher Größe und Gestalt sind. Jedes Chromosom ist also in seiner Art zweimal vorhanden; der Kern enthält einen doppelten Chromosomensatz.

Es ist nicht schwer zu erraten, woher das kommt. Bei der Befruchtung vereinigt sich der Kern der Eizelle mit dem Kern der Samenzelle. Jeder hat seinen eigenen Chromosomensatz. Die Beobachtung des Vorganges lehrt, daß die Chromosomen nicht miteinander verschmelzen, sondern nebeneinander bestehenbleiben. Der eine Chromosomensatz stammt also vom Eikern, der andere vom Kern der Samenzelle. Da bei allen folgenden Zell- und Kernteilungen, die zur Entwicklung des Körpers führen, die Chromosomen stets verdoppelt und gleichmäßig auf die Tochterkerne aufgeteilt werden, enthält jede Zelle, welchem Organ sie auch angehören mag, in ihrem Kern dieselben zwei vollständigen Chromosomensätze, die bei der Befruchtung der Eizelle durch die Vereinigung von Ei- und Samenkern zusammenkamen. So gelangen die beiden Chromosomensätze auch in die jungen Keimzellen. Diese sondern sich bei der Entwicklung des Körpers oft schon sehr frühzeitig ab und werden gleichsam zurückgestellt, um später einer neuen Generation den Ursprung zu geben. Doch wie geht das nun weiter? Wenn dann wieder eine Eizelle mit einer Samenzelle verschmilzt, müßte sich ja die Anzahl der Chromosomen jedesmal verdoppeln. So kann es natürlich nicht sein. Die Lösung dieser scheinbaren Schwierigkeit ergibt sich aus einer genauen Beobachtung der Keimzellen. Vor der Befruchtung vollzieht sich sowohl in den Samenzellen wie in den Eizellen eine besonders geartete Kernteilung, bei welcher die Chromosomenzahl auf die Hälfte herabgesetzt wird. Da die Keimzellen dadurch erst zur Befruchtung reif werden, hat man diesen Vorgang als *Reifeteilung* bezeich-

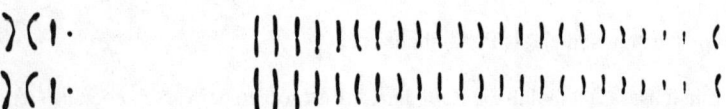

Abb. 76: Links: die acht Chromosomen aus dem Zellkern einer Taufliege. Rechts: die 46 Chromosomen aus einem Zellkern des Menschen, nach ihrer Größe und Gestalt geordnet. Man findet zwei einander entsprechende Chromosomensätze!

net, oder als »Meiose«, von griechisch Meiosis = Verminderung (der Chromosomenzahl). Durch die Vereinigung der beiden so vorbereiteten Kerne bei der Befruchtung wird die normale Zahl der Kernfäden wieder hergestellt.

Die Reifeteilung der Keimzellen

Für das Folgende ist es wichtig zu wissen, wie sich die Reifeteilung im einzelnen abspielt. Das ist nun eine recht verwickelte Sache, für deren genaues Verständnis ein eingehendes Studium nötig wäre. Doch wenn wir außer Betracht lassen, was daran nebensächlich ist, so läßt sich das Wesentliche wohl mit ein paar Worten klarmachen.

Zur Vereinfachung wählen wir als Beispiel ein Tier mit der geringen Zahl von sechs Chromosomen (Abb. 77). In jungen Samenzellen trifft man, wie auch in allen Körperzellen, den »doppelten Chromosomensatz«, also sechs (= 2 × 3) Chromosomen *(a)*. Vor der Reifeteilung finden sich, durch unbekannte Kräfte geleitet, je zwei einander entsprechende Chromosomen zusammen. Es legt sich also je ein Chromosom aus dem väterlichen Chromosomensatz zu dem gleich großen und gleich gestalteten mütterlichen Chromosom *(b)*. Nun bildet sich eine Teilungsspindel wie bei einer gewöhnlichen Kernteilung. Nur werden diesmal nicht die Spalthälften der längsgespaltenen Chromosomen, sondern ungeteilte Chromosomen auseinandergezogen *(c)* mit dem Ergebnis, daß nachher nur mehr die halbe Zahl in jedem Kern vorhanden ist *(d, e)*. Dadurch, daß sie sich vorher zu gleichartigen Paaren geordnet haben, erhält aber jeder Kern einen vollständigen Chromosomensatz. In der Eizelle geschieht, äußerlich in etwas anderer Form, genau dasselbe. So vereinigen sich dann bei der Befruchtung Eikern und Samenkern mit je einem einfachen Chromosomensatz zu dem Zellkern mit doppeltem Chromosomensatz, von dem wir ausgegangen waren.

Bis hierher sind die Zellforschung und die experimentelle Vererbungs-

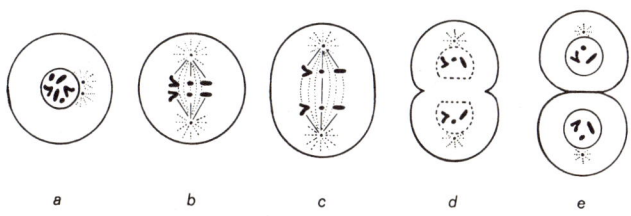

Abb. 77: Reifeteilung.

lehre getrennte Wege marschiert, so wie noch manch andere Forschungsrichtungen in der Biologie nebeneinander hergehen, nur verbunden durch das brennende Interesse am lebendigen Geschehen und ohne viel aufeinander zu achten. Da erkannten der Würzburger Zoologe Theodor Boveri und gleichzeitig in Amerika W. S. Sutton den großen Zusammenhang. Sie zeigten, daß die von Mendel gefundenen Gesetzmäßigkeiten aus den Vorgängen bei der Reifeteilung und Befruchtung ohne weiteres verständlich werden, wenn man annimmt, daß die Erbanlagen, die für die Ausbildung der Merkmale verantwortlich sind, in den Chromosomen stecken. Wir wollen uns das an einem der früher betrachteten Kreuzungsversuche klarmachen. Ob wir das Beispiel dem Tierreich oder dem Pflanzenreich entnehmen, ist gleichgültig; denn das Verhalten der Chromosomen bei der Reifeteilung und bei der Befruchtung ist bei allen Pflanzen und Tieren und auch beim Menschen in den Grundzügen dasselbe.

Erklärung der Kreuzungsergebnisse aus dem Verhalten der Chromosomen

Wir nehmen an, daß für die rote Blütenfarbe der Wunderblumen eine Erbanlage (ein »Erbfaktor« oder – mit einem nach dem Griechischen gebildeten Fachausdruck – ein »Gen«) verantwortlich ist; dieses Gen – doppelt vorhanden – ist in zwei bestimmten Chromosomen lokalisiert und durch die schwarzen Punkte (links oben in Abb. 74, S. 271) veranschaulicht. Die anderen Chromosomen sind für uns in diesem Zusammenhang belanglos und in der Abbildung weggelassen. Der Erbfaktor für die rote Farbe ist doppelt vertreten, je einmal in den beiden einander entsprechenden Chromosomen, weil diese sich ja von seinen beiden Elternteilen herleiten, die beide rotblühend waren. In den Kernfäden der weißblühenden Sorte sitzen an denselben Stellen die Gene für Weißblütigkeit (rechts oben in Abb. 74).

Nach Ablauf der Reifeteilung enthält jede Keimzelle nur einen Chromosomensatz und daher nur mehr einen von diesen beiden Kernfäden. In der Abb. 74 sind unter das Schema einer Körperzelle je zwei reife Keimzellen gezeichnet. Bei der Befruchtung vereinigen sich die Kerne, die den Rotfaktor und den Weißfaktor enthalten; daher hat der Bastard auch in seinen sämtlichen Körperzellen, die sich ja von der befruchteten Eizelle herleiten, die beiden Chromosomen mit den ungleichen Erbfaktoren. In der Blütenfarbe wirken sich *beide* aus: Es entstehen die blaßrötlichen Blüten. Es ist klar, warum alle Individuen der ersten Bastardgeneration in der Ausprägung dieses Merkmals untereinander übereinstimmen; sie haben ja alle dieselben Erbanlagen mitbekommen.

Wenn die erste Bastardgeneration ihre Keimzellen zur Reife bringt, legen sich wieder die einander entsprechenden Chromosomen zusammen und werden in der Reifeteilung getrennt. So entstehen Keimzellen (männliche wie weibliche), die nur den Rotfaktor, und solche, die nur den Weißfaktor enthalten, beide in gleicher Zahl.

Bei der Befruchtung gibt es vier Möglichkeiten: Es kann eine männliche Keimzelle mit dem Rotfaktor eine Eizelle mit dem Rotfaktor oder eine solche mit dem Weißfaktor befruchten, oder es kann eine männliche Keimzelle mit dem Weißfaktor eine Eizelle mit dem Rotfaktor oder eine solche mit dem Weißfaktor befruchten (Mitte der Abb. 74). Das gibt im ersten Falle rotblühende Pflanzen, die rein weiterzüchten, da ja das Gen für Weißfarbigkeit in ihrem Kern nicht mehr enthalten ist, im zweiten und dritten Falle wieder Mischlinge, die weiter aufgespalten werden, und im vierten Falle weißblühende Pflanzen, die rein weiterzüchten. Welche Kombination im Einzelfalle verwirklicht wird, das bleibt dem Zufall überlassen. Da die zweierlei Sorten von Keimzellen in gleicher Zahl gebildet werden, besteht für jede von den vier Möglichkeiten die gleiche Wahrscheinlichkeit. Nun sehen wir also, wie hier der Zufall mitspielt und wieso bei genügend großer Nachkommenschaft nach den Gesetzen der Wahrscheinlichkeit reinerbige rotblühende Pflanzen, Bastarde und reinerbige weißblühende Pflanzen im Verhältnis 1:2:1 auftreten müssen.

Auf Grund derselben Vorstellung läßt sich auch das etwas abweichende Verhalten der Erbsenpflanzen leicht erklären. Die Verteilung der Erbanlagen geht in genau derselben Weise vor sich; sie wirken sich nur anders aus. Ihr Kräfteverhältnis ist ein anderes, wenn sie zusammenkommen. Es hat sich bei den Erbsen die rotviolette Blütenfarbe als dominant erwiesen. Wir verstehen jetzt genauer, was das bedeutet. Die erste Bastardgeneration enthält die Farbfaktoren beider Eltern, aber der Weißfaktor kann sich nicht durchsetzen. Die Anlage für die rotviolette Blütenfarbe ist die stärkere: Die Blüten werden rotviolett. In der zweiten Generation werden aus demselben Grunde außer den reinerbig rötlichen auch die Bastardpflanzen rötliche Blüten hervorbringen; nur bei den reinerbig weißen Pflanzen, die überhaupt keine Anlage für rotviolette Blütenfarbe haben, kann das rezessive Merkmal »Weiß« herauskommen. Es wird also dreiviertel der Nachkommenschaft rötlich blühen. In ihrer äußeren Erscheinung sind diese untereinander völlig gleich; man kann ihnen auf keine Weise ansehen, daß sie in ihren Erbanlagen verschieden sind. Das stellt sich erst durch eine Fortsetzung des Erbversuches heraus, wobei man sie getrennt weiterzüchtet. Die *reinerbigen* Pflanzen, die in den beiden einander entsprechenden Chromosomen das Gen für »Rotviolett« enthalten, werden rein weiterzüchten, die *mischerbigen* werden aus demselben Grunde wie die erste Bastardgeneration in ihrer Nachkommenschaft in rötlich- und weißblühende Pflanzen aufgespalten.

Die Vielheit der Erbanlagen und ihre Ordnung

Wir haben an unserem Beispiel *eine* Erbanlage verfolgt. Dasselbe Chromosom, in dem wir diese Anlage angenommen haben, enthält, in einer Reihe hintereinander angeordnet, noch viele andere Gene, und weitere finden sich in den übrigen Chromosomen. Ihre Gesamtzahl dürfte bei der Taufliege 10000, bei Wirbeltieren ein Mehrfaches davon ausmachen. Bei manchen von ihnen kann man nicht nur angeben, was sie bewirken, sondern man kann sogar auch genau sagen, in welchem Chromosom und an welcher Stelle desselben sie sich befinden. Ja, man kann sogar *sehen,* wo sie liegen. Eine Möglichkeit dazu ergab sich auf völlig unerwartete Weise. In den besonders großen Zellkernen der Speicheldrüsenzellen von Mückenlarven, und so auch in der Speicheldrüse unserer Taufliege, fand man Riesenchromosomen, hundert- bis zweihundertmal so groß wie in den Kernen der anderen Zellen. Noch niemand hat begriffen, warum die Natur in diesem Falle die Kernschleifen in solcher Weise zur Schau stellt. Würde sie sich nicht sonst so ungern unter ihr Mäntelchen blicken lassen, so könnte man denken, sie hätte es eigens für den neugierigen Zellforscher getan, um ihm diese winzigen Truhen des Erbgutes in hundertfach gesteigerter Größe zu zeigen. Nimmt man die stärksten Linsen der Mikroskope zu Hilfe, so erkennt man in den Riesenchromosomen eine Gliederung in feine, bald breitere, bald schmälere Scheibchen. Man nahm an, daß die sichtbaren Querscheibchen den einzelnen Erbanlagen oder Gruppen von solchen entsprechen. Dies hat sich in sinnreichen Züchtungsexperimenten, die mit mikroskopischen Untersuchungen Hand in Hand gingen, überzeugend bestätigt. Mißbildungen bei manchen Fliegenrassen, die auf ein Fehlen gewisser Erbanlagen schließen lassen, waren verbunden mit dem Fehlen gewisser Querscheibchen genau an der Stelle eines Chromosoms, wo es nach den Vorstellungen der Vererbungsforscher zu erwarten war. Bis in alle Einzelheiten stimmt die mikroskopisch erkennbare Anordnung der Scheibchen zu der experimentell erschlossenen Anordnung der Gene.

In dem doppelten Chromosomensatz der befruchteten Eizelle sind alle Anlagen doppelt vorhanden. So wie der Faktor für die Blütenfarbe in unserem Beispiel, ist jede Erbanlage im väterlichen und im mütterlichen Chromosom an entsprechender Stelle vertreten. Das bedeutet, daß schon der einfache Chromosomensatz, wie er nach Ablauf der Reifeteilung und vor der Befruchtung in den Keimzellen gefunden wird, alle Gene enthält, die notwendig sind, damit ein normales Individuum entsteht. Daß das wirklich so ist, ließ sich durch Versuche beweisen. Man kann das Ei eines Seeigels nach Ablauf der Reifeteilung durch künstliche Mittel unbefruchtet zur Entwicklung bringen. Man kann andererseits ein kernloses Bruchstück eines Seeigels durch eine Samenzelle befruchten lassen. Beide Male entwickelt sich ein normales Tier, obwohl es nur die Hälfte der vollen

Chromosomenzahl besitzt, nämlich in einem Falle den mütterlichen, im anderen Falle den väterlichen Chromosomensatz. Fehlt aber aus dem einen Chromosomensatz ein einziges weiteres Chromosom, so gibt es Mißgeburten, weil dann gewisse Erbfaktoren ganz ausgefallen sind.

Es kann sich ereignen, daß eine Reifeteilung fehlerhaft abläuft, indem sich z.B. die beiden Partner eines Chromosomenpaares bei der Reduktionsteilung nicht voneinander trennen. Es geraten dann entweder beide oder keiner von beiden in die reife Keimzelle. Diese wird also ein Chromosom zuviel oder eines zuwenig haben, und wenn sie mit einer normalen Keimzelle des anderen Geschlechts verschmilzt, hat auch die befruchtete Eizelle ein Chromosom zuviel oder zuwenig. Das kann nicht nur bei Tieren vorkommen, sondern genauso beim Menschen und bedeutet: Das betreffende Chromosom ist, statt doppelt, entweder *dreifach* oder nur *einmal* vorhanden. Da ja bei der Entwicklung alle Körperzellen den Chromosomenbestand der befruchteten Eizelle übernehmen, läßt sich eine solche Abnormität bei jeder Kernteilung einer Körperzelle auffinden. Da man aber die sich teilenden Zellen im Inneren des lebenden Körpers nicht beobachten kann, entnimmt man ein Tröpfchen Blut und bringt es in eine geeignete Nährlösung, wo sich die weißen Blutkörperchen auch außerhalb des Körpers vermehren (die roten interessieren uns nicht, sie haben ja keine Kerne). An gefärbten Präparaten solcher in Teilung befindlicher weißer Blutkörperchen lassen sich im Mikroskop die Chromosomen abzählen.

Man hat das Vorkommen überzähliger Chromosomen und seine Folgen beim Menschen genau studiert. Bei ihm bekommen nach begründeten Schätzungen 2% aller befruchteten Eizellen ein Chromosom zuviel. In solchem Falle sind im Chromosomenbestand zwar alle Erbanlagen vertreten, aber nicht im richtig ausgewogenen Verhältnis. Schon das führt zu schweren Entwicklungsstörungen, wobei die meisten Keime vorzeitig zugrunde gehen. Bei den lebend geborenen Kindern kommt auf etwa je dreihundert eines, das um ein Chromosom zuviel hat. Man beobachtet bei diesen unglücklichen Geschöpfen Schäden verschiedener Art, je nachdem, um welches Chromosom es sich handelt. So führt bei dem kleinen Chromosom Nr. 21 (man hat sie, mit dem größten beginnend, der Reihe nach numeriert) ein überzähliges zu Schwachsinn, verbunden mit anderen Krankheitserscheinungen (»Mongolismus«). Unter sechshundert neugeborenen Kindern ist im Durchschnitt eines von diesem Schicksal betroffen.

Der Mensch kann sich den Gesetzen der Vererbung nicht entziehen. Aber seine Gelehrsamkeit führt ihn zur Erkenntnis tieferer Zusammenhänge bei Erscheinungen, denen er früher verständnislos gegenüberstand.

Ohne die mühselige Kleinarbeit der Zellforscher, die bis ins letzte die Struktur des Kernes aufzuklären suchten, hätte die Vererbungsforschung niemals die Entfaltung erlebt, die ihr beschieden war. Es gibt in der Wissenschaft keinen entscheidenden Fortschritt ohne das Spezialistentum, das nur dann unfruchtbar wird, wenn sich der Geist hineinverbohrt und nicht aufs Ganze gerichtet bleibt.

Kurzer Besuch im Operationssaal und bei Gericht

Ein weiteres Beispiel für die Gültigkeit der Vererbungsgesetze beim Menschen mag zugleich zeigen, wie das Wissen um diese Dinge auch praktisch von Bedeutung ist und über Leben und Tod, über Schuld und Sühne entscheiden kann.

Wenn bei einem schweren Eingriff des Chirurgen die Lebensgeister des Kranken zu erlöschen drohen, dann kann der Arzt zum Mittel der »Bluttransfusion« greifen. Er leitet das Blut eines gesunden Menschen in die Adern des Patienten, um ihn zu kräftigen. In früheren Zeiten blieb nicht selten die erhoffte Wirkung aus, und an ihre Stelle traten schwere, ja tödliche Schäden. Die Ursache wurde erst klar, als man dahinterkam, daß das Blut der einzelnen Menschen von verschiedener Beschaffenheit sein kann. Danach lassen sich vier Blutgruppen unterscheiden: Die roten Blutkörperchen enthalten einen Stoff A (Blutgruppe A) oder B (Blutgruppe B) oder beide Stoffe (Blutgruppe AB) oder keinen von beiden (Blutgruppe 0). Zu welcher Blutgruppe ein Mensch gehört, ist erblich festgelegt und ändert sich nicht von seiner Geburt bis zum Tode. Das Fatale ist, daß manche von diesen Blutsorten untereinander unverträglich sind. Wenn sie vermischt werden, führt ein im Serum der einen Blutsorte vorhandener Stoff

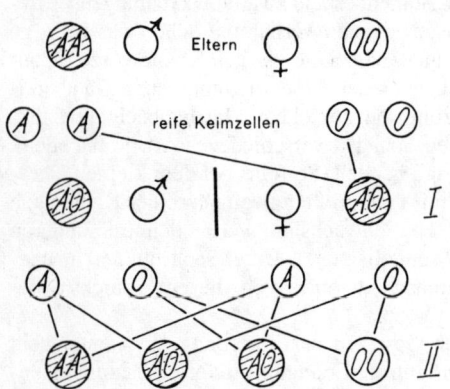

Abb. 78: Erbgang der Blutgruppen A und 0.
Schraffierte Kreise bedeuten Personen der Blutgruppe A, offene Kreise solche der Blutgruppe 0, vgl. Text.

zu einer Verklumpung (»Agglutination«) der Blutkörperchen bei der anderen Sorte, was eine lebensbedrohende Veränderung des Blutes bedeutet. Der Vorgang läßt sich leicht beobachten, wenn man je ein Tröpfchen Blut unter dem Mikroskop miteinander vermischt. Daher kann man feststellen, welcher Blutgruppe ein Mensch angehört und für eine Transfusion die passende Blutsorte verwenden, womit die Gefahr gebannt ist.

Der Erbgang der Blutgruppen ist genau aufgeklärt. Den erwähnten Eigenschaften der Blutkörperchen liegen drei Erbanlagen zugrunde (A, B und 0), von denen aber bei jedem Menschen nur zwei vorhanden sind. Sie liegen an einander entsprechenden Punkten eines Chromosomenpaares. Da A und B über 0 dominant sind, läßt sich am Beispiel der Abb. 78 folgendes ablesen:

Heiratet ein Mann, der von beiden Eltern die Anlage für die Blutgruppe A erhalten hat, eine Frau mit der Blutgruppe 0, so gehören alle Kinder der Blutgruppe A an (I in der Abb. 78); A setzt sich gegenüber 0 durch, wie wir das bei der Anlage für die dominante rote Blütenfarbe in Mendels Erbsenversuch kennen. Heiraten zwei Menschen, die mischerbig sind und versteckt die Anlage für Blutgruppe 0 mitführen, so sollten aus dieser Ehe im Durchschnitt 75% zur Blutgruppe A, 25% zur Blutgruppe 0 gehören, entsprechend dem Wahrscheinlichkeitsverhältnis 3:1 in dem erwähnten Mendelschen Grundversuch, und so ist es auch (vgl. II in Abb. 78). Diese Verhältnisse können Klärung bringen, wenn in gegebenem Falle Zweifel bestehen, wer der Vater eines Kindes ist. Haben die Mutter eines A-Kindes und ihr Ehemann beide die Blutgruppe 0 (die bei rund 40% der Menschen verwirklicht ist), so sagt uns die Kenntnis des Erbganges mit Sicherheit, daß der Ehemann *nicht* der Vater dieses Kindes ist. Das Gericht verläßt sich hier auf die Mendelschen Gesetze und spricht sein Urteil danach.

Die Gruppenzugehörigkeit ist auch an kleinen Blutspuren bestimmbar, die etwa ein Mörder hinterlassen hat. Das genügt unter Umständen zum sicheren Nachweis, daß *einer* von zwei Verdächtigen nicht der Täter war, und kann den anderen schwer belasten. Was dem Patienten das Leben rettet, wird dem Verbrecher zum Verhängnis.

6.4. Die Angelegenheit wird verwickelt

Bei der Besprechung der Mendelschen Gesetze haben wir Beispiele gewählt, in welchen sich die Erbfaktoren an einem Farbmerkmal auswirken. Man kennt auch Gene, die das Wachstum des Körpers, die Länge der Ohren, die Kräuselung der Haare, die Anzahl der Finger, die Empfänglichkeit für Krankheiten, die musikalische Begabung und zahllose andere Eigenschaften bedingen. Wollten wir ausmalen, wie sich die ungeheuer vielen Erbanlagen, die in den 46 Chromosomen eines Menschen stecken, bei der Reifeteilung und Befruchtung miteinander kombinieren können, so würde der Leser das Buch sofort zuklappen. Die Sache wird bereits verwickelt, wenn wir das Verhalten von zwei verschiedenen Erbanlagen gleichzeitig verfolgen. Das wollen wir aber machen, weil wir etwas Wichtiges daraus lernen.

Ein schwieriger Kreuzungsversuch

Man kennt zwei Meerschweinchenrassen, von denen die eine ein schwarzes und glatthaariges, die andere ein weißes und strupphaariges Fell besitzt. Wenn man sie miteinander kreuzt, sehen alle Tiere der ersten Bastardgeneration gleich aus; sie sind schwarz und strupphaarig. Daraus ist zu entnehmen, daß die Eigenschaften »schwarz« und »strupphaarig« dominant sind; »weiß« und »glatthaarig« haben sich als rezessiv erwiesen. Das ist einfach und leicht verständlich. Kreuzt man nun diese Tiere unter sich, so bemerkt man in der folgenden Generation ein Aufspalten der Eigenschaften, und prüft man eine genügend zahlreiche Nachkommenschaft, so erhält man durchschnittlich auf neun schwarzhaarige struppige drei schwarzeglatthaarige, drei weiße strupphaarige, ein weißes glatthaariges Meerschweinchen. Das scheint etwas anderes zu sein als die einfache Mendelspaltung, die wir im vorigen Abschnitt kennenlernten. Und doch ist es dieselbe Sache:

Wir betrachten die Haarfarbe und die Beschaffenheit des Felles gesondert. Im Durchschnitt waren beim Aufspalten der Merkmale auf je sechzehn Tiere $9 + 3 = 12$ schwarze und $3 + 1 = 4$ weiße gekommen. Es waren also schwarze und weiße Meerschweinchen im Verhältnis 12 : 4 oder, was dasselbe ist, im Verhältnis 3 : 1 entstanden, wie bei einer einfachen Mendelspaltung, wenn Schwarz dominant ist. Ebenso sind $9 + 3 = 12$ strupphaarige und $3 + 1 = 4$ glatthaarige Meerschweinchen aufgetreten; also auch hier das vertraute Zahlenverhältnis 3 : 1. Es sind sozusagen zwei Kreuzungen ineinandergeschachtelt, die beide *voneinander unabhängig* nach dem von Mendel entdeckten Zahlenverhältnis aufspalten, also beliebig miteinander kombiniert werden können. Dieses Gesetz der freien Kombination der Gene ist das dritte von den Mendelschen Grundgesetzen der Vererbung.

Wir müssen das nun im einzelnen durchdenken und gehen dabei von den Zellkernen der reifen Keimzellen unserer Meerschweinchen aus. Von ihren vielen Chromosomen fassen wir nur zwei ins Auge; die anderen interessieren uns nicht. Eines enthält eine Erbanlage für die schwarze Farbe, einen Schwarzfaktor (schwarzes Quadrat in unserem Schema Abb. 79); bei der weißen Rasse sitzt an der entsprechenden Stelle ein Weißfaktor

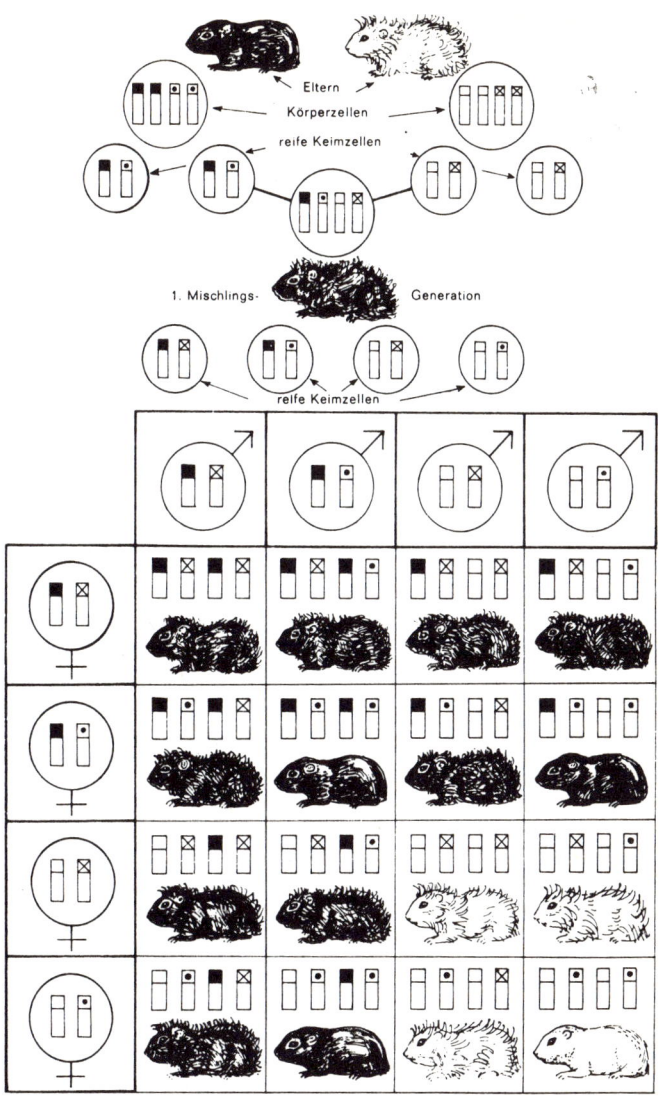

Abb. 79: Kreuzungsversuch an Meerschweinchensippen, die in zwei Merkmalen erblich verschieden sind.

(weißes Quadrat). Die Strupphaarigkeit der weißen Rasse ist durch eine andere Erbanlage bedingt, die in einem zweiten Chromosom steckt; wir wollen sie kurz als Struppfaktor bezeichnen und durch ein Kreuzchen im Chromosomenschema andeuten, während das Gen für Glatthaarigkeit bei der schwarzen Rasse, der Glattfaktor, durch einen Punkt versinnbildlicht sei. Bei der Befruchtung verschmelzen beide Kerne, und alle Tiere der ersten Bastardgeneration müssen in allen ihren Zellkernen den Schwarz- und Weiß-, den Strupp- und Glattfaktor enthalten. Die beiden dominanten Merkmale setzen sich durch und bedingen das einheitliche Aussehen aller Individuen.

Sobald bei diesen die Keimzellen reifen, werden sich die einander entsprechenden väterlichen und mütterlichen Chromosomen zusammenfinden und in der Reifeteilung getrennt werden. Es entstehen also Keimzellen mit dem Schwarz- und mit dem Weißfaktor. Natürlich suchen auch die Chromosomen mit dem Glatt- und Struppfaktor einander auf, um dann getrennt zu werden, so daß jede reife Keimzelle entweder den Glatt- oder den Struppfaktor enthält. Aber etwas Wichtiges dürfen wir dabei nicht übersehen: Wenn die einander entsprechenden Chromosomen sich aufsuchen, haben die Pärchen nichts anderes im Sinn, als zueinanderzukommen. Wie sich die Nachbarpärchen hinstellen, darum kümmern sie sich nicht im geringsten, und kein Festordner sorgt dafür, daß etwa alle väterlichen Chromosomen an die eine und alle mütterlichen an die andere Seite treten. Es bleibt also dem Zufall überlassen, ob sich bei der Reifeteilung die beiden Chromosomenpärchen, die uns hier interessieren, so in der Teilungsspindel einstellen, daß die beiden von der Mutter und vom Vater stammenden Chromosomen jeweils auf derselben Seite liegen (links in Abb. 80) oder so, daß sie entgegengesetzt gelagert sind (rechts). Daraus ergeben sich für die Kombination unserer Gene in den reifen Keimzellen vier Möglichkeiten, von denen jede gleich wahrscheinlich ist und daher, bei genügend großen Zahlen, gleich oft verwirklicht sein wird.

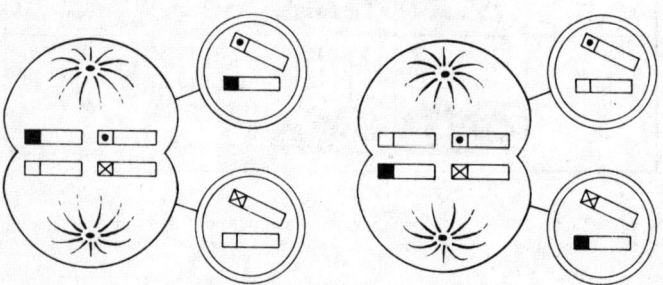

Abb. 80: Wie die viererlei Keimzellen bei der Reifeteilung zustande kommen.

Da für Ei- und Samenzellen dasselbe gilt, können die viererlei Eizellen von viererlei Samenzellen befruchtet werden. Was dabei herauskommt, macht man sich am einfachsten an Hand eines »Kombinationsquadrates« klar (Abb. 79). Links sind die vier Sorten von Eizellen, oben die vier Sorten Samenzellen angedeutet. In jedem Feld findet man das Ergebnis für den Fall, daß sich eine Eizelle der betreffenden waagerechten Reihe mit einer Samenzelle der betreffenden senkrechten Reihe vereinigt hat. Wenn wir überlegen, daß alle Meerschweinchen, die den dominanten Schwarzfaktor enthalten, schwarz aussehen und daß alle mit dem dominanten Struppfaktor struppfhaarig sein müssen, so haben wir, auch zahlenmäßig, die Erklärung für die besondere Art des Aufspaltens in unserem Kreuzungsversuch gefunden.

Und nicht nur in der Theorie! In seltenen, für die Beobachtung besonders günstigen Fällen konnte man die vom Vater und die von der Mutter stammenden Chromosomen an ihrer Gestalt unterscheiden. Da ließ sich im Mikroskop zeigen, daß die Chromosomenpaare bei der Reifeteilung voneinander unabhängig sind und jedes Pärchen sich hinstellt, wie es der Zufall will. Was das geistige Auge schon lange erschaut hatte, war hiermit unmittelbar erwiesen.

Warum wir den Versuch besprochen haben

Bei diesem Kreuzungsversuch sind zwei Dinge von allgemeinem Interesse:

Erstens sehen wir, daß verschiedene Erbanlagen jede für sich und voneinander unabhängig der Mendelschen Spaltungsregel folgen, die wir im vorigen Abschnitt besprochen haben. Das hat schon Mendel selbst bei seinen Erbsenversuchen erkannt. Es gilt dasselbe auch dann, wenn sich die gekreuzten Rassen in mehr als zwei Merkmalen voneinander unterscheiden. Wer ein wenig Geduld hat und mathematischen Betrachtungen nicht feindlich gegenübersteht, kann sich leicht ausrechnen, daß bei drei Paaren von Erbfaktoren von der ersten Bastardgeneration acht Sorten von Keimzellen gebildet werden müssen, was an Stelle unserer sechzehn nun schon vierundsechzig verschiedene Möglichkeiten für die Kombination der Gene bei der Befruchtung gibt. Wenn die gekreuzten Individuen in zehn Merkmalspaaren verschieden sind, entstehen unter den gleichen Voraussetzungen 1024 Sorten von Keimzellen mit über einer Million Kombinationsmöglichkeiten bei der Befruchtung.

Es ist aber klar, daß das seine Grenzen hat. Denn die Zahl der Chromosomen ist beschränkt und in manchen Fällen sogar sehr gering. Bei einer Taufliege, die in der reifen Keimzelle nur vier Chromosomen hat, können nicht zehn Erbfaktoren voneinander unabhängig, jeder in einem anderen Chromosom, beliebig auseinanderfahren. Tatsächlich gilt die besprochene Gesetzmäßigkeit nur für Gene, die in verschiedenen Chromosomen stecken. Die zahlreichen Erbfaktoren, die jeweils in ein und demselben Chromosom enthalten sind, bleiben bei der Reifeteilung aneinander gebunden wie Reisende, die den gleichen Wagen benützen; sie werden »gekoppelt vererbt« – es sei denn, daß sie aussteigen und in ein anderes Chromosom umsteigen. Auch das kommt vor, und zwar recht häufig: Bei der beschriebenen Reifeteilung (S. 277) »paaren« sich die homologen Chromosomen regelmäßig in der Weise, daß sie sich eng aneinanderlegen und oft sogar umschlingen, was zur Folge hat, daß dann die Chromosomen an der Überkreuzungsstelle abbrechen und mit dem verbliebenen Stück des Partnerchromosoms verschmelzen. *Crossing over* hat man diesen wichtigen Vorgang genannt. Man weiß heute, daß gerade durch dieses Crossing over eine ungeheure Steigerung von Neukombinationen der Erbanlagen möglich wird. Man konnte sogar aufgrund der Häufigkeit dieser Neukombination durch Crossing over sogenannte »Chromosomenkarten« aufstellen, in denen die einzelnen Erbanlagen der Reihe nach im Chromosom eingesetzt werden. Je weiter nämlich zwei Erbanlagen im Chromosom voneinander entfernt sind, um so häufiger wird ein Austausch bei der Paarung in der Reifeteilung erfolgen. Um dies statistisch abzusichern, braucht man natürlich ein sehr hohes Zahlenmaterial. Morgan hat bei der Taufliege nach Millionen von Kreuzungen verschiedener Rassen solche Chromosomenkarten aufstellen können.

Das *zweite* Ergebnis von allgemeiner Bedeutung ist, daß in der Nachzucht unseres Bastardierungsversuches Meerschweinchen auftreten, die anders aussehen als die Ausgangsrassen. Die schwarzen rauhhaarigen und die weißen glatthaarigen Tiere sind Neuerscheinungen, die erst durch die Bastardierung der zwei Rassen entstanden sind. Hiermit kommen wir zu einem Verständnis für die schon einmal erwähnte Tatsache, daß durch die Verschmelzung von Keimzellen, die in ihren Erbanlagen etwas voneinander abweichen, die Variabilität gesteigert wird.

Schon lange, bevor man von Chromosomen eine Ahnung hatte, war den Tier- und Pflanzenzüchtern diese Erfahrung geläufig. Sie haben, freilich ohne tieferes Verständnis und darum auch vielfach in unzweckmäßiger Weise, durch Einkreuzungen von abweichenden Rassen eine große Zahl neuer Eigenschaftskombinationen geschaffen und die für ihre Wünsche passendsten zur Weiterzucht verwendet. Im größten Maßstabe verfährt so die Natur selbst, wenn sie im Tier- und Pflanzenreich durch mannigfache Einrichtungen die Kreuzbefruchtung sichert und so durch immer neue Kombination von Anlagen die Fülle kleiner Abweichungen schafft, aus der der unerbittliche Daseinskampf seine Auswahl trifft. Darin liegt ja zum guten Teil die biologische Bedeutung der zweigeschlechtlichen Fortpflanzung.

Der Geltungsbereich der Vererbungsgesetze

Sind die Mendelschen Gesetze, die an Blütenpflanzen und Meerschweinchen gefunden und auch für den Menschen bestätigt wurden, von genereller Bedeutung?

Die Antwort, welche die Vererbungsforschung auf Grund von langwierigen, mühevollen und scharfsinnigen Versuchen auf diese Frage gibt, ist die, daß fast für alle bisher geprüften erblichen Eigenschaften bei Pflanzen, Tieren und beim Menschen die von Mendel entdeckten Gesetzmäßigkeiten gelten, nur daß sie aus verschiedenen Gründen oft verschleiert sind und selten so klar zutage liegen wie in unseren Beispielen.

Ein Umstand, der häufig zu einer Verschleierung führt, ist es, wenn die Ausbildung *eines* Merkmals durch *zwei* in verschiedenen Chromosomen steckende Gene bewirkt wird. Es könnte z. B. die schwarze Fellfarbe einer Sippe durch zwei Schwarzfaktoren verursacht sein, und wir nehmen an, daß jede von diesen beiden Anlagen allein auch schon genügt, um eine schwarze Pigmentierung hervorzurufen. Bei einer weißen Sippe hätten wir an Stelle dieser beiden Erbanlagen zwei Weißfaktoren. Eine Kreuzung der Sippen würde in der ersten Bastardgeneration nur schwarze, in der zweiten Bastardgeneration durchschnittlich auf fünfzehn schwarze ein weißes Tier ergeben, also ein ganz unerwartetes Zahlenverhältnis, das wir aber sofort verstehen, wenn wir uns in dem Kombinationsquadrat auf S. 285 an Stelle des Glatt- und Struppfaktors einen zweiten Schwarz- und Weißfaktor denken. Unter den sechzehn Kombinationsmöglichkeiten sind dann nur einmal (in der Ecke rechts unten) die Bedingungen für weiße Haarfarbe gegeben, da in allen fünfzehn anderen Fällen die Anlage für schwarze Haarfarbe, wenn nicht mehrfach, so einmal vorhanden ist.

Es kann auch so sein, daß nicht jeder Schwarzfaktor für sich ein tiefschwarzes Fell verursacht, sondern daß sich diese Erbanlagen in ihrer Wirkung summieren. Daraus ergeben sich mannigfache Möglichkeiten, für welche die Züchtungsversuche der Vererbungsforscher viele Beispiele gebracht haben.

In der Regel pflegen bei der Ausbildung eines Merkmales nicht nur ein oder zwei, sondern sogar sehr viele Erbanlagen irgendwie beteiligt zu sein. Das wird aber nicht offenkundig, solange die Genpaare jeweils dieselbe Wirkung haben. Nur wo sie sich in ihrer Wirkung unterscheiden, kann der Kreuzungsversuch ihren Anteil am Erscheinen eines Merkmales aufklären.

So wie sich viele Gene in die Hände arbeiten können, um eine Eigenschaft hervorzubringen, so kann andererseits auch ein Erbfaktor auf die Gestaltung verschiedener Merkmale Einfluß nehmen. Dieses Zusammenspiel der Teile aufzuklären, ist reizvoll, aber schwierig.

Wir wollen uns in diese Dinge nicht weiter vertiefen, sondern nur noch an einem Beispiel zeigen, wie schon in ganz einfachen Fällen die Mendel-

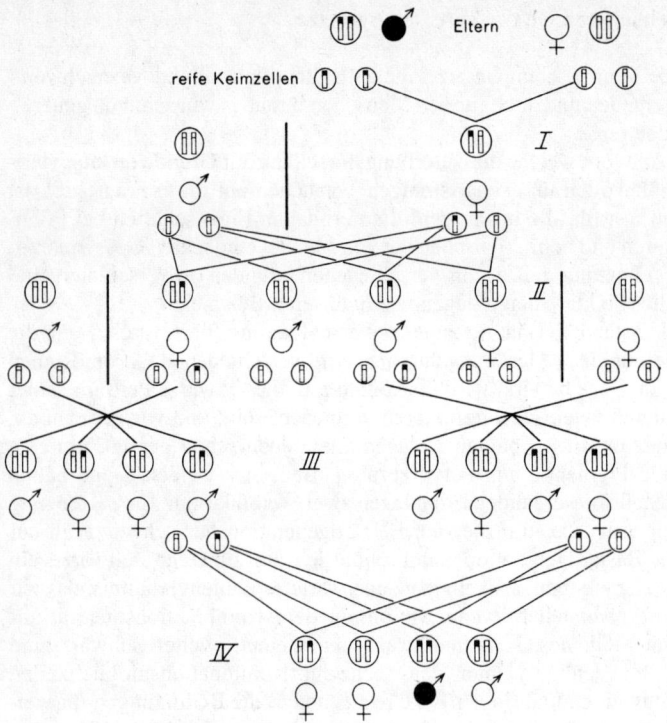

Abb. 81: Erbgang einer Form von Schwachsinn.

schen Gesetze durch viele Generationen verborgen bleiben können; es braucht nur eine Eigenschaft vorzuliegen, die selten auftritt und rezessiv vererbt wird.

Das gilt z.B. für eine bestimmte Form von Schwachsinn, die dadurch hervorgerufen wird, daß im Blut ein gewisser Stoff (die Aminosäure Phenylalanin) im Überschuß vorhanden ist. Ursache für diese Stoffwechselstörung ist ein Paar krankhafter Erbanlagen. Solange eine der beiden Anlagen normal ist, bleibt der betreffende Mensch gesund. Wir verfolgen diesen rezessiven Erbgang in Abb. 81.

Für männliche und weibliche Personen gebrauchen wir die üblichen, aus dem Altertum stammenden Zeichen, die Sinnbilder für Schild und Speer des Kriegsgottes ♂ und den Spiegel der Liebesgöttin mit seinem Handgriff ♀. Ein kranker Mann (schwarzes Zeichen) heiratet eine gesunde Frau (weißes Zeichen, Abb. 81 oben). Die Krankheit beruht auf einem veränderten Erbfaktor. Alle Kinder (I in der Abb. 81) werden mischerbig sein; sie haben von der Mutter die gesunde, vom Vater die krankhafte Anlage und werden alle gesund erscheinen. Bei der Ausbildung ihrer Keimzellen entstehen zu gleichen Teilen solche mit der gesunden und solche mit der krankhaften Anlage. Wenn die Kinder sich mit Gesunden verheiraten, was ja bei der Seltenheit der Krankheit die Regel sein wird, so bestehen bei der Befruchtung zwei Möglichkeiten: Die Keimzelle des gesunden Partners (I links) kann sich vereinigen mit einer Keimzelle, welche die gesunde, oder mit einer solchen, welche die krankhafte Anlage enthält. In beiden Fällen werden die Nachkommen (II) gesund erscheinen. So kann es durch lange Generationen fortgehen, und vielleicht denkt niemand mehr an die Krankheit, die früher in der Familie geherrscht hat. Wenn aber eine Ehe zwischen zwei Partnern geschlossen wird, die beide im verborgenen die gefährliche Anlage weiterschleppen (III), wird durchschnittlich ein Viertel ihrer Kinder von beiden Seiten her den krankhaften Erbfaktor erhalten (IV), und dann kommt das Leiden zum Ausbruch.

Die Wahrscheinlichkeit für ein solches Ereignis ist natürlich groß, wenn die Nachkommen der Familie, in der die Krankheit zu Hause war, untereinander heiraten (III, IV). Denn ein Teil von ihnen trägt ja, äußerlich unsichtbar, den Keim des Unheils in sich. Darin liegt eine gewisse Gefahr der Verwandtenehe. Denn es gibt beim Menschen auch andere krankhafte Anlagen, die rezessiv vererbt werden, und manches heimliche Übel ist schon auf diese Weise unerwünscht wieder an den Tag gekommen.

6.5. Was man von Zwillingen lernen kann

Eineiige und zweieiige Zwillinge

Es gibt zwei Sorten von Zwillingen: solche, die durch ihre ungewöhnliche Ähnlichkeit auffallen, und solche, bei denen das nicht zutrifft. Jene hat man schon lange für etwas Besonderes gehalten und »identische Zwillinge« genannt. Seit man weiß, wie sie zustande kommen, heißen sie auch »eineiige Zwillinge«. Sie stammen nämlich von einer einzigen Eizelle, die nach der Befruchtung infolge einer Entwicklungsstörung nicht ein Individuum, sondern *zwei* aus sich hervorgehen ließ, so wie das eingeschnürte Molchei in Spemanns Versuch (vgl. S. 249). »Zweieiige Zwillinge« entstehen dagegen, wenn ausnahmsweise zwei Eizellen gleichzeitig die Reise nach dem Fruchtbehälter antreten und beide befruchtet werden. In diesem Falle gibt es also zwei Kinder, die von verschiedenen Keimzellen derselben Eltern stammen wie andere Geschwister auch, und sie gleichen einander nicht mehr und nicht weniger, als es sonst unter Geschwistern üblich ist. Die eineiigen Zwillinge aber haben, da sie aus *einer* befruchteten Eizelle hervorgegangen sind, identische Erbanlagen. Und das ist offenkundig die Ursache dafür, daß sie sich »zum Verwechseln« ähnlich sehen.

Es geht so weit, daß schon manche Zwillingsschwestern eine blaue und eine rote Schleife getragen haben, weil sie sonst selbst für den scharfen Blick des Mutterauges nicht ohne weiteres zu unterscheiden waren. Tatsächlich erstreckt sich die Ähnlichkeit noch auf Einzelheiten, in denen sich nicht zwei Menschen auf Erden gleichen, wenn sie eben nicht zufällig eineiige Zwillinge sind. Die hohe Gerichtsbarkeit, die einen Einbrecher überführen will, ist glücklich, wenn sie vom Tatort einen Fingerabdruck beibringen kann, der mit einem Fingerabdruck des Verdächtigen übereinstimmt. Der Verlauf des Linienmusters, das wir an den Fingern sehen, ist bei jedem unserer Mitmenschen ein klein wenig anders. Das ist so sicher, daß das Gericht eine völlige Übereinstimmung des Fingerabdruckes als schwerwiegenden Beweis für die Identität der Person anerkennt. Nur eineiige Zwillinge können sich sogar im Linienmuster der Finger zum Erstaunen ähnlich sein.

Die Übereinstimmung bleibt nicht aufs Äußere beschränkt. Es ist ja zum Beispiel auch erblich festgelegt, welcher Blutgruppe ein Mensch angehört. Das hat uns die Zwillingsforschung verraten. Denn als man die Blutgruppen entdeckt hatte und ihrer Verbreitung nachging, fand man bei eineiigen Zwillingen ausnahmslos die gleiche Blutgruppe, während zweieiige Zwillinge ebenso oft wie andere Geschwister verschiedene Blutgruppen besitzen. Nur das identische Erbgut der eineiigen Zwillinge macht das verständlich. Dieses wirkt sich selbst im Geistigen aus. Sie pflegen dieselben Neigungen und Wünsche zu haben, und es zieht sie zum gleichen Beruf. Zwei Brüder wurden Kapellmeister in derselben Stadt, und wenn bei einer Opernaufführung der eine durch den anderen vertreten wurde, merkten weder die Zuschauer noch die Spieler, daß diesmal nicht der gewohnte Dirigent am Pult stand. Nicht nur waren sie gleich begabt, sie hatten auch dieselbe musikalische Auffassung und bei der Führung des Orchesters die gleichen Ausdrucksbewegungen, die sonst bei den Dirigenten so mannigfach verschieden sind.

Und wie es beide zu hohen Zielen führt, so kann das gemeinsame Erbe auch zum drohenden Verhängnis werden. Wenn von zwei identischen Zwillingen der eine schwachsinnig ist, wenn er sich zum Betrüger oder gewalttätigen Verbrecher entwickelt, wenn er an Lippenkrebs oder Lungentuberkulose erkrankt, so tritt erschreckend oft beim anderen dasselbe ein. Es ist eine erschütternde Erkenntnis, wie weit die Leiden und Freuden, der Segen und das Unheil eines menschlichen Daseins schon im Erbgut der mikroskopisch kleinen Keimzellen vorausbestimmt sind.

Der Einfluß der Umwelt

Nicht *alles* ist durch die Gene unabänderlich festgelegt. Es bleibt nicht gleichgültig, unter welchen Umweltbedingungen die gestaltenden Kräfte des Erbgutes zur Geltung kommen. Die Frage nach dem Machtverhältnis zwischen Erbanlagen und Umwelteinflüssen war es, der zuliebe sich die Vererbungswissenschaft mit steigendem Interesse der Zwillingsforschung zugewendet hat. Ein genaues Studium deckt doch auch bei eineiigen Zwillingen, trotz ihrer identischen Erbanlagen, mancherlei Verschiedenheiten auf, die nur durch die Umwelteinflüsse bewirkt sein können. Sie würden wohl noch häufiger sein und stärker hervortreten, wenn nicht die äußeren Bedingungen bei Zwillingsgeschwistern in der Regel sehr ähnlich wären.

Es ließe sich ein besserer Einblick gewinnen, wenn man mit den Menschen nach Belieben Versuche machen könnte. Man müßte etwa das eine Kind behaglich unterbringen, ordentlich ernähren und ihm alle Wohltaten der Bildung und Erziehung zukommen lassen, während man das Zwillingskind darben läßt und möglichst schlecht beeinflußt. Es wäre interessant, was bei ihren gemeinsamen Erbanlagen in der verschiedenen Umwelt aus beiden würde. Doch das widerspricht allen Regeln der Menschlichkeit, und so bleibt die Wissenschaft auf die spärlichen Gelegenheitsbeobachtungen angewiesen.

Bei Pflanzen und Tieren allerdings hat man derartige Versuche vielfach gemacht. Durch züchterische Maßnahmen lassen sich Hunderte von Bohnensamen erhalten, die in ihren Erbanlagen untereinander ebenso übereinstimmen wie eineiige Zwillinge. Pflanzt man sie in zwei verschiedenen Beeten aus, von denen eines guten Boden, helles Licht und reichliche Feuchtigkeit hat, während im anderen ungünstige Bedingungen herrschen, so entstehen trotz der gleichen Erbanlagen in einem Falle kräftige, im anderen kümmerliche Gewächse.

Ein ähnliches Beispiel aus dem Tierreich zeigen zwei Wurfgeschwister einer sonst sehr einheitlichen Schweinerasse, von denen eines kräftig, das andere notdürftig ernährt war. Hier haben die äußeren Umstände ganz Verschiedenes aus beiden Tieren gemacht, obwohl ihr Wachstum und ihr Fettansatz Merkmale sind, die durch Erbanlagen bestimmt werden. Nur sind eben Eigenschaften durch die Erbfaktoren nicht so eindeutig festgelegt wie die Form und Größe einer Kirchenglocke durch ihre Gußform.

Man spricht hier treffend von »Reaktionsnorm«. Damit ist gemeint, daß die in den Chromosomen gespeicherte Information lediglich Rahmenbedingungen setzt, die immer noch verschiedenartige Reaktionsmöglichkeiten zulassen. Anders ausgedrückt: Die Erbanlagen bedeuten Entwicklungsmöglichkeiten und Fähigkeiten, die ihre obere und untere Grenze haben. Innerhalb dieser Grenzen können sich die Umweltbedingungen verändernd geltend machen, bei den Eigenschaften der Pflanzen und der Tiere wie bei denen des Menschen. Jede Persönlichkeit wird in allen ihren Zügen gemeinsam zurechtgemodelt durch die wirkenden Erbanlagen und durch den formenden Einfluß der Umgebung. So gewaltig die Macht der Vererbung ist, sie läßt der Außenwelt doch Spielraum, zu hemmen, zu feilen und zu bessern, nicht nur am Wuchs und an der äußeren Form, sondern an jeglicher Eigenschaft, auch an Geist und Charakter.

6.6. Bub oder Mädel?

Eineiige Zwillinge gleichen sich nicht nur in äußerlichen Zügen und in ihrem Wesen; sie haben auch immer dasselbe Geschlecht, beide männlich oder beide weiblich. Zweieiige Zwillinge können dagegen, ebensogut wie beliebige andere Geschwister, von verschiedenem Geschlecht sein. Wir wissen, daß die identischen Zwillinge übereinstimmende Erbanlagen haben und daß diese in den Chromosomen der Zellkerne gelegen sind. Sollte etwa auch das Geschlecht durch die Chromosomen bestimmt werden?

Ein Würmchen als Kronzeuge für einen fundamentalen Vorgang

Für die Aufklärung dieser Fragen sind, wie für so viele Probleme der Biologie, Untersuchungen an niederen Tieren, an Wanzen und kleinen Würmern von entscheidender Bedeutung gewesen. So hat zum Beispiel ein unscheinbares Schmarotzerwürmchen mit dem prunkvollen Namen *Ancyracanthus cystidicola* die Wissenschaft durch die Tatsache überrascht, daß das Weibchen in allen Kernen seiner Körperzellen zwölf, das Männchen aber nur elf Chromosomen hat.

In der reifenden Eizelle (linke Seite der Abb. 82) bilden sich sechs Chromosomenpärchen, die in der Reifeteilung getrennt werden, so daß jedes fertige Ei sechs Kernfäden besitzt.

Bei den reifenden Samenzellen (rechte Seite der Abb.) findet das elfte Chromosom keinen Partner; es steht einsam in der Spindelmitte, und wenn die Pärchen nach vorgeschriebenem Brauch auseinanderweichen, schlägt es sich auf diese oder jene Seite. So entstehen zweierlei Samenzellen, solche mit sechs und solche mit fünf Chromosomen, und zwar von der einen Sorte genauso viele wie von der anderen.

Der Eikern hat stets sechs Chromosomen. Vereinigt sich eine Samenzelle, die sechs Chromosomen besitzt, mit einer Eizelle, so sind nach der Befruchtung 6 + 6 = 12 Chromosomen vorhanden (links unten in der Abb.). Da sich alle Körperzellen vom befruchteten Eikern ableiten, haben auch sie sämtlich zwölf Chromosomen. Wir wissen aber schon, daß dies ein kennzeichnendes Merkmal für das *Weibchen* des Wurms ist! Wird ein Ei von einer Samenzelle mit fünf Kernschleifen befruchtet (rechts unten), so gibt das 6 + 5 = 11 Chromosomen, also ein *männliches Tier!*

Man hat das unpaare Chromosom im Zellkern der Männchen das X-Chromosom genannt, weil man es zunächst nicht zu deuten wußte – so wie die Mathematiker mit diesem Buchstaben eine unbekannte Größe bezeichnen. Im Zellkern der Weibchen ist dieser Kernfaden paarig. Wir können also die sonderbare Angelegenheit auch so ausdrücken: in den Zellkernendes Ancyracanthus gibt es Chromosomen, die für die Geschlechtsbestimmung entscheidend sind, die X-Chromosomen (»Geschlechtschromosomen«. In Abb. 82 schwarz). Die Weibchen haben in jedem Kern zwei X-Chromosomen, die Männchen nur eines. Bei der Reifeteilung entstehen zweierlei Samenzellen, solche mit und solche ohne X-Chromosomen, während alle reifen Eier ein X-Chromosom besitzen. Die Entscheidung über das Geschlecht fällt in dem Augenblick der Befruchtung und hängt davon ab, ob eine »weibchenbestimmende« oder eine »männchenbestimmende« Samenzelle in das Ei eindringt. Da beide Sorten in gleicher Anzahl gebildet werden, besteht für beide Möglichkeiten

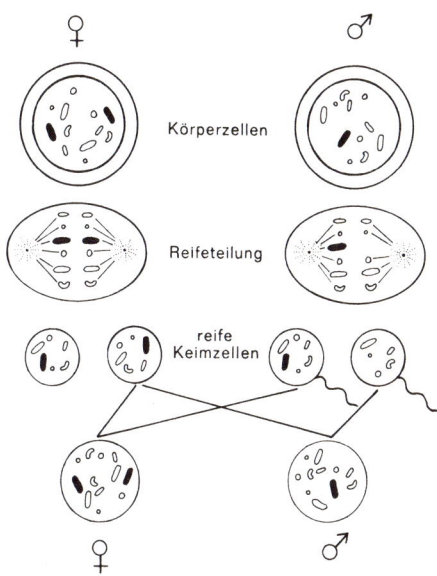

Abb. 82: Geschlechtsbestimmung durch die Chromosomen beim Würmchen Ancyracanthus.

dieselbe Wahrscheinlichkeit; es werden also durchschnittlich ebenso viele Weibchen wie Männchen entstehen.

X und Y

Der findige Leser wird nun gleich die Frage stellen, ob etwa die Geschlechtsbestimmung ganz allgemein von der Art ist wie bei unserem Würmchen und ob etwa die weitverbreitete Erscheinung, daß beide Geschlechter in angenähert gleichem Zahlenverhältnis auftreten, dadurch eine einfache und einheitliche Erklärung findet.

Daß dies wirklich für die meisten Tiere und für sehr viele Pflanzen zutrifft, war eine aufsehenerregende Entdeckung der Vererbungsforschung. In den Einzelheiten bestehen allerdings manche Abweichungen. Die häufigste ist, daß auch das Männchen zwei Geschlechtschromosomen hat, die sich aber in ihrer Bedeutung und äußerlich schon durch ihre Größe, oft auch durch ihre Gestalt voneinander unterscheiden. Man nennt sie das X- und das Y-Chromosom. Dann hat also das Weibchen in den Zellkernen

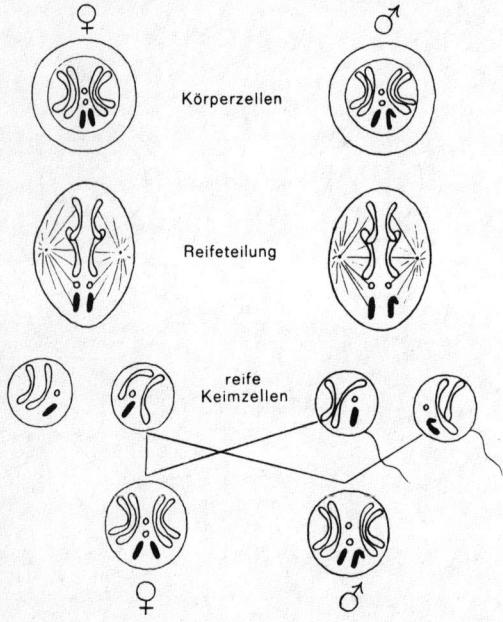

Abb. 83: Geschlechtsbestimmung durch die Chromosomen bei der Taufliege; schwarz: die Geschlechtschromosomen.

zwei X-Chromosomen, das Männchen ein X- und ein Y-Chromosom (Abb. 83). Alle reifen Eizellen besitzen ein X-Chromosom (linke Seite der Abb); das Männchen bildet zweierlei Samenzellen, solche mit dem X- und solche mit dem Y-Chromosom (rechte Seite). Bei Befruchtung durch die ersteren entstehen XX-Kerne, also Weibchen, bei Befruchtung durch die letzteren XY-Kerne, also Männchen. Diese Art der Geschlechtsbestimmung ist auch für den Menschen erwiesen; nur sind hier die Verhältnisse wegen der Kleinheit der Chromosomen und ihrer großen Zahl nicht so deutlich wie bei der Taufliege und vielen anderen Tieren, so daß sie nur durch sorgfältige Untersuchungen mit vieler Mühe geklärt werden konnten.

Nach dieser Einsicht wäre zu erwarten, daß durchschnittlich genau gleich viele Knaben wie Mädchen geboren werden. In Wirklichkeit sind beim Menschen die Knabengeburten etwas in der Überzahl, und bei manchen Tieren kann die Abweichung vom erwarteten Zahlenverhältnis sogar recht beträchtlich sein. Die Erklärung liegt meistens entweder in einer ungleich großen Sterblichkeit der Keimlinge beiderlei Geschlechts auf frühen Stadien ihrer Entwicklung oder darin, daß von den zweierlei Samenzellen die eine Sorte durch größere Hinfälligkeit oder andere Umstände, zum Beispiel durch etwas geringere Beweglichkeit, bei der Befruchtung im Nachteil ist. Wenn die männchenbestimmenden Samenzellen die flinkeren sind, dann kommen sie durchschnittlich früher ans Ziel, und es entstehen mehr Männchen als Weibchen.

Ein Weibchen macht Männchen

Von der allgemeinen Regel, daß die Entscheidung über das Geschlecht des werdenden Wesens in dem Augenblick fällt, da die Eizelle befruchtet wird, gibt es aber doch sehr bemerkenswerte Ausnahmen. So lebt an den Küsten des Mittelmeeres, unter Steinen verborgen, ein eigenartiger grüner Wurm, *Bonellia*, mit eiförmigem Körper und einem ungeheuer langen, fadendünnen Hals, der in zwei bewimperten Mundlappen endet. Mit diesen strudelt er die Nahrung herbei. Mißt man den Hals mit, so ergibt sich eine Körperlänge von etwa einem halben Meter. Doch nur die Weibchen sind stattliche Erscheinungen. Die Männchen haben einen abweichenden Bau, bleiben winzig klein und führen ein Schmarotzerdasein in den Geschlechtswegen der Weibchen.

Aus den befruchteten Eiern entstehen Larven, die im Wasser umherschwimmen und alsbald auf die Suche nach einem Weibchen gehen. Wenn sie eines finden, lassen sie sich auf seinem Rüssel nieder und bleiben da mehrere Tage als Außenschmarotzer sitzen. Solche Tiere werden zu Männchen. Finden sie jedoch kein Weibchen, so entwickeln sie sich selbst zu Weibchen. Haben sie sich an einem weiblichen Tier festgesetzt und entfernt man sie gewaltsam von dort, bevor die übliche Zeit herum ist, so werden aus ihnen Zwitter. Die Larven nehmen aus dem Rüssel, an dem sie sich niederlassen, Stoffe auf, die ihre weibliche Entwicklungsrichtung allmählich in eine männliche umändern.

Das scheint nun etwas ganz anderes zu sein als die Form der Geschlechtsbestimmung, die wir zuerst kennengelernt haben. Und doch ist beides nicht so unvereinbar, wie es auf den ersten Blick erscheint. Wir dürfen nur die Bedeutung der Geschlechtschromosomen nicht mißverstehen. Jedes Tier trägt die Anlagen für Männlichkeit und Weiblichkeit in sich. Was durch die männchen- und weibchenbestimmenden Samenzellen bewirkt wird, ist die *Entfaltung* der einen oder der anderen Anlage. Das schließt nicht aus, daß sich während der Entwicklung noch andere Einflüsse geltend machen und unter Umständen gerade jene Anlagen zur Entfaltung bringen, die durch die Geschlechtschromosomen unterdrückt werden sollten. So ist eine nachträgliche Umstimmung des Geschlechtes denkbar und bei manchen Tieren gar nicht selten zu beobachten.

Die sekundären Geschlechtsmerkmale

Wenn wir von der Geschlechtsbestimmung gesprochen haben, so war damit in erster Linie die Entscheidung über die Art der Keimdrüsen gemeint. Ein Tier mit männlichen Keimdrüsen ist ein Männchen, ein Tier mit Eierstöcken ist ein Weibchen. Die Geschlechtsunterschiede, die uns äußerlich auffallen, betreffen aber andere Eigenschaften, die mit der Erzeugung der Keimzellen unmittelbar nichts zu tun haben. Ein Mann unterscheidet sich von einer Frau durch den Bartwuchs, durch seine tiefe Stimme, seine kräftigere Gestalt, so wie der männliche Hirsch am Geweih oder wie der Hahn an seinem Kamm, dem Gefieder, dem Krähen und an der stolzen Haltung leicht zu erkennen ist.

Die Entwicklung dieser »sekundären Geschlechtsmerkmale« wird, wenigstens beim Menschen und allgemein bei den Wirbeltieren, nicht unmittelbar durch die Geschlechtschromosomen bestimmt. Durch diese wird nur festgelegt, ob eine männliche oder weibliche Keimdrüse entstehen soll. Die Keimdrüse ihrerseits bewirkt durch Absonderung von Botenstoffen (Hormonen, S. 161) die Ausprägung der übrigen Geschlechtsmerkmale.

Dieser Zusammenhang ist zuerst durch Versuche an Ratten und Meerschweinchen überzeugend nachgewiesen worden. Steinach hat (um 1910) bei männlichen Tieren die Hoden entfernt und ihnen Eierstöcke eingepflanzt. Wenn diese einheilen, entwickeln die Meerschweinchen das geschmeidige Fell und den zarten Knochenbau der Weibchen; ihre Milchdrüsen wachsen und beginnen Milch abzusondern. Ja, die mütterlichen Instinkteerwachen, und sie säugen Junge, obwohl sie doch von Haus aus

Männchen sind. Umgekehrt bekommt das Weibchen nach Entfernung der Eierstöcke und Einpflanzung männlicher Keimdrüsen den massiven Knochenbau und das struppigere Fell des stärkeren Geschlechts. Es erwachen in ihm Triebe, die ihm bis dahin völlig fremd waren; es läuft den anderen Weibchen nach und benimmt sich ihnen gegenüber wie ein liebendes Männchen.

Diese Umkehr der körperlichen Merkmale und der inneren Triebe ist ein besonders deutlicher Beweis für die Macht der Keimdrüsen-Hormone. Doch hat auch schon die einfache Entfernung der Keimdrüsen, ohne Einpflanzung von solchen des anderen Geschlechts, bei den Wirbeltieren ganz auffallende Folgen. Die Geschlechtsmerkmale gehen mehr oder weniger zurück, oder sie kommen, wenn der Eingriff in früher Jugend vorgenommen wird, gar nicht zur Ausbildung. Das hat man schon lange erkannt und zieht seinen wirtschaftlichen Vorteil daraus, daß ein kastriertes Hähnchen seinen Stolz und die männliche Streitlust verliert und zum fetten Kapaun wird oder daß sich ein trotziger Stier zum gefügigen, arbeitswilligen Ochsen wandelt. Der Herr der Erde scheut sich ja nie, zutiefst in das Getriebe der Natur einzugreifen, wo es seinem Nutzen dienlich ist.

6.7. Vom Wesen der Erbanlagen

Wir haben nun immer wieder von den Erbanlagen gesprochen, die zur Ausbildung der Gestalt mit allen körperlichen und geistigen Merkmalen eines Lebewesens führen. Wir wissen, daß sie in den Chromosomen sitzen und daß sie da in langer Reihe linear angeordnet sind, aufeinanderfolgend wie die Perlen einer Kette. Riesenchromosomen machten sogar durch ihre Querscheibchen diese Reihenfolge in groben Zügen für unsere Augen erkennbar. Nun wüßten wir gerne, wie es möglich ist, daß in die mikroskopisch kleinen Chromosomen im Zellkern einer Eizelle all die Anweisungen für das Protoplasma hineingepackt sind, die aus ihm je nach seiner Herkunft einen Molch, ein Huhn oder einen Menschen entstehen lassen. Nur äußerst verwickelte Strukturen können, auf so kleinem Raum zusammengedrängt, die Fülle der »Informationen« für den werdenden Organismus in sich bergen. Und da die Eiweißstoffe von allen chemischen Verbindungen die kompliziertesten sind, dachte man bis vor wenigen Jahrzehnten, daß Eiweißverbindungen die Träger der Erbanlagen wären.

Man hat sich natürlich für den chemischen Aufbau des Zellkerns schon lange interessiert. Die Analyse gewisser tierischer Zellen, die extrem arm an Protoplasma sind und fast nur aus Kernsubstanz bestehen (z. B. Samenzellen), führte bereits im Jahre 1869 zur Entdeckung einer phosphorhaltigen Säure, die – weil sie einen wesentlichen Bestandteil des Zellkernes bildet – den Namen Kernsäure oder Nukleinsäure (lat. *nucleus* = Kern) erhielt.Niemand konnte damals voraussehen, daß man in diesen verhältnismäßig einfach gebauten chemischen Verbindungen rund achtzig Jahre später den Schlüssel für einen tieferen Einblick in das Geheimnis der Vererbung entdecken sollte.

Diesen Schlüssel fand 1953 ein amerikanisch-englisches Forscherpaar: Es gelang den Professoren Watson und Crick, die Nukleinsäure, die den wichtigsten Bestandteil der Chromosomen bildet, in ihrem Feinbau aufzuklären. Sie erhielten dafür den Nobelpreis, mit Recht. Denn was sie erkannt hatten, war die Struktur der Erbsubstanz.

Der Erbcode

Bevor wir versuchen, uns diese Struktur anschaulich zu machen, soll uns ein bildhafter Vergleich das Verständnis des Weiteren erleichtern. Im Erbgeschehen wird das Rezept für dieselben Entwicklungsvorgänge von Generation zu Generation getreulich überliefert. Eine alte Tradition wird weitergegeben. Die Erbanlagen im Zellkern tragen die nötigen Informationen in sich. Denken wir an die Tradition in den menschlichen Kulturen, so wird diese getragen durch die Symbole der Sprache und Schrift. Mit den 26 Buchstaben unseres Alphabets läßt sich alles Wissen, das die Menschheit bisher aufgespeichert hat, von einem zum anderen und von Generation zu Generation übermitteln. Man muß nur den Code kennen, den Schlüssel für die Bedeutung der Zeichen und ihrer Reihenfolge, um die Schrift zu entziffern. Für einen solchen Vorgang sind nicht gerade 26 Zeichen nötig. Die Bilderschrift der alten Ägypter gebrauchte viel mehr, andererseits verwendet das Morsealphabet der Telegrafie viel weniger, nur die drei Zeichen Punkt, Strich und Pause, durch deren Wahl und Reihenfolge jeder Buchstabe, und hiermit jedes Wort und jeder Sinn, eindeutig wiedergegeben werden kann.

Die Menschen benutzen das Morsealphabet mit seinen drei Zeichen seit nicht viel mehr als hundert Jahren. Wohl schon seit Jahrmillionen gebraucht die Natur im Erbgeschehen einen ähnlich einfachen Code mit *vier* verschiedenen Zeichen. Da sitzt nun freilich kein Telegrafenbeamter, um die Symbole zu entziffern. Das geschieht über chemische Reaktionen, deren eine die andere in geordneter Folge auslöst. Sie werden durch die Reihenfolge der Zeichen gesteuert.

Abb. 84: Aus einem Bakteriophagen (einem Viruskörperchen) wurde das in der kopfartigen Verdickung enthaltene DNS-Molekül künstlich zum Austreten gebracht. Es wird so als ein einziges, langes Fadenmolekül sichtbar. Man erkennt deutlich die beiden Enden des Fadens. Nach einer elektronenmikroskopischen Aufnahme, Vergrößerung etwa 30 000fach.

DNS

Betrachten wir nun den Bau jener Kernsäure, die man als die Trägerin der Erbmasse in den Chromosomen ansieht. Es ist die Desoxyribonukleinsäure – ein langes Wort, für das man durch Herausgreifen dreier Buchstaben die abgekürzte Bezeichnung DNS gewählt hat. Ein DNS-Molekül hat die Gestalt eines Fadens. Es ist ein winziger Faden. Aber für seine mikroskopischen Dimensionen hat er eine geradezu ungeheuerliche Länge. Wir sehen einen solchen in Abb. 84 und auf Tafel 15 unten. Einst war man überrascht und dankbar, daß die Riesenchromosomen durch ihre Querscheiben den Wohnsitz der Erbanlagen in den Chromosomen für unsere Augen erkennbar machen. Heute macht uns das Elektronenmikroskop an besonders günstigen Objekten in Gestalt jener langen Fadenmoleküle sogar die Träger der Erbanlagen selbst sichtbar. Man nimmt an, daß jedes Gen einem bestimmten Abschnitt des langen Fadens entspricht.

Ein solches DNS-Molekül ist aus unübersehbar vielen Atomen aufgebaut. Trotzdem ist seine Zusammensetzung verhältnismäßig einfach. Es besteht aus vielen Tausenden von kleinen, sich wiederholenden Bausteinen (»Nucleotiden«), die zu einer langen Kette aneinandergefügt sind. Jeder Baustein setzt sich aus drei Molekülen zusammen, einem Zucker, einer Phosphorverbindung und einer Base. Unter Basen versteht der Chemiker das Gegenteil von Säuren. Zucker gibt es vielerlei; jeder kennt den Traubenzucker und den im Haushalt benutzten Rohrzucker; hier liegt eine ähnliche Verbindung vor, mit nur fünf statt sechs Kohlenstoffatomen im Molekül (für den Chemiker eine Pentose, keine Hexose). Dieser Zucker heißt Desoxyribose, daher der Name Desoxyribonukleinsäure. In Abb. 85

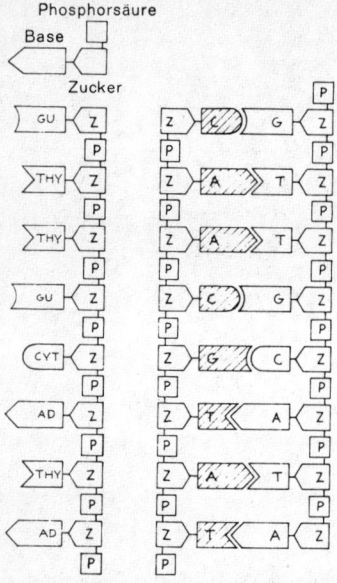

ist links oben ein solcher Baustein schematisch dargestellt. Die drei Symbole bedeuten die dreierlei Moleküle, von denen jedes aus etwa zehn bis zwanzig Atomen besteht. In der Kette des DNS-Moleküls wechseln Zucker und Phosphat miteinander ab, während die Base seitlich anhängt. Die Base ist für uns der wichtigste Bestandteil. Es kommen in der DNS vier verschiedene vor: Cytosin, Guanin, Adenin und Thymin. Jeder Baustein trägt eine von ihnen, ohne daß eine bestimmte Reihenfolge eingehalten wird. Sie wechseln so unregelmäßig wie die Buchstaben in den Worten oder wie die drei Zeichen im Morsetelegramm (Abb. 85, Reihe links). Jedoch ist das Bild noch nicht vollständig. Denn im DNS-Molekül sind zwei solche Ketten parallel aneinandergefügt. Die Verbindung zwischen beiden wird durch ihre Basen hergestellt, die – vergleichbar den Sprossen einer Leiter – die Stränge zusammenhalten. Hierbei können sich immer nur Adenin mit Thymin und Cytosin mit Guanin paaren, die aus chemisch-physikalischen Gründen zueinander passen wie Schlüssel und Schloß. Auch sind sie von ungleicher Größe, und nur die Vereinigung eines kurzen mit einem langen Partner ergibt die richtige Sprossenlänge. In sche-

Abb. 85: Der Träger der Erbanlagen, das DNS-Molekül, Links oben: Ein Einzelbaustein (Nucleotid). Er besteht aus drei Molekülen, die in schematischer Weise grafisch dargestellt sind. Darunter links: Diese Bausteine fügen sich zu einer langen Kette aneinander, wobei Zucker und Phosphat miteinander abwechseln, während die Base seitlich anhängt. Gu Guanin, Thy Thymin, Cyt Cytosin, Ad Adenin. Rechts: Im DNS-Molekül sind zwei solche Ketten parallel aneinandergefügt, wobei die Basen wie die Sprossen einer Leiter die Verbindung herstellen.

matischer Darstellung zeigt das Abb. 85 rechts an einem kleinen Ausschnitt aus einem DNS-Molekül. Wie mühsam die Aufklärung der intimen Struktur der DNS war, davon mag Tafel 16 eine Vorstellung geben. Die einzelnen Atome sind nicht nur zahlenmäßig identifiziert, auch ihre Position ist raumgerecht eingeordnet. Man beachte die schraubige Verwindung ähnlich einer verdrillten Strickleiter. In Abb. 85 ist diese »Helix-Struktur« nicht berücksichtigt.

Die erregende Entdeckung war, daß die Reihenfolge der Basen bei derselben Erbanlage immer dieselbe ist, aber bei verschiedenen Erbanlagen verschieden, und daß eben diese Aufeinanderfolge der verschiedenen Basen einer jeden Erbanlage ihre spezifische Bedeutung gibt. Jedes Gen besteht aus einer Folge von einigen hundert bis an die tausend Einzelbausteinen, also jenen Nucleotiden, wie eines links oben in der Abb. 85 dargestellt ist. Es war an früherer Stelle davon die Rede, daß bei der Kernteilung das Erbgut unverändert an die beiden Tochterkerne weitergegeben wird. Es muß sich also zuvor in identischer Weise verdoppeln. Erst der Einblick in seine Struktur machte verständlich, wie das geschieht.

Die Verdoppelung der Chromosomen

Die Verdoppelung der Chromosomen vor der Kernteilung erfolgt in ähnlicher Weise wie die Herstellung identischer Formen durch Matrizen. In der Doppelkette des DNS-Moleküls lösen sich die Bindungen zwischen den einander gegenüberstehenden Basen, vergleichbar dem Öffnen eines Reißverschlusses. In der Umgebung schwimmen die Einzelbausteine der Kette in genügender Auswahl herum. Daraus ergänzen sich die getrennten Ketten wieder zu Doppelketten, indem sich jede Base aus der Vorratssuppe mit der komplementären, zu ihr passenden verbindet. So gehen aus einem Doppelfaden des DNS-Moleküls zwei hervor, die einander vollkommen gleichen, insbesondere in dem wesentlichen Punkt, daß die Reihenfolge der Basenpaare dieselbe ist. Man kennt noch keineswegs alle Kräfte, die bei diesem Geschehen wirksam sind. Aber daß die Matrizenvorstellung im Prinzip richtig ist, wird nicht mehr bezweifelt. Die Herstellung von DNS-Molekülen ist sogar im Reagenzglas geglückt, wenn in der Flüssigkeit alle vier Arten von Bausteinen (Nucleotiden) zur Verfügung standen – aber nur dann, wenn ein DNS-Molekül als Modell beigefügt war. Der Modellfaden trennte sich auf und ergänzte sich durch richtige Angliederung neuer Bausteine.

Die Wirkungsweise der Erbanlagen

Mit der Weitergabe der Gene von Zelle zu Zelle ist es nicht getan. Sie müssen bei der Entwicklung eines Lebewesens zur gegebenen Zeit tätig werden und die Merkmale entstehen lassen, für die sie bestimmt sind. Diese Vorgänge spielen sich im Plasma ab und beruhen, soweit man sie bisher erforschen konnte, auf chemischen Umsetzungen, die durch Wirkstoffe gesteuert werden. In der Regel führt keineswegs schon der erste Schritt von der Erbanlage zum fertigen Merkmal. Man kennt z.B. bei Insekten Farbstoffe, auf deren Anwesenheit ihr Körperkleid oder etwa die Farbe ihrer Augen beruht. Sie entstehen durch eine Kette aufeinanderfolgender Reaktionen und führen erst über eine Reihe von Zwischenprodukten zum Ziel. Auch in einer chemischen Fabrik wird in der Regel das Endprodukt über eine Folge von Zwischenstufen gewonnen, und der Fabrikant muß jeweils die richtigen Reaktionen in die Wege leiten. Im lebenden Organismus werden sie durch Wirkstoffe herbeigeführt, durch spezifische *Enzyme*. Solche können zusammengesetzte chemische Verbindungen in einfachere zerlegen, wie wir es bei den Verdauungsvorgängen erfahren haben (vgl. S. 64). Sie können aber auch umgekehrt den Zusammenbau einfacher Verbindungen zu höher zusammengesetzten bewirken. Bei dieser Tätigkeit erschöpfen sie sich nicht. Sie wirken als »Katalysatoren«. Aber jedes Enzym dient nur für eine einzige, immer für dieselbe chemische Umwandlung. Es schafft wie ein Arbeiter am Fließband einer Autofabrik, wo jeder denselben Handgriff wiederholt, bis aus den Teilstücken des Arbeitsvorganges das Fertigprodukt hervorgeht. Jedes Enzym verdankt nun seine Entstehung einer bestimmten Erbanlage. Das wurde zuerst an Vorgängen der Pigmentbildung erforscht. Doch werden auch ganz andere Entwicklungsvorgänge auf diese Weise gelenkt.

Nach ihrer chemischen Natur gehören die Enzyme zu den Eiweißstoffen (Proteinen). Ähnlich wie bei den Kernsäuren bestehen ihre langgestreckten Moleküle aus einer Kette aufeinanderfolgender, verhältnismäßig einfacher chemischer Bausteine: den *Aminosäuren*. Es gibt insgesamt *zwanzig* verschiedene. Nicht in jedem Enzym sind alle zwanzig vorhanden. Aber *welche* Aminosäuren vertreten sind und in welcher Folge sie sich im Kettenmolekül aneinanderschließen, das bestimmt die spezifische Struktur eines Enzyms. Bei der Zahl von zwanzig Bausteinen und ihrer unterschiedlichen Reihung besteht die Möglichkeit zur Bildung von Enzymen (und anderen Proteinen) in ungeheuerlicher Mannigfaltigkeit. Dabei sind durch ihre jeweils spezifische Struktur ihre Aufgaben und Leistungen in der Zelle festgelegt.

Wir haben schon gehört, daß auch die DNS-Moleküle in den Chromosomen der Zellkerne lange Kettenmoleküle sind und daß ihnen die Erbanlagen durch die Art und Reihenfolge der Basen aufgeprägt sind, die sich *vier*erlei in wechselnder Folge an den Bausteinen finden. Ließe sich zeigen, daß nach diesen spezifischen Mustern spezifische Enzyme aufgebaut werden, die als Wirkstoffe die Gestaltung des Organismus lenken, dann wäre ein tiefer Einblick in das Walten der Erbfaktoren gewonnen. Das ist durch schwierige und scharfsinnige Versuche tatsächlich gelungen.

Der Schritt vom Gen zur Gestaltung

Die Gene sitzen im Kern, die Enzyme entstehen im Plasma der Zelle. Die »Informationen« müssen also vom Kern ins Plasma gebracht werden. Das geschieht durch eine andere Art von Kernsäuren, durch Ribonukleinsäuren (abgekürzt RNS), die in ihrer Struktur dem DNS-Molekül sehr ähnlich sind, aber keine Doppelketten bilden wie diese, sondern einfache Ketten und auch nicht so ungeheuer lang sind. Andere kleine Unterschiede gegenüber der DNS brauchen uns hier nicht zu interessieren. Wenn bestimmte Proteine benötigt werden, treten im Zellkern solche RNS-Moleküle mit den DNS-Molekülen in Verbindung und kopieren die Reihenfolge der zuständigen Basen nach demselben Matrizenverfahren, das bei der Kernteilung für die identische Weitergabe der Erbanlagen sorgt. Über die Einzelheiten dieses Vorganges ist man bisher nicht unterrichtet. Aber man weiß, daß die RNS-Moleküle die Kopie der Basenfolge, und hiermit die genetische Information, als Botschafter vom Kern ins Plasma tragen. Da sollen nun nach den chiffrierten Anweisungen die entsprechenden Eiweißstoffe, die spezifischen Enzyme aufgebaut werden. Das ist denkbar, wenn durch die Reihenfolge der Basen im DNS-Molekül die Reihenfolge der Aminosäuren im entstehenden Eiweißmolekül bestimmt werden kann. Durch diese ist ja die spezifische Natur der Enzyme festgelegt.

Das läßt sich aber nicht durch abermaliges Kopieren bewerkstelligen. Der Vorgang entspricht eher dem Übersetzen in eine andere Ausdrucksweise. Die Informationen, die in der Basenfolge der DNS enthalten sind, müssen aus dieser »Nukleinsäuresprache« übertragen werden in die »Sprache der Proteine« (Reihenfolge der Aminosäuren im Eiweißmolekül) – wie beim Entziffern eines Telegramms die Morsezeichen in die Buchstaben und Worte der Umgangssprache. Es gibt im DNS-Molekül nur vier verschiedene Basen. Nach dem Vorbild ihrer Reihenfolge sind beim Aufbau des Eiweißmoleküls zwanzig verschiedene Aminosäuren einzureihen. Es kann daher nicht so sein, daß jeweils eine Base der RNS zu einer bestimmten Aminosäure paßt, diese aus dem Vorratstopf des Plasmas herausholt und an ihren Platz stellt. Das würde nur für vier Aminosäuren, und nicht für zwanzig ausreichen. Wenn sich aber für diese Aufgabe je drei aufeinanderfolgende Basen in verschiedener Kombination zusammenfügen, dann ist das Problem gelöst. Das kann man sich leicht klarmachen, wenn man für die vier Basen vier Buchstaben des Alphabets setzt und versucht, wie vielfältig sie sich anordnen lassen, wenn man jeweils nur eine Dreiergruppe nimmt: AAA, AAB, AAC, AAD, ABA usw. Man findet 64 Möglichkeiten, also mehr als genug, um jeder von den zwanzig Aminosäuren ein bestimmtes Muster zuzuordnen. Man hat gefunden, daß in der langen Basenfolge des DNS-Moleküls tatsächlich jeweils eine Gruppe von drei aufeinanderfolgenden Basen (ein »Triplett«) eine Chiffre des Erbalphabets bildet. Ja, man kennt heute für alle Aminosäuren die Dreiergruppe

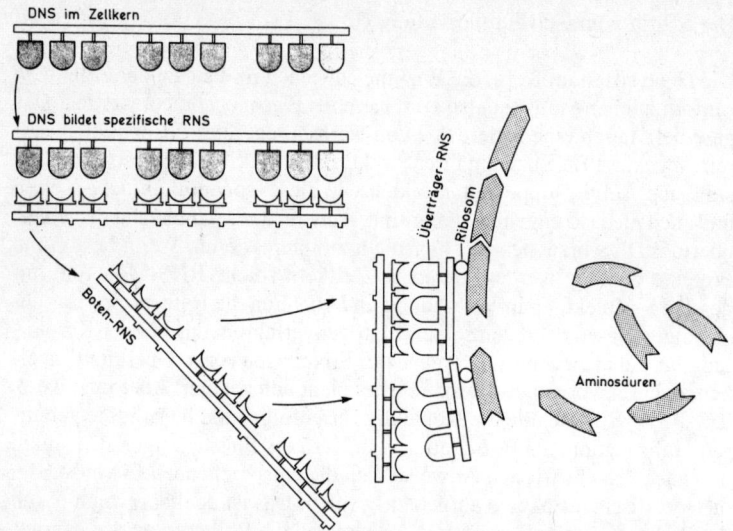

Abb. 86: Schematische Darstellung, wie aus der Erbinformation im Zellkern, das heißt aus der DNS ein Eiweißmolekül gebildet wird. Im Zellkern (links oben) ist die Information für die Bildung eines bestimmten Eiweißmoleküls durch die DNS festgelegt. Diese Information wird von der Boten-RNS als Matrize umgeschrieben. Die Boten-RNS wird in das Zytoplasma verlagert und nimmt dort Verbindung mit spezifischen Überträger-RNS-Molekülen auf. Die Überträger-RNS hat die Fähigkeit, durch ihr Triplett, das heißt durch eine Basen-Dreiergruppe, Aminosäuren aus dem Plasma herauszufischen. Sie nimmt Kontakt mit den Ribosomen auf und kann dabei mehrere Aminosäuren zu einem Komplex, das heißt zu einem Eiweißmolekül verbinden. Nach getaner Arbeit ist sowohl die Boten-RNS wie auch die Überträger-RNS für eine weitere Eiweißsynthese wieder frei.

von Basen, auf die sie abgestimmt sind. So gehört die Basenfolge Adenin, Adenin, Adenin zur Aminosäure Phenylalanin, Adenin, Adenin, Guanin zur Aminosäure Serin usw. Aber wie werden diese Chiffren »gelesen« und nutzbar gemacht? Das ist ein interessantes, aber verwickeltes Geschehen.

Die RNS-Moleküle, welche die Kopie der Erbanlagen wie eine Botschaft ins Plasma bringen, nennt man Boten-RNS. Die Auswertung der Botschaft ist die Aufgabe anderer, ähnlicher RNS-Moleküle. Sie haben die Enzyme entsprechend der Botschaft zu formen (Abb. 86). Diese »Überträger«-RNS-Moleküle sind in ihrer Struktur untereinander etwas verschieden, und zwar so, daß sie zu *verschiedenen* Aminosäuren passen. Jede von den zwanzig Aminosäuren kann also im Plasma, wo sie reichlich vorhanden sind, von einer bestimmten Sorte der Überträger-RNS-Moleküle herausgefischt werden. Während ein solches nun am einen Ende mit

»seiner« Aminosäure verbunden ist, trägt es an anderer, exponierter Stelle eine Dreiergruppe von Basen, deren Anordnung der Chiffre des Erbcodes für die betreffende Aminosäure entspricht; genauer gesagt: Die Dreiergruppe ist das Positiv zum Negativ der Chiffre, das die Boten-RNS nach dem Matrizenverfahren im Kern abgenommen hat. Beide passen zueinander wie Schlüssel und Schloß. Nur müssen sie jetzt zusammenkommen.

Das geschieht an den Ribosomen, winzigen, nur durch das Elektronenmikroskop erkennbaren Körnchen im Plasma, die als Treffpunkte dienen und zur Werkstatt für den Aufbau der Eiweißkörper werden. Während das kurze Überträger-RNS-Molekül, mit seiner Aminosäure verbunden, am Ribosom entlanggleitet, schnappt seine Dreiergruppe an der passenden Dreiergruppe des Boten-RNS-Moleküls ein und gibt seine Aminosäure ab. So werden nach dem Erbcode, einem bestimmten Gen entsprechend, die Aminosäuren eines bestimmten Enzyms in der richtigen Folge aneinandergereiht. Das Enzym aber wirkt sich weiterhin aus in einem kleinen, spezifischen Entwicklungsschritt bei der Gestaltung des Organismus. Die Zahl der spezifischen Enzyme, die solcherart am Werke sind, ist unübersehbar groß. Schon in einer Bakterienzelle gibt es mehrere tausend verschiedene. Ihr geordnetes Zusammenwirken birgt viele ungelöste Rätsel.

Es liegt noch vieles im Verborgenen

Um nur eines herauszugreifen: Die Erbanlagen, die im Zellkern einer Eizelle gespeichert sind, werden bei jeder Zellteilung unverändert weitergegeben und sind in den Kernen der Speicheldrüse einer Mücke ebenso vollständig vorhanden wie in den Kernen ihres Hautepithels. Wenn sich im Verlaufe der Entwicklung die verschiedenen Gewebe und Organe bilden, müssen jeweils die Erbanlagen in Tätigkeit treten, die hierbei mitzusprechen haben. Wieso die richtigen zur rechten Zeit am rechten Ort aktiviert werden, darüber weiß man wenig. Doch haben uns die Riesenchromosomen die Überraschung bereitet, daß bei ihnen die wechselnde Aktivität verschiedener Gene für unser Auge sichtbaren Ausdruck findet. In einem Riesenchromosom der Taufliege entsprechen die Querscheibchen der Lokalisation bestimmter Erbanlagen, deren Bedeutung zum großen Teil bekannt ist. Zu gewissen Zeitpunkten der Entwicklung erfolgt in bestimmten Scheibchen eine Auflockerung des Inneren, und es entsteht ein Wulst als Anzeichen dafür, daß hier eine Erbanlage im Chromosom aktiv wird und mit dem Plasma in innige Beziehung tritt. In manchen Fällen ist die Bedeutung der lokalisierten Genaktivität geklärt. So kommt es in manchen Speicheldrüsenzellen einer Mückenart zur Bildung von Körnchen, in anderen nicht, und das Auftreten von Körnchen geht immer mit der Wulstbildung an einer bestimmten Stelle des Chromosoms Hand in Hand.

Mit der Untersuchung der Genstruktur ist die Forschung bis zu den Molekülen vorgedrungen. Mit neuen Methoden hat sich von der Vererbungslehre die *Molekularbiologie* als junger Wissenszweig abgegliedert. Sie hat in den letzten Jahrzehnten einen gewaltigen Aufschwung erlebt und steht in rasanter Weiterentwicklung. Ihre Erfolge gehen ganz überwiegend auf Untersuchungen an Bakterien und Viren zurück. Je einfacher die Organisation ist, desto eher gewährt sie Einblick. Man zweifelt nicht und hat genug Belege dafür, daß die gewonnenen Erkenntnisse auch für höhere Lebewesen und auch für den Menschen Geltung haben. Die Struktur des Zellkernes und die Vorgänge, die sich an ihm abspielen, gelten ja mit großartiger Einheitlichkeit für Pflanze und Tier, für hoch und niedrig, für das gesamte Reich des Lebendigen. Aber die Lebensfunktionen sind bei einer Bakterienzelle einfacher als bei einem Insekt oder bei einem Menschen. Im Erbgefüge hochstehender Lebewesen geht noch vieles vor, von dem wir derzeit keine Ahnung haben, und manches, das wohl den Gelehrten für alle Zeit ein Rätsel bleiben wird.

Zum Glück, dürfen wir sagen, denn mit ihren allerjüngsten Entdeckungen, die von einer Genregulation bis zur Genmanipulation reichen, eröffnen sich der Molekularbiologie Möglichkeiten, die sich zum Guten wie auch zum Bösen auswirken können. Die folgenden zwei Abschnitte sollen uns in etwa erahnen lassen, was da in Zukunft zu erwarten ist.

Die Genwirkung unter strenger Kontrolle

Die vielen tausend Gene eines Organismus müssen unter ständiger strenger Kontrolle liegen, damit sie nicht zu beliebiger Zeit und am unpassenden Ort ausbrechen und aktiv werden. Damit diese Gene beim Wachstum und auch später bei allen Lebensprozessen sich »diszipliniert« verhalten, wird ihnen eine doppelte Kette angelegt: Da legt sich vor einige Gene, die als *Strukturgene* eine Funktionseinheit bilden, ein Operator als Sperrkette; nur wenn diese Kette auf Kommando eines anderen Gens, eines *Regulatorgens,* das im Chromosom auf höherer Warte thront, von seinem Sperrschloß, dem Repressor, befreit wird, kann das Operon seine Befehle an die Funktionsgruppe, das heißt an die Strukturgene weitergeben und Operator plus Strukturgene treten jetzt in Aktion.

Freilich ist damit die Frage nach der Koordination der Gentätigkeiten nur auf ein anderes, höheres Niveau geschoben. Woher kommt die Information für das Regulatorgen, die Sperre wegzunehmen? Ein Einblick in die »Genwirkketten«, die uns neueste Forschungen gewährt haben, soll weiterhelfen.

Wenn die Molekularbiologen in staunenswerter Weise das Ablesen der Geninformation von der DNS und seine Übersetzung mit Hilfe der Boten Ribonukleinsäure und der Überträger-RNS analysiert haben, so ist damit ein allererster einfacher Schritt zur Organisation eines Lebewesens gemacht. Ein Enzym und ein Eiweißmolekül machen aber noch keinen lebensfähigen Organismus. Wenn wir alle die Billionen von Eiweiß- und Enzymmolekülen in einem Behälter zusammenschütten, dann wird sich in dieser Suppe nichts bewegen, nichts reproduzieren. Die elementaren Bausteine müssen räumlich und zeitlich in einem präzisen Bauplan der Ontogenie zueinandergefügt werden, zu Geweben und Organen. Dieses Programm ist ebenfalls in der Reihenfolge der Basenbausteine der DNS festgelegt, wie der Schweizer Zoologe Gehring in jüngster Zeit feststellen konnte. Auch hier überwachen Kontrollgene als Architekten das Entwicklungsprogramm. Wenn aus der Gruppe der sogenannten »homeotischen Gene« eines ausfällt oder sich durch Mutation verändert, dann führt dies zu Mißbildungen. Die Gentechniker können dabei fehlende oder falsche Gene durch Injektion gesunder Anlagen in die Eizelle ersetzen und so das Chromosom reparieren. Am Beispiel einer schlimmen Erbkrankheit des Menschen, der »Phenyl-Ketonurie«, soll gezeigt werden, wie katastrophal sich das Fehlen eines einzigen Regulatorgens im gesamten Entwicklungsprogramm auswirkt: Beim Gesunden wird die Aminosäure Phenylalanin durch ein Enzym in Tyrosin, dieses durch ein weiteres Enzym in den Hautfarbstoff Melanin umgewandelt. Bei Phenyl-Ketonurie fehlt das erste Enzym; die Folge ist, daß sich im Harn giftige Phenyl-Ketone, zum Beispiel Phenyl-Brenztraubensäure, gefährlich anhäufen. Dies führt zu schweren Störungen der Hirnfunktion, was sich schließlich in Idiotie beim Säugling auswirken kann. Wenn man aber den Säugling mit phenylalaninarmer Kost ernährt, kann man die kritischen Jugendjahre überbrücken, später die Diät absetzen und somit eine Idiotie verhindern.

Gentechnologie – Chance oder Risiko?

Die Fortschritte in der Molekulargenetik haben in den letzten Jahren Voraussetzungen geschaffen, die Erbanlagen zu manipulieren, das heißt aus dem Chromosom Gene herauszuschneiden und fremdes Erbmaterial einzuschleusen. *Gentechnologie* heißt dieser neue Wissenschaftszweig. Er bedient sich einiger Tricks, die einen normalen Sterblichen erschaudern lassen – vor allem, wenn man das Risiko grenzenloser Neukombination, die auch sämtliche Artschranken durchbrechen kann, bedenkt.

Die Gentechniker leihen sich für ihre Arbeit das allgegenwärtige, unschädliche, leicht zu kultivierende Darmbakterium *Escherichia coli* als Packesel für das zu übertragende Gen aus. Sie haben Chromosomen vom Frosch mit Hilfe bestimmter Enzyme – »Restriktionsdenukleasen« heißen sie – in kleine Stücke gespalten, haben diese winzigen Fragmente zunächst einem Gepäckträger, dem Plasmid von Escherichia coli angehängt (Plasmide sind kleine ringförmige DNS-Moleküle, die in den Darmbakterien außerhalb der Chromosomen herumschwimmen). Man geht dabei so

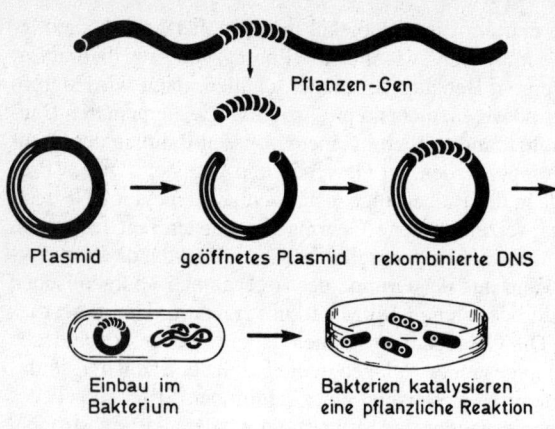

Abb. 87: Gentechnologie an Bakterien: Aus dem Genom einer Pflanze (zum Beispiel einer seltenen Heilpflanze) wird ein Gen, das eine bestimmte Reaktion katalysiert, in ein Bakterienplasmid integriert und so in ein Bakterium eingeschleust. Nun kann die Synthese des erwünschten Stoffes der Pflanze von der Bakterienkultur katalysiert werden.

vor, daß man im Plasmid das DNS-Molekül mit einem »Restriktionsenzym« öffnet und eines der vom Frosch eingeschleusten DNS-Bruchstücke einklebt (Abb. 87). Nochmals muß jetzt ein Enzym, eine sogenannte »Ligase«, unterstützend eingreifen, um den »Wundverschluß« an dem neukombinierten DNA-Molekül zu bilden und das neue Molekül in volle biologische Aktivität überzuführen.

Das E.-Coli-Bakterium ist jetzt zu einem artfremden Organismus geworden: Es hat die Erbinformation eines anderen Lebewesens – von einem Bakterium, einer Pflanze, einem Tier – aufgenommen, kann deren Produkte herstellen und kann diese Erbanlagen an die nächsten Generationen weitergeben.

Segen und Fluch können mit diesem künstlichen Eingriff in das Erbgut verbunden sein. Die Landwirtschaft darf hoffen, daß anstelle von Kunstdünger in Zukunft Bakterien, denen man das zuständige Gen eingepflanzt hat, den Stickstoff aus der Luft holen und so den Boden düngen. E.-coli wird bereits zur Produktion von menschlichem Insulin umgebaut und dann rein gezüchtet. Auch die billige Produktion des bis jetzt so knappen Interferons, das man zur Krebstherapie einsetzt, will man dem E.-coli in Auftrag geben. Keine Schwierigkeit wird die Impfstoffproduktion durch manipulierte Bakterienstämme machen; gegen den Hepatitis-B-Virus ist man schon nahe am Ziel. Diese Fortschritte zum Heile der Menschheit bergen leider auch ein böses Risiko in sich: Die Gefahr, daß die Gentechnologie zur *Genmanipulation* wird, die nicht halt macht, wo man beliebige Gene einer fremden Art in geplanter Kombination überträgt, ist groß. Man schafft dadurch einen neuen Organismus, der sich nicht durch die natürliche Evolution in Jahrmillionen entwickelt und der jeweiligen Umwelt angepaßt hat, sondern durch Menschenhand künstlich erzeugt wurde. Werden unsere Weisheit und unsere Vernunft wirklich nur Gutes für die gesamte lebende Welt schaffen? Werden Ethik und Moral die nötigen Schranken setzen, wo es nicht mehr um Heilung und Ausschaltung von Erbkrankheiten geht – dabei ist es schon nicht immer ganz einfach, die Grenze zwischen normal und krank festzulegen? Durch künstliche Eingriffe will man den natürlichen Ablauf der Fortpflanzung – durch Befruchtung im Reagenzglas, durch Anmietung einer Leihmutter, durch den Alptraum eines Gentransfers in der Keimbahn, durch Chimärenbildung – manipulieren; durch Klonierung ausgelesener Ei- und Samenzellen will man Tausende oder Millionen von einheitlichen Nachkommen zeugen, die sich gleichen wie eineiige Zwillinge. Wo bleibt da die Achtung vor der Persönlichkeit, vor der individuellen Freiheit des Menschen? Die Freiheit und Würde des Menschen beruht auch darauf, daß ihm die individuellen Anlagen nicht durch künstliche Eingriffe anderer Menschen zugeteilt werden. Jede Art von Menschenzucht, also auch künstliche Zeugung mit menschlichem Keimmaterial, vergeht sich an Naturgesetzen, die sich seit Millionen von Jahren bewährt haben.

7. Die Entwicklung der Arten im Laufe der Erdgeschichte

7.1. Vom Wandel der Arten und vom Ursprung des Lebens

Wer ein ordentlicher Käfersammler ist, begnügt sich nicht damit, seiner sechsbeinigen Beute das Lebenslicht auszublasen, sie säuberlich auf feine Nadeln zu spießen und in Reih und Glied im Sammlungskasten aufzustecken, sondern er suchte sie auch zu »bestimmen« und ist nicht zufrieden, ehe er nicht von jedem Käferlein herausgebracht hat, wes Namen und Art es sei. Das ist nicht ganz einfach, denn man hat schon mehr als 300 000 verschiedene Käfer beschrieben. Daß es überhaupt möglich ist, sich in dieser Mannigfaltigkeit der Formen zurechtzufinden, das hat der Käferfreund dem großen schwedischen Naturforscher Carl v. Linné zu danken, der im 18. Jahrhundert lebte und wirkte. Er war es, der für das gesamte Tier- und Pflanzenreich die erste brauchbare systematische Einteilung schuf und mit wunderbarem Scharfblick die Merkmale herausfand, an die man sich halten muß, um bei beliebigen Tieren oder Pflanzen die Artzugehörigkeit zu erkennen. Woher die heute lebenden Arten stammen, darüber hat er sich nicht viel Kopfzerbrechen gemacht. Sein Standpunkt war: Es gibt so viele Arten, wie Gott am Anfang erschaffen hat. In dieser Hinsicht haben sich die späteren Gelehrten seiner Meinung nicht angeschlossen. Denn sie merkten, daß die Tier- und Pflanzenarten nicht fest und unwandelbar gegeneinander abgegrenzt sind.

Innerhalb einer Art gibt es kleinere Untergruppen (Rassen), die sich durch eine Reihe gemeinsamer, erblicher Merkmale von anderen Rassen derselben Art unterscheiden. Der Übergang von Rassen zu Arten und die Abgrenzung der Arten gegeneinander ist vielfach unscharf und bleibt zum guten Teil eine Sache der persönlichen Auffassung. Auch lernte man, auf Zeugen aus der Vergangenheit der Erdgeschichte zu achten, die sehr deutlich gegen die Ansicht von der Unveränderlichkeit der Arten aussagten.

Zeugen für die Lebewelt vergangener Jahrtausende? Das klingt nicht sehr vertrauenswürdig, denn jeder weiß, wie sehr sich schon bei einem Ereignis, das nur wenige Wochen zurückliegt, die Augenzeugen widersprechen. Doch die steinerne Überlieferung, die sich aus alten Zeiten bis auf unsere Tage erhalten hat, ist verläßlicher als das menschliche Gedächtnis.

Wie Versteinerungen entstehen

Als Anno 79 nach Christi Geburt die Stadt Pompeji durch einen Vesuvausbruch zerstört wurde, konnte sich die Mehrzahl der Einwohner in Sicherheit bringen. Aber viele, die in den Häusern Schutz suchten oder zu lange um die Rettung ihrer Habe besorgt waren, kamen doch elend um und fanden ihr Grab in den meterhohen Aschenschichten, die durch Regengüsse in Schlamm-Massen verwandelt wurden. Im erhärtenden Schlamm waren sie eingeschlossen wie Büsten in ihrer Gußform, und als die Leichen allmählich verwesten, blieben die Hohlformen erhalten. Bei den neuzeitlichen Ausgrabungen hatte der Archäologe Fiorelli den Gedanken, derartige Hohlräume mit Gips auszugießen. Heute kann man in den Museen von Pompeji und Neapel eine Reihe solcher Gipsausgüsse sehen, durch die uns die Opfer in ihrer letzten Stellung und in ihrer Tracht, zum Teil mit wohlerhaltenen Gesichtszügen, überliefert sind.

Auf ähnliche Weise sind uns aus weit älterer Zeit die Gestalten von Tierarten bekanntgeworden, die heute längst ausgestorben sind. Wenn sie bei Vulkanausbrüchen zugrunde gingen wie die Bürger von Pompeji, oder wenn sie, was häufiger geschah, in den schlammigen Ablagerungen der Gewässer versanken und darin eingeschlossen wurden, konnten, wie in der Asche des Vesuvs, durch die Verwesung Hohlformen entstehen, die zwar kein Fiorelli, aber die Natur selbst späterhin allmählich mit erhärtenden Stoffen ausgefüllt hat. Sie zeigen uns heute als »Steinkerne« getreu die alte Gestalt.

Doch auch auf mannigfache andere Weise konnten »Versteinerungen« entstehen. Wo die Flüsse als gelbliche Lehmbrühe dahinfließen, bilden sich in stillen Buchten so feine Tonablagerungen, daß kleine Tierleichen darauf wundervolle Abdrücke selbst ihrer zartesten Teile hinterlassen können. Wird, etwa infolge eines Hochwassers, eine Ablagerung von anderem Material darübergeschichtet, so wird dadurch die Form gleichsam ausgegossen. Nach und nach bildet sich aus solchen Ablagerungen festes Gestein, und die Abdrücke bleiben erhalten. Oder es können die eingeschlossenen organischen Reste von Tieren und Pflanzen durch mineralische Stoffe, die aus der Umgebung eindringen, durchsetzt werden, so daß sie im wahren Sinne des Wortes versteinern und erhaltungsfähig bleiben. Am günstigsten sind die Aussichten bei Tieren mit festen Skeletten, die natürlich eher als die zarten Weichteile Abdrücke hinterlassen und an sich nicht so vergänglich sind.

Seit undenklichen Zeiten schwemmt das Wasser feste Teilchen von der Erde und von den Gesteinen weg, die in den Flüssen, in den Seebecken und im Meere zu Boden sinken und im Lauf der Jahrtausende mächtige Schichten bilden. Wiederholt sind Landteile unter den Meeresspiegel gesunken, oder der Boden des Meeres hat sich gehoben und in Festland gewandelt. Die Rinde der erkaltenden Erde hat Falten und Runzeln gebildet und so die Gebirge entstehen lassen. Daher kommt es, daß wir heute alte Meeresablagerungen und die darin eingeschlossenen Reste von Meeresbewohnern auch auf den höchsten Bergen finden.

Die Abstammungslehre

Die Versteinerungen sind ein unmittelbarer Beweis, daß sich die Arten der Lebewesen mit der Zeit verändert haben. In den ältesten erdgeschichtlichen Ablagerungen, in denen Tierreste gefunden wurden, fehlen die Wirbeltiere noch vollständig. In den darauffolgenden, der Jetztzeit näher liegenden, also jüngeren Schichten finden sich versteinerte Fische von sehr ursprünglichem Bau; erst in noch jüngeren Ablagerungen werden sie den heute lebenden Formen ähnlicher. In Schichten, die uns abermals näher liegen, trifft man neben Fischresten auch solche von Lurchen und Kriechtieren, die sich zu jenen abenteuerlichen Riesenformen, den Dinosauriern, entwickelt haben, deren Überbleibsel wir heute in den Schausammlungen anstaunen. In der Kreidezeit sind die meisten dieser Sonderlinge wieder ausgestorben, während die am höchsten organisierten Wirbeltiere, die Vögel und Säuger, nun erst zur Entfaltung kamen, zuallerletzt der Mensch.

Wären von allen Formen, die jemals gelebt haben, Versteinerungen erhalten geblieben, so könnte man die allmähliche Entwicklung der Arten aus den Resten einfach ablesen. Da aber weitaus die meisten Leichen bei der Verwesung gänzlich zerstört werden, bleibt eine vollständige Stammesgeschichte der Tiere und Pflanzen ein Wunschbild der Gelehrten. Man muß schon sehr zufrieden sein, wenn man hier oder dort, für die eine oder andere Gruppe die Einzelheiten des Entwicklungsganges aufdecken kann.

So ließ sich an den versteinerten Vorfahren der Pferde (Abb. 88) verfolgen, wie sich das ursprüngliche Bein mit fünf Zehen allmählich, unter im-

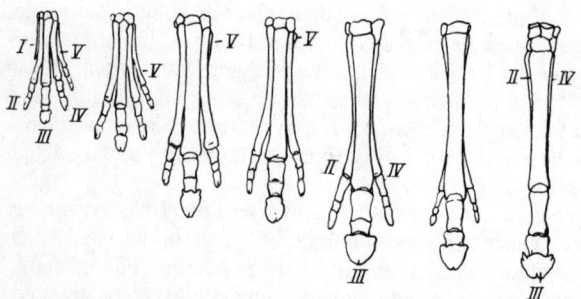

Abb. 88: Der vielzehige Vorderfuß bei den Ahnen des Pferdes und seine allmähliche Umbildung zum heutigen Pferdefuß. I bis V = 1. bis 5. Zehe.

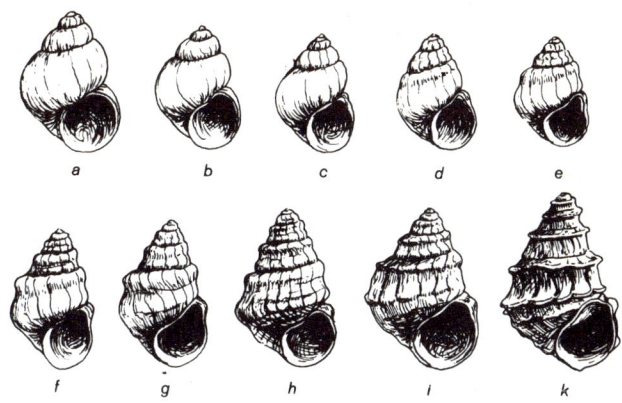

Abb. 89: Umbildung einer Schneckenart in eine andere, nach Funden aus zeitlich aufeinanderfolgenden erdgeschichtlichen Ablagerungen.

mer stärkerer Ausbildung der Mittelzehe und Rückbildung der Seitenzehen, zur Form des heutigen Pferdefußes umgestaltet hat, der nur mit einer Zehenspitze und ihrem Huf (das ist nichts anderes als ein gewaltiger Fingernagel) den Boden berührt – eine ausgezeichnete Einrichtung zum flinken Dahinfegen über den Boden.

Die Abb. 89 zeigt uns ein Beispiel für eine Stammreihe aus der niederen Tierwelt. In den Ablagerungen aus einem Süßwassersee in Jugoslawien fand man in Schichten ungleichen Alters die Reste von ganz verschiedenen Arten einer Wasserschnecke (*a* und *k*). In den dazwischen abgelagerten Schichten ließen sich alle Übergänge feststellen, die uns die langsame Umbildung der einen Art in die andere vor Augen führen.

Manche Tiergruppen, die wir auf Grund ihres Baues für nahe verwandt halten, etwa die Eidechsen und Vögel, sind in ihren heute lebenden Formen so verschieden, daß die Behauptung, die Vögel müßten von Echsen abstammen, nicht sehr einleuchtend scheint. Aber der Fund des berühmten *Archaeopteryx* in den Solnhofener Schiefern zeigt uns als Bindeglied einen Vogel, der zugleich mit seinem Federkleid noch viele Echsenmerkmale vereint, so den langen Schwanz, die bezahnten Kiefer und die wohlentwickelten Zehen der Vorderbeine (Abb. 90).

Diese und viele andere Funde haben die Naturforscher zu der Überzeugung gebracht, daß die Lebewesen von heute sich im Laufe der Erdgeschichte, bei deren Zeitdauer uns menschlichen Eintagswesen die Vorstellungsgabe versagt, aus einfacheren und einfachsten Formen allmählich entwickelt haben. Das ist der Grundgedanke der *Abstammungslehre*. Wie sich die Umbildung der Arten im einzelnen vollzogen hat, das ist nament-

Abb. 90: Archaeopteryx.

lich für die niederen Tiere vielfach unklar. Denn deren Entstehung reicht in eine Zeit zurück, aus der zu wenig Versteinerungen erhalten sind, als daß sie ein Bild von der stufenweisen Entwicklung der Lebewesen jener Epoche überliefern könnten. Die einfachen Lebensformen, die heute noch bestehen, zum Beispiel Schwämme oder Einzeller, werden in vergangenen Jahrmillionen gewiß manche Wandlungen durchgemacht haben und können nicht so, wie wir sie jetzt kennen, als Vorfahren der höher organisierten Tiere hingestellt werden, so wenig wie die heute lebenden Affen die Vorfahren des Menschen sind; sie gehen nur auf gemeinsame Wurzeln zurück. Die heutige Lebewelt bedeutet einen Querschnitt durch den Stammbaum. Obwohl wir also die wahren Ahnen der jetzigen Tier- und Pflanzenwelt nur unvollständig aus den Fossilien kennen, gibt es doch kaum einen Biologen, der heute noch an der Abstammungslehre zweifelt. Sie ist nicht nur durch die Versteinerungen belegt, sondern sie macht uns auch eine Fülle von Tatsachen im Bau und in der Entwicklung der Tiere und des Menschen verständlich, die sonst ganz unbegreiflich wären. Daß beim menschlichen Keimling Kiemenspalten angelegt werden, ist nur zu verstehen, wenn unsere Vorfahren einstens Wasserbewohner waren und der alte Bauplan die Grundlage für den neuen gebildet hat. Daß an jeder unserer Ohrmuscheln kümmerliche Muskeln in beträchtlicher Zahl vorhanden sind, die nicht gebraucht werden und größtenteils gar nicht mehr betätigt werden können, ist gänzlich sinnlos und nur begreiflich als Erbe von Vorfahren, für die bewegliche Ohrmuscheln von biologischer Bedeutung waren. Man müßte ein dickes Buch schreiben, wollte man alle Merkmale des Menschen besprechen, die Zeugen für seine Vergangenheit sind. Und nicht nur der Mensch und die Wirbeltiere, sondern alle großen Tierstämme zeigen dem Eingeweihten eine innere Einheit der Baupläne, die nur in ihrer gemeinsamen Abstammung eine einfache und überzeugende Erklärung findet.

Urzeugung

Wenn wir annehmen, daß die höheren Lebensformen aus einfacheren hervorgegangen sind, und die Sache immer weiter zurückverfolgen, so endet dieser Gedankengang bei den einfachsten Wesen und an der Wurzel alles Lebens. Einmal muß ja das erste Leben auf der Erde entstanden sein. Denn als sie einst ein glühender Himmelskörper war wie heute noch ihre Mutter, die Sonne, da war der Boden zu heiß für jedwedes Leben.

Die älteren Naturforscher sahen da keine Schwierigkeit. Sie glaubten fest an eine *Urzeugung*, an eine Entstehung belebter Wesen aus toten Stoffen. Der alte Aristoteles gibt an, daß sich Aale aus Würmern und Würmer aus Schlamm entwickeln. Ein Berichterstatter aus dem 16. Jahrhundert erzählt noch, daß aus Mehl und einem schmutzigen Hemd junge Mäuse entstehen; das alte Mäuse-Ehepaar, das sich im Hemd eingenistet hatte, ist wohl der Aufmerksamkeit des Beobachters entgangen. Als man später durch die Erfindung des Mikroskops die Welt der kleinsten Lebewesen kennenlernte, bekam die Lehre von der Urzeugung einen neuen Anstoß. Denn man konnte ja in einem Wasserglas diese niederen Pflanzen und Tiere binnen weniger Tage in Massen sich entwickeln sehen. Dann kam Pasteur und zerstörte auch dieses Gebilde der Phantasie. Keine Spur von Leben entwickelt sich im Wasserglas, wenn man die vorhandenen Lebenskeime am Glas und im Wasser durch gründliches Kochen zerstört und wenn man dafür sorgt, daß aus der Luft keine solchen hineingelangen. Denn zahllos sind ja die Keime niederer Wesen, die mit dem Staub aus vertrockneten Pfützen in alle Winde zerstreut werden und zu neuem Leben erwachen, sobald sie nur unter günstige Bedingungen kommen. Heute ist man zu der Einsicht gelangt, daß die Urtiere, die erst das Mikroskop aus der Welt des Unsichtbaren hervorgezaubert hat, weil sie so *klein* sind, doch keineswegs so *einfach* sind, wie sie dem naiven Betrachter erscheinen. Im Zellkern einer Amöbe liegen schon die gleichen Geheimnisse des Erbgeschehens eingepackt wie im Zellkern einer menschlichen Eizelle. Bakterien, niederste pflanzliche Lebewesen, stehen in ihrer Organisation auf einer tieferen Stufe als die Amöben. Sie haben nur ein einziges Chromosom und keinen abgegrenzten Zellkern. Aber auch sie zeigen in ihrer Vermehrung, in den zarten Geißelfäden, mit deren Hilfe sich manche Arten schwimmend fortbewegen, in ihrer Anpassungsfähigkeit an tausendfältige Daseinsbedingungen eine solche Gestaltungskraft und innere Organisation, daß kein Naturforscher heute noch die Ansicht vertreten wird, solche Lebewesen könnten von einem Tag zum anderen aus unbelebter Materie neu entstehen.

Wahrscheinlich sind auf unserer alt gewordenen Erde die Bedingungen nicht mehr gegeben, unter denen eine Entstehung belebter Stoffe aus unbelebten vorkommen könnte. Als der Erdball noch in den Flegeljahren war, wohl vor rund fünf Milliarden Jahren, ging es in seiner heißen Hülle anders zu. Jene Ur-Atmosphäre war frei von Sauerstoff; ihre Gase waren Wasserstoff, Wasserdampf, Kohlenwasserstoffverbindungen von einfacher Art (Methan) und Ammoniak. Man nimmt an, daß es bei Umsetzungen in jener Atmosphäre zu heftigen elektrischen Entladungen gekommen ist. Der Chemiker St. L. Miller in Chicago machte 1953 ein interessantes Experiment. Er bearbeitete im Laboratorium eine künstliche Ur-Atmosphäre aus Methan, Ammoniak, Wasserstoff und Wasserdampf acht Tage lang mit Hitze und elektrischen Entladungen, und dabei entstanden nachweisbare Mengen von Aminosäuren. Wir haben diese stickstoffhaltigen Verbindungen als Bausteine der Eiweißstoffe kennengelernt. Der Aufbau organischer Stoffe aus anorganischen Verbindungen war geglückt, unter Bedingungen, wie sie in der Hülle der Erde vor der Entstehung des Lebens gegeben sein mochten. Inzwischen ist auch die Verknüpfung von Aminosäuren zu höher zusammengesetzten Bausteinen der Eiweißstoffe (zu Polypeptiden) gelungen, unter Voraussetzungen, wie sie bei fortschreitender Abkühlung der Erde im Ur-Ozean geherrscht haben können. Auch Bestandteile der Kernsäuren und sogar ATP, die Energiequelle der heutigen Lebewesen, konnten im Laboratoriumsversuch hergestellt werden. Von da bis zu belebten Teilchen ist freilich noch ein weiter Weg. Man sähe gern Zwischenstufen – und eine Zeitlang hieß es, man hätte sie gefunden.

Geborgtes Leben

Als man erkannte, daß mikroskopisch kleine Urtierchen und Bakterien die Erreger mancher ansteckender Krankheiten sind, da begann eine leidenschaftliche Suche nach weiteren krankheitserregenden Keimen. Wie es beim Wechselfieber, bei der asiatischen Cholera oder beim Typhus gelungen war, so hoffte man bei allen anderen Seuchen die kleinen Wichte zu entdecken, deren Eindringen in einen empfänglichen Körper dessen Ansteckung und Erkrankung bedeutet. Man hoffte, sie überall zu finden, um das Unheil an der Wurzel packen und die Seuchen wirksamer bekämpfen zu können. Gegen einen unbekannten Feind läßt sich schwer fechten.

Es gab ein großes Arbeitsfeld für den Tatendrang der Forscher. Denn es gibt viele ansteckende Krankheiten, die in der menschlichen Gesellschaft ihr Unwesen treiben, mehr oder weniger grausam, vom Schnupfen bis zur Pest. Unübersehbar wird die Reihe, wenn wir jene dazuzählen, die bei den Tieren und im Pflanzenreich verbreitet sind. Befallen sie Haustiere und Nutzpflanzen, so leiden nicht nur die kranken Wesen, sondern auch die Geldsäckel der Landwirte. Armut und Hungersnot sind nicht selten auf den Spuren solcher Seuchen einhergezogen. Anlaß genug, um den Zusammenhängen mit allen Mitteln nachzuspüren.

Die Erfolge waren groß – aber beschränkt. Nebst den Erregern von Typhus und Cholera lernte man die Tuberkelbazillen und ihre Bedeutung kennen, aber man suchte vergeblich nach einem Erreger des Schnupfens, obwohl auch dieses Leiden ansteckend ist; man entdeckte den Erreger der Pest in Gestalt winziger Bakterien, man fand die Bazillen, die den fast immer tödlichen Rotlauf der Schweine verursachen, aber bei den Masern, bei der Kinderlähmung, bei der entsetzlichen Tollwut oder bei der gefürchteten Maul- und Klauenseuche des Viehs enthüllten auch die besten Mikroskope keine gestalteten Übeltäter. Und doch mußten Krankheitskeime in den Körpersäften der kranken Geschöpfe stecken. Denn die Krankheiten wurden durch sie weiterverbreitet.

Bei Tabakpflanzen kommt eine ansteckende Krankheit vor, die äußerlich mit einem Fleckigwerden der Blätter einhergeht und deshalb »Mosaikkrankheit« heißt. Wenn man mosaikkranke Blätter ausquetscht und den Preßsaft durch besonders dichte Filter saugt, mit so engen Poren, daß sogar die winzigen Bakterien nicht hindurchkönnen, so kann man doch mit diesem filtrierten, sicher bakterienfreien Saft an gesunden Tabakpflanzen die Krankheit hervorrufen. Einem geheimnisvollen Etwas hängt man gern ein gelehrt klingendes Mäntelchen um. So sprach man von einem »filtrierbaren Virus«. Das Virus bedeutet im Latein einen Giftstoff. Der ansteckende Giftstoff unbekannter Art war filtrierbar, er hatte die Fähigkeit, durch die engsten Filterporen hindurchzuschlüpfen. Es ist nicht schwer zu erraten, wieso: Wenn die krankheitserregenden Körperchen noch kleiner sind als selbst die Bakterien, dann können sie vielleicht durch jene engen Poren durchrutschen.

Doch vom Raten und Glauben bis zum Erkennen und Wissen war noch ein weiter Weg. Heute weiß man eine ganze Menge von jenen unvorstellbar kleinen Körperchen, die sich tatsächlich nicht nur in mosaikkranken Tabakpflanzen, sondern von ähnlicher Art auch bei der Maul- und Klauenseuche und bei der Tollwut, bei Masern, Pocken, beim Schnupfen, bei der Kinderlähmung und vielen anderen Krankheiten finden, bei denen man nach Bakterien so lange vergeblich gesucht hatte. Die Bezeichnung »Virus«-Krankheiten hat man beibehalten. Dicke Bände sind über sie geschrieben worden. Denn je mehr man herausbrachte, desto interessanter wurde die Sache.

Wie sieht denn nun so ein Virus aus? Nachdem es wegen seiner Kleinheit auch im besten Mikroskop nicht unmittelbar sichtbar wird, scheint das eine hoffnungslose Frage zu sein. Aber das moderne Elektronenmikroskop, mit dem man sogar Moleküle, die kleinsten Bausteine der Stoffe, fotografieren kann, hat uns auch Virus-Bilder geliefert. Ihr Aussehen gleicht, in einen kleineren Maßstab übersetzt, etwa dem von runden, stäbchenförmigen oder fadenförmigen Bakterien, und wie bei diesen gibt es von Art zu Art verschiedene Gestalten. Auch geschwänzte Kügelchen kommen vor, an Miniaturkaulquappen erinnernd. Das ist nicht weiter aufregend. Aber wahrhaft aufregend ist, was man sonst von der Natur dieser Viren erforscht hat. Zunächst ihre Dimensionen. Sie sind nicht alle gleich klein. Es gibt sogar Riesen unter ihnen, die an die Größe der kleinsten bekannten Bakterien heranreichen – so das Virus der berüchtigten Papageienkrankheit. Aber in anderen Fällen (zum Beispiel Maul- und Klauenseuche, Abb. 91) sind die Viren so klein wie die einzelnen Moleküle mancher Eiweißstoffe. Dem Amerikaner Stanley gelang es, aus mosaikkranken Tabakpflanzen das Virus in reinster Form zu isolieren. Es bildete sogar Kristallnadeln, die auch im gewöhnlichen Mikroskop sichtbar waren. Jedes Nädelchen entsteht durch Aneinanderlagerung von Tausenden der Virusteilchen. Bringt man eine Spur dieser kristallisierten Substanz auf gesunde Tabakpflanzen, so kommt es zu einer wilden Vermehrung der Viren in den Zellen der Blätter, und diese werden mosaikkrank. Auch andere Viren lassen sich in entsprechender Weise auf ihre Wirte überimpfen. Man möchte also denken, es handelt sich bei ihnen um winzige Lebewesen, die im Inneren von Pflanzen oder Tieren schmarotzen.

Wenn es Lebewesen sind, dann sollte man sie auf künstlichen Nährböden züchten können, wie man es beim Studium der krankheitserregenden Bakterien so erfolgreich getan hat. Aber soviel man sich bemüht, das will nicht gelingen. Die künstliche Kultur von Viren glückt nur dann, wenn

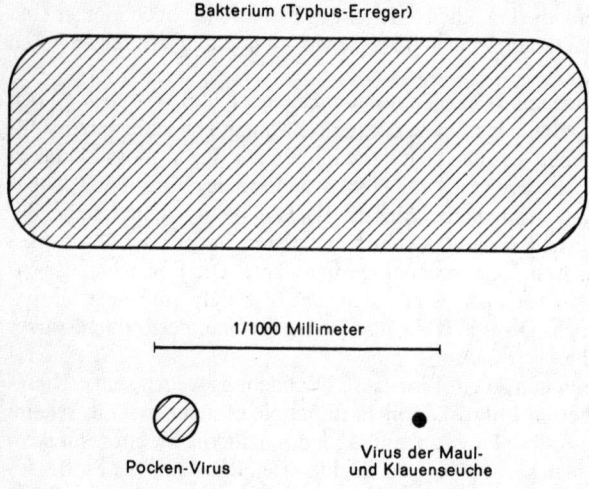

Abb. 91: Typhusbazillen gehören weder zu den besonders großen noch zu den extrem kleinen Bakterien. Im Mikroskop sind sie bei stärkster Vergrößerung als winzige Striche sichtbar. Denken wir uns ein solches Bakterium so riesenhaft vergrößert wie in dieser Abb., so würden im gleichen Maßstab das Pockenvirus (eines der größten Viren) und das Virus der Maul- und Klauenseuche (eines der kleinsten) die in der Abb. unten dargestellte Größe haben. Der tausendste Teil eines Millimeters hätte die in der Mitte angegebene ansehnliche Länge.

man ihnen lebende Zellen zur Verfügung stellt. Das läßt sich auf mancherlei Weise machen. Die einen züchtet man zum Beispiel in Hühnereiern, andere in Bakterien – größte und kleinste Zellen hat man als Gehilfen für solches Vorhaben herangezogen. Besonders willig in der Preisgabe ihrer Geheimnisse waren jene kaulquappenförmigen Viren, welche Bakterienzellen befallen und zerstören. Man nennt sie deshalb Bakteriophagen (»Bakterienfresser«) oder kurz Phagen. Wir greifen sie als Beispiel heraus und sehen zu, wie hier der »Fraß« vor sich geht.

Wir bringen einige solche Phagen in eine Bakterienkultur. Der schwanzförmige Fortsatz dient nicht etwa zum Schwimmen wie bei der Kaulquappe. Viren können sich überhaupt nicht selbsttätig bewegen und zeigen in dieser Hinsicht nicht das leiseste Lebenszeichen. Aber wenn ein Bakterium an das Ende des Fortsatzes anstößt, bleibt dieser infolge einer besonderen Hafteinrichtung kleben. Was dann passiert, ist höchst merkwürdig. Um es zu verstehen, müssen wir erst den Bau eines solchen Viruskörperchens betrachten.

Seine Gestalt verdankt es einer äußeren Hülle aus Eiweiß (Protein). Der kugelförmige Teil ist innen hohl, und als Knäuel hineingepackt ist ein einziges, ungeheuer langes Fadenmolekül einer Kernsäure, und zwar Desoxyribonukleinsäure (DNS). Für uns eine alte Bekannte! Sie ist ja der wichtigste Bestandteil der Chromosomen und Trägerin der Erbanlagen.

Nach dem Anheften an ein Bakterium tritt dieser DNS-Faden aus dem runden Beutelchen, in dem er geborgen war, durch den Fortsatz wie durch einen Flaschenhals in die Bakterienzelle über. Das leer und schlaff gewordene Beutelchen samt seinem Fortsatz hat seine Schuldigkeit getan und geht zugrunde. Das Viruskörperchen als solches hat zu bestehen aufgehört.

Das DNS-Molekül liegt nun also allein im Plasma der Bakterienzelle. Aber sogleich beginnt es mit seiner Selbstverdoppelung, in gleicher Weise, wie es die DNS-Moleküle in den Chromosomen machen, und nimmt die hierzu benötigten Bausteine aus dem Plasma seines unfreiwilligen Gastgebers. Nach wenigen Minuten schon sind von ihnen eine ganze Menge entstanden, und sie beginnen nach dem Matrizenverfahren, das wir gleichfalls schon besprochen haben, Enzyme aufzubauen und mit Hilfe dieser Wirkstoffe neue Proteinhüllen herzustellen. Die Anweisungen, wie das zu geschehen hat, liegen in den Genen, die man am DNS-Molekül der Viren ebenso feststellen konnte wie an jenen der Chromosomen. So entstehen Köpfe und Fortsätze als getrennte Gebilde, dann kommt in jeden Kopf ein DNS-Faden, der Fortsatz wird mit dem Kopf verbunden und verschließt den Beutel, und schon im Verlauf von zwanzig Minuten (bei anderen Phagen-Arten auch schneller oder langsamer) sind aus dem einen eingedrungenen DNS-Molekül etwa zweihundertfünfzig neue Viruskörper geworden.

Da die Eiweißhülle des Phagen draußen geblieben ist, und das Fadenmolekül der Kernsäure ganz allein im fremden Plasma Platz genommen hat, beweist es uns überzeugend seine Fähigkeit, durch die Macht seiner Erbanlagen das Virusteilchen mit seinen artspezifischen Eigenschaften zu gestalten. Es ist ein außerordentlich kleines Gebilde. Aber es demonstriert uns so klar wie kein anderer Fall, daß das Molekül dieser Kernsäure, ein einziges Molekül, aus einfachen Bausteinen das hoch zusammengesetzte Eiweiß dieses ganz bestimmten Virus und seine bezeichnende Körpergestalt zu schaffen vermag.

Sobald nach zwanzig Minuten die Bildung der neuen Virengeneration abgeschlossen ist, zerplatzt das Bakterium, die Viren werden frei und sind sofort bereit, weitere Bakterien zu befallen. Man kann sich vorstellen, wie schnell sie bei solcher Vermehrung mit ihnen aufräumen.

Man darf nicht denken, daß die Viren die Bakterienzellen innerlich auffressen wie eine Schlupfwespenlarve die befallene Raupe. Der Vorgang ist wesentlich anders. Die Schmarotzerlarve verdaut das Eiweiß des Wirtes und baut aus seinen Bestandteilen ihr körpereigenes Eiweiß auf. Die Viren nehmen zum Aufbau ihrer Eiweißhülle unmittelbar die Bausteine, die das Bakterium für seinen eigenen Bedarf aus seinem Nährboden importiert. Sie entwenden sie ihm, indem sie es zwingen, statt Bakterieneiweiß Viruseiweiß aufzubauen. Sie geben die Anweisungen durch ihren Erbcode und lassen die Bakterien nach dem Virusrezept arbeiten. Viren bewegen sich nicht, sie atmen nicht, sie haben keinen eigenen Stoffwechsel. Sie stellen den Stoffwechsel der Bakterienzelle in ihren Dienst, und diese geht darüber zugrunde. Die frei gewordenen Viren aber müssen nun wieder im Zustand lebloser Starre warten, bis sie sich in einer neuen Wirtszelle Leben borgen können.

So ist es im wesentlichen auch bei anderen Viren. Sie bestehen aus der Kernsäure und einem Eiweißmantel, doch die Gestalt und Größe unterliegen vielfachen Wandlungen. Abb. 92 zeigt einen kleinen Abschnitt von einem Tabakmosaik-Virus, bei dem die Eiweißhülle auf künstliche Weise zum Teil entfernt wurde. Man sieht an diesen Stellen, daß das Kernsäuremolekül wie der Docht einer Kerze vom Eiweißmantel umhüllt ist. Die Infektion durch einen Fortsatz mit Haftvorrichtung ist eine Spezialität der Bakteriophagen; sie erfolgt bei anderen Viren durch Insektenstiche, oder sie gelangen zufällig durch kleine Verletzungen der Oberfläche ins Innere des Wirtes.

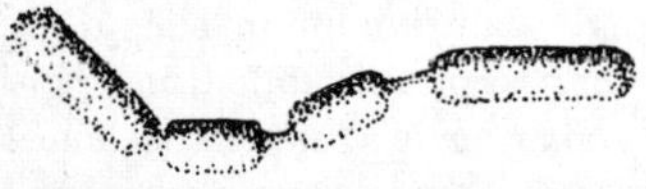

Nach der Entdeckung der Viren dachte man, bei ihnen am Anfang allen Lebens zu stehen. Eine heftige Diskussion entbrannte, ob sie schon als lebendig oder als Vorstufen des Lebens zu betrachten seien. Gewiß ist es eine überwältigende Erkenntnis, daß selbst die Viren

Abb. 92: Einzelnes Tabakmosaik-Virus, dessen Eiweißhülle an einigen Stellen entfernt ist, so daß der Nukleinsäurefaden im Innern zum Vorschein kommt.

Erbanlagen in sich tragen von gleicher Struktur und von grundsätzlich gleicher Funktionsweise wie bei allen Tieren und Pflanzen. Dadurch sind sie mit dem Reich des Lebendigen verbunden. Aber sie können nicht Vorstufen des Lebens sein, weil sie zu ihrem Gedeihen lebende Zellen brauchen und diese also schon vor ihnen dagewesen sein müssen. Es sei denn, es wären einst die Bedingungen auf Erden so anders gewesen, daß den Vorfahren der Viren damals die Baustoffe und Energien für ihre Vermehrung nicht von lebenden Zellen, sondern aus ihrer toten Umwelt geliefert wurden. In diesem Sinne könnten sie doch bei der Entstehung des Lebens im Schmelztiegel der alten Erdgeschichte eine Rolle gespielt haben. Solche Vorstellungen sind aber einstweilen zu vage Phantasiegestalten, als daß es sich lohnen würde, sie weiter auszuspinnen.

Gelegentlich hört man die Ansicht, es sei niemals Leben auf Erden aus Unbelebtem entstanden, sondern die Lebenskeime wären mit Sternschnuppen oder anderem himmlischen Fuhrwerk aus dem Weltraum zu uns gekommen – was freilich die Schwierigkeit nur von einem Stern auf einen anderen verschiebt.

Es gibt viel Schönes, das wir zu begreifen glauben. Wir müssen nicht über Dinge grübeln, die unserer Einsicht verschlossen sind.

»Das was wir sehen ist schön –
Noch schöner ist das, was wir verstehen –
Aber weitaus am schönsten ist das Verborgene.«   (Niels Steensen)

7.2. Darwins Gedanken von der natürlichen Auslese

Für manche Leute ist »Darwinismus« gleichbedeutend mit der Behauptung, daß der Mensch vom Affen abstammt. Das ist ein mehrfacher Irrtum. Erstens behauptet niemand, daß die heute lebenden Affen die Ahnen des Menschen sind; die Abstammungslehre sagt nur aus, daß sie beide gemeinsame Vorfahren haben. Zweitens ist die Abstammungslehre schon vor Darwin, zum Beispiel durch Lamarck, vertreten worden. Das Verdienst von Charles Darwin ist, daß er (vor mehr als hundert Jahren) ein reiches und überzeugendes Beweismaterial zusammengetragen und dadurch die Abstammungslehre erst zu allgemeiner Anerkennung gebracht hat. Drittens geht also nicht die Lehre von der Umbildung und allmählichen Entwicklung der Arten auf Darwin zurück, wohl aber der Versuch, sie durch den Vorgang der natürlichen Auslese verständlich zu machen. Das war sein neuer und genialer Gedanke. Wenn die Gelehrten von Darwinismus reden, so meinen sie diese Lehre von der natürlichen Auslese und nicht die Abstammungslehre an sich, die zu den bestbegründeten Theorien gehört und kaum mehr von jemandem bezweifelt wird.

Künstliche Zuchtwahl

Darwins Erklärungsversuch für die Entstehung der Arten fußt auf züchterischen Erfahrungen. Die heutigen Rassen der Haustaube etwa sind das Ergebnis mehrtausendjähriger Züchtung. Sie stammen alle von der wilden Felsentaube ab (*a* in Abb. 93), von der sie sich aber in ihrem Aussehen und ihren Gewohnheiten zum Teil weit entfernt haben: in der Färbung ihres Gefieders oder durch die Entwicklung prächtiger Schmuckfedern an den Beinen, durch eine eigenartige Stimme oder durch die Gepflogenheit, in der Luft Purzelbäume zu schlagen, durch die stattliche Perücke oder einen Pfauenschwanz. Die Käufer lieben solche Absonderlichkeiten, und der geschäftstüchtige Züchter bemüht sich, sie zu schaffen. Bei der Untersuchung der Frage, wie er dabei vorgeht, kam Darwin zu dem Ergebnis, daß drei Umstände zusammenwirken:

Erstens eine von Natur gegebene *Variabilität,* eine gewisse Veränderlichkeit der Lebewesen, die sich darin äußert, daß die Nachkommen von einem Elternpaar untereinander in Kleinigkeiten verschieden sind. Zweitens die *Vererbung* der elterlichen Merkmale, die nicht darauf beschränkt bleibt, daß aus Taubeneiern wieder Tauben werden, sondern auch die klei-

Abb. 93: Die Felsentaube und einige von ihr abstammende Zuchtrassen:
a) Felsentaube – b) Trommeltaube – c) Perückentaube – d) Pfauentaube – e) Kropftaube.

nen Besonderheiten der Eltern den Nachkommen übermittelt. Drittens die bewußte Auslese des Züchters, die *künstliche Zuchtwahl*. Wenn er zum Beispiel eine Taubenrasse mit üppigem Schwanz erzielen will, benützt er die Variabilität der Merkmale und achtet auf Tiere, die mehr als die üblichen zwölf Schwanzfedern besitzen. Wenn er solche zur Weiterzucht auswählt, werden sie ihre Eigentümlichkeit vererben, und durch fortgesetzte Zuchtwahl in der gleichen Richtung kämen schließlich die Pfauentauben zustande, deren Schwanz bis zu 48 Federn haben kann. Entsprechend sind durch Auswahl und Höherzüchtung der gewünschten Merkmale auch die anderen Taubenrassen entstanden.

Natürliche Zuchtwahl

Eine gewisse Variabilität der Merkmale ist auch bei den frei lebenden Arten zu beobachten. Die Gesetze der Erblichkeit sind bei Haustieren und Wildformen gewiß dieselben. Aber wo bleibt in der freien Natur die Hand des Züchters? Es war einer der großartigsten biologischen Gedanken aller Zeiten, an die Stelle der bewußten künstlichen Auslese durch den Züchter die unbewußte *natürliche Zuchtwahl* zu setzen. Zuchtwahl bedeutet das gleiche wie Auslese oder wie Selektion, was mit einem fremdsprachigen Ausdruck genau dasselbe besagt. Daher auch die Bezeichnung »Selektionstheorie« für die Lehre Darwins. Und nun wollen wir uns klarmachen, was er damit gemeint hat.

Gesetzt den Fall, ein Fliegenweibchen legt hundert Eier. Daraus schlüpfen hundert Larven, die wir in unsere Obhut nehmen und sorgfältig pflegen, daß keiner ein Leid widerfährt, bis sie herangewachsen und zu hundert munteren Stubenfliegen geworden sind; das gibt also etwa fünfzig Fliegenpärchen. Jedes von ihnen setzt wieder hundert Eier in die Welt, bevor es stirbt; das sind dann schon 5000 Fliegen oder 2500 Pärchen. Unter gleichbleibend günstigen Bedingungen können in einem Jahr etwa fünfzehn Bruten aufeinanderfolgen. Wenn wir annehmen, wir hätten genug Mittel und Helfer, um auch die Fliegenkinder dieser späteren Generationen so liebevoll zu betreuen, daß keine zugrunde gehen, so wären schon nach neun Monaten alle Länder der Erde mit einer zusammenhängenden Schicht unserer Zöglinge bedeckt, und noch kein volles Jahr wäre vergangen, da würden nur noch die Spitzen der Kirchtürme aus dem Fliegenmeer herausragen. Wer es nicht glaubt, kann nachrechnen. Eine Stubenfliege ist sieben Millimeter lang, drei Millimeter breit und drei Millimeter hoch. Die festen Länder der Erde haben eine Oberfläche von rund 143 Millionen Quadratkilometer.

In Wahrheit bleibt diese Sintflut der Stubenfliegen aus. Ihre Zahl auf Erden war in unseren Kinderjahren nicht wesentlich anders als heute. Daraus folgt, daß von den rund hundert Nachkommen eines Fliegenpärchens durchschnittlich etwa 98 zugrunde gehen, bevor sie selbst zur Fortpflanzung gelangen. Nur so ist es möglich, daß die Zahl der Individuen annähernd dieselbe bleibt. Die übergroße Mehrzahl der Nachkommen wird also vorzeitig vernichtet. Dafür sorgt der tägliche »Kampf ums Dasein«. Zahlreich sind die natürlichen Feinde, die sich unter den Fliegen ihre Nahrung suchen und sie auf allen Lebensstufen verfolgen. Auch drohen die Gewalten der unbelebten Natur, die durch Regengüsse, strenge Kälte und viele andere Tücken ihre Opfer fordert. Und nicht zuletzt ist es ein Kampf der eigenen Artgenossen untereinander, die am selben Futtertopf zehren, ein Ringen ums tägliche Brot, das um so erbitterter wird, wenn durch günstige Umstände die Individuenzahl vorübergehend zunimmt.

Denken wir nun an die Variabilität der Merkmale. Diejenigen Individuen werden am meisten Aussicht haben, diesen gewaltigen Vernichtungskampf glücklich zu bestehen, die, wenn auch nur um ein geringes, in vorteilhafterRichtung abweichen, während das Auftreten ungünstiger Abweichungen um so sicherer zum vorzeitigen Tode führt. Wie der Züchter bewußt die Tiere zur Fortpflanzung auswählt, die gewisse, ihm genehme Merkmale in der besten Ausprägung zeigen, so werden durch das unbewußte Walten der Natur jene Formen am ehesten erhalten und zur Fortpflanzung gebracht, die an die herrschenden Lebensbedingungen am besten angepaßt sind. Durch diese Vorstellung wird eine allmähliche Vervollkommnung der Lebewesen und ihre Anpassung an die Umwelt auch ohne denkenden Schöpfer verständlich.

Man wird nun sagen, daß sich ja nicht alle Tiere so lebhaft vermehren wie die Fliegen. Doch sind das nur Unterschiede des Grades; tatsächlich herrscht bei den Lebewesen ganz allgemein eine starke Überproduktion an Nachkommen. Selbst bei Elefanten mit ihren wenigen Jungen wären die Folgen erstaunlich, wenn man den Kampf ums Dasein ausschalten könnte. Aus einem einzigen Paar würde, bei einer Lebensdauer von hundert Jahren und einer Nachkommenschaft von sechs Kindern aus jeder Elefanten-Ehe, nach 750 Jahren

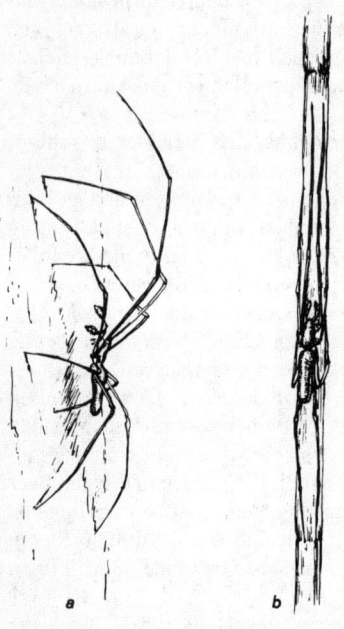

Abb. 94: a) Strickerspinne; b) dieselbe in Schutzstellung.

eine Herde von neunzig Millionen Tieren geworden sein. Da ihre Zahl sich nicht vermehrt, ist also auch hier die Vernichtungsziffer groß und die natürliche Auslese entsprechend scharf.

Daß eine solche natürliche Auslese wirklich stattfindet, unterliegt keinem Zweifel und ist auch wiederholt beobachtet worden. So lernten wir schon einen Versuch kennen, aus dem hervorgeht, daß Fische mit guter Farbanpassung ihren Verfolgern eher entgehen als schlecht angepaßte Fische. Die Strickerspinne wird vom Rotkehlchen leicht entdeckt und gefressen, wenn sie ihre Glieder von sich streckt (*a* in Abb. 94), aber nur sehr schwer gefunden, wenn sie ihre Schutzstellung einnimmt *(b)*. Bei einer katastrophalen Schädigung der sächsischen Nadelwälder durch die gefürchteten Raupen des Nonnenschmetterlings blieben einzelne Fichten verschont, deren Nadeln vor den anderen durch einen höheren Terpentingehalt ausgezeichnet waren. Nach einem ungewöhnlich strengen Winter konnte man zahllose tote Frösche finden, die sich für den Winterschlaf leichtsinnigerweise nicht tief genug eingegraben hatten; nur Frösche mit dem ausgeprägten Instinkt, sich im Herbst tief in den Schlamm einzubuddeln, blieben damals am Leben.

In diesen und ähnlichen Fällen muß sich die Auslese im Sinne einer Steigerung der günstigen Anpassung auswirken, unter der Voraussetzung, daß sich die vorteilhafte Abweichung, mag sie nun einen Instinkt oder eine chemische Eigenschaft oder ein anderes Merkmal betreffen, auf die Nachkommen vererbt. Darüber wollen wir im nächsten Abschnitt noch reden.

Ob die natürliche Auslese allein die Entwicklung der Arten mit ihrer Fülle oft höchst verwickelter Anpassungen verständlich machen kann, das ist freilich eine andere Frage. Das hat übrigens Darwin selbst nicht angenommen, erst seine Nachfolger prägten das stolze Wort von der »Allmacht der Naturzüchtung«.

Wie weit ihre Macht tatsächlich reicht, darüber sind die Meinungen sehr geteilt. Vielen scheint es eine allzu große Zumutung an die natürliche Auslese, daß sie durch Begünstigung kleiner Abweichungen so wunderbare Baupläne und Leistungen zuwege gebracht haben sollte. Man darf allerdings einen mächtigen Bundesgenossen nicht übersehen, der ihr zur Seite stand: die Zeit.

Die Natur hat Zeit

Einst beruhten alle Angaben über das Alter der Gesteinsablagerungen und die Zeiträume, die für die Entwicklung der Arten zur Verfügung standen, auf Schätzungen, die mit vielen Fehlerquellen behaftet waren und daher weit auseinandergingen. Heute kann man in dieser Hinsicht, so unwahrscheinlich es klingt, recht genaue Aussagen machen. Das verdanken wir der Entdeckung der radioaktiven Stoffe und ihrer Umwandlungen.

Aus dem chemischen Element Uran entsteht durch einen gesetzmäßigen Zerfall, der in seiner Geschwindigkeit unabhängig ist von allen äußeren Einflüssen, über eine Reihe von Zwischenstufen schließlich Blei. Bestimmt man den Gehalt eines Gesteines an Uran und Blei, so ergibt sich aus dem Mengenverhältnis dieser beiden Stoffe, wie lange die Umwandlung schon vor sich gegangen ist, also das Alter des Gesteines. Der Einwand, daß sich das Uran in früheren Zeiten schneller oder langsamer in Blei verwandelt haben könnte, läßt sich mit erstaunlicher Sicherheit widerlegen. Denn der Vorgang des Zerfalls hinterläßt gewisse Spuren im Gestein, aus denen man seine Geschwindigkeit ablesen kann. Sie war tatsächlich in grauer Vorzeit dieselbe wie heute.

Diese Uranuhr hat im Verein mit anderen Methoden zu dem Ergebnis geführt, daß sich die Wirbeltiere von ihren primitivsten, als Versteinerungen bekannten Anfängen im Laufe von vierhundert Millionen Jahren zu ihrer heutigen Vollkommenheit entwickelt haben. Mit so gigantischen Zahlen können wir nun freilich keine Vorstellung verbinden. Denn sie liegen weit außerhalb der Zeiträume, die uns aus Erfahrung bekannt sind. Das gilt ja schon für die *eine* Million Jahre, welche die Entwicklung des heutigen Menschen für sich beansprucht hat. Übertragen wir die Zeitangaben in einen anderen Maßstab, der uns besser vertraut ist, und setzen wir die Million Jahre der menschlichen Entwicklung gleich einem Meter, so läge Christi Geburt auf dieser Strecke nur zwei Millimeter vor der jetzigen Zeit, aber um vierhundert Meter zurück läge der Beginn der Entwicklung des Wirbeltierstammes. Bakterien- und algenähnliche Gebilde, also Reste einfacher Pflanzenformen, hat man um 1965 in Gesteinen entdeckt, die ein Alter von rund drei Milliarden Jahren haben, also auf unserem Vergleichsmaßstab drei Kilometer von uns entfernt liegen, und die Entstehung der Bausteine des Lebens aus der Ur-Atmosphäre der Erde wäre bei etwa vier bis fünf Kilometer anzunehmen.

Wem so viel Zeit und die richtigen Mittel zu Gebote stehen, dem mag so manche Schöpfung geraten. Zeit hatte die Natur in reichem Maße. Wie steht es mit ihren Mitteln?

7.3. Was die Vererbungslehre von heute zu Darwins alter Lehre sagt

Darwin hatte angenommen, daß die Merkmale der Tiere und Pflanzen veränderlich und daß die Abänderungen erheblich sind. Ob diese Voraussetzungen seiner Auslesetheorie zutreffen, hat erst ein halbes Jahrhundert später die aufblühende Vererbungsforschung genau nachgeprüft. Dann schien es dem Darwinismus an den Kragen zu gehen. Doch hat er sich als der Stärkere erwiesen.

Die Veränderlichkeit eines Merkmals, genauer betrachtet

Will man die Variabilität gründlich untersuchen, so hält man sich am besten an ein Merkmal, das man genau messen kann. Die Größe von Bohnensamen etwa läßt sich mit dem Zentimetermaß leicht nachprüfen. Es handelt sich hierbei um eine erbliche Eigenschaft, denn es gibt Sorten von Bohnenpflanzen, die große Samen erzeugen, und solche mit kleinen Samen. Wir haben aber schon gehört, daß die Ausbildung einer Eigenschaft nicht nur von den Erbanlagen abhängt, sondern daß auch die äußeren Umstände ein Wort mitzusprechen haben. Das wird an unserem Beispiel besonders deutlich. Denn die Bohnen gehören zu den Gewächsen, die man dauernd durch Selbstbestäubung fortpflanzen kann. So läßt sich jede Vermischung mit fremden Erbanlagen verhindern, und man erhält Stämme mit völlig einheitlichen Anlagen.

Die stets nur durch Selbstbestäubung gewonnene Nachzucht eines erbreinen Individuums nennt man eine »reine Linie«. Trotz der Einheitlichkeit ihrer Erbanlagen erzeugt auch eine jede solche Pflanze Samen von ungleicher Größe. Mißt man die Länge aller Bohnen, die sie hervorgebracht hat, so wird man eine bestimmte Größe, z. B. Samen von 15 mm Länge, am häufigsten vertreten finden; daneben gibt es größere und kleinere Bohnen in abnehmender Zahl. Das wird sehr anschaulich, wenn wir die Samen einer Pflanze, nach ihrer Größe geordnet, in getrennten Fächern sammeln. Verbinden wir die Höhepunkte, bis zu welchen die Fächer gefüllt sind, durch eine Linie, so erhalten wir eine typische Kurve (Abb. 95). Sie macht uns die Beziehung zwischen Bohnengröße und Bohnenzahl deutlich. Wir brauchen im folgenden jeweils nur mehr die Kurve abzubilden und können uns die Fächer mit den Bohnen in sie hineindenken.

Die besprochene Art der Variabilität und somit die typische Form der Kurve ist so zu verstehen, daß etwa eine Länge von 15 mm die erblich festgelegte Samengröße ist, wie sie unter normalen Umständen zur Ausbildung kommt. Alle Samen der Pflanze streben gleichsam diese Größe an. Doch nun kommen die äußeren Bedingungen dazu und sprechen ein gewich-

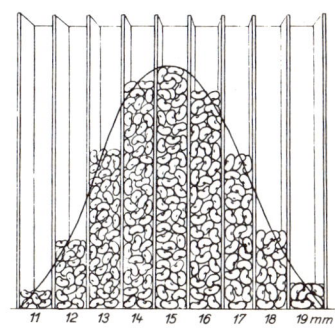

Abb. 95: Variabilität.

tiges Wort mit: Manche von den Samen entwickeln sich an einer gut besonnten, andere an einer stark beschatteten Stelle der Pflanze, die einen an einem kräftigen, die anderen an einem schwächlichen Zweig; die einen sind günstiger, die anderen zufällig ungünstig an den ernährenden Säftestrom angeschlossen. So wird die erblich angestrebte Größenentfaltung durch mannigfache Umstände hier gefördert, dort gehemmt. Oft werden sich die fördernden und hemmenden Einflüsse ungefähr die Waage halten; bisweilen werden die einen oder die anderen überwiegen. Selten werden nur gute oder nur schlimme Erlebnisse zusammentreffen. Daher sind die stärksten Abweichungen von der mittleren Größe verhältnismäßig spärlich. Bei einer Bohnensorte mit anderen Erbanlagen wird sich die Samenlänge in entsprechender Weise um einen anderen Wert (z. B. 10 mm) gruppieren.

Künstliche Zuchtwahl ohne Erfolg

Wenn wir von *einer* derartigen Bohnenpflanze den größten und den kleinsten Samen zur Weiterzucht verwenden, so entstehen, unter gleichen Bedingungen, zwei Pflanzen, die mit der Mutterpflanze übereinstimmen und sich in ihrer Samengröße voneinander überhaupt nicht unterscheiden (Abb. 96 links). Denn die erblich angestrebte Größe ist ja bei beiden dieselbe. Daran ändert sich auch nichts, wenn man durch viele Generationen etwa stets den größten Samen zur Weiterzucht auswählt. Das heißt also: Innerhalb einer reinen Linie bleibt die Auslese wirkungslos. Als der dänische Forscher Johannsen vor einigen Jahrzehnten diese Entdeckung machte, war man sehr überrascht. Man war nicht früher darauf aufmerksam geworden, weil man Ausleseversuche bis dahin nur an Tier- und Pflanzenmaterial gemacht hatte, das nicht einheitlich, sondern ein Sortengemisch war. Sammelt man etwa die Samen von einem freien Bohnenfeld, so werden dort Sippen durcheinanderwachsen, die erblich verschieden veranlagt sind. Wir wollen der Einfachheit halber annehmen, daß nur drei verschiedene Sippen auf unserem Feld vorhanden wären. Bei der Ernte vom ganzen Feld wird man wieder mittlere, große und kleine Bohnen finden wie bei der Ernte von der einzelnen Pflanze einer reinen Linie; doch wechselt ihre Größe in einem weiteren Bereich. Denn zu der umweltbedingten gesellt sich noch die erbbedingte Variabilität (Abb. 96 rechts). Die Kurven, die uns die Variabilität der drei Sippen angeben, überschneiden sich. Die Anzahl der Bohnen der verschiedenen Größen, die tatsächlich gefunden werden, erhalten wir, wenn wir die drei Einzelkurven summieren. Das ergibt die stark ausgezogene Kurve, die ihre Zusammensetzung aus den drei Stämmen gar nicht ohne weiteres erkennen läßt. Aber treibt man nun Auslese mit diesen Bohnensamen, dann hat man Erfolg. Denn bei der Auswahl besonders großer Bohnen erwischt man mit Wahrscheinlichkeit Sor-

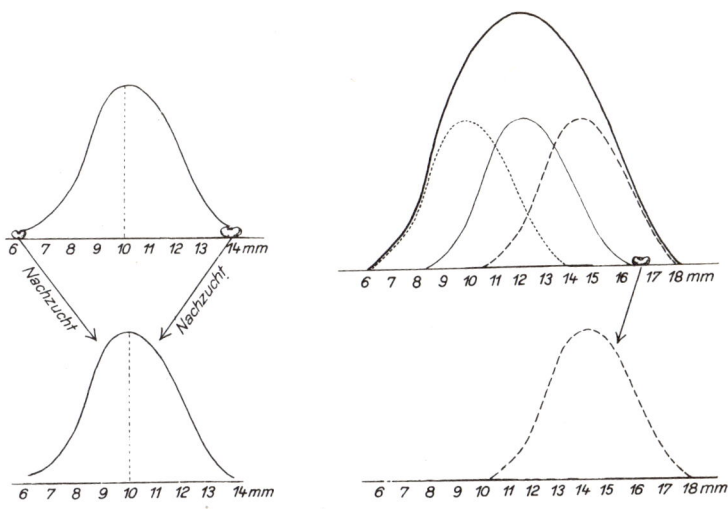

Abb. 96: Links: Größenvariabilität von Bohnensamen; innerhalb einer reinen Linie bleibt Auslese wirkungslos. Rechts: Auslese erfolgt durch Aussonderung von Sorten mit günstigen Erbanlagen aus einem Sippengemisch.

ten, die erblich zur Bildung großer Samen neigen. Bei unserem Beispiel mit nur drei Stämmen ist das besonders deutlich. Die Größe der Bohnensamen hat sich bei der Nachzucht im Mittel von 12 mm auf 14 mm erhöht. Dem Zuchterfolg sind jedoch Grenzen gesetzt. Sobald man aus dem Gemisch die Sorten herausgeklaubt hat, die erblich zu den größten Samen veranlagt sind, bleibt eine weitere Auslese unwirksam. Johannsen meinte daher, daß sich der Erfolg der Zuchtwahl darauf beschränke, aus einem Sortengemisch bestimmte Sorten herauszusondern, und daß eine stetige Weiterentwicklung eines Merkmales, wie es Darwin angenommen hat, auf diese Weise nicht möglich sei. Damals glaubte Johannsen – und viele Vererbungsforscher mit ihm –, die Auslesetheorie sei endgültig zu Grabe getragen.

Mutationen und ihre Bedeutung

Die Überlegung ist aber nur dann richtig, wenn die Erbanlagen etwas dauernd Unveränderliches sind. Nun kennt man schon lange vereinzelte Fälle von plötzlicher Abänderung erblicher Merkmale (*Mutationen,* vom lateinischen Wort *mutare* = verändern). So kam in einer Herde von Schafen, die bisher von den üblichen geraden Beinen nie abgewichen waren, eines Tages von normalen Eltern ein krummbeiniges Lamm zur Welt, das die kurzen Dackelbeine auf seine Nachkommen vererbte. Da diese Rasse nicht imstande war, eine niedere Einzäunung zu überspringen, war sie eine Zeitlang sehr beliebt, bis sie wieder aus der Mode kam. Auf gleiche Weise sind gewiß auch unsere Dackel zuwege gekommen. Ein andermal entstand ebenso plötzlich und unerwartet eine hornlose Rinderrasse. Oder es tritt unter normalen Fliegen eine Form auf, die an Stelle der wohlausgebildeten Flügel nur kurze Stummel trägt; züchtet man sie weiter, so erweist sich auch diese Besonderheit als beständig. Alle diese sprungweisen Abänderungen beruhen auf der Veränderung von Erbanlagen und sind deshalb naturgemäß erblich.

Die Bedeutung der Mutationen für die Entstehung neuer Arten schien allerdings nicht sehr groß zu sein. Wohl konnten manche Anpassungen durch sie eine schöne und einfache Erklärung finden. So das häufige Vorkommen von stummelflügeligen oder flügellosen Insekten auf entlegenen Inseln. Das schönste Beispiel in dieser Hinsicht bieten die Kerguelen, eine weit von jedem Festland entfernte, sturmumbrauste Inselgruppe. Alle einheimischen Insekten, zum Beispiel alle neun Fliegenarten, die man dort aufgefunden hat, aber auch die Schmetterlinge, Käfer usw. sind flugunfähig. Das würde auf dem Festland ein großer Nachteil sein; auf den Kergueleninseln jedoch gehört die Verkümmerung der Flügel sozusagen zum Rüstzeug des Lebens. Denn wer sich in die Luft schwingt, wird in jener überaus stürmischen Gegend allzu leicht aufs offene Meer hinausgeweht, und damit ist sein Schicksal besiegelt. Man hat in künstlichen Fliegenzuchten das plötzliche Auftreten von Formen mit erblicher Verkümmerung der Flügel wiederholt beobachtet. Es liegt nahe, die Kerguelen-Fliegen auf entsprechende Mutationen zurückzuführen, die unter den Bedingungen des Insellebens den geflügelten Stammformen im Kampf ums Dasein überlegen waren und sie daher verdrängten.

Um aber nicht nur solche Einzelfälle, sondern die Entstehung der Arten mit ihren maßlos verwickelten Anpassungen allgemein verständlich zu machen, schienen die Mutationen allzu seltene Ereignisse zu sein. Nach den Vorstellungen Darwins mußte eine Fülle von erblichen Abänderungen vorkommen, aus denen durch den Kampf ums Dasein die passenden ausgesiebt und erhalten wurden. Es war ein zweiter Wendepunkt in der Geschichte des Darwinismus, als die Vererbungsforschung die geforderte Häufigkeit der Mutationen tatsächlich nachweisen konnte.

Monströse Abweichungen, wie Dackelbeine oder Stummelflügel, die ohne weiteres in die Augen fallen, sind freilich selten. Der Fortschritt in der Erkenntnis kam erst durch sorgfältige, mühevolle Einzelarbeit. Der amerikanische Vererbungsforscher Morgan hat mit seinen Mitarbeitern im Verlauf von Jahrzehnten viele Millionen Individuen der kleinen Taufliege gezüchtet und auf das genaueste untersucht. Da zeigte sich, daß auffällige Mutationen, wie zum Beispiel weißäugige Fliegen unter den normalen rotäugigen oder die schon erwähnten stummelflügeligen Tiere, verhältnismäßig selten vorkamen, viel häufiger aber kleine Abänderungen, die ebenso erblich waren wie jene und sich nur durch ihre Geringfügigkeit unterschieden. Sie konnten alle Organe und Eigenschaften betreffen, bald die Beschaffenheit der Augen oder die Äderung der Flügel, bald die Zahl und Verteilung der Körperborsten, bald die Gliederung des Körpers oder seine Färbung und Zeichnung und viele andere Merkmale. Hunderte von Mutationen wurden in kurzer Zeit aus Morgans Zuchten bekannt, und Hunderttausende mögen während der gleichen knappen Zeitspanne unbemerkt in der freien Natur aufgetreten sein. Denn diese arbeitet mit einem Reichtum an Material, das sich zu Morgans Zuchten verhält wie der Sand am Meeresstrand zu einer Handvoll Sandkörner, die der Strandwanderer unter die Lupe nimmt.

Eine ähnliche Erfahrung machte der deutsche Botaniker E. Baur, als er das allbekannte Löwenmäulchen in Kultur nahm; nur waren hier die Mutationen noch außerordentlich viel häufiger als bei der Taufliege. Sein geschärftes Auge fand bei verschiedenen Sippen dieser Pflanze, auch bei strenger Zucht in reinen Linien, durchschnittlich schon unter je zehn Pflanzen eine solche mit einer erblichen Abänderung. Diese konnte sich zum Beispiel auf die Blütenfarbe, auf die Art und Weise der Verästelung, die frühere oder spätere Blütezeit, die Blattfarbe und viele andere Merkmale erstrecken. Viele von diesen Abänderungen waren für das Leben der Pflanze bedeutungslos oder schädlich; manche waren aber auch von solcher Art, daß sie in der freien Natur unter gewissen Lebensbedingungen von Nutzen sein und einen Vorteil im Kampf ums Dasein bedeuten mußten. Sicher gibt es Tiere und Pflanzen, die in ihren Erbanlagen beständiger und weniger zu Abänderungen geneigt sind als die Taufliege und das Löwenmäulchen. Aber ebenso gewiß ist, daß man noch bei vielen anderen Formen zahllose Mutationen kennenlernen wird, sobald man mit gleicher Aufmerksamkeit danach sucht, wie es Morgan und Baur getan haben.

Da wären aus neueren Untersuchungen die *Genom-Mutationen* zu nennen. Gelegentlich kommt es vor, daß bei der mitotischen Phase der 2. Reifeteilung keine Teilungsspindel auftritt. Die Folge ist ein »Non Disjunction« – die Chromosomen bleiben in der Stammzelle beisammen. Vor allem bei Pflanzen ist solche »Polyploidie« häufig und tritt auch spontan auf. Da sie erhebliche Vorteile, zum Beispiel in Größe, Geschmack, Widerstandskraft gegen Umwelt mit sich bringt, wird in der Pflanzenzucht sogar künstliche Polyploidie durch Colchicin, dem Alkaloid der Herbstzeitlose, ausgelöst. Auch beim Menschen hat man Genom-Mutationen entdeckt, wobei aber nicht der ganze Chromosomensatz vervielfacht oder halbiert wird, sondern nur eines der insgesamt 46 Chromosomen (vgl. S. 276). Dies führt dann leider zu schweren körperlichen und geistigen Schäden: bei der Trisomie, die das Down-Syndrom auslöst, ist das Chromosom Nr. 21, anstatt nur zweimal, dreimal vorhanden. Die Patienten sind in ihrer geistigen Entwicklung schwer gehemmt. Hinzu kommt ein gedrungener Körperbau mit kurzgliedrigen Händen und Füßen, schrägstehenden Augenschlitzen mit einer Hautfalte am oberen Lid, die man als »Mongolenfalte« bezeichnet und die allen Mongoloiden eigen ist. Beim Turner-Syndrom fehlt bei den Mädchen ein X-Chromosom. Sie haben gedrungenen Wuchs, die weiblichen Geschlechtsorgane sind stark reduziert. Das Klinefelter-Syndrom zeigt sich bei Buben, wobei die männlichen Geschlechtsorgane stark reduziert und die Extremitäten extrem lang sind. Es kommt dadurch zustande, daß diese Patienten ein X-Chromosom zuviel besitzen.

Für die Darwinsche Lehre ist noch eine weitere Entdeckung, die wir der neueren Vererbungsforschung verdanken, von großer Bedeutung. Mutationen können zwar spontan auftreten, ohne erkennbare äußere Ursache. Es hat sich aber herausgestellt, daß ihre Häufigkeit gesteigert werden kann. Wenn man zum Beispiel Taufliegen der Einwirkung von energiereichen Strahlen aussetzt (Röntgenstrahlen, radioaktive Bestrahlung), so entstehen mehr als hundertmal so viele Tiere mit erblichen Abänderungen als sonst. Auch gewisse chemische Mittel (Senfgas u. a.) erwiesen sich als mutationsauslösend.

Seit man die Desoxyribonukleinsäure (DNS) als Trägerin der Erbanlagen kennt und weiß, daß die Buchstaben des Erbcodes durch die wechselnde Folge der vier verschiedenen Basen im DNS-Molekül gegeben sind, kann man verstehen, wie durch die genannten äußeren Einwirkungen Mutationen zustande kommen. Chemische Einflüsse können zur Folge haben, daß beim Matrizenverfahren eine Base mit einer anderen verwechselt wird und gleichsam ein Druckfehler im Erbcode entsteht. Beim Strahlenbeschuß kann ein Gen einen Treffer erhalten, durch den ein Glied in der Aufeinanderfolge der Basen zerstört oder verändert wird. Solche Fehler werden natürlich im Matrizenverfahren genauso kopiert wie die normale, richtige Basenfolge. Wenn die Veränderung in einer Keimzelle stattgefunden hat, die einer neuen Generation den Ursprung gibt, dann wird sie auf diese und alle weiteren Generationen übertragen. Sie ist ins Erbgut eingegangen.

Vielleicht haben in früheren Zeiten der Erdgeschichte große Hitze oder andere abweichende Außenbedingungen den Mutationsvorgang so begünstigt, daß für die natürliche Auslese und für die Artbildung ein viel reicheres Material zur Verfügung stand als heute. Eine starke Häufung von Mutationen wirkt sich segensreich aus, solange durch die unerbittliche natürliche Auslese die ungünstigen Abweichungen ausgemerzt werden und die günstigen erhalten bleiben. Heute stehen wir allerdings im Beginn einer neuen Entwicklung, die beängstigend ist. Die Gesundheit der Menschen ist bedroht von Strahlenwirkungen großen Ausmaßes, ohne daß die natürliche Auslese wie ehemals regulierend eingreift. Auf S. 345 kommen wir darauf zurück.

Fassen wir die Hauptsache zusammen, so hat die neuere Vererbungsforschung zu einer Klärung des Begriffes der Variabilität geführt. Sie unterscheidet streng zwischen den Abänderungen der äußeren Erscheinung, die *durch Umwelteinflüsse* bewirkt und *nicht erblich* sind (mit einem gelehrten Namen werden sie als *Modifikationen* bezeichnet), und jenen Abänderungen, die auf einer *Veränderung in den Keimzellen* beruhen, den *Mutationen, die erblich* sind. Die Häufigkeit der Mutationen, die sich durch äußere Einflüsse noch steigern läßt, hat die experimentelle Erbforschung zunächst übersehen und erst verspätet erkannt. So hat sie sich aus einem anfänglichen Gegner zu einem mächtigen Freund von Darwins Lehre gewandelt. Wer heute in dessen alten Schriften liest, wird allerdings finden, daß er selbst schon mit erstaunlichem Scharfblick zwischen erblichen, in den Keimzellen wurzelnden, und nicht erblichen, durch die Einflüsse der Umwelt bedingten Abänderungen unterschieden hat. Nur war er der Meinung, daß die letzteren doch erblich werden könnten, wenn die äußeren Einflüsse lange genug anhalten. Von dieser Frage soll im nächsten Abschnitt noch die Rede sein.

7.4. Gibt es eine Vererbung erworbener Eigenschaften?

Wenn eine Mutation auftritt, so ist sie selbstverständlich erblich, denn sie beruht ja auf der Änderung einer Erbanlage. Man könnte also sagen: Die von dem Individuum erworbene Änderung ist erblich. Aber so ist es nicht gemeint. Bei der einst viel erörterten Streitfrage geht es darum, ob *funktionell* erworbene Eigenschaften im Lauf der Zeit erblich werden können. Lamarck war davon überzeugt und hat der stammesgeschichtlichen Entstehung der Anpassungen einer Vererbung funktionell erworbener Eigenschaften große Bedeutung beigemessen. Einige Beispiele werden seine Ansicht deutlich machen.

Die Wirkung von Gebrauch und Nichtgebrauch

Es ist eine Tatsache, daß sich die Organe des Körpers durch häufigen Gebrauch im individuellen Leben kräftiger entwickeln, wie sie andererseits durch Nichtgebrauch verkümmern. Der Turner bekommt stattlichere Muskeln als der Stubenhocker. Wenn eine Niere des Menschen, weil sie erkrankt ist, durch eine Operation entfernt wird, so hat die andere mehr Arbeit zu leisten und nimmt dann wesentlich an Umfang zu. Daß dem Elefanten eine starke Nackenmuskulatur angeboren ist, die ihn befähigt, seinen mit Stoßzähnen beschwerten Schädel mühelos zu tragen, wäre nach Lamarck eine von den Vorfahren funktionell erworbene Eigenschaft, die erblich geworden ist. Die Kräftigung der einen, am stärksten beanspruchten Zehe in der Stammesentwicklung des Pferdes wäre nach dieser Auffassung auf dem gleichen Wege zustande gekommen. Die dunkle Hautfarbe der Neger sei auf die fortdauernde Anregung zur Pigmentbildung durch intensive Besonnung zurückzuführen, die im Laufe der Generationen ein erbliches Rassenmerkmal hervorgebracht habe.

Andererseits findet sich beim Grottenolm, der in den ewig finstern Höhlen des Karstgebietes lebt, kein dunkles Hautpigment, seine Augen, von denen er keinen Gebrauch machen kann, sind winzig klein geworden und von der Haut überwachsen. Bei manchen Schlangen sind noch kümmerliche Reste der Gliedmaßen vorhanden, die ihre Vorfahren einst gebraucht haben; beim heutigen Pferd sind noch Reste der verkümmerten Zehen nachweisbar, und so kennt man zahlreiche »rudimentäre« Organe auf allen Stufen der Rückbildung bis zum völligen Verschwinden. Auch diese Erscheinungen fänden eine einleuchtende Erklärung, wenn erwiesen wäre, daß die Verkümmerung durch Nichtgebrauch erblich ist und auf diese Weise zu einer fortschreitenden Reduktion führt.

Darwin wollte zur Erklärung der Entstehung der Arten neben seiner eigenen Auslesetheorie auch Lamarcks Lehre von der Vererbung funktionell erworbener Eigenschaften durchaus gelten lassen. Die heutige Vererbungsforschung sieht aber in solchen funktionell erworbenen Eigenschaften Modifikationen und lehnt die Annahme, daß solche erblich werden könnten, aus zwei Gründen entschieden ab: Erstens ist es trotz vielfacher Bemühungen noch nie gelungen, die Vererbung einer erworbenen Eigenschaft durch Versuche nachzuweisen. Zweitens sei die Vorstellung absurd, daß ein erworbenes Merkmal, sagen wir die Kräftigung eines Armmuskels durch den Gebrauch, die DNS-Moleküle und ihre Basenfolge in den weit entfernten Keimzellen des Individuums beeinflussen soll, und zwar gerade so beeinflussen soll, daß in der Nachkommenschaft ausgerechnet jener Muskel kräftiger angelegt wird.

Die Mehrzahl der Vererbungsforscher vertritt heute den Standpunkt, daß sich alle Erscheinungen der Stammesentwicklung einzig auf der Grundlage von Mutation und Auslese erklären lassen. Sie stützen sich dabei auch auf eindrucksvolle Überlegungen und Berechnungen, die zeigen, daß sich eine Abänderung, die auch nur einen geringfügigen Vorteil im Kampf ums Dasein bietet, nach einer gar nicht übermäßig großen Zahl von Generationen durchsetzen wird. Nehmen wir an, daß bei einer Tierart, die ein größeres Gebiet bevölkert, eine Mutation auftritt. Sie ist zunächst nur bei wenigen Individuen vorhanden, bedeutet aber für diese einen kleinen Vorteil. Er sei so gering, daß unter einer bestimmten Zahl von Nachkommen einer Trägerin des neuen Merkmales nur 99, von den übrigen aber hundert im Durchschnitt zugrunde gehen, bevor sie sich fortpflanzen können. Dann sind bei einer Fortpflanzungsrate von fünfzig Nachkommen auf ein Elterntier nach etwa tausend Generationen alle Individuen, die das neue Merkmal nicht besitzen, fast vollkommen verschwunden. Das gilt allerdings nur für ein dominantes Merkmal. Wenn es rezessiv ist, sind ungefähr 25 400 Generationen erforderlich.

Bei der stammesgeschichtlichen Entwicklung mächtiger Stoßzähne ist mit der Zunahme ihres Gewichtes auch die Nackenmuskulatur so kräftig geworden, daß sie den schweren Schädel zu tragen vermag. Nach Ansicht der Vererbungsforscher ist aber hierbei nicht die funktionell erworbene Stärkung der Muskeln erblich geworden, sondern zufällige Mutationen in Richtung einer stärkeren Nackenmuskulatur hätten ihren Trägern einen kleinen Vorteil geboten und seien durch natürliche Auslese herausgezüchtet worden. In diesem Beispiel besteht kein Anlaß, daran zu zweifeln, daß solche Mutationen vorteilhaft waren. Es gibt aber Anpassungen, die auf diese Weise nicht verstanden werden können.

7.5. Erfolge bewußter Rassenzüchtung

Schon in alten Zeiten war die »künstliche Zuchtwahl« der Weg, der zur Entstehung der Haustierrassen führte. Diese Erkenntnis gab ja Darwin die entscheidende Anregung für seine Lehre von der natürlichen Zuchtwahl. Aber die Züchter tappten damals mit ihren Maßnahmen ziemlich im dunkeln herum. Erst die neuere Vertiefung unseres Wissens von der Variabilität und Vererbung gab ihnen die Möglichkeit, zielbewußt auf die Erfüllung hochgesteckter züchterischer Forderungen hinzuarbeiten.

Die Eigenheiten der Kulturformen

Unsere Haustiere und Nutzpflanzen stammen alle von Wildformen ab, von denen sie sich dadurch unterscheiden, daß gewisse für den Menschen erwünschte Eigenschaften bei ihnen gewaltig gesteigert sind. Ein Mastschwein von heute entwickelt einen Fettansatz, zu dem ein Wildschwein niemals fähig ist und der auch vor einigen hundert Jahren den Hausschweinen noch fremd war. Die üblichen Sorten unseres Brotgetreides bilden Körner in solcher Fülle und Größe, daß ihre Ähren ein ganz anderes Aussehen haben als bei den wild wachsenden Gräsern, von denen sie sich herleiten.

Die Kulturformen unterscheiden sich aber noch in einem anderen Punkt von den wild lebenden Rassen. Während diese sehr einheitlich sind, erweisen sich jene als außerordentlich variabel. Wir brauchen nur daran zu denken, wie sehr sich etwa die Haushunde in Färbung und Zeichnung, Behaarung und Größe, Wachsamkeit und Temperament voneinander unterscheiden und wie gleichmäßig demgegenüber ihre wilden Verwandten, die Wölfe, alle geartet sind. Die große Veränderlichkeit der Kulturrassen hat zwei Gründe, die man sich klarmachen muß, wenn man die Erfolge der Züchter verstehen will.

Erstens treten bei den Tieren und Pflanzen, die der Mensch in Pflege genommen hat, genauso wie in der freien Natur erbliche Abänderungen auf, Mutationen. Von ihnen werden draußen im Kampf ums Dasein weitaus die meisten in kurzer Zeit ausgemerzt, indessen unter der schützenden Hand des Menschen auch solche, die für das Leben nicht vorteilhaft sind, bestehen können. Oft genug wendet er gerade ihnen seine besondere Sorgfalt zu. In Lappland werden zum Beispiel weiße Rentierlämmer von den Frauen und Kindern mit ausnehmender Liebe gepflegt und solche Abnormitäten, die in der Natur dem baldigen Untergang geweiht wären, auch besonders gern zur Weiterzucht benützt. Das Erhaltenbleiben der auftretenden Mutationen und ihre fortwährende Kreuzung mit den Stammformen ist *eine* Ursache für die zunehmende Mannigfaltigkeit der Kulturformen. Die zweite Ursache ist die, daß die Züchter häufig absichtlich fremde Rassen einkreuzen, um erwünschte Besonderheiten mit den Eigenschaften ihrer eigenen Sorten zu vereinigen. Die beiden Sorten sind oft in vielen erblichen Merkmalen voneinander verschieden. Bei der Besprechung der Mendelschen Gesetze haben wir gehört, daß und warum die Kreuzung zweier Sorten, die sich in mehr als einem Merkmal voneinander unterscheiden, zu einer Steigerung der Variabilität und zum Auftreten neuartiger Merkmalsgruppierungen führen muß. Unterscheiden sich zwei Sippen in zehn Merkmalen, die sich selbständig nach den Mendelschen Regeln vererben, so ergeben sich bei ihrer Kreuzung schon 1024, bei zwanzig Unterschieden schon über eine Million verschiedene Sorten, die jene Merkmale in allen erdenklichen Kombinationen aufweisen und sich rein weiterzüchten lassen. Daraus kann man nun jene Merkmalszusammenstellung heraussondern, die den Wünschen am besten entspricht. Das macht man seit Jahrtausenden mit mehr oder weniger Geschick und mit um so größerem Erfolg, je mehr die Hand des Züchters von einem glücklichen Instinkt geleitet wird. Doch erst seit wenigen Jahrzehnten geschieht es nach allen Regeln der Kunst, auf Grund einer tieferen Einsicht in die Gesetzmäßigkeiten der Variabilität und Vererbung.

Wissenschaft als Förderin der Landwirtschaft

Die gewöhnlichen Lupinen konnte man früher nur zur Verbesserung der Böden verwenden; in ihren Wurzeln leben Stickstoff bindende Bakterien, so daß durch ihren Anbau der Ackerboden mit Stickstoff angereichert wird (vgl. S. 193). Als Futter waren sie unbrauchbar, weil Kraut und Früchte selbst für den wenig verwöhnten Gaumen des Weideviehs durch einen Bitterstoff ganz ungenießbar sind. In planvoller Züchtung, verbunden mit dauernder Kontrolle der Bitterstoffe, gelang es, aus etwa eineinhalb Millionen Lupinen einige Pflanzen auszusondern, die durch ganz geringen Gehalt an Bitterstoffen ausgezeichnet waren. Diese »süßen Lupinen« konnten dann nach Belieben vermehrt und rein gezüchtet werden. Sie bedeuten für unsere Landwirtschaft einen großen Gewinn, da sie einen vollwertigen Ersatz für die teuren Eiweißfuttermittel darstellen, die früher in großen Mengen importiert werden mußten.

Im achtzehnten Jahrhundert war das Zuckerrohr noch die einzige Quelle der Zuckergewinnung. Die Entdeckung des Chemikers Marggraf, daß derselbe Zucker in der Runkelrübe enthalten ist, war zunächst ohne praktische Bedeutung, weil die Gewinnung des Süßstoffs bei dem geringen Zuckergehalt der Rüben (sechs Prozent) nicht lohnend war. Der Züchtung gelang es aber, den Zuckergehalt auf 20% zu steigern. Durch ähnliche Kreuzungen, verbunden mit zielbewußter Auslese, ist es gelungen, Tomaten zu züchten, die um einige Wochen früher reifen als die üblichen Rassen; sie ersparen uns große Summen, die bisher für die Einfuhr von Frühtomaten aus wärmeren Gegenden ins Ausland gingen.

Bei der Entdeckung Amerikas fand man den Mais als weitverbreitete Kulturpflanze vor. Durch planmäßige Kreuzung bestimmter Linien konnten in neuerer Zeit die Erträge sprunghaft gesteigert werden. Von 1920 bis 1945 stieg die Ernte für gleiche Flächen um 30%. Der Erfolg war für die Landwirte so überzeugend, daß im Jahre 1960 96% des Anbaugebietes mit jenem Bastardmais bepflanzt war.

Das sind nur wenige Beispiele. Es ließe sich noch viel erzählen, etwa von den Taten der berühmten schwedischen Züchtungsanstalt in Svalöf, die den früher dort als Landsorte gebräuchlichen Winterweizen mit einem viel ertragreicheren, aber für das rauhe Klima Schwedens ungeeigneten englischen Weizen gekreuzt hat und durch fortgesetzte Auslese und Kreuzung eine Sorte erzielen konnte, die große Ertragfähigkeit mit der erforderlichen Widerstandskraft gegen Kälte vereinigt. Hauptsächlich dieser Sortenverbesserung ist es zuzuschreiben, daß heute in Schweden die gleiche Ackerfläche um etwa sechzig Prozent mehr Weizen trägt als vor fünfzig Jahren.

Die wenigsten Nutznießer solcher Errungenschaften sind sich dessen bewußt, daß sie die Früchte einer Saat ernten, die einst Gregor Mendel und seine Nachfolger in den Boden der Forschung streuten. Was jene Männer in lauterem Streben nach wissenschaftlicher Erkenntnis und ohne Gedanken an eine praktische Auswirkung gefunden haben, war die unentbehrliche Grundlage für all die züchterischen Arbeiten, die sich heute in klingende Münze umsetzen. Doch die Welt geht weiter ihren Lauf, immer hastiger und schneller. Jedwedes Land, das in fünfzig Jahren nicht im Rückstand sein will, muß heute mehr denn je auf die Pflege seiner Wissenschaft bedacht sein.

7.6. Des Menschen Vergangenheit und Zukunft

Im Münchner Tierpark

Der Münchner Tierpark besitzt eine stattliche Anzahl jener Affen, die als die menschenähnlichsten bezeichnet werden; man zählt zu ihnen die Schimpansen, Orang-Utan und Gorilla. Man findet sie heute nicht mehr, wie früher in den Tiergärten, in stumpfsinniges Dahinbrüten versunken, sondern sie werden dauernd beschäftigt und unterhalten, und häufig trifft man sie draußen in den Anlagen beim Spaziergang. Bei solcher Gelegenheit springt ein Schimpansenkind der Mutter auf den Buckel, um sich tragen zu lassen. Der Wärter ist damit nicht einverstanden, zieht es herunter und will es an der Hand führen. Da wirft sich das Kleine auf den Boden, schreit und strampelt mit Armen und Beinen, springt auf und rennt ins Gebüsch, wo es mit zornigem Gesicht Blätter und Zweige zerfetzt. Durch die verblüffende Ähnlichkeit mit einem ungezogenen Menschenkind erringt es einen stürmischen Heiterkeitserfolg bei allen Zeugen des kleinen Vorfalls. Er war besonders eindrucksvoll. Aber für den Beobachter vor dem Affenkäfig vergeht kaum eine Minute, in der er nicht durch die Menschenähnlichkeit im Ausdruck und Gebaren dieser Tiere überrascht wird. Die Zuschauer fühlen sich seltsam angezogen und stehen stundenlang im Affenhaus. Wie würden sie erst staunen, wenn sie den Grad der Übereinstimmung ganz erfassen könnten. Sie beschränkt sich ja nicht aufs äußere Gehaben; sie erstreckt sich auf alle Organe, auf das ganze Skelett, auf jeden einzelnen Knochen und jeden Zahn. Das Gehirn eines Schimpansen hat denselben inneren Bau, die gleichen Furchen und Windungen an seiner Oberfläche wie das Organ der geistigen Leistungen bei einem menschlichen Wesen; nur ist es bei diesem dreimal so groß. Die Schimpansenmutter säugt die Jungen in derselben Weise; sie hat genau dieselbe Form des Mutterkuchens wie der Mensch, und so wird durch diese und tausend andere Zeichen die innere Verwandtschaft kund. Ja, man hat auf chemischem Wege eine

Blutsverwandtschaft im wahren Sinne des Wortes ganz augenfällig nachweisen können.

Eine Probe auf Blutsverwandtschaft

Die Gelehrten haben ein ausgezeichnetes Mittel gefunden, um die Verwandtschaft des Blutes sichtbar zu machen:

Wenn man in einem Gläschen einige Blutstropfen von zwei verschiedenen Tieren miteinander mischt, zum Beispiel von einem Kaninchen und einem Hund, so geschieht gar nichts. Spritzt man dem Kaninchen eine größere Menge Hundeblut ein, so stirbt es unter Krämpfen; das artfremde Blut wirkt als Gift. Beginnt man aber die Einspritzungen mit sehr kleinen Gaben und wiederholt sie mit allmählich steigenden Mengen, so entwickelt das Kaninchen Gegenstoffe gegen die artfremde Blutflüssigkeit. Wenn man nun abermals beide im Gläschen miteinander mischt, bildet sich ein deutlicher Niederschlag von Eiweißflöckchen. Es ist eine ähnliche Erscheinung wie die Bildung von Antikörpern gegen Bakteriengifte. Die Antikörper des Kaninchens, deren Bildung durch das eingespritzte Hundeblut angeregt wurde, bringen Eiweißstoffe des Hundeblutes zum Gerinnen, so daß sie als Flöckchen sichtbar werden.

Wie bei den Gegengiften gegen Bakterien ist die Wirkung spezifisch, das heißt also: Wenn Hundeblut eingespritzt wurde, richten sich die gebildeten Antikörper nur gegen Hundeblut. Mit der Blutflüssigkeit eines Wolfes, der ja den Hunden nahe verwandt ist, entsteht ein schwächerer Niederschlag, mit dem Blut von entfernteren Tierarten oder mit Menschenblut ergibt sich aber überhaupt keine Trübung. Hat man einem Kaninchen Menschenblut mehrmals eingespritzt, so läßt es dessen Eiweißstoffe ausflokken. Und nun kommt die Hauptsache: Bringt man das Blut eines solchen Kaninchens mit Blut von einem Schimpansen zusammen, so entsteht auch ein zwar schwächerer, aber deutlicher Eiweißniederschlag.

Die Reaktion ist zuverlässig, gelingt mit ganz geringen Mengen selbst eingetrockneter Blutspuren und genießt solches Vertrauen, daß sie zum gerichtlichen Nachweis von Menschen- oder Tierblut und zur Unterscheidung beider benützt wird. Ein Kaninchen, dem man Schimpansenblut eingespritzt hat, reagiert mit Schimpansenblut am stärksten, mit Menschenblut schwächer, mit dem Blut niederer Affen aber überhaupt nicht. Damit war ein Ergebnis, zu dem die Betrachtung des Körperbaues schon längst geführt hatte, auf neuartige Weise glänzend bestätigt, daß nämlich die Blutsverwandtschaft zwischen den menschenähnlichen Affen und dem Menschen wesentlich enger ist als zwischen jenen und den niederen Affenarten.

Die Herkunft des Menschen

Die heutige Bevölkerung der Erde sieht recht ungleichartig aus. Weite räumliche Trennung der bewohnten Länder durch unwegsame Gebiete, die noch nicht durch schnelle Verkehrsmittel überbrückt waren, hat die Ausbildung verschiedener *Menschenrassen* begünstigt. Wenn man an Mongolen, Neger und Europäer denkt, so sieht man die drei großen Hauptrassen vor sich. Aber bei aller Verschiedenheit ihres Äußeren und ihrer geistigen Veranlagung ist die Übereinstimmung der körperlichen Merkmale so groß, daß man sie im Sinne der Systematiker samt und sonders zu ein und derselben *Art* rechnet. Es gibt also heute nur eine »Species« Mensch. Ein wenig anmaßend hat er sich die wissenschaftliche Bezeichnung *Homo sapiens* beigelegt – ohne immer darauf bedacht zu sein, daß er sich hiermit zur Weisheit bekannt hat.

Die anatomische Grundlage seiner hohen Geistesstufe ist sein mächtig entwickeltes Gehirn. Der Gegensatz zwischen einem Menschenschädel und jenem der am höchsten stehenden Affen beruht wesentlich auf der Vergrößerung des Hirns, dem der Schädel Raum gibt, indem er sich nach oben und hinten wölbt und vorne an Stelle der flachen Stirn seine hohe Denkerstirn entwickelt hat (Abb. 97). Einen groben Anhaltspunkt für die Größe des Unterschiedes bietet der Innenraum des Schädels, der ja vom Gehirn ausgefüllt wird. Beim Gorilla faßt er etwa 600 ccm, beim heutigen Menschen etwa 1300 bis 1500 ccm. Weitere auffallende Merkmale des Menschenschädels liegen in seinem vortretenden Kinn und im Zurücktreten des Gesichtsschädels, also im Fehlen einer Schnauze und im Fehlen der Knochenwülste über den Augen, die den Affenschädel kennzeichnen.

Im Jahre 1856 wurden im Neandertal, zwischen Düsseldorf und Elberfeld, und später auch in südlichen, westlichen und östlichen Teilen Europas Schädelreste und andere Knochen von Menschen gefunden, die vor etwa 100 000 Jahren, vor und während der letzten Eiszeit, unseren Kontinent bevölkert haben. Die erhaltenen Skeletteile geben ein Bild vom Körperbau jenes *Neandertalers*. Mit seinen langen Armen und kurzen Beinen, fliehender Stirn, starken Knochenwülsten über den Augen und zurücktretendem Kinn war er affenähnlicher als der heutige Mensch und von diesem so verschieden, daß man in ihm eine andere Menschen*art* sieht. Er erhielt die wissenschaftliche Bezeichnung *Homo neandertalensis* (auch *H. primigenius*). Aus seinen einstigen Wohnhöhlen kennt man die primitiven Steinwerkzeuge, die er im Kampf mit seinesgleichen und mit seinen mächtigen Zeitgenossen, dem Mammut und dem Höhlenbären, benutzte.

Im Neandertaler dachte man einen direkten Ahnen des heutigen Menschen entdeckt zu haben. Das hat sich als unrichtig erwiesen. Er bildet einen Nebenast am menschlichen Stammbaum und verschwand während der letzten Eiszeit, der er wohl nicht gewachsen war. Einwanderer aus dem Osten traten an seine Stelle. Sie bildeten mehrere Typen, die man nach ih-

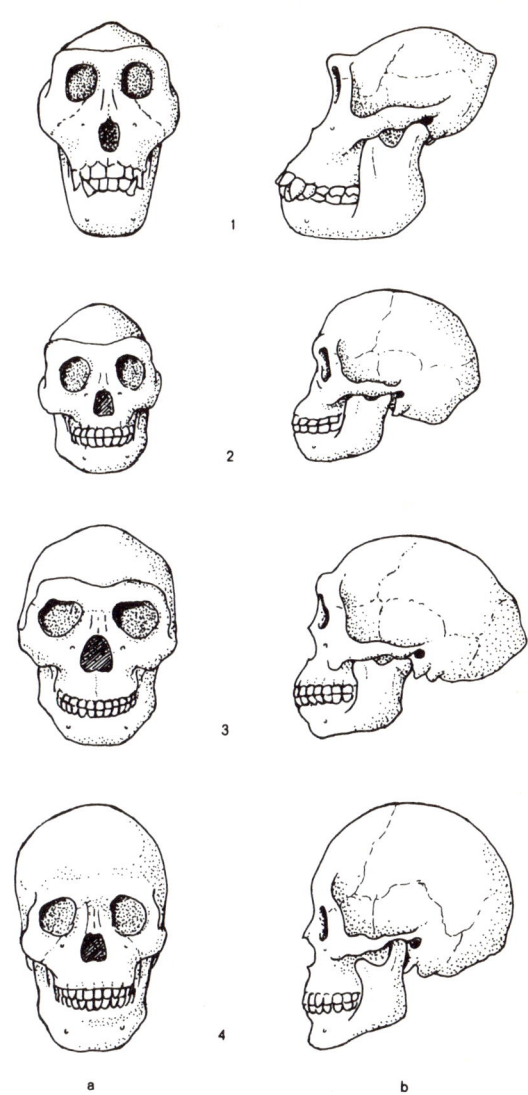

Abb. 97: Schädel von 1. Gorilla, 2. Australopithecus, 3. Pithecanthropus, 4. heutigem Menschen. Der zunehmenden Schädelgröße entspricht eine zunehmende Hirngröße.

ren Hauptfundorten benannt hat (z. B. Cro-Magnon-Rasse und Aurignac-Rasse in Frankreich, Brünn-Rasse nach Brünn in Mähren und andere). Aber in allen wesentlichen körperlichen Merkmalen stimmten sie mit den jetzigen Menschen überein. Sie sind unsere unmittelbaren Vorfahren. Von wo aus sie eingewandert sind, weiß man nicht sicher. Auch läßt sich nichts Bestimmtes darüber aussagen, wie ihre Vorgänger ausgesehen haben; auf keinen Fall so wie die heutigen Menschenaffen; auch der Gorilla und der Schimpanse, die menschenähnlichsten unter den heutigen Affen, haben sich in den Zeiträumen, die zur Entstehung des Menschen führten, verändert, sie haben sich in anderer Richtung weiterentwickelt. Aber Menschenaffen und Menschen gehen auf eine gemeinsame Wurzel zurück.

Die letzten Zweifel darüber schwanden, als 1891 auf Java die ältesten heute bekannten *Menschen*reste gefunden wurden. Sie vereinigen in sich mit aller Deutlichkeit Menschen- und Affenmerkmale. So bilden sie ein verbindendes Glied. Für ihre geistige Entwicklungsstufe ist dasselbe anzunehmen, da ihr Gehirn kleiner war als das des Menschen, aber größer als bei Menschenaffen. Im ganzen war jener *Affenmensch* vom heutigen Menschen so verschieden, daß man ihn in eine andere Gattung stellt *(Pithecanthropus erectus)*. Er lebte vor etwa 400 000 Jahren und hatte – wie der Name *erectus* andeutet – bereits den aufrechten Gang erworben. Die Hände waren als Greifwerkzeuge frei, er wußte sie zur Gestaltung von Werkzeugen zu gebrauchen und kannte auch bereits das Feuer. So besaß er die Grundlagen für die spezifisch menschliche kulturelle Entwicklung. Sehr ähnliche Menschenfunde sind aus China (Peking) bekanntgeworden. Aber wie haben die Vorfahren des *Pithecanthropus* ausgesehen?

Darüber brachten aufsehenerregende Funde von menschenähnlichen *Affen* Aufschluß, die in Süd- und Ostafrika zutage gefördert wurden. Das Alter dieser »Süd-Menschenaffen«, des *Australopithecus* und verwandter Arten, überstreicht den Zeitraum von etwa einer Million bis zu 400 000 Jahren vor der Jetztzeit. Sie lebten also vor dem ältesten bekannten Menschen und stehen ihm zum Teil so nahe, daß man überzeugt ist, in dieser Gruppe menschenähnlicher Affen die Vorfahren des heutigen Menschen suchen zu müssen. Die Abb. 97 führt uns am Beispiel des Schädels einige Stufen aus der Entwicklung zum Menschen vor Augen, wobei der Gorilla als Vertreter der Menschenaffen zum Vergleich darüber gesetzt ist. Wie schon betont, liegt weder der Gorilla noch der Neandertaler in der direkten Entwicklungslinie zum Menschen; sie entstanden als Seitenzweige, die unsere Zeit zum Teil nicht erreicht haben. Der Innenraum der Schädelkapsel (die »Schädelkapazität«) liegt beim Gorilla um 600 ccm, beim *Australopithecus* beträgt sie etwa 600 bis 700 ccm, beim *Pithecanthropus* etwa 800 bis 900 ccm, beim Pekingmenschen angenähert 1000 ccm und beim heutigen Menschen etwa 1300 bis 1500 ccm. Aufsehen erregten neuere Grabungen in der »Oldoway-Schlucht« in Ostafrika, die alle einer frühen Australopithecus-Gruppe angehören. Unter anderem wurde ein nahezu vollständig erhaltenes Skelett des Mädchens »Lucy« gefunden; mit 130 cm Länge ist es deutlich kleiner als die übrige Australopithecus-Gruppe. Das Hirnvolumen mit 400 ccm ist dem des Schimpansen vergleichbar; ihr Alter wird auf 3 Millionen Jahre geschätzt. Lucy erhielt den wissenschaftlichen Namen *Australopithecus afarensis*.

Ich habe nie begriffen, warum manche Leute die Vorstellung einer tierischen Abkunft des Menschen anstößig finden. Nicht wie wir einst waren, sondern was heute aus uns geworden ist, gibt den Maßstab für unsere Bewertung.

Unsere Vergangenheit hat einige Spuren hinterlassen. Die *Zukunft* der Menschheit liegt im Wesenlosen. Man kann sie sich ausmalen, man kann von ihr träumen; man kann sie nicht wissen. Und doch müssen wir an sie denken, und wer nicht blind in den Tag hineinlebt, hat Anlaß zu schwerer Sorge. Die Gesundheit des Menschen ist an ihren Wurzeln gefährdet, und ihre Vermehrung hat ein erschreckendes Tempo erreicht.

Strahlenwirkungen

Energiereiche Strahlungen sind für den lebenden Organismus nicht gleichgültig. Auch für den Menschen bedeuten sie eine Gefahr. Die ersten Warnzeichen liegen weit zurück. Mit Schrecken mußten schon zu Beginn unseres Jahrhunderts die Pioniere der Röntgenforschung an ihren Patienten und am eigenen Leibe die Erfahrung machen, daß die Bestrahlungen schwere körperliche Schäden zur Folge haben können, die unerwartet und ohne Vorzeichen oft erst lange Zeit nach der Einwirkung der Strahlen in Erscheinung treten.

Heute sind die künstlich erzeugten Strahlungen nicht mehr an Laboratorien gebunden, wo man Gliedmaßen durchleuchtet, Geschwülste durch Röntgenbehandlung zu heilen sucht oder wissenschaftliche Versuche macht. Man hat es ja fertiggebracht, die Elemente zu spalten, und dadurch Energien von unerhörter Gewalt gewonnen, aber auch radioaktive Strahlungen frei gemacht, welche die Wirkung der Röntgenstrahlen weit in den Schatten stellen. Seit der Explosion von Hiroshima weiß man vom Dahinsiechen der Menschen, die dem Wirkungsbereich der Atombombe ausgesetzt waren.

Solch augenfällige Zerstörung der Gesundheit als späte Folge einer scheinbar glücklich überstandenen Bestrahlung ist eine furchtbare Begleiterscheinung der modernen Technik. Aber noch unheimlicher ist die Strahlenschädigung der Keimzellen und ihres Erbgutes.

Bei jeder Atombombenexplosion wird die Hülle der Erde mit radioaktiven Stoffen verseucht, die über lange Zeiträume wirksam bleiben und mit den Niederschlägen oder auf andere Weise den Pflanzen und der Tierwelt zugeführt werden. Es ist eine Tatsache, daß die Menschen auf der ganzen

Erde heute einer größeren Strahlendosis ausgesetzt sind als vor dem Beginn der Atomversuche, und dieser Zustand kann sich noch verschlimmern. Die Keimzellen sind auch für kleinste Strahlendosen empfindlich. Wiederholte Einwirkungen summieren sich, nicht nur im Leben des einzelnen, sondern von Generation zu Generation. Das Dasein der Keimzellen ist ja nicht befristet wie das Menschenleben. Das führt mit Notwendigkeit im Laufe der Zeit zu einer Steigerung der Mutationen, von denen wir wissen, daß die Mehrzahl in schädlicher Weise zur Geltung kommt. Da sich die Menschen von der natürlichen Auslese weitgehend freigemacht haben und dafür sorgen, daß auch die Minderwertigen erhalten bleiben, liegt hier für die kommenden Geschlechter eine Bedrohung, die nicht geringer wird dadurch, daß von der ersten Einwirkung der Strahlen bis zur unheilvollen körperlichen Auswirkung eine Reihe von Jahren oder Jahrzehnten vergehen kann.

Die Menschen sind vernünftig genug, die Gefahr zu erkennen, aber sie sind nicht vernünftig genug, sie zu bannen. Leichtsinnig mißachten sie das Wohl ihrer Enkel und beschwören Gefahren über sie herauf, die nicht wieder rückgängig gemacht werden können. Statt die Atombomben aus der Welt zu schaffen, spielen sie weiter mit dem neuartigen Feuer, das ihnen auch dann Unheil bringt, wenn es nicht eines Tages ihrer Kontrolle entkommt und alles Leben auf einmal verzehrt. Die Katastrophe von Tschernobyl hat das Gewissen der gesamten Menschheit wachgerüttelt und eine Wende eingeleitet. Dürfen wir jetzt hoffen, daß die Vernunft des Homo »sapiens« die Oberhand gewinnen wird, um ein drohendes Unheil abzuwenden?

Die Übervölkerung der Erde

Dem Schicksal der kommenden Geschlechter steht die Mehrzahl unserer Generation mit einer Gedankenlosigkeit gegenüber, die nur durch Mangel an Einsicht in das biologische Geschehen erklärbar ist. Wir überblicken einige Jahrtausende der menschlichen Vergangenheit. Aber wo es um die Zukunft geht, drehen sich die Erörterungen und Maßnahmen meist um die nächsten Jahrzehnte, also um Bruchteile einer Sekunde im Maßstab der zeitgeschichtlichen Uhr. Doch ist schon das nächste Jahrhundert durch die rasante Zunahme der Menschen mit beängstigender Vehemenz bedroht.

Um 1800 suchte der englische Pfarrer und spätere Professor der Geschichte und Nationalökonomie Thomas R. Malthus nach der Ursache für das menschliche Elend seiner Zeit. Er machte die Vermehrung der Bevölkerung dafür verantwortlich, die immer die Tendenz zeige, schneller zu wachsen als die Produktion der zu ihrer Erhaltung nötigen Lebensmittel. Seine warnende Stimme wurde laut, als die Kurve der Bevölkerungszunahme erst begann, aus dem Gleichgewicht zu geraten (Abb. 98).

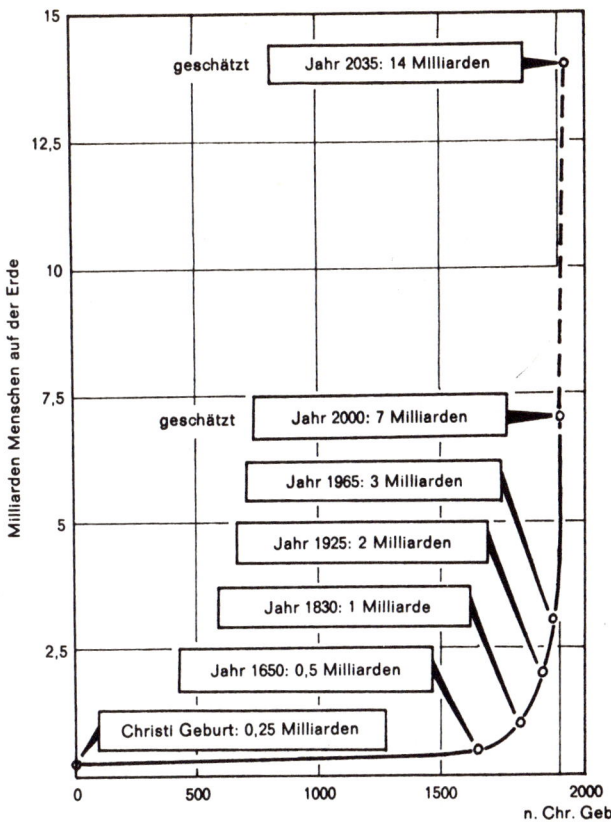

Abb. 98: Die Bevölkerungszunahme der Erde seit Christi Geburt (gestrichelter Teil der Kurve: geschätzt).

Zur Zeit von Christi Geburt lebten auf der Erde etwa zweihundertfünfzig Millionen Menschen. Es wurden allmählich mehr, aber die doppelte Zahl (fünfhundert Millionen = eine halbe Milliarde) war erst nach 1650 Jahren erreicht. Zur zweiten Verdoppelung auf eine Milliarde kam es schon nach hundertachtzig weiteren Jahren, 95 Jahre später (1925) war mit zwei Milliarden die dritte Verdoppelung erreicht, 1965 gab es drei Milliarden Menschen, 1987 wurde bereits die Fünf-Milliardengrenze überschritten.

In früheren Jahrtausenden hielt sich ihre Zahl in angemessenen Grenzen. Wie kam es dann zu dieser explosiven Entwicklung? Die wesentlichen Ursachen sind leicht zu erkennen. Der Mensch hat mit seinem überlegenen Verstand die Herrschaft über die Tiere gewonnen, die Naturgewalten zu zügeln gelernt, unfruchtbare Gegenden kultiviert und in vielfacher Weise seine Lebensbedingungen verbessert; von überragender Bedeutung aber waren von der Mitte des 19. Jahrhunderts an die Fortschritte der ärztlichen Kunst und der Hygiene. Sie kamen besonders augenfällig in einer starken Verminderung der Säuglingssterblichkeit zum Ausdruck. Während zum Beispiel in Bayern um 1865 von hundert lebend geborenen Kindern im Durchschnitt 33 und auch im Jahre 1900 noch 28 vor Vollendung des ersten Lebensjahres gestorben sind, waren es 1938 im Durchschnitt nur mehr 7,3 und 1969 nur 2,4 vom Hundert. Auch die Erwachsenen bleiben in zunehmendem Maße vor Infektionskrankheiten bewahrt oder werden von solchen geheilt, und die vollendete Kunst der Chirurgen rettet viele, die früher dem Tode verfallen gewesen wären.

Verminderung der Sterblichkeit bei verstärkter Vermehrung mußte zu übermäßiger Bevölkerungsdichte führen. Hungersnot herrscht heute in weiten Gebieten der Erde. Noch läßt sie sich aus dem Überfluß anderer Völker lindern. Nach dem zweiten Weltkrieg suchte die »Entwicklungshilfe« auf solche Art einzugreifen. Sie ist seither zu einer weltweiten Organisation geworden und bemüht sich in mannigfacher Weise, die Lebensverhältnisse »unterentwickelter Völker« zu bessern. Man kann ihnen fast von heute auf morgen Nahrung und Medikamente bringen, Schulen und Fabriken bauen – humanitäre Bestrebungen, denen sich niemand entgegenstellen wird. Aber man kann ihnen nicht ebenso schnell eine andere Kulturstufe und eine neue Ethik bringen. Solche brauchen die Zeit für eine organische Entwicklung. Und so geschieht es, daß sich die Hebung des Lebensstandards jener Völker sogleich in einer um so schnelleren Vermehrung auswirkt, bis abermals der Hunger dem ein Ende setzt und nun die doppelte Zahl im Elend liegt. Auch sie werden leben können, wenn man noch mehr hilft. Aber das geht nicht ins Unbegrenzte. Denn der Raum der Erde *ist begrenzt*. Selbst wenn man Wüsten kultiviert und, dem Zwange folgend, die heiß erkämpften Naturreservate in Kulturlandschaften verwandelt, man kommt damit an ein Ende.

Auch geht es ja nicht nur um den Hunger. Die Auswirkungen und Schäden einer Massenbevölkerung sind von vielfältiger Art. Rohstoffe werden knapp, der Wohnraum zu eng, zu dicht gedrängtes Beisammensein führt (auch bei Tieren) zu körperlichen und psychischen Schäden – doch soll hier nur *eine* Erscheinung noch besprochen werden, deren Entwicklung jedermann verfolgen kann: Unsere Zeit ist Zeugin einer Verpestung von Boden, Luft und Wasser, die schon vernichtend in das Tier- und Pflanzenleben der Erde eingegriffen hat, dem Menschen schmerzlich fühlbar wird und bei weiterer Steigerung alles Leben in Gefahr bringt. Die Dichte der Besiedlung ist eben bei uns und in vielen anderen Gebieten schon jetzt zu hoch. Schmutz und Abfälle werden nicht mehr gemeistert, zumal die Menschen nicht dazu erzogen werden. Schädliche Nebenprodukte der gehäuften Industrie geraten außer Kontrolle. Giftstoffe, zum Schutz der Forst- und Landwirtschaft versprüht, gelangen auch in unsere Lebensmittel. Öl verseucht das Wasser, das Abgas von Autos und Flugzeugen die Luft. Man trifft Gegenmaßnahmen oder man sucht nach solchen. Ein Blick auf die Kurve des Bevölkerungswachstums läßt erwarten, daß diese Bemühungen immer nachhinken werden.

Auf längere Sicht gibt es nur *einen* Weg der Abhilfe: Nachdem sich der Mensch weitgehend der natürlichen Auslese entzogen hat, die unbarmherzig alles Übermaß vernichtet, muß er selbst die Regelung in die Hand nehmen und seine widernatürliche Zunahme stoppen. Daß solches möglich ist, hat Japan bewiesen, wo die Regierung im Jahre 1948 ein neues Gesetz erließ und der Bevölkerung alle Wege der Familienplanung öffnete. Verbunden mit entsprechender Aufklärung führte dieser Schritt innerhalb von zwanzig Jahren zum Erfolg.

Die lenkenden Geister in aller Welt müssen erkennen, daß im allgemeinen Abbremsen des Bevölkerungszuwachses unsere größte und dringendste Aufgabe liegt. Diese Einsicht sollte als heilsamer Zwang empfunden werden, untereinander zu einer friedlichen Verständigung zu kommen. Es ist hohe Zeit, daß sich alle Staaten einigen auf das große, erlösende Ziel, mit vernünftigen Mitteln die Zahl der Menschen konstant zu halten oder zu verringern. In den Weltkriegen hat man auf Gebieten, die als entscheidend galten, ungeahnte Fortschritte gemacht. Wenn man die Bedeutung jener größeren Aufgabe sieht und neben den nötigen Mitteln auch das Potential an Intelligenz dafür einsetzt, das heute in Diensten der Rüstung und Raumfahrt steht, dann sollte das Ziel erreichbar sein, an dem die Zukunft aller Völker hängt.

Dann mögen auch unsere Nachfahren noch Schönheit und Freiheit auf der Erde finden und ein Leben, das des Daseins wert ist.

Anhang

Bildnachweis

Tafeln

Marach/Kappler, Scientific American 226,58 (1972): 1
Okapia Bild-Archiv, Frankfurt: 2 oben, 4 unten, 9 unten, 10, 11, 14 unten, 15 oben, 16
IFA Bilderteam, München-Taufkirchen: 2 unten, 3, 5, 6 oben, 9 oben, 15 unten
Dr. Karl Daumer, München: 4 oben
Dr. Otto von Frisch, Braunschweig: 6 unten
Alfred Limbrunner, Dachau: 7
Zentrale Farbbild Agentur, Düsseldorf: 8 oben
Dr. Frieder Sauer, München: 8 unten, 13 unten links
Dr. Max Renner, München: 14 oben
Deutscher Imkerbund, Stockach: 12
Roebild, Frankfurt: 13 oben links
Klaus Paysan, Stuttgart: 13 oben rechts und unten rechts

Abbildungen

M. Durand/ P. Favard: Die Zelle. Braunschweig 1970: 1
R. W. Schlögl: Membranen. In: Abhandlungen der Mathematisch-Naturwissenschaftlichen Klasse der Akademie der Wissenschaften und der Literatur zu Mainz. Stuttgart 1985/1: 2, 3
E. Hadorn/ R. Wehner: Allgemeine Zoologie. Stuttgart 1986: 4, 14
G. E. Nelson/ G. Robinson/ R. Boolootian: Allgemeine Biologie 1. Weinheim 1972: 13, 41, 86
B. Löwe/ W. Hofmann/ W. D. Thiel: Neurobiologie – Ethologie. Bamberg 1987: 19, 38
R. E. Rothenberg: Medizin für Jedermann. Stuttgart 1983: 20, 29
G. Czihak u. a. (Hrsg.): Biologie. Heidelberg 1981: 30
R. Hofmann in: Theo Löbsack: Das unheimliche Heer. München 1990: 36, 51
M. Lindauer: 37, 39, 52
M. H. Zenk: Pflanzliche Zellkulturen in der Arzneimittelforschung. In: Fortschrittsberichte aus Naturwissenschaft und Medizin 112. Stuttgart 1983: 87

Alle übrigen Abbildungen stammen von Karl von Frisch

Register

Aale, Wanderungen 186 f.
Aallarven 186 f.
Ableger 226
Abstammungslehre 314 ff., 323
Abwässer 220
Abwehrkräfte 81
Abwehrstoffe 81
Acetylcholin 142 f.
Adaptabilität 15
Adenin 302
Adenylat-Cyclase 27
Adern 73 ff.
Adrenalin 162 f.
Affen 323, 340
–, einsichtiges Handeln 157 ff.
Affenmensch 344
Agglutination 282 f.
Akkommodation 131 ff.
Aktinfilamente 59, 61
Aktinmolekül 61
Aktionspotential 98
Albino 129
Algen 195
Alkohol 91 f.
Allergie 82 f.
Alpenveilchen 205 f.
Alter 14
Altersschwäche 14
Amblyornis 238
Ameisen 198 f.
–, Arbeiterinnen 209
–, Hochzeitsflug 209
–, Königinnen 14, 253
–, Pilzzucht 211
–, Sklaven 211 f.
– und Blattläuse 192 f.
Ameiseneier 210
Ameisenhaufen 209 f.
Ameisenigel 247, 263 f.
Ameisenlarven 199
Aminosäuren 304–307, 318
Amöben 31 f., 35
AMP 27
Analgetica 143 f.
Anämie, perniziöse 72
Ancyracanthus 294 ff.
Androgene 212
Anionen 98
Anpassung 170 f., 179 f.
– an Lebensraum 167 ff.
–, Farben 170

–, Mensch 179
Antigene 81–83
Antikörper 81–83, 341
Aphrodisiaka 198
Arbeiterinnen 203 f.
Arbeitsleistung 54
Arbeitsteilung 36, 41 ff.
–, Bienen 203 f.
– in den Zellen 36
Archaeopteryx 315 f.
Argusfasan 238
Aristoteles 317
Arten 312
Arterien 74
Atembewegungen 88
Atemeles 198 f.
Atmung 85–88
– der Pflanzen 91
– in der Zelle 85
Atmungsorgane 86, 89 ff.
Atombombe 345
Atomversuche 346
ATP 27, 53, 56, 59, 61, 65, 86, 99, 318
Attrappen 153
Auerhahn 69, 268
Auge 100 f., 125–129
Augen der Insekten 134
Augenflecken 126 f.
Auslese, natürliche 323
Auslesetheorie 331, 336 f.
Auslöser 153
Auster 70
Australopithecus 344
Autoimmunkrankheiten 83
Auxin 165

Badeschwamm 13
Bakterien 66 f., 69, 80 f., 81, 92, 194 f., 317
– zur Schädlingsbekämpfung 215
Bakterienkrieg 215
Bakteriophagen 321
–, Vermehrung 322 f.
Balzen 238
Balznest 238
Bandwürmer 92, 201 f.
–, Entwicklung 202
Banting 162
Barth 113
Basen 301 ff.
Basilarmembran 118–121

Bastardgeneration 272
278f., 289
Bastardierung 270, 288
-, Folgen 287f.
Bathyscaph 179
Bauchspeicheldrüse 63, 161f.
Baur, E. 333
Baustoffe, Organismen 16–20
Becherkeim 252f.
Becherlarve 243
Bedingte Reflexe 156f.
Beebe, William 179
Befruchtung 226–231
-, äußere 229
-, Bedeutung der Kreuzbefruchtung 233ff.
-, Einzeller 235
-, innere 229ff.
-, künstliche 229
-, Seeigelei 227ff.
Begattung 229
Békésy, v. 119
Beobachtungsstock 205
Bergson 147
Beri-Beri-Krankheit 72
Beringung, Vögel 180ff.
Best 162
Bestäubung 133, 198
Beuteltiere 218, 264
Bevölkerungszunahme 346–349
Bewegung 15
Bewegungsorgane 51f.
Bewußtsein 129f.
Bienen 90
-, Arbeitsteilung 203f.
-, Blaudressur 135
-, Brutpflege 203f.
-, Farbensinn 133f.
-, Gedächtnis 160
-, Larven 257
-, Schwärmen 204
-, Sterzelduft 205
-, Tracheensystem 90
-, Verhalten 151
-, Verständigung 205
-, Verwandlung 257
-, Wärmeregulierung 95
-, Zeitsinn 137
Bienenkönigin 203f.
Bienensprache 205
Bienenstaat 190, 203ff.
Bienentraube 205
Bildwahrnehmung 128ff.
Binary digit (Bit) 100
Bindegewebe 38f.
Biolog. Regelung 144ff., 213

Biolog. Schädlingsbekämpfung 213–216
Biolog. Uhr 146–150
Biomembran 25–28
Biotop 212
Birkhahn 268
Bizeps 52, 61
Blasenkeim 251ff.
Blastula 243
Blattlaus 84f., 231f.
Blattläuse und
Ameisen 192f.
Blattlauskolonien 231
Blattschneiderameise 211
Blattschneiderbiene 152
Blaualgen 57
Blaukehlchen 183
Blinddarm 67ff.
Blinddarmentzündung 67
Blinder Fleck 130
Blütenduft 206
Blütenstaub 133f.
Blumen 133
- und Insekten 193f.
Blumenfarben 133–136
Blut 73–77, 80f.
-, Gerinnung 74f.
Blutegel 202
Bluter 75
Blutgruppen 282f.
Blutkörperchen 75ff., 80f., 283
Blutkreislauf 76f.
Blutsauger 197
Blutsverwandtschaft 341
Bluttransfusion 282f.
Blutvergiftung 81
Blutverlust 75
Bogengang 116f.
Bohnenpflanzen 329f.
Bohnensamen 293, 329ff.
Boltzmann 55
Bonellia 297
Boten-RNS 306f.
Botenstoffe 161, 165, 265f., 298
Botulinus-Gift 143
Boveri, Theodor 278
Brieftauben 183
Brünn 269f., 274
Brunstzeit 265
Brustbeinkamm 167
Brustmuskeln 167
Brutknospen 226
Brutpflege 203, 260–263
-, Bienen 203
-, Säugetiere 263
Brutwaben 95f.

Buchner, Paul 196
Bunkes, Chang und
  Eng 250
Buntspecht 241

Calciumstoffwechsel 72
Chamäleon 171
Chem. Schädlingsbekämpfung 215
Chitin 256
Chitinskelett 49 f.
Chlorophyll 56 f.
Chloroplast 56 f.
Chromatin 223 f., 275
Chromosomen 223 f., 228, 275–281,
  284, 286–289
–, Reifeteilung 277 f.
–, Verdoppelung 303
Chromosomenkarten 288
Chromosomensatz 276, 278, 280 f.
Chromosomenzahl 275 f.
–, Mißbildungen 280
Chun, C. 178
Clausius 54
Cleveland 194
Colchicin 333
Cortison 162 f., 212
Crick 300
Crossing over 288
Curare 143
Cytochrome 65, 86
Cytosin 302

Daidolos 167
Darwin 323 ff., 327 f., 332, 336
Darwinismus 323, 329, 332
Dauerehe 240 f.
Daumenschwiele 229
DDT 219
Deckgewebe 37
Deckzellen 37
Desoxyribonuklein-
  säure 301, 321
Desoxyribose 301
DNS 30, 301 f., 306, 321, 334
DNS-Molekül 301–305, 309 f., 321,
  334, 336
Dominantes Merk-
  mal 273, 279, 337
Dotter 242 f., 245 ff., 268
Dotterkügelchen 267
Down-Syndrom 334
Drehungswahrneh-
  mung 116
Dressur auf Farben 134 f.
– auf Töne 120

Drohnen 203
Drohnenschlacht 203
Drucklinien 47
Druckpunkte 101 f.
Drucksinn 101 f.
Drüsen mit innerer
  Sekretion 161
Drüsenzellen 37 f.
Düfte 103, 206
Duftdrüsen 107 f., 240
–, Molche 237
–, Reh 106
–, Schmetterlinge 108, 236 f.
–, Wassersalamander 237
Duftkarte 183
Duftmarken 240
Duftpinsel 236
Duftstoffe 108 f.
Dünger 58

Echodetektoren 123
Echopeilung 122
Ehe 240 f.
Eidechse 87
Eier, Befruchtung 228 f.
–, Entwicklung 242 f.
–, Zahl 261 f.
Eiersäcke 200
Eierstock 226
Eigelb 242
Eineiige Zwillinge 291–294
Eingeschlechtliche Fort-
  pflanzung 226
Eingeweide 63
Eingeweidewürmer 201
Einsichtiges Handeln 157 ff.
Einsiedlerbienen 152
Einsiedlerkrebs 190 ff.
Einzeller 31 ff., 316
–, Befruchtung 234 f.
–, Vielgestaltigkeit 34 f.
Eiter 81
Eiweiß 19
Eiweißstoffe 304, 318
Eizelle 226, 228 f., 269
Elektronenmikro-
  skop 20 ff., 319
Ellenbogengelenk 52
Elritzen 169 f.
Endoplasmatisches Reticu-
  lum 28
Energie 54–59
Energieprobleme 55
Entfernungsweisung,
  Bienen 207 f.

Entropie 55
Entwicklung 14, 242–248
–, Hühnchen 242f., 247
–, Lanzettfischchen 243ff., 247
–, Molch 245
–, Säugetiere 247
Entwicklungshilfe 348
Entzündung 80f.
Enzyme 19f., 63ff., 304
Enzymgifte 64f.
Enzym-Substrat-Wirkung 64
Erbalphabet 305
Erbanlagen 228, 280f., 299f., 303f., 310
–, Aktivwerden 307
–, Wirkungsweise 303f.
–, Zahl 280
Erbcode 300, 307
Erbfaktor 274, 278
Erbsenpflanzen 193, 270, 273f., 279
Erbsenversuch 273
Erdbeeren 226
Erregbarkeit 14
Erregung 40f.
–, Nervenzellen 40f., 138–142
–, Pflanzen 165f.
–, Sinneszelle 140
–, Synapsen 138–142
Erregungsleitung 165
Escherichia coli 309f.

Facettenauge 134
Falsche Musterung 176
Faltengecko 171
Familienplanung 349
Familientradition 266
Farbanpassung 169ff.
Farbdressur 135
Farbenblindheit 134
Farbensehen 126, 133
–, Bienen 134f.
–, Vögel 135f.
Farbwechsel 169ff.
– bei Erregung 171
Fäulnis 66
Fäulnisbakterien 66ff.
Feldlerche 173
Feldwespen 95
Felsentaube 324
Fermente 64
Fette 19
Fettgewebe 39
Feuersalamander 87, 176
–, Lungen 87
Fichten 217, 327

Fieber 95
Fingerabdruck 292
Finnen 202
Fiorelli 313
Fische, Atmungsorgane 89
–, Eizahl 262
–, Elektrizität 124
–, Gehörsinn 119ff.
–, Geruchssinn 186
–, Hochzeitskleid 237
–, Lauterzeugung 239
–, Orientierung 185
–, Schutzfärbung 169
–, Tonunterscheidung 120f.
Flagellaten 33
Flechtenspinne 172
Fleckfieber 219
Fledermaus, Orientierung 121–124
Fliegen 53, 325f.
–, Auge 134
Fließgleichgewicht 15, 55
Flügellose Insekten 332
Flugmuskeln 168
Flugunfähigkeit 332
Flugvermögen 168
Flugkrebs 111, 191
Foraminiferen s. Kammerlinge
Fortpflanzung 14, 222, 224f.
–, geschlechtliche 226
–, ungeschlechtliche 222
Froschpärchen 229
Fruchtbehälter 265
Fühler 107
Furchung 243

Galle 38
Garnelen 111f.
Gärtnerlaubenvogel 238
Gärung 92
Gäste 190
Gastrovaskularsystem 90
Gastrula 243
Gedächtnis 159f.
Gegenschattierung 174f.
Gehirn 100
Gehirnschädigungen 72
Gehörknöchelchen 117
Gehörorgan 114, 117
Gehring 309
Geißelfäden 33, 42
Geißeltierchen 33, 42, 194f.
–, Symbiose 195

355

Gekoppelte Vererbung 288
Gelbkörper 265
Gelée Royal 204
Gelenke 52
Gemeinschaftsleben,
 Tiere 187
Gemsen 188
Gen 278 f.
Generationswechsel 234
Genetische Information 305
Genmanipulation 311
Genom-Mutation 333
Gentechnologie 309 ff.
Genwirkung 308
Gerinnung 74 f.
Gerippe 44 ff., 49 ff.
Geruchssinn 101, 103–110
–, Fische 186
–, Insekten 107 ff.
–, Säugetiere 105 ff.
–, Vögel 183
Gesang, Vögel 239 f.
Geschlechtliche Fortpflanzung 226
Geschlechtsbestimmung 294–298
Geschlechtschromosomen 294–297
Geschmackssinn 101, 103–110
–, Insekten 109 f.
Gesteinsbildner 50 f.
Gewebe 37, 44
Gewebearten 44
Gewebeflüssigkeit 73
Gewebekultur 22, 42 f.
Gewebezüchtung 22, 41
Glasaale 187
Glasschwämme 51
Gleichgewichtsorgane 111 f., 116 f.
Gleichgewichtssinn 111 f.
Glockentierchen 35, 41
Glomernusnephritis 213
Glykogen 55, 61
Goldfischglocken 87
Goldregenpfeifer 181
Golgi-Apparat 29
Grasmücken 182 f.
Grillen 114 f.
Großhirn 129, 159
Grottenolm 336
Guanin 302

Haargefäße 74, 76 f., 80
Hadorn 254
Halluzinogene 144
Hämoglobin 75 f.
Handlungsbereitschaft 154 f.
Harn, -säure, -stoff 77

Harrison 41
Haustiere 337
Hautatmung 90
Hautentzündungen 72
Hautskelett 49
Häutung 50, 256 f.
Hautzellen 37
Hefezellen 91 f.
Heilserum 82
Heinroth, O. 241
Heliconden 177
Helix-Struktur 302
Helmholtz 119
Hemmung, laterale 142
Hertwig, Oscar und
 Richard 227
Herz 21 f., 73 f., 76 f., 84 f.
Hess, Rudolf 155
Heuschrecken 114 f., 155, 256
–, Farbanpassung 172
–, Gehörorgan 114 f.
Himmelskompaß 137
Hirn, Entwicklung 159 f., 342
Hochzeitsflug, Ameisen 209
Hochzeitskleid,
 Fische 237
Hoden 226
Hohlsäulen 46
Holzwurm 107 f.
Homeotische Gene 309
Homo neander-
 talensis 342
Homo primigenius 342
Homo sapiens 342
Honigtau 192
Honigvögel 135
Hören 110
–, Fische 119 ff.
Hörgrenze 121
Hormone 161–166, 212, 265, 298
– bei Pflanzen 165 f.
Hornissenschwärmer 117
Hornsubstanz 37
Hoyle 138
Hühnchen, Entwicklung 242, 247
Hühnerei 242, 245
Hühnerhabicht 69
Hummeln 198
Hygiene 348
Hypophyse 161, 164 f.
Hypothalamus 145, 164

Identische Verdoppelung
 der Erbanlagen 303
Identische Zwillinge 291

Ikaros 167
Imaginalscheiben 254 f.
Immunität 81 ff.
Immunsystem 82 f.
Impfstoff 82
Impfung 81 ff.
Individualität 15 f.
Infektionskrankheiten 81
Innere Uhr 137
Insekten 114
–, Atmungsorgane 90
–, Augen 134
–, Bewegungsorgane 52 f.
–, Geruchssinn 107 ff.
–, Geschmackssinn 109 f.
–, Hörorgan 114 f.
–, Instinkte 151 f.
–, Mutationen 332 f.
–, staatenbildende 95
–, Symbionten 196
–, Temperaturregelung 95 f.
–, Vibrationssinn 112 ff.
Insektenblüter 134
Insektengifte s. Insektizide
Insektenstaaten 190, 209
Insektizide 219
Instinkthandlungen 154, 261
Insulin 162
Intelligenzprüfung 152, 157 ff.
Ionisation 17
Irritabilität 97

Jod 163
Johannsen 330 f.
Jungfernzeugung 226, 231 f.

Käfer 189, 198 f., 238, 312
Käferlarven 198 f.
Kahlfraß 217
Kalkgesteine 50 f.
Kalkmangel 46
Kaltblüter 94
Kältepunkte 102
Kammerlinge 50
Kampf ums Dasein 326
Känguruh 264
Kaninchen 341
Kapaun 299
Kapillaren s. Haargefäße
Karstlandschaft 216, 218
Kastration 299
Katalysatoren 304
Kaumagen 70
Keimblätter 243–247

Keimblase 243
Keimdrüse 226
Keimdrüsen-Hormone 299
Keimscheibe 242, 246
Keimzellen 41 ff., 226 f., 233 f.
Keller, Helen 121
Kernfaden s. Chromosomen
Kernsäure 301
Kernteilung 223
Kettenmoleküle 304
Kiebitz 173
Kiefernblattwespe 215
Kiefernwald 217
Kiemen 89
Kiemenblättchen 89
Kiementaschen 247
Kilo-Joule 54
Kilo-Kalorie (kcal) 54
Kinderlähmung 319
Kleiderläuse 196 f.
Klinefelter-Syndrom 334
Klon 23
Knochen 44 ff.
Knochenbälkchen 47
Knochenbau 46 f.
Knochengewebe 39
Knöllchenbakterien 57
Knorpelgewebe 39
Knospung 225 f.
Knurrhahn 109 f.
–, Farbwechsel 171
Kochkunst 65 f.
Koebele 214
Köderleuchtorgan 178 f.
Kohlendioxid 17 f., 56, 91 f.
Kohlenhydrate 18
Kohlenhydratstoffwechsel 72
Kohlenstoff 57
Köhler, W. 157
Kohlweißling 260
Kolibri 135
Kombination d. Gene 287
Kombinationsquadrat 287
Kompaß 136 f.
Komplexauge 134
Königin, Bienen 203 f.
–, Ameisen 209
Kontraktion 59–62
Kontrastverschärfung 142
Kopulationsorgane 231
Korallenpolypen 50 f.
Korallentiere 50 f.
Körperhaut 36 f.
Körpersäfte 73

357

Körpertemperatur 92–96, 145
–, Istwert 145
–, Regelung 145
–, Sollwert 145
Körperwärme 92–96
Körperzellen 41 ff.
Krabben und Seerosen 197
Krabbenspinne 172
Kraken 171
Krankheitserreger 81 ff., 202, 318
Krebse 52, 190 ff., 199 ff.
–, Eiersäcke 200
Krebszyklus 86
Kreuzbefruchtung 232 f., 235, 288
–, Bedeutung 233
–, Blüten 234
Kreuzspinne 188
Kreuzungsergebnisse 278
Kreuzungsversuche, Besprechung 287
–, Erbsen 273 f.
–, Meerschweinchen 271 f., 284–287
–, Wunderblume 271 f.
Kropf 163
Kugelgelenk 52
Kulturformen, Variabilität 337 f.
Künstliche Befruchtung 229
–, Parthenogenese 232
–, Zuchtwahl 324 f., 330, 337
Kupferschlange 175 f.
Kurzsichtigkeit 131 f.
Kurzzeitgedächtnis 159 f.
Küstenseeschwalben 181
Kybernetik 144

Labyrinth 115–119
–, Fische 119 ff.
–, Säugetiere 116
–, Wirbeltiere 116
Lachse, Wanderungen 184 ff.
Lamarck 323, 335 f.
Landwirtschaft 339
Languste 258 f.
Langzeitgedächtnis 159 f.
Lanzettfischchen 243–247
Larven 255–260
–, Bienen 257
–, Maiwurm 259 f.
Laubvogel 238 f.
Lauterzeugung bei Fischen 120
Leben, Kennzeichen 13

Lebensdauer 13 f.
Lebensgemeinschaft 216 f.
Lebensraum, Anpassung 167
Leberegel 84
Leberzelle 38
Leuchtorgane 178
Libellen, Begattung 230 f.
Licht, polarisiertes 136
Lichtrichtung, Wahrnehmung 127
Lichtstrahlen 126
Lichtwellen 133
Liebeslauben 238 f.
Ligase 310
Linné, Carl v. 312
Linse 128 f.
Linsenauge 126–129
Lochkamera 127 f.
Lockstoffe 219 f.
Löwenmäulchen, Mutationen 333
Luftsäcke 168
Lungen 76 f., 86–89, 168
–, Lüftung 86 ff.
Lupinen 339
Lymphgefäße 80
Lymphozyten 83
Lysosomen 30

Magen 62 f., 68 f.
Magensaft 63, 156
Magenscheibe 196 f.
Magnetfeldorientierung 183
Maikäfer 49, 52
Mairan 148
Mais 339
Maiwurm 259 f.
Malaria 219
Malthus, Thomas R. 346
Marggraf 339
Marienkäfer 214
Markierung durch Düfte 240
Matrizenverfahren 305
Mauerbiene 261
Maulbrüter 262
Medusen 234
Meeresfische 79
–, Nieren und Kiemen 79
Meerschweinchen 298
–, Kreuzungsversuche 272, 284–287
Mehring, v. 162
Meiose 277
Membranen 25–28
Mendel, Gregor 269 f., 274

Mendelsche Gesetze
  270–273
–, Erklärung 278
–, Geltungsbereich 289
Mensch, Chromosomen 275
–, Keimling 247, 265 f.
–, Rassen 342
–, Vererbung 281, 289–292
Menschenaffen 189, 340, 344
Menstruation 265
Methylbromid 211
Mikroelektroden 97
Mikroskop 20 f., 251
Mikrotom 36
Mikrovibrationen 95
Milchabsonderung 266
Milchdrüsen 161
Milchsäure 61
Miller, St. L. 318
Mimose 53, 165 f.
Minkowski 162
Mirabilis jalapa 271
Mischerbigkeit 279
Mischwald 217
Mißgeburten 250
Mistkäfer 240
Misumena 172
Mitochondrien 29 f.
Mittelohr 115 f.
Modifikationen 335
Mohnblüten 135
Molch 237, 249 f.
–, Entwicklung 245
Molchei 245, 250 f.
Molchkeim, Markierung 250 ff.
–, mit Organisator 252 ff.
–, Transplantation 251 ff.
Molchzwillinge 249 f.
Molekularbiologie 308
Moleküle 20 f.
Mongolenfalte 334
Mongolismus 281
Monokultur 218
Monosaccharide 18
Morgan 332 f.
Morse-Alphabet 300
Mosaikkrankheit 319 f.
Moschus 104, 237
Motivation 154 f.
Möwen 79
Mücke 307
Müller, Paul 219
Müller'sche Mimikry 177
Muskelfibrille 60
Muskelgewebe 39 f.

Muskelkater 61
Muskeln 39 f., 51 f.,
  59–62
Muskelschwund 73
Mutationen 331–338, 346
–, Auslösung 334
–, und Auslese 337
Mutterkuchen 265 f.
Muttermilch 204, 263
Myosinfilamente 59 ff.
Myosinköpfe 59 ff.

Nabelschnur 266
Nachtblindheit 72
Nachtfalter 108, 123, 176, 236
Nadelbäume 58
Nährstoffe 80
–, Beförderung 80
–, der Pflanzen 58
Nahrung 62
Napfschnecke 127
Nasenhöhle 103–105
Natürliche Zucht-
  wahl 325
Naturschutz 217 f., 220 f.
Naturschutzpark 221
Nautilus 127
Neandertaler 342
Nebelkrähe 182
Nebennieren 162
Nektar 194, 198
Neodiprion sertifer 215
Nerven, Erregung 40, 138 ff.
Nervenfasern 40, 103
Nervengewebe 40
Nervengifte 143 f.
Nervenimpulse 140
Nervensystem 137–142
Nervenzelle 40 f., 43, 129, 155 f.
Nesselkapseln 195
Nestbau, Stichling 262
Netzhautbild 130
Neurone 140
Neuweiler 123
Niere 77
Non-Disjunction 333
Nonnenraupen 327
Nucleotide 301 ff.
Nukleinsäure 300

Oberschenkelknochen 47
Ochse 299
Ohr, menschliches 100 f., 115–119
Ohrlabyrinth 115 ff.
Ohrmuschel 115

Ohrschnecke 127
Ölkäfer 259
Opsin 126
Organe 44
Organisator 252 ff.
Organische Verbindungen 57 f.
Orientierung nach Geruchssinn 186
– nach Magnetfeld 183
– nach polarisiertem Licht 136 f.
– nach der Sonne 207 f.
– nach Ultraschall 121–124
–, Zugvögel 181 f.
Osmoregulation 15, 77 ff.
Östrogene 212
Oxytocin 164

Pantoffeltierchen 33 f.
Paradiesvögel 238
Parasiten 190, 201 f., 258
Parthenogenese 231
–, künstliche 232
Pasteur 317
Pawlow 156 f.
Pfauen 238
Pferdefuß, Entstehung 314 f.
Pflanzen, Atmung 91
–, Vermehrung 225 f.
Phagen 321
Phenyl-Ketonurie 309
Phenylalanin 290
Phlox 206
Photosynthese 56 f.
Piccard, A. 179
Pigmentzellen 170
Pilzzucht, Ameisen 211
Pinguine 237
Pithecanthropus 344
Placenta 266
Planarien 225
Plastisches Bild 130
Pockenimpfung 82
Polarisiertes Licht 136 f.
Pollen 133
Pollenkörner 234
Polypen 195, 234
Polypenstöckchen 234
Polyploidie 333
Pompeji 313
Prisma 133
Progesteron 212
Proteine s. Eiweiß
Prothrombin 73
Protoplasma 32 f., 224

Protozoen s. Einzeller
Psychopharmaka 143
Pupille 129
Puppe 256 f.
Python 176

Quallen 191, 234

Rachitis 46, 72
Rackelhuhn 268
Radioaktive Stoffe 327
–Strahlen 334, 345
Rassen 312
–, Mensch 342
Rassenkreuzung 269, 278, 284, 338
Rassenzüchtung 337
Raumvorstellung 129
Raupen 215
Reaktionsnorm 293
Reflexe, bedingte 156 f.
Regel 265
Regelkreis 144 f.
Regelung, biologische 144 ff.
– der Körpertemperatur 94 ff.
–, technische 144
Regen, J. 144
Regenbogen 133
Regeneration 225
Regenwurm 52 f., 125, 232
–, Lichtsinnesorgan 125
Regulatorgene 308
Regulatorproteine 61
Reifeteilung 276 ff., 288
Reine Linie 329 ff.
Reinerbigkeit 279
Rentiere 183
Resistenz 219
Resonanztheorie 118 f.
Restriktionsenzym 310
Restriktionsnukleasen 309
Retinal 126
Rezessive Merkmale 273, 284, 291
Rythmus, circadianer 148 f.
Ribonukleinsäure 305 ff.
Ribosomen 306 f.
Richtungsweisung, Bienen 207 ff.
Riechen 103
–, Insekten 107–109
Riechschleimhaut 103
Riechstoffe 103, 237
Riechzellen 103, 105 f.

Riesenchromosomen 280, 307
Riesenkänguruh 264
Rippen 45
Rivalen 239 f.
RNS 305 ff.
RNS-Molekül 305 ff.
Roeder 138
Rohrdommel 174
Röntgenstrahlen 334, 345
Rückenmark 40, 244
Rückgrat 45
Rückkoppelung 145
Rückmutation 255
Ruderschwiele 37
Rudimentäre Organe 336
Ruhepotential 98 ff.
Rundtanz 205 ff.

Saftmale 135 f.
Salbei 198
Salpeter 58
Samenzelle 42, 226–230, 269
–, Mensch 248, 269
Sarkomere 59–62
Sarkoplasmatisches Retikulum 61
Sauerstoff 18, 76 f.
Sauerstoffübertragung 76
Säugetiere, Brutpflege 263 f.
–, Entwicklung 247
–, Körpertemperatur 95
–, soziale Strukturen 189
Säuglingssterblichkeit 348
Saussure, Nicholas de 56
Schädel, Mensch u. Affen 342 ff.
Schädelkapazität 344
Schädigung d. Erbgutes 346
Schädlingsbekämpfung, biologische 213–216, 219 f.
–, chemische 215, 219
– durch Sterilisierung 216
Schallwellen 117 ff.
Scharniergelenk 52
Scharrer, Ernst 164
Scheinfüßchen 31
Schilddrüse 163
Schildläuse 213 ff.
Schimpansen 266, 340 f.
Schlaganfall 75
Schlupfwespen 107 f., 215

Schlüsselreiz 153 f.
Schmarotzer 199–202
Schmarotzerkrebse 200 f.
Schmarotzerkrebslarve 257 f.
Schmecken 103 ff.
Schmerzpunkte 102
Schmetterling 236
Schmidt, J. 186
Schnabeltier 247, 263 f.
Schnecken 69
Schneckenhaus und Biene 261
– und Einsiedlerkrebs 190 f.
Schneehühner 173
Schnüffeln 105
Schnurrhaare 111
Scholle 170
Schraubenwurm 216
Schultergelenk 52
Schutzfärbung 169 ff.
–, biolog. Bedeutung 171
Schwachsinn 281, 290
–, Erbgang 290
Schwalben 180, 183
Schwalbenschwanz 256
Schwamm 13, 316
Schwänzeltanz 206–209
Schwärmen 204
Schweine 293
Schweißdrüsen 94
Schwellenwert 102
Seeigel 187
–, Befruchtung 227 ff.
Seerosen 190 ff.
– und Krabben 197
Seescheiden 249 f.
Seestern 70
Sehpigment 126
Sehzelle 125 f.
Sekundäre Geschlechtsmerkmale 298
Selbstbefruchtung 233
Selektionstheorie 325
Sepia 173
Sexualpheromone 219
Sexuallockstoffe 108
Sherman, G. B. 264
Siamesische Zwillinge 250
Sielmann, Heinz 238
Sinnesorgane 96 f., 101 ff.
Sinneszellen 41, 96–100, 103 ff. 125–131
–, Erregung 139
Skelett 44 f., 49 ff., 52 f.

–, Gliederfüßer 49 f.
–, Menschen 44 f., 342
–, Wirbeltiere 49 f.
Sklaven, Ameisen 211 f.
Skorbut 72
Sollwert 145
Sommerkleid 173
Sonne als Kompaß 137
–, Vögel 182
–, Wahrnehmung durch Wolken 208
Sonnentierchen 32 f.
Sortenverbesserung 339
Spallanzani 122
Spaltöffnungen 91
Spaltpilze 193, 196 f.
Spaltungsgesetz 272
Spannerraupen 172
Speicheldrüsen 63, 66
Spemann, Hans 251–254
Spinne 112 f., 230
–, Begattung 230
–, Vibrationssinn 112 f.
Sporenkuckuck 239
Sprache der Bienen 205
Springspinnen 237
Spulwürmer 92
Spurbienen 205
Staatenbildende Insekten 95
Staatenbildung 203
Standvögel 180
Stanley 320
Stare 182
Steensen, Niels 323
Steinach 298
Sterilisierung, Schädlingsbekämpfung 216
Sternbilder 182
Sterzelduft 107
Stichling 153 f., 262
–, Nest 262
Stickstoff 57 f.
Stigmen 90
Stoffwechsel 14 f.
Störche 181 f., 268
–, Zugstraßen 182
Strahlenbrechung 133
Strahlenschädigung d. Keimzellen 345
Strahlenwirkungen 334, 345 f.
Strauß 70
Strickerspinne 326 f.
Strudelwürmer 225

Struktur d. Erbsubstanz 300
Strukturgene 308
Stummelflügelige Insekten 332
Stützgewebe 39
Stützskelette 45, 51
Substrat 64
Sumpfdotterblume 136
Süßwasserfische 78
Süßwasserpolyp 84, 195, 225, 234
Sutton, W. S. 278
Symbiose 192 f.
Synapsen 138–142

Tabak, Mosaikkrankheit 319 f.
–, Mosaikvirus 320, 322
Tagpfauenauge 257
Tänze der Bienen 205–209
Tarnfärbung 173–176
–, Eier 173
Tastborste 101
Tasthaare 110 f.
Tastsinn 101 f., 121
Taubenrassen 324 f.
Taubstumme Menschen 121
Taufliege 270, 280, 287 f., 332 f.
–, Chromosomenzahl 276
–, Geschlechtsbestimmung 296 f.
–, Mutationen 332 f.
–, Riesenchromosomen 307
Teichwasserläufer 113 f.
Temperaturregelung, Bienen 95 f.
–, Insekten 95 f.
Temperaturwahrnehmung 102
Termiten 194
–, Holznahrung 194 f.
Territorium 239 f.
Tetanusgift 143
Thymin 302
Thyroxin 163
Tiefsee 177–180
Tiefseefische 178 f., 241
Tiefseekugel 179
Tiefseeschwamm 51
Tierstaaten 190
Tierstock 41
Tierwanderungen 180

Tintenfische 76, 173
Tod, natürlicher 41 f.
Tomaten 339
Tonunterscheidung,
 Fische 120 f.
Tonwahrnehmung s. Hören
Tracheen 90
Transdetermination 255
Transmitter 140
Transplantation 255
–, Molchkeim 251 f.
Triel 173
Triplett 305 f.
Trisomie 334
Tristan-da-Cunha-Insel-
 gruppe 182
Trommelfell 115, 117
Trompetentierchen 34 f.
Tropomyosin 60 f.
Troponin 60 f.
Turgor 53
Typhus-Bazillen 318, 320

Überproduktion an Nach-
 kommen 326
Überträger-RNS 306 ff.
Übervölkerung 346
–, Tierreich 212 f.
Ultraschall 21–124
Ultraviolettwahr-
 nehmung 135
Umprogrammierung 255
Umweltbedingungen 293
Umwelteinflüsse 293, 335
Umweltreize 100 f.
Umweltverschmut-
 zung 220 f., 348
Ungeschlechtliche Fort-
 pflanzung 222 ff.
Uniformitätsgesetz 272
Unkraut, Bekämp-
 fung 215 f.
Unterentwickelte
 Völker 348
Uran 328
Uranuhr 328
Ur-Atmosphäre 318, 328
Urdarm 243 ff., 253
Urmund 244, 252 f.
Urmund-Lippe 252 f.
Urwald 217
Urzeugung 317
Uterus 265

Valdivia-Expedition 178
Variabilität 324, 329 ff., 338

Vasopressin 164
Vaterschaftsnachweis 283
Venen 74
Verbrennung 54, 77, 79, 93 f.
Verbrennungswärme 54
Verdauung 63–67
– außerhalb d. Körpers 70
Verdauungsdrüsen 63
Verdauungskanal 63
Verdauungssäfte 63–67
Verdoppelung d. Chromosomen 303
Vererbung 267 ff.
– erworbener Eigenschaften 335
–, gekoppelte 288
–, Mensch 281
Vererbungsgesetze 269 f., 281 f.
–, Geltungsbereich 289
Vererbungslehre 328
Verlobung 240
Vermehrung 15
– durch Teilung u. Knos-
 pung 225 f.
Verständigung,
 Bienen 205–209
Versteinerungen 313 f.
Verwandlung 255–259
Vibrationssinn 112 ff.
Virus 215, 319–322
–, Vermehrung 322
– zur Schädlingsbekämpfung 215
Vitamine 71 ff.
Vögel 69
–, Blinddarm 69
–, Farbensehen 135
–, Fliegen 167
–, Gerippe 168
–, Gesang 239
–, Kaumagen 70
–, Körpertempera-
 tur 94 f.
–, Lungen 168
–, Sonnenkompaß 182
–, Verdauung 70
Vogelringe 180 f.
Vogelzug 180–184
Vogt, Walter 251
Volvox 42

Wabenkröte 262 f.
Wachstum 14 f.
Wahrscheinlichkeits-
 gesetze 273
Wald 216 f.
Waldameisen 199
Waldsterben 57 f., 217

Wanderheuschrecken 183
Wanderratten 183
Wanderungen d.
  Tiere 180
–, Aale 186f.
–, Lachse 184ff.
Wanderwellentheorie 119
Wanze 115, 189
Warmblüter 94
Wärmebildung 96
Wärmeerzeugung 93f.
Wärmeleitung 93
Wärmepunkte 102
Warnfarben 176
Wasserfloh 231
Wasserjungfern 230
–, Begattung 230f.
Wasserschnecke 315
Wasserstoff 18
Watson 300
Weberameise 210f.
Wechseltierchen 31
Wechselwarme Tiere 94
Wegameise 210
Weinbergschnecke 232f.
Weisel 203
Weiselzellen 204
Weitsichtigkeit 132ff.
Weizen 339
Wellenlänge 133
–, Licht 133
–, Schall 177
Werbung 236–240
Wespen 177
Wiederkäuer 69
Wiederkäuermagen 68f.
Wildenten 240
–, Verlobung 240
Wimpernhaare 33, 35
Windblütler 134
Winkerkrabbe 237
Winterkleid 173
Wirbelsäule 45, 49
Wirbeltiere 49
Wirbeltierskelette 48
Wirkungsweise d. Erbanlagen 303
Wollschildlaus 213ff.
Wuchsstoffe 165, 215
Wunderblume 271, 278
Wurmfortsatz 67

Wurzelknöllchen 193
Wüstenwolf 189

X-Chromosom 295ff.
Xerophthalmie 72

Y-Chromosom 296f.
Yuccamotte 151f.
Yuccapflanze 151

Zähne 69
Zeitsinn, Bienen 137
Zellen 20–23
–, Funktion 24–30
–, Spezialisten 31
–, Strukturen 24–30
–, totipotente 22
Zellkern 22, 223f., 228
Zellkultur 22
Zellteilung 223–226
Zellulose 68f.
Zellulosespaltung 68f.
Zentralkörperchen 224
Zentrosoma 224
Zikaden 114f.
Zirpen 114f.
Zittern, vor Kälte 95
Zitze 264
Zucker 18, 29, 91f.
Zuckerkrankheit 161f.
Zuckerrohr 339
Zuckerrüben 339
Zuglinien 46f.
Zugstraßen 181
–, Storch 181
Zugvögel 181f.
–, Orientierung 182f.
Zweieiige Zwillinge 291
Zweigeschlechtliche Fortpflanzung 226f.
Zwerchfell 88
Zwergseeschwalbe 239
Zwergwels, Hörvermögen 120
Zwillinge 249ff., 291f.
–, eineiige 291f.
–, identische 292
–, künstliche 250
–, siamesische 250
–, zweieiige 291
Zwillingsforschung 292
Zwischenwirt 202
Zwitter 232f.
Zwitterblüten 234

Dieter Wehnert

Noahs letzte Warnung

Artensterben und menschliche Zivilisation

Vor unseren Augen spielt sich eine ökologische Katastrophe ab, deren Ausmaße und Konsequenzen noch gar nicht abzusehen sind: der größte Ausrottungsschub von Tier- und Pflanzenarten seit Bestehen der Erde. Nach Expertenschätzungen werden sich bis zum Jahr 2000 weltweit täglich einhundert Arten auf Nimmerwiedersehen von diesem Planeten verabschieden.

Dieter Wehnert untersucht die Ursachen und weist die Wege auf, die es ermöglichen, das Fortschreiten der Katastrophe zu stoppen. Heute könnte die Menschheit sie noch ohne allzu große Opfer einschlagen. Sie muß es tun, wenn sie sich am Ende der langen Kette der Artenauslöschung nicht selbst vernichten will.

224 Seiten, gebunden

Konrad Lorenz im dtv

Er redet mit dem Vieh, den Vögeln und den Fischen
Unaufdringlich und humorvoll schildert Lorenz die differenzierten Verhaltensweisen der Tiere, die sein Haus in Altenberg bei Wien bevölkert haben.
dtv 173

So kam der Mensch auf den Hund
Der Hundebesitzer Lorenz zeigt Entwicklungsgeschichte und Verhaltensformen dieser Tierart auf und erzählt mit viel Humor von seinen Beobachtungen und persönlichen Erfahrungen.
dtv 329

Das sogenannte Böse
Zur Naturgeschichte der Aggression
Ein Schlüsseltext unserer gegenwärtigen menschlichen Selbsterkenntnis mit epochalem Rang, der eine fruchtbare und nützliche Diskussion über die natürlichen Grundlagen des menschlichen Daseins in Gang gesetzt hat.
dtv 1000

Die Rückseite des Spiegels
Versuch einer Naturgeschichte menschlichen Erkennens
»Der fortschreitende Verfall unserer Kultur ist so offensichtlich pathologischer Natur, trägt so offensichtlich die Merkmale einer Erkrankung des menschlichen Geistes, daß sich daraus die kategorische Forderung ergibt, Kultur und Geist mit der Fragestellung der medizinischen Wissenschaft zu untersuchen.« dtv 1249

Das Jahr der Graugans
Ein außergewöhnlicher Text- und Bildband über die Lebens- und Verhaltensweisen der Graugänse in ihrer natürlichen Umwelt. Mit 147 Farbfotos aus dem Jahresablauf des Familien- und Gesellschaftslebens der Wildgänse. dtv 1795

Konrad Lorenz/Kurt L. Mündl:
Noah würde Segel setzen
Vor uns die Sintflut
Eine eindringliche Warnung vor der Zerstörung der für Mensch und Tier unentbehrlichen natürlichen Lebensräume. Mit Portraits in Text und Bild von fünfzig bedrohten heimischen Tierarten. dtv 10750

Antal Festetics:
Konrad Lorenz
Eine lebendige und anschauliche Biographie des Nobelpreisträgers von seinem Schüler und Weggefährten Antal Festetics.
Mit 250 Fotos. dtv 11044

Vitus B. Dröscher im dtv

Foto: Erwin Falk

Überlebensformel
Wie Tiere Umweltgefahren meistern

Eine Reihe von Umweltproblemen, für die der Mensch vielfach noch nach Lösungen sucht, haben Tiere längst auf erstaunlich wirksame Weise bewältigt. dtv 1733

Nestwärme
Wie Tiere Familienprobleme lösen

An zahlreichen Beispielen zeigt Dröscher, wie die Natur Tiere zu guten Eltern macht und ihnen das richtige Verhalten ihren Jungen gegenüber eingibt. dtv 10349

Wie menschlich sind Tiere?

Nicht um die häufige Vermenschlichung von Tieren geht es Vitus B. Dröscher in seinen spannenden, amüsanten und aufschlußreichen Vergleichen zwischen Verhaltensweisen der Menschen und Tiere. Vielmehr interessiert ihn, ob und wie sich Phänomene menschlichen Verhaltens in der Tierwelt wiederfinden. dtv 10442

Wiedergeburt
Leben und Zukunft bedrohter Tiere

Am Beispiel von 22 gefährdeten Tierarten beschreibt Vitus B. Dröscher Erfolge und Rückschläge im Kampf um die Erhaltung der Natur und ihrer Fauna. dtv 10659

Geniestreiche der Schöpfung
Die Überlebenskunst der Tiere

Vitus B. Dröscher berichtet über die außergewöhnlichen Überlebensstrategien von achtzig Tierarten, die wie grandiose Phänomene anmuten. Daraus entwickelt sich ein Bild vom großen Einfallsreichtum der Natur, der das Überleben vieler Tierarten garantiert. dtv 10936

Magie der Sinne im Tierreich

Tiere »sehen« elektrische Felder, infrarotes, ultraviolettes und polarisiertes Licht. Sie »hören« Bilder, riechen kilometerweit, spüren Erdbeben voraus, schreien für uns unhörbar, navigieren nach der Sonne und den Sternen. Eine allgemeinverständliche, aber fundierte Darstellung geradezu magisch anmutender Wahrnehmungsfähigkeiten mancher Tierarten. dtv 11441